15개정 교육과정

2018년부터 교육과정이 바뀌어 새 교과서로 공부하게 됩니다!

한끝 중등 국어는 '비상교육 교과서편'과 '통합편'이 있습니다. 필요에 따라 선택하여 사용하세요.

비상교육 교과서편: 비상교육 교과서를 사용하는 학생에게 필요한 교재입니다.

통합편: 여러 출판사의 교과서를 아우르는 교재로, 국어 공부를 폭넓게 하고자 하는 학생에게 필요한 교재입니다.

한권으로끝내기

한끝

개발 김우림, 김보현 저자 박예진, 신수환, 이양직, 고은정 디자인 유지인, 최윤석, 김영현

한번에 끄~읕!

교과서편

중등 국어 1·2

visang

지난 20년간 비상은 더 나은 배움을 위해
끊임없이 혁신적인 교육 콘텐츠를 만들어 왔습니다.

비상은 지금도 남다른 상상과 혁신으로
모든 이의 행복한 성장을 돕고자 노력하며
교육 문화 패러다임의 새로운 전형을 창출하고 있습니다.

더 나은 배움을 위한 비상의 남다른 상상은
과거에 그치지 않고 현재, 그리고 미래에도
모두의 삶 속에서 살아 숨쉬며 즐거운 경험을 함께 하겠습니다.

상상 그 이상

누적 1억 명이
선택한 비상교재

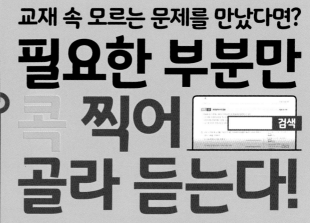

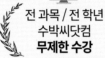

한권으로끝내기

한끝

비상교육 교과서편(김진수 외)

중등 국어 1-2

이 책의

구성과 특징

- **새 교육과정**과 그에 따른 **교과서의 내용**을 충실하게 담은 교재
- **다양한 유형의 문제**를 충분하게 수록한 교재
- **학습에 대한 흥미**를 돋우는 교재

교육과정이 바뀌어도
새 교육과정과 그에 따른
새 교과서의 내용을 꼼꼼하게
정리한 한끝만 있다면
문제없어!

1 교과서 내용 완벽 분석 및 정리_본책(진도 교재)

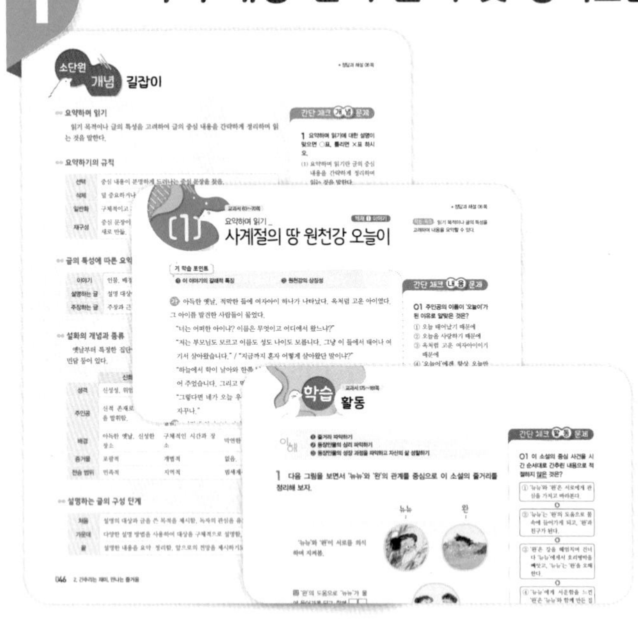

1. **소단원 개념 길잡이**
   소단원의 학습 요소와 갈래에 대한 내용을 확인할 수 있습니다.
2. **교과서 본문 학습**
   학습 포인트 와 학습콕 을 통해 교과서 본문을 꼼꼼하게 학습하고, 간단 체크 내용 문제, 간단 체크 어휘 문제, 간단 체크 활동 문제 를 풀어 보면서 배운 내용을 확인할 수 있습니다.
3. **학습 활동**
   학습 활동의 예시 답안을 확인하고, 활동을 응용한 문제를 풀어 볼 수 있습니다.

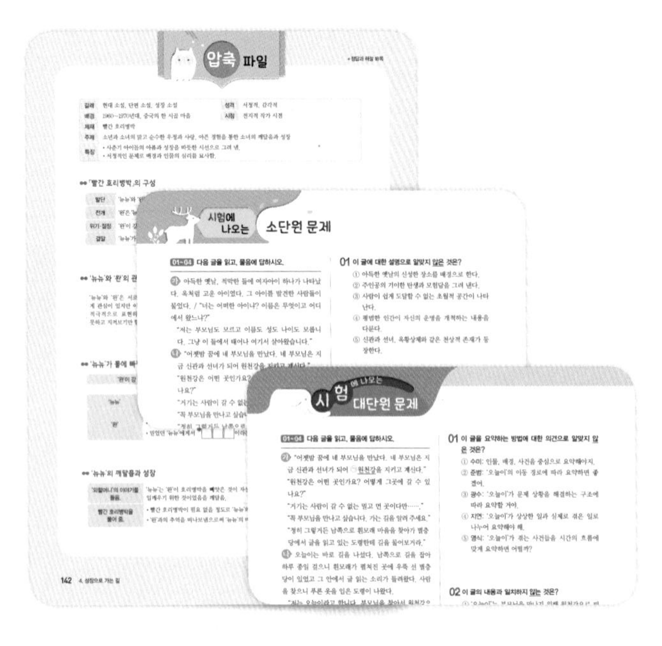

4. **압축 파일**
   각 소단원의 주요 내용만을 뽑아 정리하여 핵심을 한눈에 파악할 수 있습니다.
5. **시험에 나오는 소단원 문제 / 시험에 나오는 대단원 문제**
   출제 가능성이 높은 소단원 문제와 대단원 문제를 풀어 보면서 배운 내용을 확인할 수 있습니다.

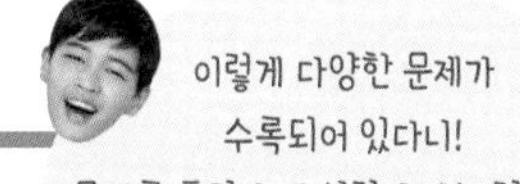

이렇게 다양한 문제가
수록되어 있다니!
문제를 풀면서 내 실력이 어느 정도인지
확인해 볼 수 있겠는걸?
한끝 한 권만으로도 시험 준비 끝!

2 철저한 시험 대비_시험 대비 문제집

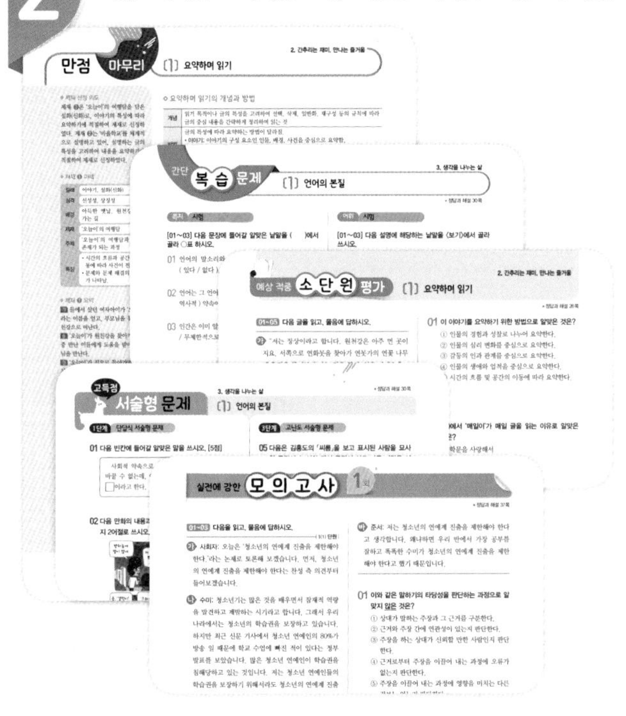

1 만점 마무리
소단원의 학습 내용을 정리한 코너로, 시험 전 핵심 정리에 유용합니다.

2 간단 복습 문제
간단한 확인 문제를 통해 스스로 복습할 수 있습니다.

3 예상 적중 소단원 평가 / 예상 적중 대단원 평가
시험에 나올 만한 문제들을 엄선하였습니다.

4 고득점 서술형 문제
단계별 서술형 문제를 통해 고득점에 한발 다가갈 수 있습니다.

5 실전에 강한 모의고사
실제 시험과 유사한 모의고사로 시험 직전 마무리 문제 풀이로 사용하면 좋습니다.

한끝은 재미도 놓치지 않았어!
문법 단원은 너무 어렵고, 소설은 길어서
내용 정리가 쉽지 않았는데, '한끝의 한 끗'과
함께라면 재미있게 공부할 수 있어.

3 공부에 대한 흥미 유발

1 한끝의 한 끗
한끝만의 특별한 '한 끗'을 제공하여 좀 더 재미있게 공부할 수 있도록 하였습니다.

- '3(1) 언어의 본질'에서는 교과서에 제시된 예 외에 다양한 언어의 본질의 예를 퀴즈 형식으로 다룸으로써 언어의 본질에 대해 쉽게 이해할 수 있도록 하였습니다.
- '4(1) 문학 작품을 통한 삶의 성찰'에서는 소설 「빨간 호리병박」의 주인공이 쓴 성찰 일기를 수록하여 소설의 내용을 한눈에 정리해 볼 수 있도록 하였습니다.

이 책의

차례

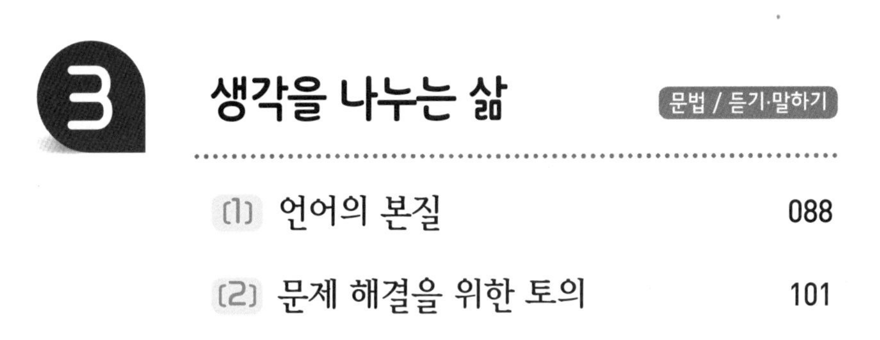

비판적·창의적 사고 역량

비판적으로 듣고, 매체로 표현하고

듣기·말하기

(1) 타당성 판단하며 듣기

- 토론 내용을 살펴보고 타당성 판단하며 듣는 방법 이해하기
- 연설의 타당성 판단하기
- 상식으로 알려진 말의 타당성 판단하기

쓰기

(2) 인터넷 매체로 표현하기

- 인터넷 매체의 특성과 그에 따른 글쓰기 방식 이해하기
- 인터넷 매체의 특성을 고려하여 블로그에 글 쓰기
- 누리꾼 예절 약속 만들기

쓰기

(3) 책 읽고 영상으로 표현하기

- 영상 제작 과정 이해하기
- 소설을 읽고 그 내용을 영상으로 표현하기
- 포스터로 영상 홍보하기

왜 배울까?

우리는 살면서 일상적인 대화 외에도 토론, 연설 등 주장이 담긴 다양한 종류의 말을 접한다. 하지만 이 말이 모두 믿을 만하고 합리적인 것은 아니므로 들은 말을 무턱대고 믿고 따르면 자칫 큰 어려움에 빠질 수 있다. 한편, 과학 기술이 점차 발달하면서 인터넷 매체나 영상 매체를 활용하여 자신의 생각을 표현할 일이 점차 많아지고 있다. 이때 매체의 특성을 이해하고 그에 맞게 표현한다면 자신의 생각을 더욱 효과적으로 전할 수 있다. 내용의 타당성을 판단하며 듣고, 인터넷이나 영상으로 자신의 생각이나 느낌을 표현해 봄으로써 다양한 담화를 비판적으로 이해하고 그를 바탕으로 자신의 생각을 독창적으로 표현하는 능력을 기를 수 있을 것이다.

뭘 배울까?

이 단원에서는 비판적·창의적 사고 역량을 기르기 위해 토론, 연설과 같은 구체적인 듣기·말하기 상황 속에서 타당성을 판단하며 듣는 방법을 알아볼 것이다. 또한 인터넷 매체와 영상 매체의 특성을 이해하고, 이를 바탕으로 다양한 매체를 활용하여 자신의 생각과 느낌을 효과적으로 표현해 볼 것이다.

교과서 13~21쪽

(1) 타당성 판단하며 듣기

학습 목표 내용의 타당성을 판단하며 비판적으로 들을 수 있다.

이해
❶ 비판적 듣기의 필요성 이해하기
❷ 주장이 담긴 말의 타당성을 판단하는 방법 이해하기

학습 포인트
❶ 주장이 담긴 말을 들을 때의 태도와 그 필요성
❷ 주장이 담긴 말의 타당성을 판단하는 방법

1 다음 만화를 보고, 다른 사람의 주장이 담긴 말을 어떤 태도로 들어야 하는지 생각해 보자.

(1) 만화의 학생이 영화를 보러 가야겠다고 생각한 까닭이 무엇인지 써 보자.

답 만화의 학생은 배우의 말을 그대로 믿고 영화를 보러 가야겠다고 생각한 것이다.

(2) 만화의 학생이 영화를 보고 실망한 까닭을 (1)과 관련지어 말해 보자.

답 자신이 믿었던 배우의 말과는 달리 영화가 재미없었기 때문에 실망하였다.

(3) (1)~(2)를 바탕으로 다른 사람의 주장이 담긴 말을 어떤 태도로 들어야 하는지 말해 보자.

답 다른 사람의 주장이 담긴 말을 그대로 믿고 따라서는 안 된다. 그 말을 □□적인 태도로 들으면서, 주장이 합리적인지, 믿을 수 있는지, 공정한지 등을 따져 보며 들어야 한다.

2 다음 토론 내용을 살펴보고, 내용의 타당성을 판단하며 듣는 방법을 알아보자.

듣기 자료

사회자: 오늘은 '청소년의 연예계 진출을 제한해야 한다.'라는 논제로 토론해 보겠습니다. 먼저, 청소년의 연예계 진출을 제한해야 한다는 찬성 측 의견부터 들어 보겠습니다.

수미: 청소년기는 많은 것을 배우면서 잠재적 역량을 발견하고 계발하는 시기라고 합니다. 그래서 우리나라에서는 청소년의 학습권을 보장하고 있습니다. 하지만 최근 신문 기사에서 청소년 연예인의 80%가 방송 일 때문에 학교 수업에 빠진 적이 있다는 정부 발표를 보았습니다. 많은 청소년 연예인이 학습권을 침해당하고 있는 것입니다. 저는 청소년 연예인들의 학습권을 보장하기 위해서라도 청소

간단 체크 활동 문제

중요
01 이 만화의 학생이 지녀야 할 듣기 태도로 알맞은 것은?

① 상대방의 진심을 믿고 신뢰하는 태도를 보여야 한다.
② 상대방의 말이 믿을 만한지, 타당한지를 판단해야 한다.
③ 상황을 고려하여 말에 숨겨진 의미를 파악할 수 있어야 한다.
④ 상대방이 자신의 의도와 반대로 표현할 수도 있음을 이해해야 한다.
⑤ 사람에게 직접 듣지 않고 매체를 통해 들은 정보는 믿지 말아야 한다.

02 이 토론의 논제를 찾아 한 문장으로 쓰시오.

년의 연예계 진출을 제한해야 한다고 생각합니다.

소연: 최근 텔레비전의 한 프로그램에서 잠시 방황하던 한 중학생이 자신이 좋아하는 가수의 노래에 감동을 받아 예전처럼 성실한 학생이 되었다는 내용을 보았습니다. 이렇게 연예인은 청소년들에게 긍정적인 영향을 미칠 수 있으므로 저는 청소년의 연예계 진출을 제한해서는 안 된다고 생각합니다.

정우: 얼마 전, 연예인이 된 친구에게 안부 전화를 했습니다. 하지만 그 친구는 전화를 받지 않았습니다. 그래서 바로 문자 메시지를 남겼는데도 연락이 없었습니다. 연예인이 되기 전에는 항상 저를 먼저 챙겨 주는 좋은 친구였는데, 연예인이 되었다고 저를 무시하더군요. 이렇게 청소년 시기에 연예인이 되면 인성이 쉽게 변할 수 있기 때문에 저는 청소년이 연예계에 진출하는 것을 제한해야 한다고 생각합니다.

영재: 저는 청소년의 연예계 진출을 허용해야 한다고 생각합니다. 지난달에 진로와 관련된 여러 강연을 들었는데, 모든 강연자께서 한결같이 누구에게나 직업 선택의 자유가 있다고 말씀하셨습니다. 저 역시 같은 생각입니다. 따라서 청소년에게도 직업 선택의 자유가 있어야 한다고 생각합니다. 연예인이 되길 바라는 청소년들은 어느 때든 상관없이 자신의 꿈을 실현할 수 있어야 한다고 생각합니다.

준서: 저는 청소년의 연예계 진출을 제한해야 한다고 생각합니다. 왜냐하면 우리 반에서 가장 공부를 잘하고 똑똑한 수미가 청소년의 연예계 진출을 제한해야 한다고 했기 때문입니다.

지민: 청소년의 연예계 진출을 제한하면 청소년만의 문화를 만들 수 있을까요? 저는 우리 사회에 각 세대에 맞는 다양한 문화가 있어야 한다고 생각합니다. 청소년의 문화를 이끌어 갈 청소년 연예인들이 없다면 청소년 드라마, 청소년 영화 등이 존재할 수 있을까요? 저는 청소년들이 연예계로 활발하게 진출하여 우리의 문화를 주도적으로 만들어 나가야 한다고 생각합니다. 그렇기 때문에 저는 청소년의 연예계 진출이 필요하다고 생각합니다.

(1) 찬성 측과 반대 측의 주장과 근거를 정리해 보자.

	찬성 측		반대 측	
주장	청소년의 연예계 진출을 제한해야 한다.		청소년의 연예계 진출을 제한하지 말아야 한다.	
근거	수미	청소년이 연예인이 되면 학습받을 권리를 침해당할 수 있다.	소연	답 연예인이 청소년들에게 긍정적인 영향을 미칠 수 있다.
	정우	답 청소년 시기에 연예인이 되면 인성이 쉽게 변할 수 있다.	영재	답 누구에게나 직업 선택의 자유가 있듯이 청소년에게도 직업 선택의 자유가 있어야 한다.
	준서	답 공부를 잘하고 똑똑한 수미가 청소년의 연예계 진출을 제한해야 한다고 했다.	지민	답 청소년들이 연예계로 활발하게 진출하여 청소년 ☐☐를 주도적으로 만들어야 한다.

간단 체크 활동 문제

03 이 토론의 논제에 대한 입장이 같은 학생끼리 바르게 묶은 것은?

① 소연, 준서
② 영재, 지민
③ 정우, 영재
④ 준서, 지민
⑤ 소연, 정우

04 <보기>는 이 토론에 나타난 근거를 정리한 것이다. 찬성 측의 근거를 모두 골라 기호를 쓰시오.

보기
ㄱ. 청소년에게도 직업 선택의 자유가 있다.
ㄴ. 많은 청소년 연예인이 학습권을 침해당하고 있다.
ㄷ. 청소년 시기에 연예인이 되면 인성이 쉽게 변할 수 있다.
ㄹ. 연예인은 청소년들에게 긍정적 영향력을 미칠 수 있다.
ㅁ. 청소년들이 연예계로 진출하여 청소년 문화를 주도적으로 만들어야 한다.

(2) 다음은 이 토론을 들은 학생들이 각 토론자가 주장한 내용의 타당성을 평가한 것이다. 빈칸에 들어갈 알맞은 토론자의 이름을 써 보자.

나는 답 '소연' 의 말이 타당하지 않다고 생각해. 왜냐하면 근거와 주장 사이에 연관성이 떨어지기 때문이야.

나는 답 '□□' 의 말이 타당하지 않다고 생각해. 왜냐하면 하나의 사례만으로 성급하게 결론을 이끌어 내고 있기 때문이야.

나는 답 '준서' 의 말이 타당하지 않다고 생각해. 왜냐하면 근거에서 주장을 이끌어 내는 과정에서 주장과 관계없는 다른 정보에 영향을 받았기 때문이야.

(3) 이 토론의 논제에 대한 자신의 생각을 타당한 근거를 들어 주장해 보자. 그리고 친구들의 주장을 듣고 그 주장이 타당한지 서로 판단해 보자.

예시 답 〉〉 우리나라는 『헌법』 제10조에서 "모든 국민은 인간으로서의 존엄과 가치를 가지며, 행복을 추구할 권리를 가진다."라고 규정하고 있습니다. 이는 자신이 행복을 느낄 수 있는 상태를 실현하기 위해 법이 허락하는 범위 내에서는 어떤 노력도 기울일 수 있다는 뜻이라고 생각합니다. 청소년이 연예계에 진출하는 것도, 청소년이 자신의 재능과 끼를 발산함으로써 자신의 행복을 추구하기 위한 당연한 권리라고 생각합니다. 따라서 저는 청소년이 자신의 행복을 좇아 연예계에 진출하는 것에 찬성합니다.

학습콕

❶ 주장이 담긴 말을 들을 때의 태도와 그 필요성

태도		필요성
내용의 □□□을 판단하며 비판적으로 들어야 함.	➡	상대방의 의견을 그대로 받아들여 어려움에 빠질 위험을 줄이고, 합리적인 결정을 할 수 있음.

❷ 주장이 담긴 말의 타당성을 판단하는 방법

주장과 □□ 구분하기	상대방의 주장과 그 주장을 뒷받침하는 근거를 구분함.
타당성 판단 기준에 따라 판단하기	• 근거와 주장 간에 연관성이 있는지 판단함. • 근거로부터 주장을 이끌어 내는 과정에 □□가 없는지 판단함. • 주장을 이끌어 내는 과정에 영향을 미치는 다른 정보가 없는지 판단함.

간단 체크 활동 문제

중요

05 〈보기〉의 '소연'의 의견에 대해 타당성을 평가한 내용으로 적절한 것은?

보기

소연: 연예인은 청소년들에게 긍정적인 영향을 미칠 수 있으므로 청소년의 연예계 진출을 제한해서는 안 된다.

① 주관적 의견이므로 타당하지 않다.
② 근거의 출처가 분명하므로 타당하다.
③ 근거가 주장을 효과적으로 뒷받침하므로 타당하다.
④ 일부의 사례를 일반화한 결론이므로 타당하지 않다.
⑤ 근거와 주장과의 연관성이 떨어지므로 타당하지 않다.

06 이 토론에서 다음과 같은 문제점이 있는 주장을 한 학생의 이름을 쓰시오.

근거에서 주장을 이끌어 내는 과정에서 주장과 관계가 없는 정보에 영향을 받았다.

❶ 연설에 나타난 주장과 근거 구분하기
❷ 연설 내용의 타당성 판단하기

다음은 학생회장 선거에 출마한 어느 학생의 연설이다. 연설을 듣고 타당성을 판단해 보자.

갈래	연설	성격	설득적
제재	선거 공약	주제	학생회장으로 '최준서'에 투표해 달라.
특징	• 첫 부분에 낙타 일화를 제시하여 청중의 흥미를 유발함. • 공약마다 근거를 함께 제시함.		

듣기 자료

안녕하십니까? 여러분과 함께 희망 중학교의 희망찬 미래를 열어 갈 학생회장 후보, 기호 '가' 최준서입니다.

여러분! 여러분은 낙타라고 하면 어떤 말이 가장 먼저 떠오르십니까? 저는 '섬김'이라는 말이 가장 먼저 떠오릅니다. 자기 몸 하나도 가누기 힘든 사막에서 주인을 태우고 목적지로 묵묵히 향하는 낙타. 이러한 낙타의 모습에서 우리는 섬김의 자세를 배울 수 있습니다. 만약 저를 학생회장으로 뽑아 주신다면 낙타와 같은 섬김의 자세로 다음 네 가지 공약을 반드시 실천하겠습니다.

첫째, 의형제·의자매 제도를 실시하겠습니다. 요즘 학생들은 대부분 형제자매가 없거나 있더라도 한두 명뿐입니다. 그래서 다른 학년의 선후배들과 의형제, 의자매를 맺어 서로 돕고 지낼 수 있도록 의형제·의자매 제도를 실시하겠습니다. 이 제도가 시행된다면 같은 반 친구들의 단합이 잘되어 재미있고 즐거운 학교생활이 가능할 것입니다.

둘째, 학교 곳곳에 건의함을 설치하겠습니다. 최근 제 누리소통망(SNS) 친구들에게 우리 학교 학생회에 바라는 점을 물었더니, 무려 세 명의 학생이 건의함을 설치해 달라고 답하였습니다. 따라서 제가 만약 학생회장이 된다면 여러 학생의 소중한 의견에 따라 학교 곳곳에 건의함을 설치하겠습니다.

셋째, 아침 식사를 못 하고 오는 학생들을 위해 제가 매일 아침 식사를 제공하겠습니다. 얼마 전 아침 식사에 관한 다큐멘터리를 보았는데, 아침 식사는 뇌의 기능을 활발하게 하고 질병 예방에도 도움이 된다고 합니다. 여러분들이 건강하게 학교생활을 할 수 있게 아침 식사를 매일 풍성하게 제공하겠습니다.

마지막으로 학생 자치회를 활성화하겠습니다. 현재 학생 자치회는 한 학기에 한 번, 형식적으로 열리고 있습니다. 하지만 제가 학생회장이 된다면 학생 자치회를 매달 정기적으로 개최하여, 각 학급 회의에서 올라온 안건들을 논의하겠습니다. 학생 자치회가 활성화된다면 우리의 문제를 우리의 대표인 학생 자치회에서 논의할 수 있으므로 많은 학생이 공감할 수 있는 해결 방안이 나올 것이라고 확신합니다.

저는 이 자리에 서기에 아직 부족합니다. 하지만 낙타와 같은 섬김의 자세로 여러분과 소통한다면 희망 중학교 학생회의 빛나는 전통을 이어 갈 수 있을 것입니다. 여러분의 소중한 한 표! 그 누구도 아닌 바로 이 최준서에게 반드시 투표해 주십시오. 부족한 연설 끝까지 들어주셔서 감사합니다.

간단 체크 활동 문제

07 이와 같은 말하기의 목적으로 알맞은 것은?

① 설득 ② 정보 전달
③ 친교 형성 ④ 정서 표현
⑤ 문제 해결

08 이와 같은 말하기를 들을 때, 타당성을 판단하는 기준으로 알맞지 않은 것은?

① 실천 가능한 주장인가?
② 여러 사람이 함께 제시한 의견인가?
③ 주장과 근거 사이에 연관성이 있는가?
④ 근거에서 주장을 이끌어 내는 과정에 오류는 없는가?
⑤ 주장을 이끌어 내는 과정에 영향을 미치는 다른 정보가 없는가?

09 이 연설에서 '준서'의 공약에 담긴 주장이 아닌 것은?

① 아침 식사를 제공하겠다.
② 학생 자치회를 활성화하겠다.
③ 학교 곳곳에 건의함을 설치하겠다.
④ 의형제·의자매 제도를 실시하겠다.
⑤ 학급 회의의 안건에 대해 많은 학생이 공감할 수 있는 해결 방안을 찾겠다.

1 이 연설의 공약에 담긴 주장과 근거를 정리해 보자.

	주장	근거
공약 1	의형제 · 의자매 제도를 실시하겠다.	반 친구들의 단합이 잘되어 즐거운 학교생활이 가능할 것이다.
공약 2	답 학교에 건의함을 설치하겠다.	답 누리소통망(SNS)을 통해 물었더니 3명의 학생이 건의함을 설치해 달라고 답했다.
공약 3	답 매일 아침 식사를 제공하겠다.	답 아침 식사는 뇌의 기능을 활발하게 하고 질병 예방에도 도움이 된다.
공약 4	답 학생 □□□를 활성화하겠다.	답 많은 학생이 공감할 수 있는 해결 방안이 나올 수 있다.

2 이 연설에서 공약한 내용이 타당한지 판단해 보고, 그렇게 판단한 까닭을 써 보자.

	판단	그렇게 판단한 까닭
공약 1	답 타당하지 않다.	답 의형제·의자매 제도를 시행하는 것과 같은 반 친구들의 □□이 잘되는 것 사이에 연관성이 없기 때문이다.
공약 2	답 타당하지 않다.	답 적은 사례를 일반화하여 결론을 이끌어 내어 그 의견이 학생 다수의 의견을 대표한다고 보기 어렵기 때문이다.
공약 3	타당하지 않다.	학생 수준에서 실천할 수 없는 공약을 제시했기 때문이다.
공약 4	답 타당하다.	답 어떤 집단의 문제는 그 집단에 속한 사람들이 함께 고민해야 많은 사람이 공감할 수 있는 해결 방안이 나올 가능성이 높기 때문이다.

간단 체크 활동 문제

중요

10 이 연설에서 〈보기〉의 빈칸에 들어갈 내용을 찾아 한 문장으로 쓰시오.

| 보기 |
(   )
라는 공약은 타당하지 않아. 왜냐하면 주장과 근거 사이에 연관성이 없기 때문이야.

활동 마당

이 활동은
상식으로 알려진 말과 관련된 자료를 수집해 보고, 이를 바탕으로 내용의 타당성을 평가해 보면서 비판적 사고력을 기를 수 있도록 한 활동입니다.

시험에는
• 상식으로 알려진 말의 타당성을 입증하기 위해 제시된 근거의 적절성을 판단하는 문제
• 상식으로 알려진 말의 타당성을 판단하는 기준에 대한 문제
등이 출제될 수 있습니다.

압축 파일

• 정답과 해설 02쪽

주장이 담긴 말을 듣는 바람직한 태도

주장이 담긴 말을 그대로 수용할 때의 문제점		바람직한 태도
주장과 다른 결과에 당황하거나 어려움에 빠질 수 있음.	➡	비판적인 태도로 다른 사람의 주장이 ❶☐☐적인지, 믿을 수 있는지, 공정한지 등을 따져 보며 들어야 함.

주장이 담긴 말의 타당성을 판단하는 방법

상대방의 ❷☐☐과 그것을 뒷받침하는 근거를 구분해야 함.

➡

- 근거와 주장 간에 ❸☐☐☐이 있는지 판단함.
- 근거로부터 주장을 이끌어 내는 과정에 오류가 없는지 판단함.
- 주장을 이끌어 내는 과정에 영향을 미치는 다른 정보가 없는지 판단함.

'청소년의 연예계 진출 제한'을 다룬 토론의 타당성 판단

논제	청소년의 연예계 진출을 제한해야 한다.

타당하지 않은 주장		근거		타당하지 않은 이유
소연	❹☐☐	연예인이 청소년들에게 긍정적인 영향을 미칠 수 있다.	➡	근거와 주장 사이에 연관성이 떨어짐.
정우	❺☐☐	청소년 시기에 연예인이 되면 인성이 쉽게 변할 수 있다.		하나의 사례만으로 성급하게 결론을 이끌어 냄.
준서	찬성	공부를 잘하고 똑똑한 수미가 청소년의 연예계 진출을 제한해야 한다고 했기 때문이다.		근거에서 주장을 이끌어 내는 과정에서 주장과 관계없는 다른 ❻☐☐에 영향을 받음.

'학생회장 선거' 연설 속 공약의 타당성 판단

공약	근거		판단	이유
의형제·의자매 제도 실시	반 친구들의 단합이 잘되어 즐거운 학교생활이 가능할 것임.	➡	타당하지 않음.	주장과 근거 사이에 연관성이 없음.
학교에 ❼☐☐☐ 설치	누리소통망을 통해 3명의 학생이 건의함을 설치해 달라고 답함.			적은 사례를 ❽☐☐☐하여 결론을 이끌어 냄.
매일 아침 식사 제공	아침 식사는 뇌의 기능을 활발하게 하고 질병 예방에도 도움이 됨.			학생 수준에서 ❾☐☐할 수 없음.
학생 자치회 활성화	많은 학생이 공감할 수 있는 해결 방안이 나올 수 있음.		타당함.	근거와 주장이 관련되고, 주장을 이끌어 내는 과정에 오류가 없으며, 실천 가능함.

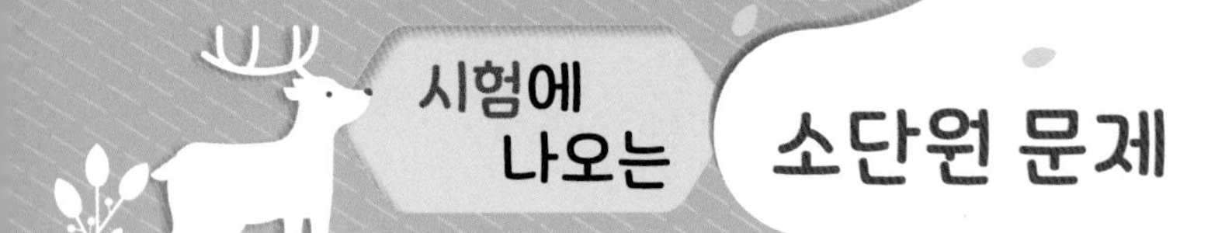

01~04 다음을 읽고, 물음에 답하시오.

가 사회자: 오늘은 ㉠'청소년의 연예계 진출을 제한해야 한다.'라는 논제로 토론해 보겠습니다.

나 수미: 최근 신문 기사에서 청소년 연예인의 80%가 방송 일 때문에 학교 수업에 빠진 적이 있다는 정부 발표를 보았습니다. 많은 청소년 연예인이 학습권을 침해당하고 있는 것입니다. 저는 청소년 연예인들의 학습권을 보장하기 위해서라도 청소년의 연예계 진출을 제한해야 한다고 생각합니다.

다 정우: 얼마 전, 연예인이 된 친구에게 안부 전화를 했습니다. 하지만 그 친구는 전화를 받지 않았습니다. 그래서 바로 문자 메시지를 남겼는데도 연락이 없었습니다. 연예인이 되기 전에는 항상 저를 먼저 챙겨 주는 좋은 친구였는데, 연예인이 되었다고 저를 무시하더군요. 이렇게 청소년 시기에 연예인이 되면 인성이 쉽게 변할 수 있기 때문에 저는 청소년이 연예계에 진출하는 것을 제한해야 한다고 생각합니다.

라 영재: 저는 청소년의 연예계 진출을 허용해야 한다고 생각합니다. 지난달에 진로와 관련된 여러 강연을 들었는데, 모든 강연자께서 한결같이 누구에게나 직업 선택의 자유가 있다고 말씀하셨습니다. 저 역시 같은 생각입니다. 따라서 청소년에게도 직업 선택의 자유가 있어야 한다고 생각합니다.

마 준서: 저는 청소년의 연예계 진출을 제한해야 한다고 생각합니다. 왜냐하면 우리 반에서 가장 공부를 잘하고 똑똑한 수미가 청소년의 연예계 진출을 제한해야 한다고 했기 때문입니다.

바 지민: 청소년의 연예계 진출을 제한하면 청소년만의 문화를 만들 수 있을까요? 저는 우리 사회에 각 세대에 맞는 다양한 문화가 있어야 한다고 생각합니다. 청소년의 문화를 이끌어 갈 청소년 연예인들이 없다면 청소년 드라마, 청소년 영화 등이 존재할 수 있을까요? 저는 청소년들이 연예계로 활발하게 진출하여 우리의 문화를 주도적으로 만들어 나가야 한다고 생각합니다.

01 이와 같은 말하기에서 타당성을 판단하며 듣는 방법이 아닌 것은?

① 주장과 근거를 구분하며 듣는다.
② 근거와 주장 사이의 연관성이 있는지 판단한다.
③ 얼마나 다양한 매체에서 얻은 근거인지 확인한다.
④ 근거로부터 주장을 이끌어 내는 과정에 오류는 없는지 따져 본다.
⑤ 주장을 이끌어 내는 과정에 영향을 준 다른 정보는 없는지 살펴본다.

학습 활동 응용

02 이 토론에서 <보기>와 같은 평가를 받을 토론자로 적절한 것은?

보기
근거에서 주장을 이끌어 내는 과정에서 주장과 관계없는 다른 정보에 영향을 받았기 때문에 타당하지 않아.

① 수미 ② 정우 ③ 영재
④ 준서 ⑤ 지민

03 (다)의 '정우'의 주장과 같은 오류가 나타난 것은?

① 귤이 차가워 못 먹겠다니 뜨거운 것만 먹겠군.
② 빵이 부드러우니 제빵사는 성격이 상냥할 거야.
③ 천국이 없음을 증명하지 못하므로 천국은 존재해.
④ 이 운동화는 연예인이 신었으니 품질이 좋을 거야.
⑤ 이 일본 과자가 단 걸 보니 일본 과자는 모두 단가 봐.

학습 활동 응용

04 ㉠에 대한 반대 측의 입장에서 내세운 근거를 <보기>에서 골라 바르게 묶은 것은?

보기
ㄱ. 똑똑한 '수미'의 의견 ㄴ. 청소년의 학습권 보장 ㄷ. 청소년만의 문화 조성 ㄹ. 청소년에게 주어진 직업 선택의 자유 ㅁ. 청소년 시기에 연예인이 된 사람의 인성

① ㄱ, ㄴ ② ㄴ, ㄷ ③ ㄷ, ㄹ
④ ㄷ, ㅁ ⑤ ㄹ, ㅁ

05~08 다음을 읽고, 물음에 답하시오.

가 첫째, 의형제·의자매 제도를 실시하겠습니다. 요즘 학생들은 대부분 형제자매가 없거나 있더라도 한두 명뿐입니다. 그래서 다른 학년의 선후배들과 의형제, 의자매를 맺어 서로 돕고 지낼 수 있도록 의형제·의자매 제도를 실시하겠습니다. 이 제도가 시행된다면 ㉠같은 반 친구들의 단합이 잘되어 재미있고 즐거운 학교생활이 가능할 것입니다.

나 둘째, 학교 곳곳에 건의함을 설치하겠습니다. 최근 제 누리소통망(SNS) 친구들에게 우리 학교 학생회에 바라는 점을 물었더니, ㉡무려 세 명의 학생이 건의함을 설치해 달라고 답하였습니다. 따라서 제가 만약 학생회장이 된다면 여러 학생의 소중한 의견에 따라 학교 곳곳에 건의함을 설치하겠습니다.

다 셋째, ㉢아침 식사를 못 하고 오는 학생들을 위해 제가 매일 아침 식사를 제공하겠습니다. 얼마 전 아침 식사에 관한 다큐멘터리를 보았는데, 아침 식사는 뇌의 기능을 활발하게 하고 질병 예방에도 도움이 된다고 합니다.

라 마지막으로 ㉣학생 자치회를 활성화하겠습니다. 현재 학생 자치회는 한 학기에 한 번, 형식적으로 열리고 있습니다. 하지만 ㉤제가 학생회장이 된다면 학생 자치회를 매달 정기적으로 개최하여, 각 학급 회의에서 올라온 안건들을 논의하겠습니다. 학생 자치회가 활성화된다면 우리의 문제를 우리의 대표인 학생 자치회에서 논의할 수 있으므로 많은 학생이 공감할 수 있는 해결 방안이 나올 것이라고 확신합니다.

마 여러분의 소중한 한 표! 그 누구도 아닌 바로 이 최준서에게 반드시 투표해 주십시오. 부족한 연설 끝까지 들어주셔서 감사합니다.

05 이 연설에서 알 수 있는 내용이 아닌 것은?

① 학교 곳곳에 건의함이 설치되어 있지 않다.
② 학생 자치회가 한 학기에 한 번 열리고 있다.
③ 아침 식사를 못 하고 등교하는 학생들이 있다.
④ 대부분의 학생이 형제자매가 없거나 한둘이다.
⑤ 학생들의 문제를 선생님들이 논의하여 결정하고 있다.

서술형 | 학습 활동 응용

06 〈보기〉를 참고하여 (가)의 공약과 다음 만화의 연예인이 한 말의 타당성을 판단하여 쓰시오.

〈보기〉
주장이 담긴 말을 들을 때에는 주장과 근거 사이에 연관성이 있는지 따져 보아야 한다.

학습 활동 응용

07 (나)와 (다)를 다음과 같이 정리할 때, 알맞지 않은 것은?

	(나)	(다)
자료	현장성이 높은 자료를 근거의 출처로 삼고 있다. ······ ①	영상 매체 자료를 근거의 출처로 삼고 있다. ······ ②
타당성	소수의 의견을 일반화였으므로 타당하지 않다. ······ ③	학생 수준에서 실천할 수 없으므로 타당하지 않다. ······ ④
공통점	공약 내용의 장점을 내세우고 있다. ······ ⑤	

학습 활동 응용

08 ㉠~㉤을 주장과 근거로 분류할 때, 근거에 해당하는 것을 모두 골라 묶은 것은?

① ㉠, ㉡ ② ㉢, ㉣
③ ㉠, ㉡, ㉤ ④ ㉡, ㉢, ㉣
⑤ ㉢, ㉣, ㉤

교과서 23~35쪽

2 인터넷 매체로 표현하기

학습 목표 인터넷 매체의 특성을 고려하여 생각이나 느낌을 표현할 수 있다.

이해
❶ 인터넷 매체의 특성 이해하기
❷ 인터넷 매체의 글쓰기 방식 이해하기

학습 포인트
❶ 인터넷 매체의 특성
❷ 인터넷 매체의 글쓰기 방식
❸ 인터넷 매체에서의 올바른 글쓰기 태도

공지 사항 > 게시판 > 공지 사항

제목: 행복 중학교 학생 가요제 참가 신청 안내

작성자 학생 자치회 작성일 20○○년 ○○월 ○○일 조회 수 457 첨부 학생 가요제 참가 신청서.HWP

행복 중학교 학생 여러분, 안녕하세요? 여러분이 기다리던 학생 가요제가 곧 시작됩니다. 끼와 재능이 많은 행복인들의 적극적인 참여 부탁드립니다.

- 접수: 참가 신청서와 노래하는 모습이 담긴 영상을 20○○년 ○○월 ○○일까지 전자 우편 happiness123@ms.kr로 보내 주세요.
- 예선 결과 발표: 예선을 통과한 참가자에게 개별 연락드립니다.

번지의 제왕 : 예선 결과 발표는 어떻게 하시나요?
↳ 작성자 : 죄송합니다. 그 내용이 빠졌군요. 방금 게시판 내용을 수정했습니다.
백살 공주 : 학생 가요제라니, 엄청 재미있겠네요. 기대됩니다. ^^
미녀와 가수 : 몇 개 조가 예선을 통과하나요? 그리고 1학년도 나갈 수 있나요?
↳ 백살 공주 : 작년에는 10개 조가 나왔어요.
↳ 순대될라 : 1학년은 걍 찌그러져 있어라. 근데 웬 미녀? 꼭 못생긴 것들이 저럼. ㅋ

간단 체크 활동 문제

01 인터넷 게시판에 대한 설명으로 알맞지 않은 것은?

① 댓글을 통해 누리꾼과 의사소통할 수 있다.
② 게시된 정보를 필요에 따라 수정할 수 있다.
③ 첨부 부분을 눌러 자료를 내려받을 수 있다.
④ 인터넷 개인 계정의 전자 주소로 정보를 전달해 준다.
⑤ 일정한 자격을 갖추어야 게시된 글을 볼 수 있는 경우도 있다.

지식 사전

인터넷 게시판

인터넷 게시판은 인터넷을 통해 일정한 자격을 지닌 회원 상호 간 또는 불특정 다수의 사용자 사이에 각종 정보의 교환, 공개 질의와 응답, 게시물 검색 등이 가능하도록 구축한 체계를 말한다. 인터넷 게시판을 이용하면, 누구나 쉽게 글을 작성할 수 있으며, 자신이 작성한 글에 대한 다른 사람의 반응을 즉각적으로 확인할 수 있다.

반 대화창에서
친구들에게 물어보자.
단체 대화 - 유진, 소미, 찬열, 윤희, 상호
얘들아! 학교 홈피 봤어?
학생가요제~ ㅋㅋ 같이 나가 볼래?
오후 8:23
가요제라고? 재미는
있겠지만 무대에 서는
것이 부끄럽지 않을까?
소미
오~ 가요제~ 꿀잼. 근데난 무대는 부끄
부끄
오후 8:23
난 노래를 못해
나갈 수 없지만
응원이라도 열심히
해야지.
찬열
난 노래를못해서 같이 나갈수없지만
유진이가 나가면 열심히 응원할게 ㅎㅎ
오후 8:25
뭥미? 레알없어? ㅠㅠ 시간있으니까
연습해서 같이 나가자. 선착순 한명!
오후 8:26
우리 반에서 유진이만큼
노래를 잘하는 건
상호 아닌가?
윤희
솔까말 우리반에서 유진이만큼 노래 잘
하는 애는 상호잖아. ㅇㅈ? 상호 강추~
^^
오후 8:26
오, 이런 거라면
내가 나가야지.
상호
짜잔~ (¯▽¯)v 상호님 등장이요.
유진아 나랑하자 ㅋㅋ
오후 8:27
상호야, 더럽
\(^◇^)/
오후 8:28
상호랑 같이 하면
멋진 무대가
될 거야!
그런데 어떤 노래를 부르지?
인터넷에서 검색해 봐야겠다.

블로그 | 사진 | 동영상
최신 가요 안무 동영상 및 가사 모음
2000년 00월 00일 21:56
<힘을 내!>
가요가 좋아
안녕하세요. 대중가요를 좋아하는 '가요가 좋아'입니다. 신나는 대중가요 함께 불러요.
전체 보기(228)
사진첩
대중가요
최신 가요
7080 가요
<힘을 내!> - 행복동 개구리 작사/작곡 -
아무리 힘들고 어렵더라도
잠시 참고 이겨 내면
우아! 이 블로그 배경 음악
좋다. '힘을 내' 가사와 안무 동영상
도 있네. 상호에게 이 노래로
하자고 해야지!

간단 체크 활동 문제

02 이 만화의 내용을 정리한 다음 내용 중 빈칸에 들어갈 매체를 바르게 연결한 것은?

> '유진'은 학생 가요제에 같이 나갈 친구를 찾기 위해 (ⓐ)을/를 활용하여 친구들과 실시간 대화를 나누었다. 이후 가요제에서 어떤 노래를 부를지에 대한 정보를 얻고자 인터넷 검색을 하다 노래 가사와 동영상 등이 게시된 (ⓑ)을/를 보게 되었다.

	ⓐ	ⓑ
①	블로그	전자우편
②	전자우편	누리소통망
③	온라인 대화	블로그
④	문자 메시지	온라인 대화
⑤	누리소통망	문자 메시지

지식 사전

온라인 대화
온라인 대화는 온라인에서 두 명 이상의 사용자가 실시간으로 나누는 대화로, 주로 자판으로 글자를 주고받으며 소통한다. 시간과 장소에 구애받지 않고 대화할 수 있으며, 대화할 때 그림말이나 줄인 말을 쓰는 경우가 많다.

블로그
블로그는 웹(web) 로그(log)의 줄인 말로, 자신의 관심사에 따라 자유롭게 칼럼, 일기, 취재 기사 따위를 올리는 웹 사이트이다.

간단 체크 활동 문제

03 이 만화의 문자 메시지에 대한 설명으로 알맞은 것을 〈보기〉에서 골라 바르게 묶은 것은?

보기
ㄱ. 내용을 짧게 썼다.
ㄴ. 항목을 나누어 썼다.
ㄷ. 높임말을 사용하여 썼다.
ㄹ. 문장 부호를 모두 갖추어 썼다.

① ㄱ, ㄴ ② ㄱ, ㄷ
③ ㄴ, ㄷ ④ ㄴ, ㄹ
⑤ ㄷ, ㄹ

지식 사전

문자 메시지
휴대 전화에서, 글자판을 이용하여 문자로 된 내용을 상대에게 전달하는 기능이나 그 글을 가리킨다. 신속하고 간단하게 짧은 글을 주고받을 수 있다는 특징이 있다.

안녕하세요? 김유진, 정상호 학생!

행복 중학교 학생 자치회입니다. 이렇게 연락을 드린 것은 김유진, 정상호 학생이 학생 가요제 예선을 통과했음을 알려 드리기 위해서입니다. 축하합니다. 이번 예선에는 총 16개 조가 참가하였는데 그중 8개 조가 예선을 통과했어요. 자세한 내용은 다음 주소를 눌러 학교 누리집 게시판을 확인해 주세요. http://www.happiness.ms.kr/notice

그리고 OO월 OO일 오후 4시, 3층 학생회실에서 본선 예비 소집이 있습니다. 학생 가요제 무대에 오를 순서를 정하고, 본선에서 준비해야 할 것들을 안내할 예정이니, 반드시 참석 부탁드립니다.

주소를 누르니 학교 누리집의 예선 결과 공지로 바로 이동하네! 어, 3반 친구들도 예선을 통과했구나!

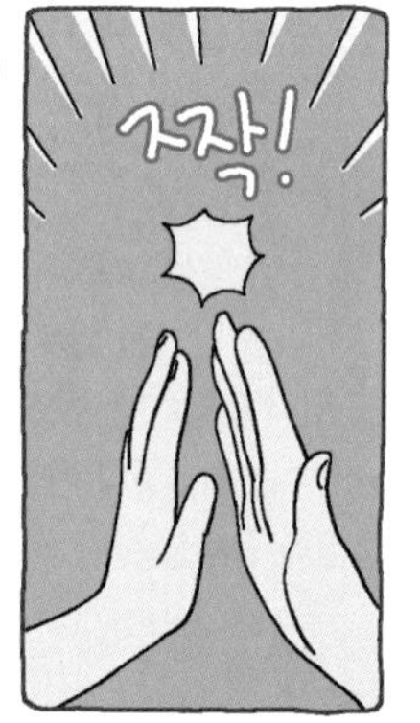

간단 체크 활동 문제

중요

04 전자 우편과 누리소통망의 특징으로 알맞지 않은 것은?

① 누리소통망은 정보를 여러 사람이 쉽게 공유할 수 있다.
② 전자 우편은 전자 우편 주소를 소유한 사람 간에 사용한다.
③ 전자 우편은 자세한 내용을 구체적으로 쓸 때 많이 사용한다.
④ 전자 우편은 누리소통망과 달리 공적인 목적으로만 사용한다.
⑤ 누리소통망은 전자 우편에 비해 즉각적인 의사소통이 가능하다.

05 이 만화에서 글쓰기 태도가 바람직하지 않은 사람의 대화명을 쓰시오.

지식 사전

전자 우편

컴퓨터의 단말기 이용자끼리 통신 회선을 이용하여 주고받는 글이다. 길이에 제약이 없으며, 자료를 첨부하거나 인터넷 주소를 링크할 수 있다.

누리소통망(SNS)

특정한 관심사나 활동을 공유하는 사용자들이 서로 정보를 공유하거나 의사소통할 수 있게 관계망을 구축하여 주는 서비스이다. 정보가 여러 사람들에게 쉽고 빠르게 유통되고, 이 때문에 여론 형성에 영향을 미칠 수 있다.

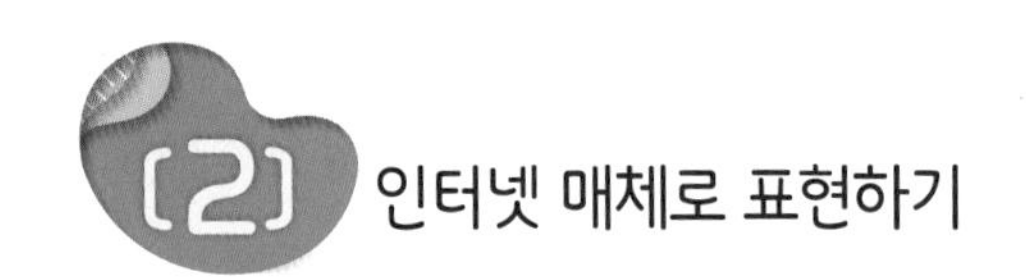

(2) 인터넷 매체로 표현하기

1 **다음은 '유진'이 학생 가요제에 나가는 과정을 인터넷 매체를 중심으로 정리한 것이다. 이를 통해 알 수 있는 인터넷 매체의 특성을 보기에서 찾아 표시해 보자.**

학교 누리집 게시판 공지 사항에서 '번지의 제왕'이 예선 결과 발표 방식을 묻자, 작성자가 게시판 내용을 수정하였다.

→

'유진'과 친구들이 서로 다른 공간에 있었지만, 온라인 대화로 쉽게 의견을 나눌 수 있었다.

↘

노래를 찾으려고 들어간 블로그에서 '유진'은 가사와 안무 동영상을 볼 수 있었고, 배경 음악도 들을 수 있었다.

↙

안녕하세요? 김유진, 정상호 학생!
행복 중학교 학생 자치회입니다. 이렇게 연락을 드린 것은 김유진, 정상호 학생이 학생 가요제 예선을 통과했음을 알려 드리기 위해서입니다. 축하합니다. 이번 예선에는 총 16개 조가 참가하였는데 그중 8개 조가 예선을 통과했어요. 자세한 내용은 다음 주소를 눌러 학교 누리집 게시판을 확인해 주세요. http://www.happiness.ms.kr/notice

'유진'이 학생 가요제 예선 통과를 알리는 전자 우편을 읽다가 인터넷 주소를 눌러 학교 누리집의 예선 결과 공지를 봤다.

↖

'유진'과 '상호'의 공연이 끝나자마자 그 공연 모습을 담은 동영상이 누리소통망에 올라왔다.

오조의 합소사

답

보기
- ☑ 정보를 거의 실시간으로 전달할 수 있다.
- ☐ 직접 만나 얼굴을 봐야만 서로 소통할 수 있다.
- ☑ 시간과 장소의 제약 없이 대화를 나눌 수 있다.
- ☐ 주로 개인적인 목적에 한하여 비밀스러운 내용을 전할 때 사용된다.
- ☑ 문자, 소리, 사진이나 그림, 동영상 등 혼합된 정보를 처리할 수 있다.
- ☑ 정보의 생산자와 수용자의 구분 없이 정보를 자유롭게 주고받을 수 있다.
- ☑ 정보가 그물망처럼 연결되어 있어서 순서에 상관없이 자신이 원하는 정보를 찾아 자유롭게 옮겨 다닐 수 있다.

2 **다음 문자 메시지와 전자 우편을 통해 매체의 특성에 따라 글의 내용과 형식이 어떻게 달라지는지 알아보자.**

(가)

메시지 010-xxxx-xxxx
2000년 00월 00일 오후 5:01
행복중학교 가요제예선통과
예비소집 꼭참석바람
일시: 0월 0일 오후 4시
장소: 3층 학생회실

(나)

안녕하세요? 김유진, 정상호 학생!

행복 중학교 학생 자치회입니다. 이렇게 연락을 드린 것은 김유진, 정상호 학생이 학생 가요제 예선을 통과했음을 알려 드리기 위해서입니다. 축하합니다. 이번 예선에는 총 16개 조가 참가하였는데 그중 8개 조가 예선을 통과했어요. 자세한 내용은 다음 주소를 눌러 학교 누리집 게시판을 확인해 주세요.
http://www.happiness.ms.kr/notice

그리고 00월 00일 오후 4시, 3층 학생회실에서 본선 예비 소집이 있습니다. 학생 가요제 무대에 오를 순서를 정하고, 본선에서 준비해야 할 것들을 안내할 예정이니, 반드시 참석 부탁드립니다.

간단 체크 활동 문제

06 **인터넷 매체의 특성으로 적절하지 않은 것은?**

① 정보의 실시간 전달이 대체로 가능하다.
② 시간적·공간적 제약 없이 활용할 수 있다.
③ 정보의 생산자가 수용자를 지정해야 정보를 전달할 수 있다.
④ 문자, 소리, 그림이나 사진, 동영상 등을 다양하게 사용할 수 있다.
⑤ 정보가 그물망처럼 연결되어 자신이 원하는 정보를 자유롭게 찾을 수 있다.

07 **다음 질문에 대한 답변으로 알맞은 것은?**

> 질문: (나)와 비교할 때 (가)에서 띄어쓰기 원칙을 지키지 않고 문장 부호 또한 생략한 이유가 무엇일까요?

① 내용의 분량 제약이 없어서입니다.
② 정보를 실시간으로 전할 수 없기 때문입니다.
③ 주로 비밀스러운 내용을 전해야 하기 때문입니다.
④ 내용을 신속하고 간결하게 전달하기 위해서입니다.
⑤ 컴퓨터를 이용하여 자세한 내용을 전할 때 주로 사용하기 때문입니다.

(1) ㈎와 ㈏의 내용과 형식을 정리해 보자.

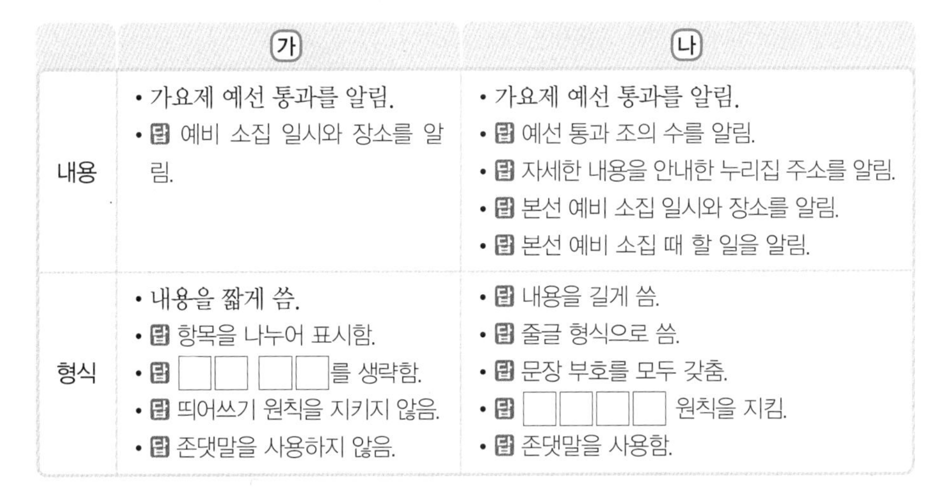

	㈎	㈏
내용	• 가요제 예선 통과를 알림. • 답 예비 소집 일시와 장소를 알림.	• 가요제 예선 통과를 알림. • 답 예선 통과 조의 수를 알림. • 답 자세한 내용을 안내한 누리집 주소를 알림. • 답 본선 예비 소집 일시와 장소를 알림. • 답 본선 예비 소집 때 할 일을 알림.
형식	• 내용을 짧게 씀. • 답 항목을 나누어 표시함. • 답 □□ □□를 생략함. • 답 띄어쓰기 원칙을 지키지 않음. • 답 존댓말을 사용하지 않음.	• 답 내용을 길게 씀. • 답 줄글 형식으로 씀. • 답 문장 부호를 모두 갖춤. • 답 □□□□ 원칙을 지킴. • 답 존댓말을 사용함.

(2) ㈎와 ㈏의 내용과 형식이 다른 까닭을 말해 보자.

답 문자 메시지는 늘 들고 다니는 휴대 전화로 내용을 신속하게 전하거나 내용을 간결하게 요약하여 전할 때 주로 이용한다. 반면에 □□ □□은 대체로 컴퓨터를 이용하여 자세한 내용을 전할 때 주로 사용한다. 이러한 특성 때문에 (가)와 (나)의 내용과 형식이 서로 다르게 나타난 것이다.

3 다음 온라인 대화에 나타난 인터넷 매체의 글쓰기 방식을 알아보자.

단체 대화 - 유진, 소미, 찬열, 윤희, 상호
얘들아! 학교 홈피 봤어? 학생가요제~ ㅋㅋ 같이 나가 볼래?
오후 8:23
오~ 가요제~ 꿀잼. 근데난 무대는 부끄부끄
소미
오후 8:23
난 노래를못해서 같이 나갈수없지만 유진이가 나가면 열심히 응원할게 ㅎㅎ
찬열
오후 8:25

뭥미? 레알없어? ㅠㅠ 시간있으니까 연습해서 같이 나가자. 선착순 한명!
오후 8:26
솔까말 우리반에서 유진이만큼 노래 잘 하는 애는 상호잖아. ㅇㅈ? 상호 강추~ ^^
윤희
오후 8:26
짜잔~ (￣▽￣)v 상호님 등장이요. 유진아 나랑하자 ㅋㅋ
상호
오후 8:27
상호야, 더럽 \(^◇^)/
오후 8:28

(1) 이 온라인 대화에 나타난 글쓰기 방식과 이러한 글쓰기 방식을 사용하는 까닭을 정리해 보자.

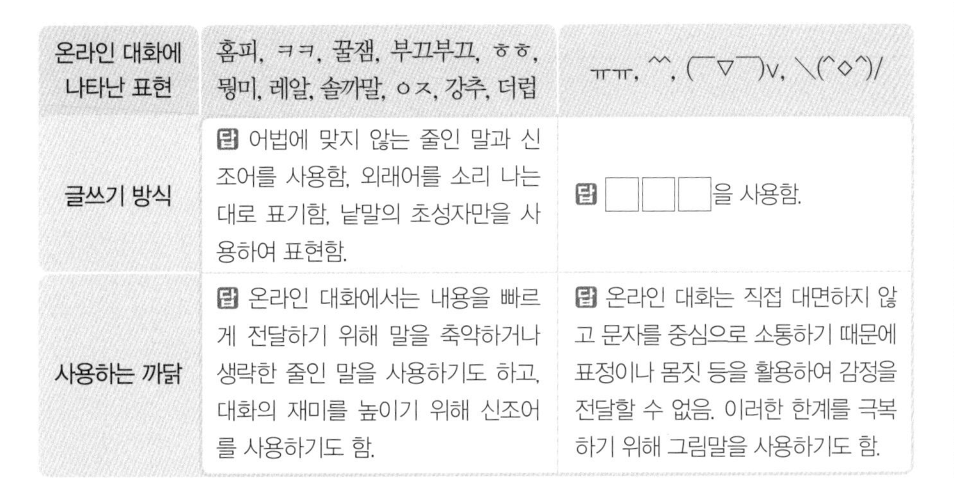

온라인 대화에 나타난 표현	홈피, ㅋㅋ, 꿀잼, 부끄부끄, ㅎㅎ, 뭥미, 레알, 솔까말, ㅇㅈ, 강추, 더럽	ㅠㅠ, ^^, (￣▽￣)v, ＼(^◇^)/
글쓰기 방식	답 어법에 맞지 않는 줄인 말과 신조어를 사용함. 외래어를 소리 나는 대로 표기함. 낱말의 초성자만을 사용하여 표현함.	답 □□□을 사용함.
사용하는 까닭	답 온라인 대화에서는 내용을 빠르게 전달하기 위해 말을 축약하거나 생략한 줄인 말을 사용하기도 하고, 대화의 재미를 높이기 위해 신조어를 사용하기도 함.	답 온라인 대화는 직접 대면하지 않고 문자를 중심으로 소통하기 때문에 표정이나 몸짓 등을 활용하여 감정을 전달할 수 없음. 이러한 한계를 극복하기 위해 그림말을 사용하기도 함.

간단 체크 활동 문제

08 (나)의 특징으로 적절하지 않은 것은?

① 줄글 형식으로 썼다.
② 문장 부호를 사용하였다.
③ 자세한 내용을 담고 있다.
④ 띄어쓰기를 지키는 편이다.
⑤ 친근한 말투를 사용하였다.

중요

09 〈보기〉와 같은 표현에 대한 설명으로 적절하지 않은 것은?

보기
홈피, 솔까말, 강추, 꿀잼

① 어법을 지키지 않은 표현이다.
② 말을 축약하거나 생략한 표현이다.
③ 매체의 특성 때문에 생겨난 표현이다.
④ 상대방에 대한 존중을 드러내는 표현이다.
⑤ 세대에 따라 이해하지 못할 수 있는 표현이다.

10 〈보기〉와 같은 그림말 사용의 효과를 한 문장으로 쓰시오.

보기
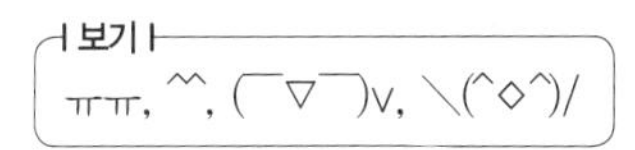
ㅠㅠ, ^^, (￣▽￣)v, ＼(^◇^)/

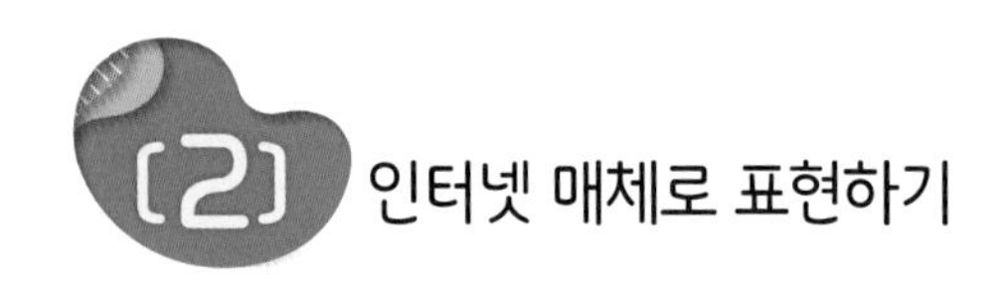

(2) 인터넷 매체로 표현하기

(2) (1)과 같은 표현을 지나치게 많이 사용하면 어떤 문제가 생길지 말해 보자.

답 어법에 맞지 않는 줄인 말이나 □□□, 그림말 등을 지나치게 많이 사용하면 이러한 표현에 익숙하지 않은 사람과는 대화가 힘들 것이다. 또한 언어 파괴 현상이 심해져서 아름다운 우리말을 훼손할 수 있다.

4 다음 인터넷 게시판과 누리소통망의 댓글을 보고, 인터넷 매체에서 글을 쓸 때 어떤 태도를 지녀야 할지 생각해 보자.

(가)

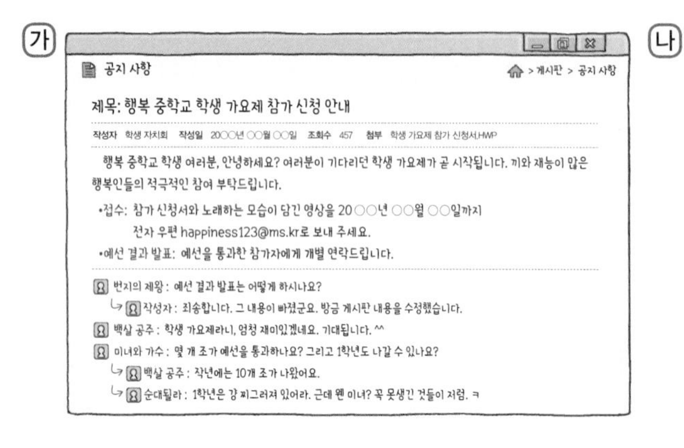

(나)

(1) (가)의 '순대될라'와 (나)의 '왕자 탄 백마'가 쓴 댓글의 문제점을 파악하고, 두 댓글을 고쳐 써 보자.

예시 답〉〉

	(가) '순대될라'의 댓글	(나) '왕자 탄 백마'의 댓글
문제점	상대에 대한 예의를 지키지 않고, 오히려 비속어를 사용하여 상대를 비하함.	확인되지 않은 사실을 댓글에 달아 상대를 비방함.
고쳐 쓴 댓글	네. 1학년도 가요제에 참가할 수 있어요. 열심히 준비해서 멋진 무대 보여 주세요. ^^	정말 훌륭한 무대였어요. 이번에 우리는 떨어졌지만, 내년에는 예선 통과할 수 있도록 더 열심히 준비해야겠어요.

(2) (가)의 '순대될라'와 (나)의 '왕자 탄 백마' 중 한 명을 선택하여, 인터넷 매체에서의 글쓰기 태도를 조언하는 전자 우편을 써 보자.

예시 답〉〉 생략

학습콕

❶ 인터넷 매체의 특성
- 정보의 □□□ 전달이 가능하며, 시간과 장소의 제약 없이 대화를 나눌 수 있음.
- 문자, 소리, 사진이나 그림, 동영상 등 혼합된 정보의 처리가 가능함.
- 정보의 생산자와 □□□의 구분 없이 정보를 자유롭게 전달할 수 있음.
- 정보가 그물망처럼 연결되어 순서에 상관없이 원하는 정보를 찾아 자유롭게 옮겨 다닐 수 있음.

❷ 인터넷 매체의 글쓰기 방식
- 매체의 특성에 따라 글의 내용과 형식이 달라짐.
- □□에 맞지 않는 표현이나 그림말(이모티콘) 등을 사용하기도 함.

❸ 인터넷 매체에서의 올바른 글쓰기 태도
- 어법에 맞지 않는 줄인 말이나 신조어, 그림말을 지나치게 사용하지 않도록 함.
- 상대를 존중하고 □□하는 태도로 인터넷 예절을 지켜야 함.

간단 체크 활동 문제

중요

11 인터넷 매체에 글을 쓸 때 유의할 점을 〈보기〉에서 골라 바르게 묶은 것은?

〈보기〉
ㄱ. 비속어를 사용하지 않는다.
ㄴ. 상대방을 비난하지 않는다.
ㄷ. 자신의 감정을 드러내지 않는다.
ㄹ. 유행하는 말을 절대 사용하지 않는다.

① ㄱ, ㄴ ② ㄱ, ㄷ
③ ㄴ, ㄷ ④ ㄴ, ㄹ
⑤ ㄷ, ㄹ

12 (나)에서 댓글을 쓴 '왕자 탄 백마'에게 해 줄 수 있는 조언으로 적절한 것은?

① 개인 정보를 퍼뜨려서는 안 돼요.
② 확인되지 않은 내용을 함부로 올리면 안 돼요.
③ 모두가 알아야 하는 진실은 실명으로 올려야 해요.
④ 상대방에 공감하는 내용으로 댓글을 달아야 해요.
⑤ 여러 사람이 보는 곳에서는 개인적인 의견은 삼가야 해요.

❶ 인터넷 매체를 활용하여 자신의 취미에 관한 글 쓰기
❷ 상대를 배려하는 태도로 댓글 달기

인터넷 매체의 특성을 고려하여 자신의 일상적인 경험을 블로그에 표현해 보고, 상대를 존중하고 배려하는 태도로 친구들과 소통해 보자.

1 인터넷 매체의 특성을 고려하여, 블로그에 자신의 취미에 관한 글을 써 보자.

(1) 글쓰기 계획을 세워 보자.

예시 답〉〉

글의 목적	친구들에게 나의 취미를 소개하기 위해		
글의 주제	자전거 타기의 즐거움	예상 독자	반 친구들
주요 내용	1. 소개 글 – 취미 소개 의도 – 부탁의 말 2. 자전거의 종류 – 산악자전거 – 도시형 자전거	3. 자전거의 구조 4. 자전거 타는 방법 및 유의점 – 자전거 타는 방법 – 보호 장비 착용법 – 자전거 탈 때의 안전 수칙	

(2) (1)의 계획에 따라 다양한 자료를 수집하고 그 활용 방안을 정리해 보자.

예시 답〉〉

자료 종류	자료 내용	활용 방안
글	관절을 지키며 건강하게 자전거 타는 법을 소개한 신문 기사	자전거 타는 법을 설명할 때 일부 내용을 인용함.
사진이나 그림	자전거 구조도 사진	자전거의 구조를 설명할 때 활용함.
음악	퀸(Queen)의 「바이시클 레이스(Bicycle Race)」	블로그의 □□ □□으로 활용함.
동영상	자전거 종류를 간단히 정리한 영상물	자전거의 종류를 설명할 때 사용함.

(3) (1)과 **(2)**를 바탕으로 블로그에 글을 써 보자.

예시 답〉〉

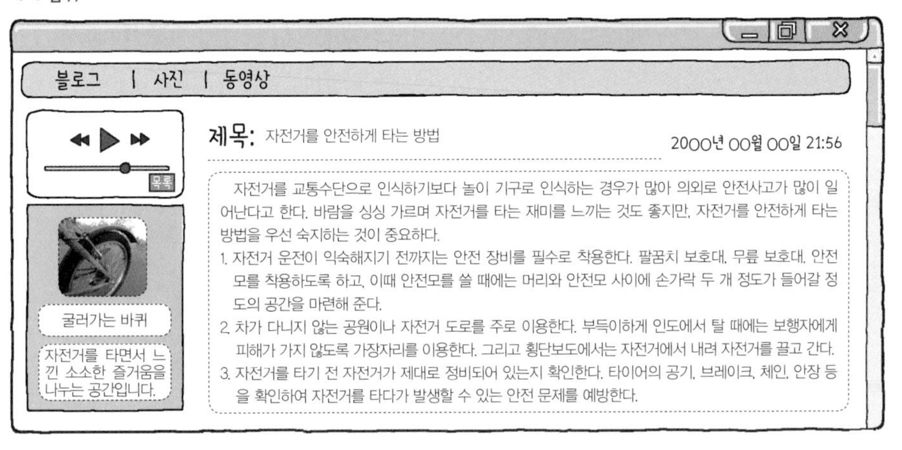

간단 체크 활동 문제

13 다음 계획을 바탕으로 블로그에 글을 쓰려고 할 때, 활용할 수 있는 자료로 적절한 것은?

글의 목적	친구들에게 나의 취미를 소개하기 위해
글의 주제	자전거 타기의 즐거움
예상 독자	반 친구들

① 비장한 분위기를 형성하는 음악
② 자전거를 개발한 사람의 생애를 소개한 신문 기사
③ 자전거의 해외 수출량 변화를 보여 주는 통계 그래프
④ 산악자전거를 타고 산속을 누비는 사람들을 찍은 동영상
⑤ 자전거 보관대에 오랫동안 방치된 고장 난 자전거 사진

14 블로그에서 글을 작성하는 방법으로 알맞지 않은 것은?

① 글의 목적, 예상 독자 등을 고려한다.
② 글로 쓸 내용과 제시 순서를 계획한다.
③ 주제와 관련된 자료를 수집해 적절히 활용한다.
④ 글 내용과 관련된 사이트는 하이퍼링크를 통해 연결한다.
⑤ 자신이 쓴 글과 비교되는 다른 블로그 글을 자유롭게 가져와 사용한다.

2 친구들이 블로그에 올린 글을 보고 서로 댓글을 써 보며 친구들과 소통해 보자.

(1) 친구들이 블로그에 올린 글을 보고 댓글을 써 보자.

예시 답 〉〉

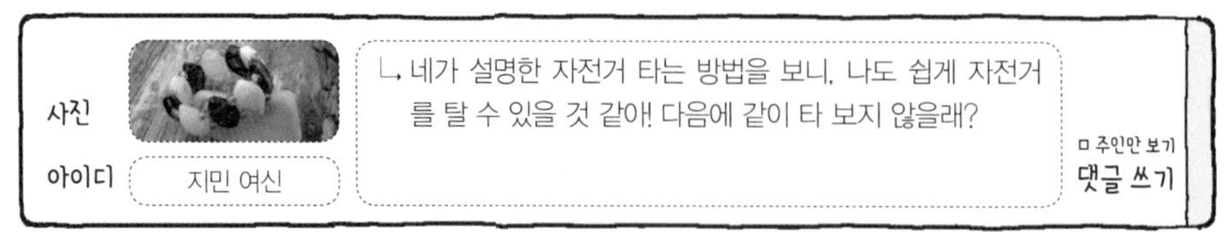

사진
아이디
지민 여신
└→ 네가 설명한 자전거 타는 방법을 보니, 나도 쉽게 자전거를 탈 수 있을 것 같아! 다음에 같이 타 보지 않을래?
□ 주인만 보기
댓글 쓰기

(2) 자신의 글에 달린 댓글 중 가장 마음에 드는 것을 고르고, 그 까닭을 말해 보자.

예시 답 〉〉 나는 '지민 여신'의 댓글이 가장 마음에 들어. 내가 올린 글이 '지민 여신'에게 도움이 된 것 같고, 말투도 상냥하고 부드러웠어.

간단 체크 활동 문제

15 인터넷 매체에서의 올바른 글쓰기 태도를 고려할 때, 〈보기〉의 빈칸에 들어갈 말로 알맞은 것은?

〈보기〉
친구들이 블로그에 올린 글을 보고 댓글을 쓸 때에는 상대를 존중하고, (　　　　) 태도로 글을 써야 한다.

① 소극적인
② 감정적인
③ 배려하는
④ 비판하는
⑤ 관찰하는

활동 마당

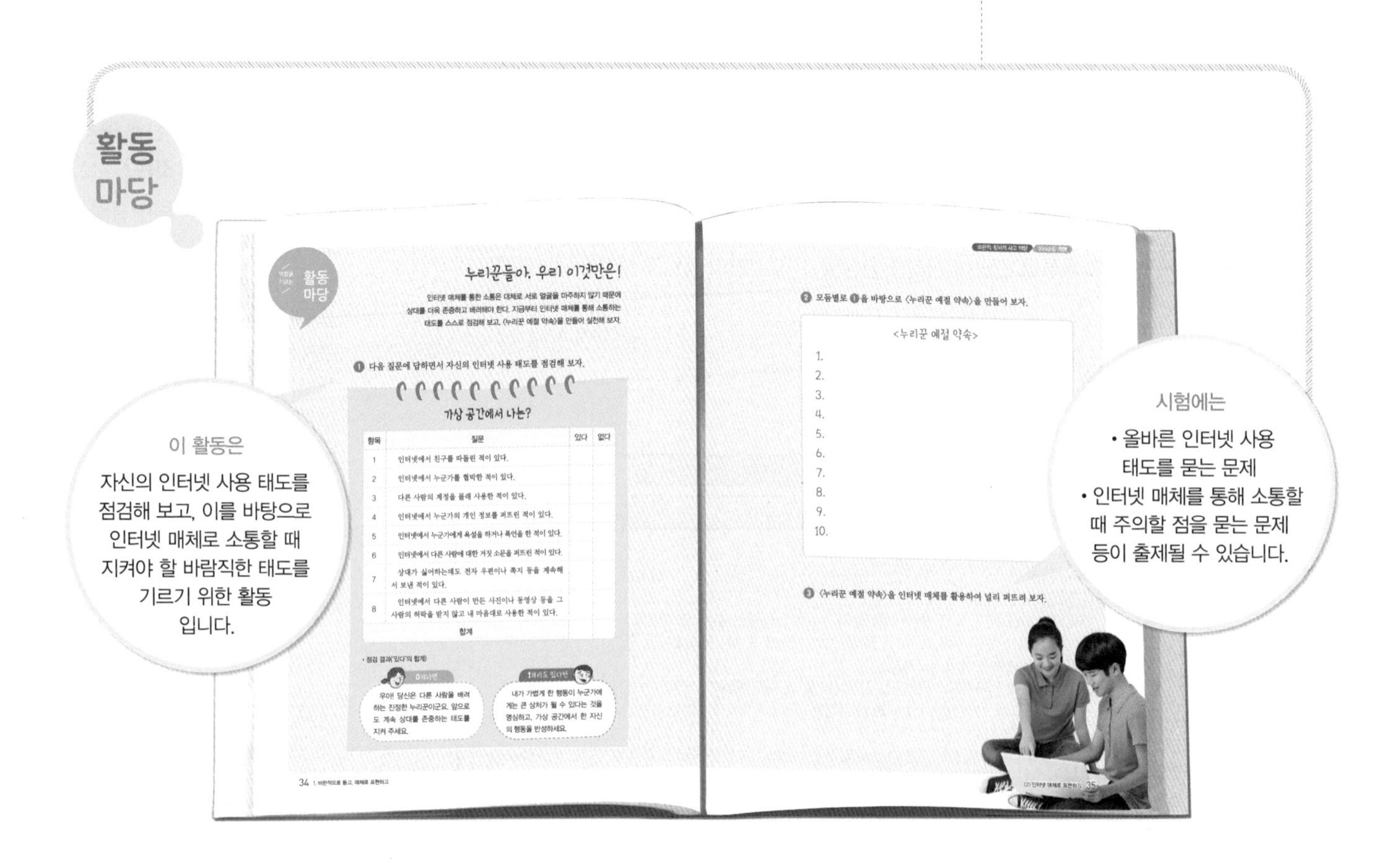

이 활동은
자신의 인터넷 사용 태도를 점검해 보고, 이를 바탕으로 인터넷 매체로 소통할 때 지켜야 할 바람직한 태도를 기르기 위한 활동입니다.

시험에는
• 올바른 인터넷 사용 태도를 묻는 문제
• 인터넷 매체를 통해 소통할 때 주의할 점을 묻는 문제
등이 출제될 수 있습니다.

• 정답과 해설 03쪽

인터넷 매체의 종류와 특성

종류	
인터넷 게시판	인터넷을 통해 일정한 자격을 지닌 회원 상호 간 또는 불특정 다수의 사용자 사이에 각종 정보의 교환, 공개 질의와 응답, 게시물 검색 등이 가능하도록 구축한 체계
온라인 대화	온라인에서 두 명 이상의 사용자가 실시간으로 나누는 대화
❶ □□□	웹(web) 로그(log)의 줄인 말로, 자신의 관심사에 따라 자유롭게 칼럼, 일기, 취재 기사 따위를 올리는 웹 사이트
문자 메시지	휴대 전화에서, 글자판을 이용하여 문자로 된 내용을 상대에게 전달하는 기능이나 그 글
전자 우편	컴퓨터의 단말기 이용자끼리 통신 회선을 이용하여 주고받는 글
누리소통망(SNS)	특정한 관심사나 활동을 공유하는 사용자들이 서로 정보를 공유하거나 의사소통할 수 있게 관계망을 구축하여 주는 서비스

특성
• 정보를 거의 실시간으로 전달할 수 있음. • 시간과 장소의 제약 없이 대화를 나눌 수 있음. • 문자, 소리, 사진이나 그림, 동영상 등 혼합된 정보를 처리할 수 있음. • 정보의 생산자와 수용자의 구분 없이 정보를 자유롭게 주고받을 수 있음. • 정보가 그물망처럼 연결되어 있어서 ❷ □□에 상관없이 자신이 원하는 정보를 찾아 자유롭게 옮겨 다닐 수 있음.

매체의 특성에 따른 글의 내용 및 형식의 차이점과 그 까닭

매체		문자 메시지	전자 우편
내용		핵심 내용을 짧게 씀.	자세한 내용을 길게 씀.
형식	표시 방식	항목을 나누어 표시함.	줄글 형식으로 씀.
	문장 부호	자주 ❸ □□함.	주로 갖추어 씀.
	띄어쓰기 원칙	지키지 않을 때가 많음.	대개 지키는 편임.

⇧

차이가 나는 까닭	문자 메시지는 휴대 전화로 내용을 신속하고 간결하게 전할 때 주로 이용하는 반면에 전자 우편은 대체로 ❹ □□□를 이용하여 자세한 내용을 전할 때 사용하기 때문임.

온라인 대화에 나타난 표현의 특징 및 효과

특징		효과
말을 축약하거나 생략한 말을 사용함. 예 흠피, 솔까말, 강추, ㅇㅈ 등	➡	내용을 빠르게 전달함.
신조어를 사용함. 예 꿀잼, 더럽, 뭥미 등	➡	대화의 재미를 높임.
❺ □□□을 자주 사용함. 예 ㅠㅠ, ^^, (¯▽¯)v 등	➡	감정을 효과적으로 전달함.

인터넷 매체에서의 올바른 글쓰기 태도

- 확인되지 않은 정보나 사실에 어긋난 정보를 올리지 않는다.
- 상대를 배려하고 ❻ □□하는 언어 표현을 쓰고, 인터넷 예절을 지킨다.
- 어법에 맞지 않는 줄인 말이나 신조어, 그림말을 지나치게 많이 사용하지 않는다.
- 다른 사람의 자료를 가져올 때에는 저작권자의 허락을 받고 ❼ □□를 명확하게 밝힌다.

시험에 나오는 소단원 문제

● 정답과 해설 03쪽

01~04 다음을 읽고, 물음에 답하시오.

(가)

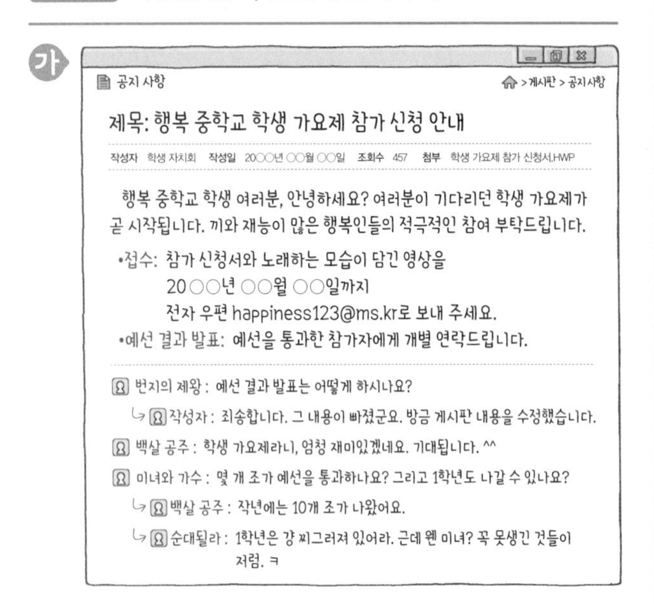

공지 사항 　　　　게시판 > 공지 사항

제목: 행복 중학교 학생 가요제 참가 신청 안내

작성자 학생 자치회 　작성일 20○○년 ○○월 ○○일 　조회수 457 　첨부 학생 가요제 참가 신청서.HWP

행복 중학교 학생 여러분, 안녕하세요? 여러분이 기다리던 학생 가요제가 곧 시작됩니다. 끼와 재능이 많은 행복인들의 적극적인 참여 부탁드립니다.

- 접수: 참가 신청서와 노래하는 모습이 담긴 영상을 20○○년 ○○월 ○○일까지 전자 우편 happiness123@ms.kr로 보내 주세요.
- 예선 결과 발표: 예선을 통과한 참가자에게 개별 연락드립니다.

번지의 제왕 : 예선 결과 발표는 어떻게 하시나요?
↳ 작성자 : 죄송합니다. 그 내용이 빠졌군요. 방금 게시판 내용을 수정했습니다.
백살 공주 : 학생 가요제라니, 엄청 재미있겠네요. 기대됩니다. ^^
미녀와 가수 : 몇 개 조가 예선을 통과하나요? 그리고 1학년도 나갈 수 있나요?
↳ 백살 공주 : 작년에는 10개 조가 나왔어요.
↳ 순대될라 : 1학년은 걍 찌그러져 있어라. 근데 웬 미녀? 꼭 못생긴 것들이 저럼. ㅋ

(나)

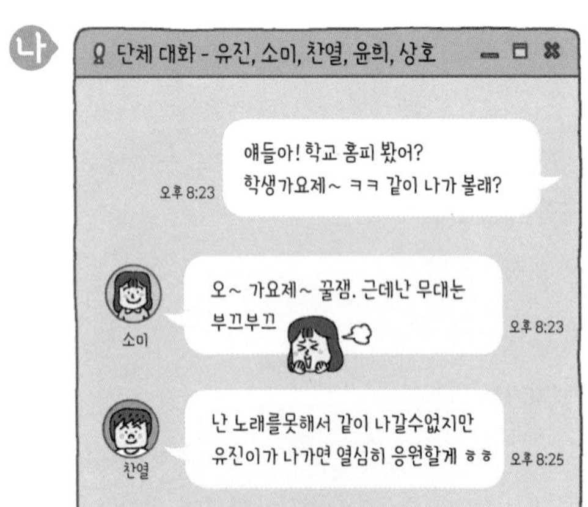

단체 대화 - 유진, 소미, 찬열, 윤희, 상호
얘들아! 학교 홈피 봤어? 학생가요제~ ㅋㅋ 같이 나가 볼래?
오후 8:23
오~ 가요제~ 꿀잼. 근데난 무대는 부끄부끄
소미
오후 8:23
난 노래를못해서 같이 나갈수없지만 유진이가 나가면 열심히 응원할게 ㅎㅎ
찬열
오후 8:25

(다)

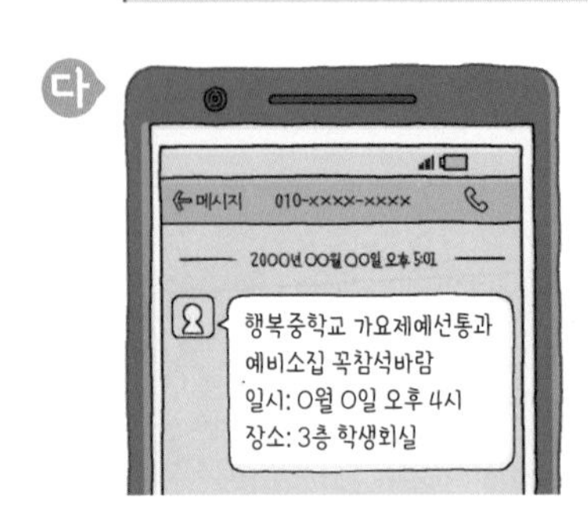

메시지 010-××××-××××
20○○년 ○○월 ○○일 오후 5:01
행복중학교 가요제예선통과 예비소집 꼭참석바람
일시: ○월 ○일 오후 4시
장소: 3층 학생회실

(라)

6:02
오즈의 맙소사
오늘 울학교 가요제 대박! 특히 우리반 친구들 공연이 최고였음♥♥
좋아요
댓글 달기
공유하기
왕자 탄 백마
내가 재들보다 더 잘했는데 왜 예선 탈락이지? 재들은 심사위원과 친해서 예선 통과한 게 분명해.
내일은 요리왕
수고했어. 친구들아!

학습 활동 응용

01 (가)~(라)와 같은 매체의 특징으로 적절한 것은?

① 직접 대면하여 정보를 나눌 때 사용한다.
② 정보의 생산자와 수용자가 엄격히 구분된다.
③ 주로 비밀스러운 내용을 전달할 때 사용한다.
④ 문자뿐 아니라 사진, 동영상 등의 정보를 함께 처리할 수 있다.
⑤ 의사소통에 활용할 경우 시간과 장소의 제약을 많이 받는 편이다.

02 (가)와 같은 매체에 대한 설명으로 적절하지 않은 것은?

① 내용을 삭제하거나 수정할 수 있다.
② 그림이나 음악 등도 게시할 수 있다.
③ 파일을 첨부하여 이용자에게 제공할 수 있다.
④ 게시물 형태이므로 쌍방향적 소통은 불가능하다.
⑤ 하이퍼링크로 다른 인터넷 주소를 연결할 수 있다.

서술형 　학습 활동 응용

03 (가)와 (라)에서 문제가 있는 댓글을 쓴 사람들의 대화명과 공통적인 문제점을 쓰시오.

04 (나)와 (다)를 비교한 내용으로 알맞지 않은 것은?

	(나)	(다)
①	온라인 대화 내용임.	문자 메시지 내용임.
②	문장 부호를 생략함.	문장 부호를 모두 갖춤.
③	여러 명이 실시간으로 의사소통함.	정보의 흐름이 일방향적임.
④	어법에 맞지 않는 줄임 말이나 신조어를 씀.	띄어쓰기 원칙을 지키지 않음.
⑤	가요제에 함께 참가할 친구를 구하는 것이 목적임.	가요제 예선 통과를 알리는 것이 목적임.

(3) 책 읽고 영상으로 표현하기

학습 목표 영상 매체의 특성을 고려하여 생각이나 느낌을 표현할 수 있다.

즐겁게 책 읽기 책을 읽고 그 내용을 영상으로 표현할 수 있다.

이해
❶ 영상 제작 과정 파악하기
❷ 단계별 영상 제작 방법 이해하기

1 영상 제작 과정

학습 포인트
❶ 영상 제작 과정　❷ 영상 언어의 구성 요소

1 다음 영상을 보고 영상 제작 과정을 정리해 보자.

영상 자료

계획하기	영상의 (답 주제)와 갈래, 시청 대상 등을 정한다.
(답 □□□) 작성하기	영상의 제목, 기획 의도, 주요 내용, 역할 분담, 제작 일정 등을 정리한다.
시나리오 작성하기	(답 대사)나 동작, 촬영 기법 등을 구체적으로 쓴다.
이야기판 작성하기	영상의 흐름을 설명하기 위해 주요 장면을 (답 그림)으로 표현하고 대사, 음악, 효과음, 자막 등의 정보를 정리한다.
촬영하기	시나리오와 이야기판을 바탕으로 영상을 찍는다.
(답 편집하기)	촬영한 영상에 음악, 효과음, (답 □□) 등을 추가하여 하나의 작품으로 완성한다.
감상하고 평가하기	완성된 영상을 보고 생각이나 느낌을 나눈다.

학습콕

❶ 영상 제작 과정
계획하기 → 기획안 작성하기 → □□□□ 작성하기 → 이야기판 작성하기 → 촬영하기 → □□하기 → 감상하고 평가하기

❷ 영상 언어의 구성 요소

시각적 요소	시각 이미지(영상), □□ 등
청각적 요소	대사, 효과음, 음악 등

간단 체크 활동 문제

중요
01 영상 제작 과정을 다음과 같이 정리할 때, 빈칸에 들어갈 말을 순서대로 나열한 것은?

> 계획하기 → (　　　) → 시나리오 작성하기 → (　　　) → (　　　) → 편집하기 → 감상 및 평가하기

① 촬영하기, 이야기판 작성하기, 기획안 작성하기
② 이야기판 작성하기, 기획안 작성하기, 촬영하기
③ 이야기판 작성하기, 촬영하기, 기획안 작성하기
④ 기획안 작성하기, 촬영하기, 이야기판 작성하기
⑤ 기획안 작성하기, 이야기판 작성하기, 촬영하기

02 영상 언어의 구성 요소 중, 시각적 요소에 해당하는 것은? (정답 2개)

① 자막　② 음악
③ 대사　④ 영상
⑤ 효과음

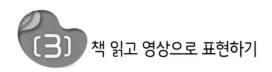

2 단계별 영상 제작 방법

❶ 단계별 영상 제작 방법

1단계 계획하기

1 다음 대화를 바탕으로 '나라네 모둠'이 어떤 영상을 만들려고 하는지 정리해 보자.

주제	답 중학생의 □□□
목적	답 학교 영상제에 출품하기 위해
시청 대상	답 우리 학교 학생(중학생)
갈래	답 단편 영화

2단계 기획안 작성하기

2 '나라네 모둠'이 작성한 기획안을 보고, 영상 제작을 위한 기획안 작성 방법을 알아보자.

제목	짝	기획 의도	중학생의 첫사랑 표현
갈래	단편 영화	상영 시간	9분 내외
주요 내용	마음이 착한 민우는 새 학기 첫날 여름이를 보고 첫눈에 반하게 된다. 민우와 여름이는 짝이 되고, 둘은 다른 짝들과 다르게 서로 친하게 지낸다. 그러던 어느 날 민우는 여름이의 오빠를 남자 친구로 오해하여, 일부러 여름이를 멀리한다. 일주일 후 횡단보도 앞에서 여름이와 마주친 민우는 여름이도 자신을 좋아한다는 것을 알게 된다.		
역할 분담	• 감독: 이정우 • 촬영: 최준서 • 미술: 조수민	• 시나리오: 김나라 • 연기: 이정우, 김나라, 최준서, 조수민, 강민재 • 편집: 강민재	
제작 일정	• ○○월 ○○일: 시나리오 및 이야기판 작성 • ○○월 ○○일: 소품 준비 및 장소 섭외 • ○○월 ○○일: 촬영	• ○○월 ○○일: 편집	

간단 체크 활동 문제

03 다음 중, 영상 제작을 계획할 때 정해야 할 내용이 아닌 것은?

① 주제 ② 목적
③ 갈래 ④ 홍보 방법
⑤ 시청 대상

중요
04 '기획안 작성하기' 단계에 대한 설명으로 알맞은 것은?

① 계획한 내용을 구체화한다.
② 토의를 통해 영상의 주제를 선정한다.
③ 연기자의 대사나 동작 등을 구체화한다.
④ 촬영한 영상을 바탕으로 음악이나 자막 등을 추가한다.
⑤ 주요 장면을 그림으로 그려 촬영 및 편집의 방향을 공유한다.

(1) 영상 제작 기획안에는 어떤 내용이 포함되어야 하는지 말해 보자.

답 제목, 기획 의도, 갈래, 상영 시간, 주요 내용, 역할 분담, 제작 일정 등이 포함되어야 한다.

(2) 영상을 제작할 때 각 역할의 담당자가 어떤 일을 하는지 정리해 보자.

❶ **감독:** 연기, 촬영, 편집 등 영상 제작과 관련된 모든 일을 총괄하여 작품을 완성하는 일을 함.

❷ **시나리오:** 답 영상을 만들기 위해 장면과 그 순서, 배우의 행동과 대사 등을 ☐로 표현하는 일을 함.

❸ **촬영:** 답 ☐☐☐☐와 이야기판을 바탕으로 영상을 촬영하는 일을 함.

❹ **연기:** 답 배역에 맞게 인물의 성격과 행동을 표현하는 일을 함.

❺ **미술:** 촬영 장소를 미리 섭외하고 의상과 소품 등을 준비하는 일을 함.

❻ **편집:** 답 촬영한 영상에 음악, 효과음, 자막 등을 넣어 하나의 작품으로 만드는 일을 함.

3단계 **시나리오 및 이야기판 작성하기**

3 '나라네 모둠'에서 작성한 시나리오와 이야기판을 비교해 보고, 이야기판이 어떻게 구성되는지 알아보자.

(가) 시나리오

㉠<u>S# 5. 교실 안</u>

㉡<u>**선생님:** 자리 배치는 어떻게 하든 불만이 많으니, 선생님이 정해 준 자리에 앉기로 하자.</u> ㉢<u>(오른쪽 구석 가장 앞자리를 손가락으로 가리키며)</u> 우선 이 자리부터 남자는 가나다순으로 앉고, 여자는 그 옆에 가나다 역순으로 앉는다. 그럼, 선생님이 명단을 불러 줄게. 남자 첫 번째 자리는 강민우, 그 옆자리는 한여름, 그리고 그 뒷자리는 강채호, 하지민……. (선생님의 목소리가 점점 줄어든다.)

㉣<u>**NAR.** 그렇게 나와 여름이는 '짝'이 되었다.</u>

㉤<u>**E.** 민우의 빨라진 심장 소리가 크게 들린다.</u>

간단 체크 활동 문제

05 영상 제작 시 〈보기〉와 같은 일을 하는 담당자의 역할은?

보기
촬영 장소를 미리 섭외하고 의상과 소품 등을 준비하는 일을 함.

① 감독 ② 미술
③ 촬영 ④ 편집
⑤ 시나리오

중요

06 (가)의 시나리오에서 ㉠~㉤에 대한 설명으로 알맞지 <u>않은</u> 것은?

① ㉠은 장면 번호로, 해당 장면의 극 중 순서를 나타내는 표시이다.
② ㉡은 대사로, 연기자가 하는 말이다.
③ ㉢은 지문으로, 인물의 동작, 표정, 심리, 말투 등을 지시하거나 서술하는 부분이다.
④ ㉣은 해설로, 영상 밖에서 내용이나 줄거리를 설명하는 말이다.
⑤ ㉤은 효과음으로, 분위기를 조성하기 위하여 대사나 동작의 배경으로 연주하는 음이다.

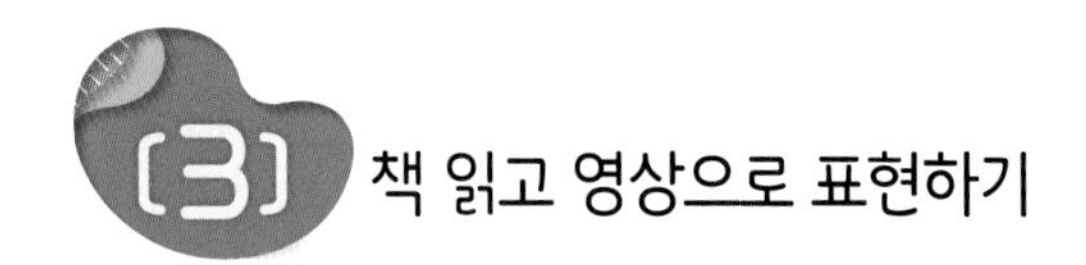

(3) 책 읽고 영상으로 표현하기

㈏ 이야기판

번호	장면 그림	장면 내용, 촬영 방법	대사, 음악, 효과음, 자막
S#5-1		<교실 안> 선생님이 들어오시자 아이들이 조용해짐. 반 전체 분위기가 드러나게 촬영함.	밝고 경쾌한 음악 / 의자가 바닥을 긁는 소리
S#5-2		선생님이 자리 배치 방법을 설명함. 선생님의 상반신을 촬영함.	선생님: 자리 배치는 어떻게 하든 불만이 많으니…….
S#5-3		민우가 여름이와 짝이 되자 기뻐함. 민우가 책상에 앉아 있는 모습을 촬영함.	NAR.: 그렇게 나와 여름이는 짝이 되었다.
S#5-4		민우의 심장이 뛰기 시작함. 민우의 가슴을 클로즈업함.	심장이 빠르게 뛰는 소리 / 민우의 가슴이 뛰는 모습을 하트 모양으로 표현함.

(1) ㈏를 ㈎와 비교해 보고, ㈏에 어떤 내용이 추가되었는지 정리해 보자.

- 장면을 더 잘게 나누어 제시하였다.
- 장면을 구체적으로 표현한 그림을 추가하였다.
- 답 각 장면의 내용과 □□ 방법을 구체적으로 제시하였다.
- 답 대사, 음악, 효과음, 자막 등 편집에서 사용할 요소를 제시하였다.

(2) (1)을 바탕으로 영상 제작 과정에서 이야기판이 필요한 까닭을 말해 보자.

답 이야기판에는 장면을 세분화하여 표현한 그림과 장면 내용, 촬영 방법, 대사, 음악, □□□, 자막 등의 요소가 구체적으로 설명되어 있으므로 촬영할 장면과 순서를 파악하는 데 도움이 될 것 같다. 그리고 영상을 제작하기 위해서는 여러 사람이 함께하는데, 이야기판을 통해 영상 제작에 참여하는 모든 사람이 촬영이나 편집의 방향을 공유할 수 있어 효율적으로 작업할 수 있을 것 같다.

4 다음 영상을 참고하여 '나라네 모둠'이 ㉮~㉱와 같이 촬영한 까닭을 써 보자.

영상 자료

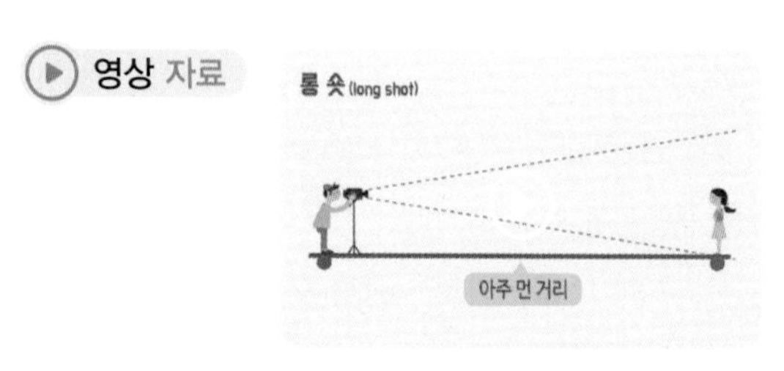

간단 체크 활동 문제

07 (나)의 'S#5-1'에 대한 설명으로 알맞지 않은 것은?

① 교실 안 모습을 그림으로 보여 준다.
② 촬영할 때 고려해야 할 점을 알려 준다.
③ 등장인물들이 해야 할 행동을 알려 준다.
④ 장면 밖의 인물이 말하는 해설을 제시한다.
⑤ 편집할 때 사용할 음악과 효과음을 제시한다.

중요

08 이야기판을 작성할 때의 효과로 알맞지 않은 것은?

① 촬영 순서 파악에 도움이 된다.
② 시나리오 작성의 기본 내용이 된다.
③ 촬영할 장면을 쉽게 떠올리게 해 준다.
④ 영상 촬영 및 편집의 방향을 공유하게 해 준다.
⑤ 촬영할 때 필요한 요소를 구체적으로 알 수 있게 해 준다.

(가)

- 촬영기와 대상의 거리를 멀게 하여 촬영한 까닭: 답 '민우'와 친구들 앞으로 '여름'이 지나가는 상황을 보여 주기 위해

(나)

- 촬영기와 대상의 거리를 아주 가깝게 하여 촬영한 까닭: 답 '여름'을 보자마자 반한 '민우'의 심리를 드러내기 위해

- 촬영기를 대상보다 높은 위치에 놓고 촬영한 까닭: 답 지각을 해서 선생님께 혼나는 '민우'의 주눅이 든 모습을 보여 주기 위해

- 촬영기를 대상보다 낮은 위치에 놓고 촬영한 까닭: 답 '민우'를 꾸짖는 선생님의 위엄 있는 모습을 표현하기 위해

5 다음 영상의 편집 전후를 비교해 보고 영상에서 음악, 효과음, 자막 등이 어떤 역할을 하는지 알아보자.

▶ 영상 자료

(1) 편집 후 달라진 점과 그 효과를 정리해 보자.

	달라진 점	효과
음악	교실 장면에 잔잔하고 슬픈 음악을 넣었다.	답 자신이 좋아하는 '여름'을 멀리할 수밖에 없는 '민우'의 슬픈 마음을 효과적으로 드러낸다.
효과음	답 '민우'의 심장 박동이 갑자기 멈추는 듯한 효과음을 넣었다.	'민우'가 '여름'을 좋아하는 마음을 정리하였음을 드러낸다.
자막	횡단보도 장면이 시작될 때, '일주일 후'라는 자막을 넣었다.	답 '민우'가 '여름'을 피해 다닌 지 일주일 정도가 되었음을 알 수 있다.

(2) (1)을 바탕으로 영상에서 음악, 효과음, 자막의 역할을 정리해 보자.

음악	답 인물의 심리를 드러내거나 장면의 분위기를 형성하는 역할을 한다.
효과음	답 장면을 실감 나게 보여 주고 상황을 효과적으로 전달하는 역할을 한다.
자막	답 영상을 통해 전하려는 바와 상황에 대한 구체적인 ☐☐를 시청자에게 분명하게 전달하는 역할을 한다.

간단 체크 활동 문제

09 (나)에 대한 설명으로 알맞은 것을 골라 바르게 묶은 것은?

보기
ㄱ. 인물의 심리가 잘 드러난다.
ㄴ. 인물 간의 관계를 보여 준다.
ㄷ. 특정 대상을 가깝게 촬영한다.
ㄹ. 여러 대상을 멀리서 촬영한다.

① ㄱ, ㄴ ② ㄱ, ㄷ
③ ㄴ, ㄷ ④ ㄴ, ㄹ
⑤ ㄷ, ㄹ

중요
10 (다), (라)에 대한 설명으로 알맞지 않은 것은?

① (다)는 촬영기의 위치가 대상보다 높다.
② (라)는 촬영기의 위치가 대상보다 낮다.
③ (다)는 대상을 실제보다 커 보이게 한다.
④ (라)는 대상이 위엄 있게 느껴지게 한다.
⑤ (다), (라)는 대상과 촬영기의 각도 차이를 통해 의도를 담을 수 있음을 보여 준다.

11 이 영상에서 다음과 같은 편집을 통해 얻은 효과가 무엇인지 한 문장으로 쓰시오.

'민우'의 심장 박동이 갑자기 멈추는 듯한 효과음을 넣었다.

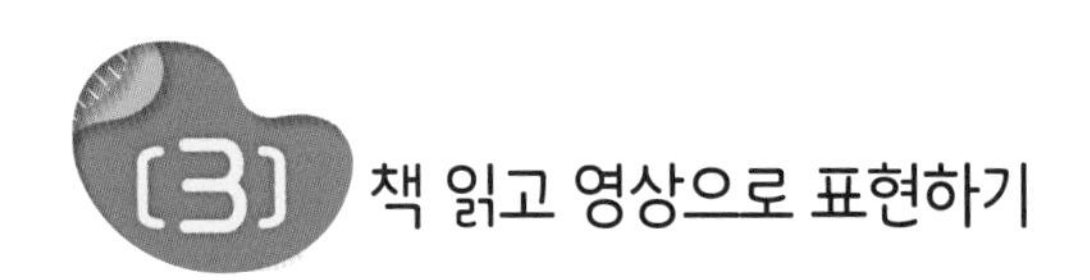

(3) 책 읽고 영상으로 표현하기

6단계 감상하고 평가하기

6 완성된 영상을 감상하고 평가해 보자.

영상 자료

(1) 완성된 영상을 감상하고 느낀 점을 자유롭게 말해 보자.

예시 답 〉〉 생략

(2) 다음 기준에 따라 각 부문을 평가해 보자.

예시 답 〉〉

부문	평가 기준	상	중	하
감독	영상 제작 과정 전체를 총괄하여 작품을 완성하였는가?	상 ☑	중 ☐	하 ☐
시나리오	영상의 흐름과 구성이 적절한가?	상 ☐	중 ☑	하 ☐
촬영	상황이 잘 드러나게 촬영하였는가?	상 ☑	중 ☐	하 ☐
연기	감정이 잘 드러나게 연기하였는가?	상 ☐	중 ☐	하 ☑
미술	내용과 어울리게 장소를 섭외하고 의상과 소품을 준비하였는가?	상 ☐	중 ☑	하 ☐
편집	음악, 효과음, 자막 등을 적절하게 사용하여 편집하였는가?	상 ☑	중 ☐	하 ☐

학습콕

❶ 단계별 영상 제작 방법

단계	내용
계획하기	영상의 주제와 목적, 시청 대상, 갈래 등을 정함.
기획안 작성하기	영상의 제목, 기획 의도, 갈래, 상영 시간, 주요 내용, ☐☐ ☐☐, 제작 일정 등의 항목을 포함하여 계획을 구체화함.
시나리오 및 이야기판 작성하기	시나리오보다 구체화된 이야기판을 통해 촬영할 장면과 순서를 쉽게 파악할 수 있음. 시나리오: 영화를 만들기 위해 쓴 각본. 대사, 지문, 장면 표시, 해설 등으로 구성됨. 이야기판: 화면 상황과 구도를 나타낸 문서. 장면을 세분화하여 표현한 ☐☐, 장면 내용, 촬영 방법, 대사, 음악, 효과음, 자막 등으로 구성됨.
촬영하기	찍을 장면의 내용과 의도 등을 고려하여, 촬영기와 대상 간의 거리 및 각도를 조절함. 촬영기와 대상의 ☐☐ – 멀게(롱 숏): 대상이 처한 상황과 큰 움직임을 동시에 전달함. 촬영기와 대상의 ☐☐ – 가깝게(클로즈업 숏): 대상의 상태나 심리를 강조함. 대상과 촬영기의 ☐☐ – 촬영기를 더 높게: 대상을 작게 느껴지게 함. 대상과 촬영기의 ☐☐ – 촬영기를 더 낮게: 대상을 위엄 있게 느껴지게 함.
☐☐하기	촬영한 영상에 음악, 효과음, 자막 등을 추가하여 작품을 완성함.
감상하고 평가하기	완성된 작품을 감상하고 감독, 시나리오, 촬영, 연기, 미술, 편집 등으로 항목을 구분하여 평가함.

간단 체크 활동 문제

12 완성된 영상을 평가하는 기준으로 적절하지 <u>않은</u> 것은?

① 전달하려는 주제가 잘 드러났는가?
② 연기자가 감정이 잘 드러나게 연기했는가?
③ 촬영 방식이 비슷한 장면이 없도록 고려했는가?
④ 내용에 맞는 의상과 소품을 적절히 사용했는가?
⑤ 장면에 어울리는 배경 음악, 효과음 등을 잘 활용했는가?

13 다음의 평가 기준으로 평가할 수 있는 부문으로 알맞은 것은?

> 영상의 흐름과 구성이 적절한가?

① 촬영 ② 미술 ③ 연기 ④ 감독 ⑤ 시나리오

❶ 모둠별로 소설 감상하기
❷ 감상한 책의 내용을 영상으로 표현하기

모둠 구성원이 함께 한 권의 소설을 읽고, 앞에서 학습한 영상 제작 과정을 바탕으로 소설에 담긴 내용을 영상으로 표현해 보자.

1 함께 책 읽기

1단계 책 선정하기

1 다음과 같은 방법으로 읽고 싶은 소설을 찾아보자.

도서관 방문하기

주변 인물에게 추천받기

인터넷으로 검색하기

2 모둠 구성원이 찾은 여러 소설 중 함께 읽을 작품을 선정하고, 그 결과를 정리해 보자.

• 우리 모둠이 선정한 소설 예시 답 〉〉

제목	소나기	저자	황순원	출판사	○○○
이 소설을 선정한 까닭	소년과 소녀의 순수한 사랑이 인상적이었고, 소설의 내용도 영상으로 제작하기에 큰 어려움이 없을 것 같기 때문에				

2단계 모둠 구성원과 함께 책 읽기

3 다음 일지를 쓰면서 소설을 읽어 보자.

예시 답 〉〉

소설 제목	소나기	
회 차	읽은 날짜	쪽수
1회	20○○년 ○○월 ○○일	○○~○○쪽
인상적인 부분(문장, 장면)과 그 까닭	소녀가 징검다리 한가운데에서 길을 막고 있자 아무 말도 못 하고 기다리는 소년의 모습이 인상적이었다. 왜냐하면 둘 사이에 묘한 긴장감이 느껴졌기 때문이다.	
낯선 낱말이나 모르는 개념, 더 알고 싶은 내용	• '갈밭', '갈꽃'이 무슨 뜻일까? • 소년이 소녀가 던진 조약돌을 집어 주머니에 넣은 까닭은 무엇일까?	
새롭게 알게 된 것과 느낀 점	시골 개울가의 모습을 아주 서정적으로 표현하였다.	
읽은 내용을 한 문장으로 요약하기	소년은 징검다리 한가운데에서 길을 막고 있는 소녀와 마주쳤다.	

간단 체크 활동 문제

14 다음의 목적을 고려하며 책을 선정하는 활동으로 적절하지 않은 것은?

> 모둠 구성원이 함께 한 권의 소설을 읽고 영상 제작하기

① 청소년 추천 도서 목록을 참고하여 책을 찾는다.
② 모둠 구성원들의 독서 능력과 영상 제작 환경을 파악한다.
③ 도서관을 방문하거나 인터넷으로 읽고 싶은 책을 검색한다.
④ 사건이 복잡하고 촬영 분량이 많이 나올 수 있는 작품을 선정한다.
⑤ 이미 영상으로 제작된 소설의 특징을 살펴봄으로써 함께 읽을 책을 선정하는 데 참고한다.

15 「소나기」를 읽고 일지를 쓴다고 할 때, 〈보기〉의 내용을 써 넣을 항목으로 알맞은 것은?

> 보기
> 소년이 소녀가 던진 조약돌을 집어 주머니에 넣은 까닭은 무엇일까?

① 읽은 내용 요약
② 더 알고 싶은 점
③ 감동을 받은 부분
④ 비판하고 싶은 점
⑤ 새롭게 알게 된 점

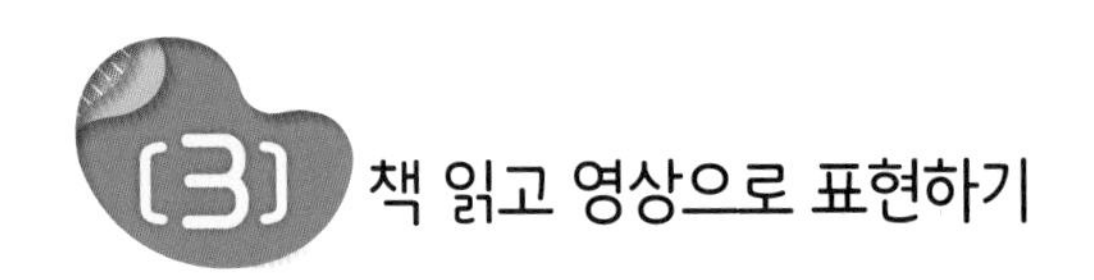

(3) 책 읽고 영상으로 표현하기

4 각자 쓴 일지를 바탕으로 모둠 구성원과 함께 소설의 내용을 정리해 보자.

예시 답〉〉 생략

3단계 **책 읽기 경험 나누기**

5 다음 질문에 답하면서 모둠 구성원과 책 읽기 경험을 나누어 보자.

- **가장 인상적인 부분은 어디이고, 그 까닭은 무엇인가?**
  예시 답〉〉 소녀를 위해 비를 맞으며 수숫단을 날라다 덧세우는 소년의 모습이 무척 인상적이었다. 왜냐하면 소녀를 좋아하는 소년의 순수한 마음이 느껴졌기 때문이다.
- **작가가 이 소설을 통해 전하고자 하는 바는 무엇인가?**
  예시 답〉〉 작가는 소년과 소녀의 아름답고 순수한 사랑을 표현하려고 했던 것 같다.
- **이 소설을 통해 알게 된 점과 느낀 점은 무엇인가?**
  예시 답〉〉 • 이 소설을 통해 등장인물의 말이나 소재 중에서 소설의 뒷부분에 일어날 사건을 암시하는 것이 있음을 알았다.
  • 이 소설을 통해 첫사랑의 감정을 어렴풋하게 느낄 수 있었다. 어른들이 첫사랑을 이야기할 때 왜 그렇게 아련한 표정을 짓는지도 이제는 조금 이해할 수 있을 것 같다.
- **자신이 작가라면 이 소설에서 바꾸고 싶은 내용은 무엇이고, 어떻게 바꾸고 싶은가?**
  예시 답〉〉 소녀의 죽음으로 끝나는 불행한 결말이 안타까웠다. 소녀가 죽지 않고 소년과 소녀의 순수한 사랑이 이루어지는 결말로 바꾸고 싶다.

2 책의 내용을 영상으로 표현하기

1단계 **계획하기**

1 모둠별로 의논하여 어떤 영상을 제작할지 계획해 보자.

예시 답〉〉

주제	소년과 소녀의 순수하고 따뜻한 사랑		
목적	「소나기」가 행복한 이야기로 끝날 수 있도록 재구성함.		
시청 대상	중학생	갈래	단편 영화

2단계 **기획안 작성하기**

2 1을 바탕으로 기획안을 작성해 보자.

예시 답〉〉

제목	소나기	기획 의도	「소나기」의 결말 재구성 – 행복한 결말
갈래	단편 영화	상영 시간	7분 내외
주요 내용	생략	제작 일정	생략
역할 분담	감독: ○○ 촬영: ☆☆ 미술: △△ 시나리오: ◎◎ 연기: ◇◇ 편집: □□		

간단 체크 활동 문제

중요

16 친구들과 나눌 수 있는 책 읽기 경험으로 적절하지 않은 것은?

① 책을 읽고 깨달은 점
② 책에서 인상적인 부분
③ 책에서 바꾸고 싶은 내용
④ 책을 쓴 작가의 수상 내역
⑤ 자신이 생각하는 작품의 주제

17 '책 읽기 경험 나누기' 과정의 의의로 알맞지 않은 것은?

① 책 내용을 깊이 있게 이해할 수 있다.
② 다양한 측면에서 작품에 대해 생각할 수 있다.
③ 혼자서 책을 읽는 것의 효율성을 깨달을 수 있다.
④ 작가의 의도를 헤아려 보며 간접 체험을 할 수 있다.
⑤ 다른 사람과 느낀 점을 공유하여 감상의 폭을 넓힐 수 있다.

18 모둠별로 책을 읽고 영상을 만드는 과정 중, 기획안 작성 시 유의점으로 적절하지 않은 것은?

① 상영 시간을 의논해 정한다.
② 전체 제작 과정을 고려해 일정을 짠다.
③ 모두의 합의를 바탕으로 기획 의도를 작성한다.
④ 각자의 흥미와 소질을 고려해 역할을 분담한다.
⑤ 제작할 영상의 주제와 목적, 시청 대상을 정한다.

3단계 시나리오 및 이야기판 작성하기

3 기획안을 바탕으로 시나리오 및 이야기판을 작성해 보자.

• 시나리오 예시 답〉〉

S# 2. 개울가

다음 날 소년은 평소보다 조금 늦게 개울가로 나와, 소녀가 있는지 살펴본다. 소녀는 징검다리 한가운데에 앉아 분홍 스웨터 소매를 걷어 올리고 세수를 하고 있다. 소년은 개울둑에 앉아서 소녀가 세수를 마치고 길을 비켜 주기를 기다리고 있다.

그렇게 한참 세수를 하던 소녀가 물속을 빤히 들여다보다가 날쌔게 물을 움켜 내기 시작한다. 그러다가 물속에서 무엇을 하나 집어내더니 벌떡 일어나 징검다리를 뛰어 건넌 뒤 홱 소년이 앉아 있는 쪽으로 돌아선다.

소녀: (조약돌을 소년에게 던지며) 이 바보!

소녀는 그렇게 한 마디를 불쑥 던지고는 갈밭 사잇길로 달려간다. 소년은 갑작스러운 상황에 당황한다. 소년은 소녀가 멀어져 가는 모습을 바라보며, 소녀가 다시 나타나기를 기다린다. 그렇게 한참을 기다리고 있을 때 갈밭머리에서 갈꽃을 한 옴큼 안은 채로 소녀가 나타난다. 소녀는 갈꽃을 들고는 천천히 멀어져 가고, 소년은 갈꽃이 사라질 때까지 우두커니 그 모습을 바라보고 서 있다. 소녀가 사라지자, 소년은 소녀가 던진 조약돌을 잠시 바라보다가 주머니에 집어넣는다.

S# 3. 개울가

해가 제법 서쪽으로 기울었을 즈음에 소년이 개울가에 온다. 개울가에는 소녀의 그림자는 보이지 않는다. 소년은 주머니 속에 손을 집어넣고는 조약돌을 주무르기 시작한다.

• 이야기판 예시 답〉〉

번호	장면 그림	장면 내용, 촬영 방법	대사, 음악, 효과음, 자막
S# 2-1	소녀가 징검다리 한가운데에 앉아 세수를 하는 모습	소녀가 징검다리 한가운데에서 세수를 하고 있음. 개울둑에 앉아서 소녀를 바라보는 소년의 시선으로, 소녀가 세수하는 모습을 원경에서 촬영하다가 소녀의 얼굴 쪽으로 점점 클로즈업함.	효과음: 개울물이 졸졸 흐르는 소리. 소녀가 다소곳이 세수를 하는 소리
S# 2-2	소녀가 물에서 조약돌을 주워 소년에게 던지는 모습	소녀가 물속을 빤히 들여다보다가 갑자기 물을 움켜 냄.	
S# 2-3	소년에게 돌을 던지고 갈밭 사이로 달려가는 소녀의 모습	자리에서 일어난 소녀가 소년 쪽으로 몸을 돌리며 물에서 주운 조약돌을 던지고는 갈밭 사이로 달려감.	소녀: 이 바보!
S# 2-4	갑작스러운 상황에 놀라 자리에서 일어나는 소년의 모습	갑작스러운 상황에 놀란 소년이 멀리 갈밭 사이로 사라져 가는 소녀를 바라보는 모습	배경 음악: 봄바람 같은 설렘을 느낄 수 있는 잔잔하고 부드러운 선율의 음악

간단 체크 활동 문제

19 시나리오를 작성하는 방법으로 적절하지 않은 것은?

① 갈래와 줄거리를 적는다.
② 기획안의 주요 내용을 바탕으로 쓴다.
③ 실제 영상 제작 상황을 고려하여 작성한다.
④ 장면 표시를 통해 장면별로 이야기를 나누어 구성한다.
⑤ 대사와 지문으로 배우의 말과 동작 등을 구체적으로 지시한다.

중요

20 이야기판에 대한 설명으로 알맞은 것을 <보기>에서 골라 바르게 묶은 것은?

보기
ㄱ. 촬영 장면과 순서를 파악하는 데 도움이 된다.
ㄴ. 대사, 음악, 효과음, 자막과 같은 편집 요소를 알려 준다.
ㄷ. 장면 그림을 제시하여 독자의 자유로운 상상을 가능하게 한다.
ㄹ. 시나리오보다 큰 단위로 장면을 구분하여 전체적인 영상의 구성을 알게 해 준다.

① ㄱ, ㄴ ② ㄱ, ㄷ
③ ㄴ, ㄷ ④ ㄴ, ㄹ
⑤ ㄷ, ㄹ

4단계 촬영하기

4 3에서 작성한 시나리오와 이야기판에 따라 영상을 촬영해 보자.

예시 답 〉〉 생략

5단계 편집하기

5 촬영한 영상에 음악이나 효과음, 자막 등을 넣어 편집해 보자.

예시 답 〉〉

음악	소년이 소녀의 부모님한테 혼나는 장면에 무겁고 슬픈 느낌을 주는 음악을 넣었다.
효과음	개울가 장면에 개울물이 흐르는 소리와 소녀가 세수를 하며 내는 소리를 넣었다.
자막	소나기 사건 이후, 소년과 소녀가 다시 만나는 장면에 '한 달 뒤'라는 자막을 넣었다.

6단계 감상하고 평가하기

6 모둠별로 만든 영상을 반 친구들과 감상하고, 다음 부문의 상을 수여해 보자.

예시 답 〉〉 • 나는 「소나기」를 읽으면서 소녀의 죽음이 너무 안타까웠는데, 결말의 내용을 바꾸니 정말 마음에 들었어. 이 모둠에게 '시나리오 상'을 줄래.

• 나는 이 영상이 다양한 촬영 기법을 사용해서 효과적으로 내용을 전달하고 있으니 '촬영상'을 주고 싶어.

간단 체크 활동 문제

중요

21 다음의 효과를 얻을 수 있는 편집 요소로 알맞은 것은?

> 영상을 통해 전하려는 바와 상황에 대한 구체적인 정보를 글자로 분명하게 전달함.

① 연기 ② 자막
③ 효과음 ④ 배경 음악
⑤ 내레이션

활동 마당

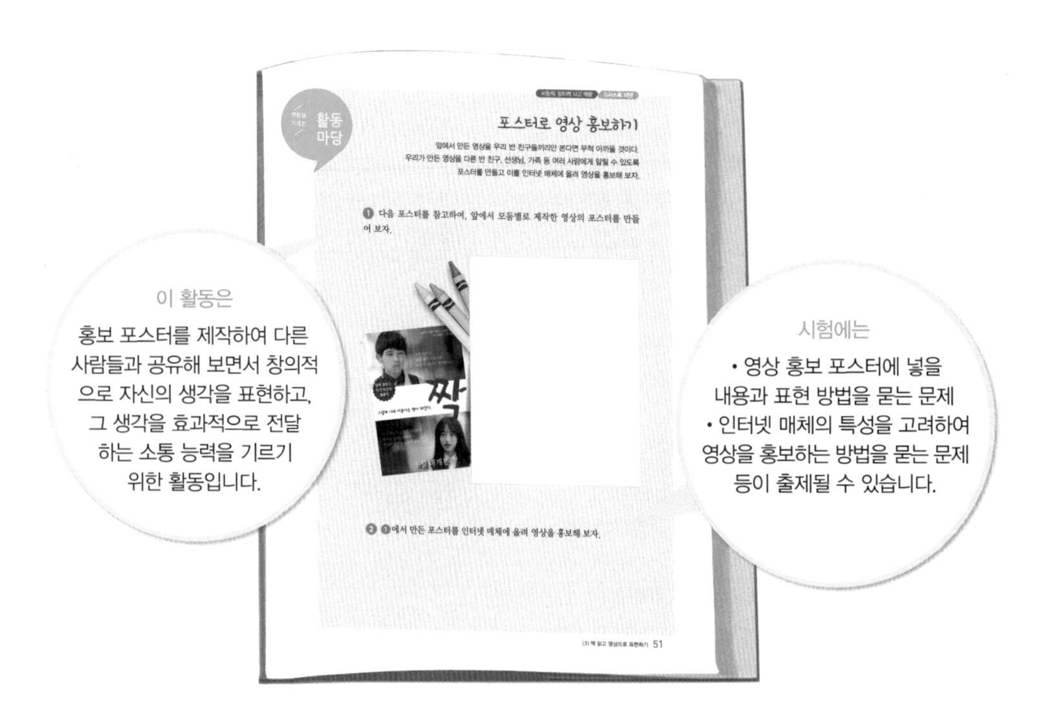

이 활동은
홍보 포스터를 제작하여 다른 사람들과 공유해 보면서 창의적으로 자신의 생각을 표현하고, 그 생각을 효과적으로 전달하는 소통 능력을 기르기 위한 활동입니다.

시험에는
• 영상 홍보 포스터에 넣을 내용과 표현 방법을 묻는 문제
• 인터넷 매체의 특성을 고려하여 영상을 홍보하는 방법을 묻는 문제
등이 출제될 수 있습니다.

• 정답과 해설 05쪽

영상 언어의 구성 요소

시각적 요소	영상 화면, 자막 등
❶□□□ 요소	대사, 배경 음악, 효과음 등

'나라네 모둠'의 영상 제작 과정

계획하기	학교 영상제에 출품하기 위해 '중학생의 첫사랑'을 주제로, 같은 학교 학생을 대상으로 하는 단편 영화를 만들기로 함.
❷□□□ 작성하기	제목, 갈래, 기획 의도, 상영 시간, 주요 내용, 역할 분담, 제작 일정 등을 정리함.
시나리오 및 ❸□□□□ 작성하기	대사나 동작, 촬영 기법 등을 쓴 시나리오를 바탕으로, 각 장면을 더 잘게 나누고 장면 그림, 대사, 효과음, 음악, 자막 등의 정보를 추가한 이야기판을 작성함. 예 '여름'과 짝이 되고 '민우'의 사랑이 싹트는 장면
촬영하기	촬영기와 대상의 거리, 촬영기과 대상의 각도에 따른 효과를 고려하여 촬영함. 예 '여름'을 바라보는 '민우'의 모습, 지각한 '민우'가 혼나는 장면 등
편집하기	촬영한 영상에 음악, 효과음, ❹□□ 등을 추가하여 하나의 작품으로 완성함. 예 '여름'에 대한 '민우'의 감정과 시간의 흐름 등을 음악, 효과음, 자막으로 표현함.
감상하고 평가하기	완성된 영상을 보고 생각이나 느낌을 나누고, 감독, 시나리오, 촬영, 연기, 미술, 편집 등과 같은 부문별로 평가함.

'나라네 모둠'의 영상에 사용된 촬영 및 편집 방법

촬영 방법 및 효과	촬영기와 대상의 거리	• 촬영기와 대상의 거리를 멀게 찍음(롱 숏). → 전체 경치가 보이도록 해 '민우'와 친구들 앞으로 '여름'이 지나가는 상황을 보여 줌. • 촬영기와 대상의 거리를 아주 가깝게 찍음(클로즈업 숏). → '여름'에게 반한 '민우'의 ❺□□를 드러냄.
	대상과 촬영기의 각도	• 촬영기를 대상보다 ❻□□ 위치에 놓고 촬영함(하이 앵글). → 선생님께 혼나는 '민우'의 주눅이 든 모습을 보여 줌. • 촬영기를 대상보다 ❼□□ 위치에 놓고 촬영함(로 앵글). → '민우'를 꾸짖는 선생님의 위엄 있는 모습을 표현함.
편집 방법 및 효과	음악	• 밝고 경쾌한 음악으로 활기찬 반 분위기를, 잔잔하고 슬픈 음악으로 좋아하는 여학생을 멀리할 수밖에 없는 '민우'의 슬픈 심리를 효과적으로 전달함.
	❽□□□	• '민우'의 빨라진 심장 소리로 좋아하는 감정을 실감 나게 보여 주고, 심장 박동이 멈추는 듯한 효과음으로 좋아하는 감정을 정리하였음을 효과적으로 전달함.
	자막	• '일주일 후'라는 자막으로 구체적인 정보를 시청자에게 분명하게 전달함.

시험에 나오는 소단원 문제

• 정답과 해설 05쪽

01~05 다음을 읽고, 물음에 답하시오.

가 S# 5. 교실 안

선생님: 자리 배치는 어떻게 하든 불만이 많으니, 선생님이 정해 준 자리에 앉기로 하자. (오른쪽 구석 가장 앞자리를 손가락으로 가리키며) 우선 이 자리부터 남자는 가나다순으로 앉고, 여자는 그 옆에 가나다 역순으로 앉는다. 그럼, 선생님이 명단을 불러 줄게. 남자 첫 번째 자리는 강민우, 그 옆자리는 한여름, 그리고 그 뒷자리는 강채호, 하지민……. (선생님의 목소리가 점점 줄어든다.)

NAR. 그렇게 나와 여름이는 '짝'이 되었다.

(㉠) 민우의 빨라진 심장 소리가 크게 들린다.

나

민우가 여름이와 짝이 되자 기뻐함.
민우가 책상에 앉아 있는 모습을 촬영함.
NAR.: 그렇게 나와 여름이는 짝이 되었다.
민우의 심장이 뛰기 시작함.
민우의 가슴을 (㉡)함.
심장이 빠르게 뛰는 소리
민우의 가슴이 뛰는 모습을 하트 모양으로 표현함.

다 ⓐ

ⓑ

01 이와 같은 영상을 제작하는 과정에 대한 설명으로 알맞지 않은 것은?

① 촬영이 끝난 후 편집할 때 갈래를 정한다.
② 목적과 시청 대상 등을 고려해 주제를 정한다.
③ 시나리오와 이야기판을 바탕으로 촬영을 한다.
④ 기획안을 작성할 때 제작 일정과 역할 분담 등을 정리한다.
⑤ 완성된 영상을 보고 기획 의도가 잘 반영되었는지 평가한다.

학습 활동 응용

02 이와 같은 영상을 제작하는 역할에 대한 평가 기준으로 알맞지 않은 것은?

① 연기: 인물의 성격과 감정을 잘 표현했는가?
② 시나리오: 영상의 흐름과 구성이 적절했는가?
③ 감독: 제작 과정 전체를 총괄해 작품을 완성했는가?
④ 편집: 주어진 대본에 충실하게 영상을 촬영했는가?
⑤ 미술: 내용에 맞게 촬영 장소를 섭외하고 소품을 준비했는가?

학습 활동 응용

03 (가)와 (나)에 대한 설명으로 알맞지 않은 것은?

① (가)와 달리 (나)는 주요 장면을 그림으로 제시하고 있다.
② (나)와 달리 (가)는 지문과 대사를 줄글로 제시하고 있다.
③ (가)에 비해 (나)는 장면을 간략하고 포괄적으로 제시하고 있다.
④ (나)에 비해 (가)는 '선생님'을 제외한 인물의 연기에 대한 정보량이 적다.
⑤ (가)와 (나) 모두 장면에 등장하는 인물의 행동과 내레이션을 제시하고 있다.

04 ㉠, ㉡에 들어갈 시나리오 용어를 알맞게 연결한 것은?

	㉠	㉡		㉠	㉡
①	E.	오버랩	②	E.	페이드인
③	E.	클로즈업	④	M.	페이드인
⑤	M.	클로즈업			

서술형

05 ⓐ, ⓑ에 대한 다음 설명의 빈칸에 들어갈 말을 2음절로 쓰시오.

> ⓐ, ⓑ는 촬영기와 대상의 (   )을/를 달리하여 영상 속 인물이 주는 느낌을 다르게 하고 있다.

어휘력 키우기

교과서 52~53쪽

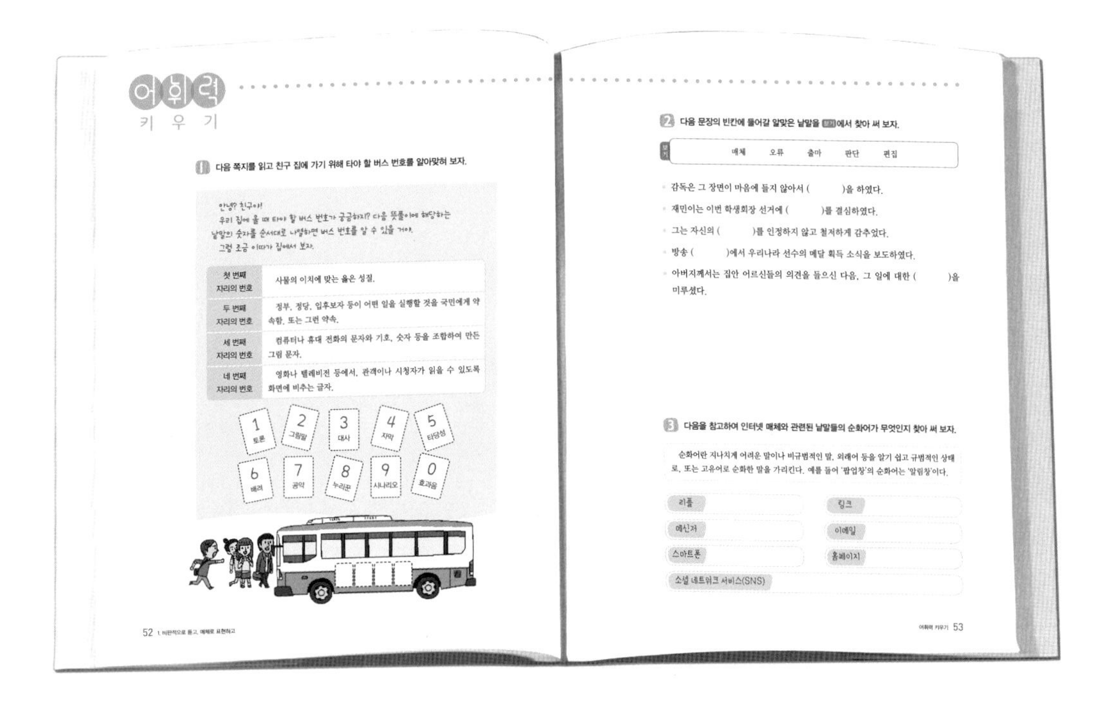

어휘력 키우기

1 다음 쪽지를 읽고 친구 집에 가기 위해 타야 할 버스 번호를 알아맞혀 보자.

안녕? 친구야!
우리 집에 올 때 타야 할 버스 번호가 궁금하지? 다음 뜻풀이에 해당하는 낱말의 숫자를 순서대로 나열하면 버스 번호를 알 수 있을 거야.
그럼 조금 이따가 집에서 보자.

첫 번째 자리의 번호	사물의 이치에 맞는 옳은 성질.
두 번째 자리의 번호	정부, 정당, 입후보자 등이 어떤 일을 실행할 것을 국민에게 약속함. 또는 그런 약속.
세 번째 자리의 번호	컴퓨터나 휴대 전화의 문자와 기호, 숫자 등을 조합하여 만든 그림 문자.
네 번째 자리의 번호	영화나 텔레비전 등에서, 관객이나 시청자가 읽을 수 있도록 화면에 비추는 글자.

1 토론 / 2 그림말 / 3 대사 / 4 자막 / 5 타당성 / 6 배려 / 7 공약 / 8 누리꾼 / 9 시나리오 / 0 효과음

2 다음 문장의 빈칸에 들어갈 알맞은 낱말을 보기에서 찾아 써 보자.

보기: 매체 오류 출마 판단 편집

- 감독은 그 장면이 마음에 들지 않아서 (　　　)을 하였다.
- 재민이는 이번 학생회장 선거에 (　　　)를 결심하였다.
- 그는 자신의 (　　　)를 인정하지 않고 철저하게 감추었다.
- 방송 (　　　)에서 우리나라 선수의 메달 획득 소식을 보도하였다.
- 아버지께서는 집안 어르신들의 의견을 들으신 다음, 그 일에 대한 (　　　)을 미루셨다.

3 다음을 참고하여 인터넷 매체와 관련된 낱말들의 순화어가 무엇인지 찾아 써 보자.

순화어란 지나치게 어려운 말이나 비규범적인 말, 외래어 등을 알기 쉽고 규범적인 상태로, 또는 고유어로 순화한 말을 가리킨다. 예를 들어 '팝업창'의 순화어는 '알림창'이다.

리플 / 링크 / 메신저 / 이메일 / 스마트폰 / 홈페이지 / 소셜 네트워크 서비스(SNS)

52 　　　　어휘력 키우기 53

예시 답안

1.

• 버스 번호: 5724

2.

• 감독은 그 장면이 마음에 들지 않아서 (편집)을 하였다.
• 재민이는 이번 학생회장 선거에 (출마)를 결심하였다.
• 그는 자신의 (오류)를 인정하지 않고 철저하게 감추었다.
• 방송 (매체)에서 우리나라 선수의 메달 획득 소식을 보도하였다.
• 아버지께서는 집안 어르신들의 의견을 들으신 다음, 그 일에 대한 (판단)을 미루셨다.

3.

• 리플 → 댓글
• 링크 → 연결
• 메신저 → 쪽지창
• 이메일 → 전자 우편
• 스마트폰 → 똑똑(손)전화
• 홈페이지 → 누리집
• 소셜 네트워크 서비스(SNS) → 누리소통망

확인 문제

1 밑줄 친 단어의 사용이 바르지 않은 것은?

① 그는 회장이 되면 지킬 출마를 내세웠다.
② 감독은 수많은 장면을 모아 편집을 한다.
③ 그의 말에 타당성이 있다고 다들 인정했다.
④ 원인과 결과를 혼동해 오류가 발생한 것이다.
⑤ 온라인 대화에서 흔히 그림말로 감정을 표현한다.

2 다음 중, 단어와 그 순화어의 연결이 잘못된 것은?

① 리플 – 댓글
② 링크 – 연결
③ 홈페이지 – 쪽지창
④ 이메일 – 전자 우편
⑤ 스마트폰 – 똑똑(손)전화

시험에 나오는 대단원 문제

01~04 다음을 읽고, 물음에 답하시오.

가 소연: 최근 텔레비전의 한 프로그램에서 잠시 방황하던 한 중학생이 자신이 좋아하는 가수의 노래에 감동을 받아 예전처럼 성실한 학생이 되었다는 내용을 보았습니다. 이렇게 연예인은 청소년들에게 긍정적인 영향을 미칠 수 있으므로 저는 청소년의 연예계 진출을 제한해서는 안 된다고 생각합니다.

나 정우: 얼마 전, 연예인이 된 친구에게 안부 전화를 했습니다. 하지만 그 친구는 전화를 받지 않았습니다. 그래서 바로 문자 메시지를 남겼는데도 연락이 없었습니다. 연예인이 되기 전에는 항상 저를 먼저 챙겨 주는 좋은 친구였는데, 연예인이 되었다고 저를 무시하더군요. 이렇게 청소년 시기에 연예인이 되면 인성이 쉽게 변할 수 있기 때문에 저는 청소년이 연예계에 진출하는 것을 제한해야 한다고 생각합니다.

다 영재: 저는 청소년의 연예계 진출을 허용해야 한다고 생각합니다. 지난달에 진로와 관련된 강연을 들었는데, 모든 강연자께서 한결같이 누구에게나 직업 선택의 자유가 있다고 말씀하셨습니다. 저 역시 같은 생각입니다. 따라서 청소년에게도 직업 선택의 자유가 있어야 한다고 생각합니다.

라 준서: 저는 청소년의 연예계 진출을 제한해야 한다고 생각합니다. 왜냐하면 우리 반에서 가장 공부를 잘하고 똑똑한 수미가 청소년의 연예계 진출을 제한해야 한다고 했기 때문입니다.

마 지민: 저는 청소년들이 연예계로 활발하게 진출하여 우리의 문화를 주도적으로 만들어 나가야 한다고 생각합니다. 그렇기 때문에 저는 청소년의 연예계 진출이 필요하다고 생각합니다.

바 첫째, 의형제·의자매 제도를 실시하겠습니다. 요즘 학생들은 대부분 형제자매가 없거나 있더라도 한두 명뿐입니다. 그래서 다른 학년의 선후배들과 의형제, 의자매를 맺어 서로 돕고 지낼 수 있도록 의형제·의자매 제도를 실시하겠습니다. 이 제도가 시행된다면 같은 반 친구들의 단합이 잘되어 재미있고 즐거운 학교생활이 가능할 것입니다.

사 셋째, 아침 식사를 못 하고 오는 학생들을 위해 제가 매일 아침 식사를 제공하겠습니다. 얼마 전 아침 식사에 관한 다큐멘터리를 보았는데, 아침 식사는 뇌의 기능을 활발하게 하고 질병 예방에도 도움이 된다고 합니다.

---

01 (가)~(마)에서 제시한 근거로 알맞지 않은 것은?

① (가): 연예인은 청소년들에게 긍정적인 영향을 미칠 수 있다.
② (나): 청소년이 연예계에 진출하는 것을 제한해야 한다.
③ (다): 누구나 직업 선택의 자유가 있어야 한다.
④ (라): 똑똑한 수미가 청소년의 연예계 진출 제한에 찬성한다.
⑤ (마): 청소년들이 청소년만의 문화를 주도적으로 만들어야 한다.

02 (가)~(마)의 토론자 중, 다음의 평가를 들을 학생은?

> 적은 사례로 성급하게 결론을 이끌어 냈으므로 타당하지 않다.

① (가)의 '소연'　② (나)의 '정우'
③ (다)의 '영재'　④ (라)의 '준서'
⑤ (마)의 '지민'

03 다음 중 <보기>와 같은 문제점이 나타난 문단은?

> 보기
> 행복한 나라를 만들기 위해 정부에서 모든 국민에게 각자 원하는 직업을 주고, 원하는 만큼의 월급을 주도록 하겠습니다.

① (가)　② (나)　③ (라)　④ (바)　⑤ (사)

04 (가)와 (바)의 타당성을 판단하여 쓰시오.

> 조건
> ① 공통적으로 잘못된 내용을 쓸 것
> ② '(가)와 (바)는 모두 ~ 때문에 타당하지 않다.' 형식의 한 문장으로 쓸 것

05 각 인터넷 매체에 대한 설명으로 알맞지 않은 것은?

① 블로그: 자신의 관심사에 따라 자유롭게 글을 올릴 수 있다.
② 전자 우편: 같은 내용을 동시에 여러 사람에게 보낼 수 있다.
③ 온라인 대화: 신조어, 줄인 말, 그림말 등을 빈번하게 사용한다.
④ 인터넷 게시판: 게시한 글을 수정하거나 자료를 첨부하기 어렵다.
⑤ 누리소통망(SNS): 다양한 정보가 유통되며 여론 형성에 영향을 미칠 수 있다.

06~08 다음을 읽고, 물음에 답하시오.

(가)

6:02
오즈의 압소사
오늘 울학교 가요제 대박! 특히 우리반 친구들 공연이 최고였음♥♥
좋아요
댓글 달기
공유하기
왕자 탄 백마
내가 쟤들보다 더 잘했는데 왜 예선 탈락이지? 쟤들은 심사위원과 친해서 예선 통과한 게 분명해.
내일은 요리왕
수고했어. 친구들아!

(나)

블로그 | 사진 | 동영상
최신 가요 안무 동영상 및 가사 모음
2000년 00월 00일 21:56
<힘을 내!>
가요가 좋아
전체 보기(228)
사진첩
대중가요
최신 가요
7080 가요
<힘을 내!>
아무리 힘들고 어렵더라도
잠시 참고 이겨 내면

(다)

안녕하세요? 김유진, 정상호 학생!
행복 중학교 학생 자치회입니다. 이렇게 연락을 드린 것은 김유진, 정상호 학생이 학생 가요제 예선을 통과했음을 알려 드리기 위해서입니다. 축하합니다. 이번 예선에는 총 16개 조가 참가하였는데 그중 8개 조가 예선을 통과했어요. 자세한 내용은 다음 주소를 눌러 학교 누리집 게시판을 확인해 주세요. http://www.happiness.ms.kr/notice
그리고 00월 00일 오후 4시, 3층 학생회실에서 본선 예비 소집이 있습니다. 학생 가요제 무대에 오를 순서를 정하고, 본선에서 준비해야 할 것들을 안내할 예정이니, 반드시 참석 부탁드립니다.

06 (가), (나)와 같은 매체의 공통점이 아닌 것은?

① 댓글로 쌍방향적인 의사소통을 할 수 있다.
② 개인 정보 및 사생활이 철저하게 보장된다.
③ 직접 만나지 않고도 정보 교환이 가능하다.
④ 음악, 사진, 글, 동영상 등도 공유할 수 있다.
⑤ 하이퍼링크로 다른 인터넷 창에 연결할 수 있다.

07 (가), (나)와 같은 매체에 글을 쓸 때 주의할 점으로 알맞지 않은 것은?

① 다른 사람을 함부로 비하하지 않는다.
② 자신과 입장이 다른 사람에게도 예의를 갖춘다.
③ 비속어를 쓰거나 거짓 소문을 퍼뜨리지 않는다.
④ 객관적 사실이 아닌 개인적 느낌은 쓰지 않는다.
⑤ 타인의 자료를 활용할 때는 그 출처를 밝혀 쓴다.

08 〈보기〉와 비교할 때, (다)의 특성으로 알맞은 것은?

보기

메시지 010-xxxx-xxxx
2000년 00월 00일 오후 5:01
행복중학교 가요제예선통과
예비소집 꼭참석바람
일시: 0월 0일 오후 4시
장소: 3층 학생회실

① 문장 부호를 생략하는 경우가 많다.
② 대체로 띄어쓰기 원칙을 지켜 쓴다.
③ 전달 내용을 항목별로 간략히 제시한다.
④ 분량 제한 때문에 높임말을 쓰지 않기도 한다.
⑤ 휴대 전화를 사용하여 쓰는 경우가 대부분이다.

09 〈보기〉와 같은 말을 빈번하게 사용할 경우 생길 수 있는 문제로 가장 적절한 것은?

보기

꿀잼, 뭥미, 레알, 솔까말, ㅇㅈ, ㅠㅠ

① 상대방에게 감정을 전달하기 어려워진다.
② 글이 포함된 자료의 제작 시간이 길어진다.
③ 개인 간의 대화가 형식적으로 변할 수 있다.
④ 저속한 표현이므로 상대의 기분을 상하게 한다.
⑤ 언어 파괴 현상이 심해져 우리말을 훼손할 수 있다.

10~12 다음을 읽고, 물음에 답하시오.

(가)

장면 그림	장면 내용, 촬영 방법	대사, 음악, 효과음, 자막
	<교실 안> ㉠ 선생님이 들어오시자 아이들이 조용해짐. 반 전체 분위기가 드러나게 촬영함.	㉡밝고 경쾌한 음악 ㉢의자가 바닥을 긁는 소리
㉣	선생님이 자리 배치 방법을 설명함. 선생님의 상반신을 촬영함.	선생님: ㉤자리 배치는 어떻게 하든 불만이 많으니…….

(나)

10 (가)를 작성하는 이유로 알맞은 것은?

① 기획 의도와 주제를 홍보하기 위해
② 작품을 좀 더 깊이 있게 감상하려고
③ 촬영한 영상을 세심하게 편집하려고
④ 시청 대상의 관심과 흥미를 파악하려고
⑤ 촬영 순서 및 구체적인 방향을 공유하기 위해

11 ㉠~㉤의 영상 언어에 대한 설명으로 적절하지 <u>않은</u> 것은?

① ㉠은 장면 내용으로 배우의 행동을 글로 묘사한다.
② ㉡은 음악으로 장면의 분위기를 형성한다.
③ ㉢은 효과음으로 상황을 효과적으로 전달한다.
④ ㉣은 장면 그림으로 장면을 구체적으로 표현한다.
⑤ ㉤은 대사로 시각적 요소에 해당한다.

12 ⓐ~ⓓ에 대한 설명으로 알맞지 <u>않은</u> 것은?

① ⓐ: 대상을 멀리 찍어 전체 경치가 보이도록 한다.
② ⓑ: 대상을 가깝게 찍어 인물 간의 관계를 암시한다.
③ ⓒ: 위에서 아래로 인물을 찍어 인물의 주눅 든 모습을 보여 준다.
④ ⓓ: 아래에서 위로 인물을 찍어 인물의 우월성, 권위 등을 표현한다.
⑤ ⓐ~ⓓ: 촬영기와 대상의 거리 및 각도에 따른 효과를 알 수 있다.

고난도 서술형

13 〈보기〉의 밑줄 친 요소의 역할을 서술하시오.

보기

영상에서 횡단보도 장면이 시작될 때 '일주일 후'라는 <u>자막</u>을 넣었다.

조건

① 영상 제작 과정에서 〈보기〉의 활동을 하는 단계를 쓸 것

14 〈보기〉는 모둠별로 책을 읽고 영상을 제작하는 과정이다. 빈칸에 들어갈 단계를 순서대로 나열한 것은?

보기

책 선정하기 → 모둠 구성원과 함께 책 읽기 → (　　　) → 촬영하기 → 편집하기 → 감상하고 평가하기

① 계획하기 → 책 읽기 경험 나누기 → 기획안 작성하기 → 시나리오 및 이야기판 작성하기
② 계획하기 → 시나리오 및 이야기판 작성하기 → 기획안 작성하기 → 책 읽기 경험 나누기
③ 책 읽기 경험 나누기 → 계획하기 → 기획안 작성하기 → 시나리오 및 이야기판 작성하기
④ 책 읽기 경험 나누기 → 기획안 작성하기 → 시나리오 및 이야기판 작성하기 → 계획하기
⑤ 기획안 작성하기 → 계획하기→ 책 읽기 경험 나누기→ 시나리오 및 이야기판 작성하기

창의적 사고력을 키우는

창의·융합

교과서 56~57쪽

엽서를 받을 사람을
생각하며 뒷면에 자신의
사연을 솔직하게 써 보고,
그 내용에 어울리도록 엽서의
앞면을 예쁘게 꾸며
보아요.

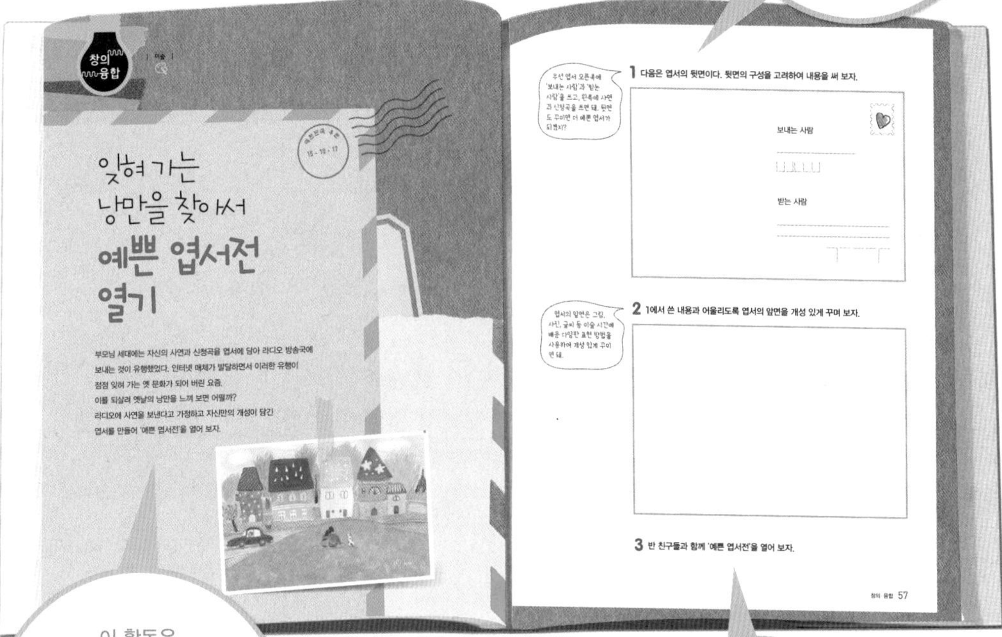
창의 융합 | 미술 |

잊혀 가는
낭만을 찾아서
예쁜 엽서전
열기

부모님 세대에는 자신의 사연과 신청곡을 엽서에 담아 라디오 방송국에
보내는 것이 유행했었다. 인터넷 매체가 발달하면서 이러한 유행이
점점 잊혀 가는 옛 문화가 되어 버린 요즘.
이를 되살려 옛날의 낭만을 느껴 보면 어떨까?
라디오에 사연을 보낸다고 가정하고 자신만의 개성이 담긴
엽서를 만들어 '예쁜 엽서전'을 열어 보자.

우선 엽서 오른쪽에 '보내는 사람'과 '받는 사람'을 쓰고, 왼쪽에 사연과 신청곡을 쓰면 돼. 뒷면도 꾸미면 더 예쁜 엽서가 되겠지?

1 다음은 엽서의 뒷면이다. 뒷면의 구성을 고려하여 내용을 써 보자.

보내는 사람

받는 사람

엽서의 앞면은 그림, 사진, 글씨 등 미술 시간에 배운 다양한 표현 방법을 사용하여 개성 있게 꾸미면 돼.

2 1에서 쓴 내용과 어울리도록 엽서의 앞면을 개성 있게 꾸며 보자.

3 반 친구들과 함께 '예쁜 엽서전'을 열어 보자.

창의 융합 57

이 활동은
예쁜 엽서를 만들고 이를
전시해 봄으로써 인터넷이나
영상과 매체뿐만 아니라 인쇄
매체 역시 가치 있는 소통 수
단임을 알 수 있도록
한 활동입니다.

학내 및 외부
행사와 연계하여
예쁜 엽서전을
개최해 보아요.

자료·정보 활용 역량

간추리는 재미, 만나는 즐거움

읽기

(1) 요약하며 읽기

_「사계절의 땅 원천강 오늘이」(지은이 모름),
「마을 학교에서 '마을학교'로」(이희수)

- 이야기와 설명하는 글을 읽고 요약하는 방법 이해하기
- 주장하는 글을 읽고 요약하기
- 그림책을 읽고 가치 카드 만들기

듣기·말하기

(2) 질문을 준비하여 면담하기

- 목적에 맞게 질문을 준비하여 면담하는 방법 이해하기
- 직접 면담하기
- 평소 관심 있던 친구가 어떤 사람인지 알아보기

왜 배울까?

현대 사회는 정보화 사회라고 불릴 만큼 수많은 정보가 넘쳐 나고 있다. 그러므로 자신에게 필요한 정보를 찾아내고, 그것을 체계적으로 정리할 수 있어야 한다. 필요한 정보를 효과적으로 찾고 유용하게 정리하는 방법으로 요약과 면담이 있다. 요약은 말이나 글의 내용을 간략하게 정리하는 방법이며, 면담은 자신이 알고 싶은 것을 잘 알고 있는 사람에게서 정보를 얻는 방법이다. 따라서 요약하고 면담하는 방법을 제대로 알면 자신에게 필요한 정보를 쉽게 얻을 수 있을 뿐만 아니라, 의사를 결정하거나 현대 사회의 다양한 문제를 해결하는 데에도 도움이 될 것이다.

뭘 배울까?

이 단원에서는 자료·정보 활용 역량을 기르기 위해 읽기 목적이나 글의 특성에 맞게 글의 내용을 요약하는 방법을 배우고, 이를 바탕으로 다양한 글을 읽으면서 그 내용을 직접 요약해 볼 것이다. 그리고 목적에 맞게 질문을 준비하여 면담하는 방법을 배우고 면담의 목적과 대상을 정하여 면담해 볼 것이다.

길잡이

• 정답과 해설 06쪽

요약하며 읽기

읽기 목적이나 글의 특성을 고려하여 글의 중심 내용을 간략하게 정리하며 읽는 것을 말한다.

요약하기의 규칙

선택	중심 내용이 분명하게 드러나는 중심 문장을 찾음.
삭제	덜 중요하거나 반복되는 내용, 예로 든 내용은 지움.
일반화	구체적이고 개별적인 내용은 그것들을 포괄하는 표현으로 바꿈.
재구성	중심 문장이 나타나 있지 않으면 제시된 내용을 바탕으로 중심 문장을 새로 만듦.

글의 특성에 따른 요약하기 방법

이야기	인물, 배경, 사건을 중심으로 요약함.
설명하는 글	설명 대상에 대한 정보를 중심으로 요약함.
주장하는 글	주장과 근거를 중심으로 요약함.

설화의 개념과 종류

옛날부터 특정한 집단이나 민족 안에서 전해 내려오는 이야기로 신화, 전설, 민담 등이 있다.

	신화	전설	민담
성격	신성성, 위엄성	신빙성, 구체성	흥미성, 교훈성
주인공	신적 존재로 초능력을 발휘함.	비범한 인간으로 예기치 않은 사태에 좌절함.	평범한 인간으로 자신의 운명을 개척함.
배경	아득한 옛날, 신성한 장소	구체적인 시간과 장소	막연한 시간과 장소
증거물	포괄적	개별적	없음.
전승 범위	민족적	지역적	범세계적

설명하는 글의 구성 단계

처음	설명의 대상과 글을 쓴 목적을 제시함, 독자의 관심을 유도함.
가운데	다양한 설명 방법을 사용하여 대상을 구체적으로 설명함.
끝	설명한 내용을 요약·정리함, 앞으로의 전망을 제시하기도 함.

간단 체크 개념 문제

1 요약하며 읽기에 대한 설명이 맞으면 ○표, 틀리면 ×표 하시오.

(1) 요약하며 읽기란 글의 중심 내용을 간략하게 정리하며 읽는 것을 말한다. (　　)

(2) 요약하기의 규칙 중, '삭제'는 개별적인 내용을 그것을 포괄하는 표현으로 바꾸는 방법이다. (　　)

(3) 이야기를 요약할 때는 인물, 배경, 사건을 중심으로 요약하는 것이 적절하다. (　　)

2 다음 빈칸에 들어갈 알맞은 말을 쓰시오.

> □□(이)란 민족적 범위에서 전승되는 이야기로, 신성성을 지닌 인물과 장소가 등장하며, 자연 현상이나 국가의 기원 등을 주요 내용으로 한다.

3 설명하는 글의 특징으로 알맞지 않은 것은?

① 객관적이고 사실적인 성격을 띤다.
② 대상의 정보를 알기 쉽게 풀이하는 글이다.
③ 처음 부분에서는 앞으로의 전망을 제시한다.
④ 가운데 부분에서는 대상을 구체적으로 설명한다.
⑤ 끝 부분에서는 설명한 내용을 요약하며 정리한다.

교과서 63~70쪽

● 정답과 해설 06쪽

(1) 요약하며 읽기 _ 사계절의 땅 원천강 오늘이

제재 ❶ 이야기

학습 목표 읽기 목적이나 글의 특성을 고려하여 내용을 요약할 수 있다.

기 학습 포인트

❶ 이 이야기의 갈래적 특징 ❷ 원천강의 상징성

가 아득한 옛날, 적막한 들에 여자아이 하나가 나타났다. 옥처럼 고운 아이였다. 그 아이를 발견한 사람들이 물었다.

"너는 어떠한 아이냐? 이름은 무엇이고 어디에서 왔느냐?"

"저는 부모님도 모르고 이름도 성도 나이도 모릅니다. 그냥 이 들에서 태어나 여기서 살아왔습니다." / "지금까지 혼자 어떻게 살아왔단 말이냐?"

"하늘에서 학이 날아와 한쪽 날개를 바닥에 깔아 주고, 다른 쪽 날개로 저를 덮어 주었습니다. 그리고 먹을 것을 가져다주어서 이렇게 살 수 있었습니다."

"그렇다면 네가 오늘 우리를 만났으니 오늘을 생일로 삼고 이름도 오늘이라 하자꾸나."

나 이렇게 하여 오늘이라는 이름을 얻게 된 아이는 사람들을 따라 마을에 들어와 살았다. 사람들이 너나없이 가족과 함께 사는데 오늘이만 외톨이였다.

'나의 부모님은 어떤 분일까? 어디에 계실까?'

어느 날 오늘이를 친손주처럼 돌보아 주던 백씨 부인이 오늘이를 불러 말했다.

"얘야, 부모님이 보고 싶지 않으냐?" / "어찌 보고 싶지 않겠습니까? 부모님을 한 번만 뵐 수 있다면 죽어도 한이 없습니다."

"어젯밤 꿈에 네 부모님을 만났다. 네 부모님은 지금 신관과 선녀가 되어 ㉠원천강을 지키고 계신다." / "원천강은 어떤 곳인가요? 어떻게 그곳에 갈 수 있나요?"

(신관: 신을 받들어 모시는 일을 맡은 관직 또는 그런 사람)

"거기는 사람이 갈 수 없는 멀고 먼 곳이다만……."

"꼭 부모님을 만나고 싶습니다. 가는 길을 알려 주세요."

"정히 그렇거든 남쪽으로 흰모래 마을을 찾아가 별층당에서 글을 읽고 있는 도령한테 길을 물어보거라." / "고맙습니다."

학습콕 기 | 소주제: 들에서 살던 여자아이가 '오늘이'라는 이름을 얻고, 부모님을 찾아 원천강으로 떠남.

❶ 이 이야기의 갈래적 특징

	시간적 / 공간적 배경	주인공의 특성
신화	아득한 옛날 / 신성한 장소	비범하고 초월적인 존재
이 이야기	아득한 옛날 / 원천강	'오늘이'의 외모와 탄생, 학의 보살핌을 통해 비범한 존재임을 알 수 있음.

❷ 원천강의 상징성

원천강	• '오늘이'의 □□□이 계신 곳 • 신관과 선녀가 지키는 곳 • 사람이 쉽게 갈 수 없는 멀고 먼 곳 • 아무나 들어갈 수 없는 곳	➡	초월적 공간이자 □□한 공간임.

간단 체크 내용 문제

01 주인공의 이름이 '오늘이'가 된 이유로 알맞은 것은?

① 오늘 태어났기 때문에
② 오늘을 사랑하기 때문에
③ 옥처럼 고운 여자아이이기 때문에
④ '오늘이'에겐 항상 오늘만 계속되기 때문에
⑤ 마을 사람들과 만난 오늘을 이름으로 삼았기 때문에

02 '오늘이'의 고민을 (나)에서 찾아 쓰시오.

중요

03 ㉠에 대한 설명으로 알맞지 않은 것은?

① 신관과 선녀가 지키는 곳
② 아무나 들어갈 수 없는 곳
③ '오늘이'의 부모님이 계신 곳
④ 행복하게 살 수 있는 이상적인 곳
⑤ 사람이 쉽게 갈 수 없는 멀고 먼 곳

승 학습 포인트

❶ 이 이야기의 사건 전개 방식 ①
❷ 원천강 문의 상징성
❸ '오늘이'가 만난 대상과 그들에게 받은 부탁

다 오늘이는 바로 길을 나섰다. 남쪽으로 길을 잡아 하루 종일 걸으니 흰모래가 펼쳐진 곳에 우뚝 선 별층당이 있었고 그 안에서 글 읽는 소리가 들려왔다. 사람을 찾으니 푸른 옷을 입은 도령이 나왔다.

"저는 오늘이라고 합니다. 부모님을 찾아서 원천강으로 가는 중입니다. 원천강 가는 길을 알려 주세요."

"저는 장상이라고 합니다. 원천강은 아주 먼 곳이지요. 서쪽으로 연화못을 찾아가 연못가의 연꽃 나무에게 길을 물어보면 가는 길을 알 수 있을 거예요."

그러면서 장상이는 한 가지 부탁을 덧붙였다.

"원천강에 가시거든 제 사연도 좀 알아봐 주세요. 왜 밤낮 여기에 앉아서 글만 읽어야 하고 집 밖으로 나갈 수 없는지를요."

"꼭 알아다 드릴게요."

라 그날 밤을 별층당 빈방에서 묵은 오늘이는 다음 날 아침 일찍 서쪽으로 길을 떠났다. 한참을 가다 보니 맑은 연못이 있는데, 연못가에 탐스러운 꽃 한 송이를 피우고 서 있는 연꽃 나무가 있었다.

"연꽃 나무님, 저는 원천강을 찾아가는 오늘이랍니다. 어디로 가야 원천강에 갈 수 있나요?"

"원천강에는 무엇하러 가나요?"

"그곳에 우리 부모님이 계시다기에 만나러 가는 길이랍니다."

"저 아랫길로 곧장 가다 보면 청수 바닷가에 큰 뱀이 하나 구르고 있을 테니 그한테 이야기해 보세요. 그리고 원천강에 가시거든 제 신세를 좀 알아봐 주세요. 저는 겨울에 뿌리에 움이 들어 정월이면 몸속에 들고 이월이면 가지로 옮겨 가고 삼월이면 꽃이 피는데 언제나 맨 윗가지에만 꽃이 피고 다른 가지에는 피지 않으니 어찌 된 일인지 알 수가 없답니다."

(움: 풀이나 나무에 새로 돋아 나오는 싹 / 정월: 음력으로 한 해의 첫째 달)

"꼭 알아다 줄게요."

마 오늘이가 다시 길을 나서서 한나절을 걸으니 푸른 물이 넘실거리는 청수 바다가 펼쳐지는데, 모래밭에 큰 뱀 한 마리가 뒹굴고 있었다.

오늘이가 다가가서 원천강 가는 길을 물으니 뱀이 말했다.

"원천강 가는 길을 인도하기는 어렵지 않으나 내 부탁 하나만 들어주오. 다른 뱀은 여의주를 하나만 물고도 용이 되어 올라가는데 나는 여의주를 셋이나 물고서도 용이 못 되고 있으니 어쩌면 좋겠는지 알아봐 주세요."

"꼭 알아다 주지요."

간단 체크 내용 문제

04 (다)~(마)의 내용을 요약하는 방법으로 가장 적절한 것은?

① 인물의 생애에 따라 요약
② 공간의 이동에 따라 요약
③ 실제와 허구로 나누어 요약
④ 인물의 업적을 중심으로 요약
⑤ 사실과 의견으로 나누어 요약

05 (다)에 나타난 '장상'에 대한 설명으로 알맞지 않은 것은?

① '오늘이'를 도와준다.
② 밤낮으로 글만 읽어야 한다.
③ 연꽃 나무를 만나고 싶어 한다.
④ 흰모래 마을의 별층당에 혼자 산다.
⑤ 집 밖으로 나갈 수가 없는 처지이다.

06 연꽃 나무에서 꽃이 피는 부분을 (라)에서 찾아 2어절로 쓰시오.

간단 체크 어휘 문제

다음 낱말의 뜻풀이가 맞으면 ○표, 틀리면 ×표 하시오.

(1) 움: 나무나 풀의 이파리 (　　)

(2) 정월: 음력으로 한 해의 첫째 달 (　　)

바 그러자 큰 뱀은 오늘이를 등에 태우고서 청수 바다로 스며들었다. 물 바깥으로 얼마를 가고 물속으로 얼마를 갔는지 길고도 험한 여행 끝에 오늘이는 어느 낯선 땅에 이르렀다. 인적이 없는 낯선 땅을 한참을 걸어가다 보니 길가 외딴 별층당에서 한 처녀의 글 읽는 소리가 들려왔다.

"저는 멀리 바다를 건너온 오늘이라고 합니다. 부모님을 찾아서 원천강에 가고 있어요. 원천강은 어디에 있나요?"

"이 길을 한참 가다 보면 우물에서 물을 긷고 있는 선녀들이 있을 거예요. 그 선녀들한테 물어보면 알려 줄 겁니다." / 그러더니 자기 사연을 덧붙였다.

"저는 매일이라고 합니다. 하늘에서 벌을 받아 여기서 매일 글을 읽게 되었지요. 원천강에 이르거든 언제나 ㉠이 신세를 면할 수 있는지 알아봐 주세요."

사 오늘이가 매일이에게 작별을 고하고 다시 길을 나서서 가다 보니 갈래 길 옆 우물에서 젊은 여자들이 슬피 울고 있는 모습이 보였다. 오늘이가 다가가서 물었다.

"왜 이렇게 슬피 울고 계시나요?"

"우리는 하늘나라의 선녀들이랍니다. 천하궁에서 물 긷는 일을 소홀히 한 죄로 여기서 물을 푸고 있지요. 이 우물물을 다 퍼야 하늘로 돌아갈 수 있는데 (㉡   ) 아무리 애를 써도 물을 퍼낼 수가 없어요."

[A] 오늘이는 두레박을 받아 들더니 댕댕이덩굴을 으깨어 뭉쳐서 구멍을 막고 나서 송진을 녹여서 틈을 막았다. 송진이 굳은 뒤에 두레박으로 물을 푸게 하니 물이 한 방울도 새지 않았다. 금방 우물물을 다 퍼내고 기뻐하는 선녀들에게 오늘이가 말했다.

(댕댕이덩굴: 새모래덩굴과의 여러해살이 덩굴풀. 뿌리는 약재로 쓰고 줄기는 바구니를 만드는 데 씀)
(송진: 소나무나 잣나무에서 분비되는 끈적끈적한 액체)

"저는 부모님을 찾아 원천강으로 가고 있답니다. 어느 길로 가야 하나요?"

"걱정하지 말아요. 저희가 함께 가 드릴게요."

선녀들이 앞장서서 길을 잡아서 한참을 가다 보니 멀리 궁궐 같은 커다란 별당이 보였다.

"저기가 원천강이랍니다. 꼭 부모님을 만나세요."

선녀들은 오늘이의 앞길을 축원해 주고서 하늘로 올라갔다.

아 오늘이가 별당에 다가가 보니 집 둘레에 장성을 높게 둘렀는데 험상궂게 생긴 문지기가 성문을 막고 서 있었다.

(장성: 길게 둘러쌓은 성)

"저는 인간 세상에서 부모님을 만나러 온 오늘이입니다. 문을 열어 주세요."

"안 된다. 여긴 아무나 들어갈 수 있는 곳이 아니야."

오늘이가 아무리 사정해도 문지기는 막무가내였다. 오늘이는 눈앞이 캄캄해져서 땅에 주저앉아 통곡하기 시작했다.

간단 체크 내용 문제

07 (바)에서 '오늘이'가 청수 바다를 건너간 방법으로 알맞은 것은?

① 여의주의 힘을 이용하였다.
② 선녀들이 '오늘이'를 안고 날아올랐다.
③ 별층당의 처녀가 도술을 부려 도와주었다.
④ '매일이'가 바다를 건너는 방법을 알려 주었다.
⑤ 큰 뱀이 '오늘이'를 등에 태우고 청수 바다를 건넜다.

08 ㉠에 해당하는 사연을 (바)에서 찾아 한 문장으로 쓰시오.

09 ㉡에 들어갈 내용으로 알맞은 것은?

① 두레박이 없어서
② 두레박이 얇아서
③ 두레박이 너무 작아서
④ 두레박을 잃어 버려서
⑤ 두레박에 큰 구멍이 뚫려서

중요
10 [A]에 나타난 '오늘이'의 면모로 가장 알맞은 것은?

① 용감하다.
② 지혜롭다.
③ 독립심이 강하다.
④ 약속을 끝까지 지킨다.
⑤ 칭찬받는 것을 좋아한다.

서럽게 흐느끼니 돌 같은 문지기의 마음에도 동정심이 생겨났다. 문지기가 안으로 들어가 그 사실을 고하니 이미 울음소리를 들은 신관이 아이를 안으로 들이라 하였다. 오늘이가 꿈인 듯 생시인 듯 안으로 들어가 신관 앞에 섰다.

동정심: 남의 어려운 처지를 안타깝게 여기는 마음

"너는 어떤 아이인데 여기를 왔느냐?"

오늘이는 빈 들에서 학의 날개에 깃들어 홀로 살던 일부터 수만 리 길을 헤치고 부모를 찾아온 사정을 하나하나 이야기하기 시작했다. 단 위에 앉아 있던 신관과 선녀가 이야기가 다 끝나기 전에 눈물을 지으며 내려와서 오늘이를 감싸 안았다.

"그 먼 길을 어찌 찾아서 여기를 왔단 말이냐. 얘야, 우리가 너의 부모로다. 너를 낳던 날 옥황상제께서 우리를 불러 이곳을 지키라 하니 어느 명령이라 거역할까? 몸은 비록 떠나왔으나 마음은 그곳에 남겼으니 너를 돌봐 준 학은 우리가 보낸 것이었단다." / "어머니, 아버지……."

(자) 오늘이의 부모님은 오늘이에게 원천강을 구경시켜 주었다. 높은 담장이 둘러쳐진 곳에 문이 네 개나 있는데, ⓐ첫 번째 문을 열어 보니 봄바람이 따스하게 부는 가운데 진달래, 개나리, 매화꽃, 영산홍 등 갖은 봄꽃이 피어 있었다. ⓑ두 번째 문을 열어 보니 뜨거운 햇살 속에 보리와 밀 같은 곡식과 채소가 무성했다. ⓒ세 번째 문을 열어 보니 너른 들판에 누런 벼가 황금빛으로 물결쳤다. ⓓ네 번째 문을 열어 보니 찬바람이 부는 가운데 흰 눈이 세상을 하얗게 뒤덮고 있었다. 이 세상 사계절이 여기에서 흘러나오는 것이었다.

무성했다: 풀이나 나무 따위가 자라서 우거졌다

(차) 구경을 마친 오늘이가 말했다.

"이렇게 부모님을 만났으니 제 소원을 이루었습니다. 여기에 오는 길에 부탁받은 일이 많으니 이제 돌아가렵니다."

오늘이가 원천강에 오면서 부탁받은 일들을 이야기하자 부모님은 하나씩 답을 해 주고서 오늘이를 문밖까지 배웅해 주었다. 오늘이는 다시 만날 날을 기약하면서 부모님에게 하직하고 길을 나섰다.

하직하고: 먼 길을 떠날 때 웃어른께 작별을 고하고

학습콕

승 | 소주제: '오늘이'가 □□□을 찾아가는 도중에 만난 이들에게 도움을 받아 부모님을 만남.

❶ 이 이야기의 사건 전개 방식 ①

시간의 흐름과 공간 이동에 따른 전개	'오늘이'가 원천강에 이르기까지의 여정에 따라, 시간의 흐름과 공간의 이동에 따라 사건이 전개됨.

❷ 원천강 문의 상징성

문	문 안의 풍경	상징
첫 번째 문	봄바람이 불고 봄꽃이 피어 있음.	봄
두 번째 문	뜨거운 햇살 속에 곡식, 채소가 무성함.	여름
세 번째 문	너른 들판에 누런 벼가 물결침.	가을
네 번째 문	찬바람이 불고 흰 눈이 세상을 뒤덮음.	겨울

→ 원천강의 문이 □□□을 상징한다는 것을 알 수 있음.

간단 체크 내용 문제

11 '오늘이'의 부모님에게 원천강을 지키라고 명령한 대상으로 알맞은 것은?

① 학 ② 신관
③ 선녀 ④ 문지기
⑤ 옥황상제

중요 **12** (자)를 참고하여 ⓐ~ⓓ가 상징하는 바를 각각 쓰시오.

중요 **13** (차)로 보아, 앞으로 전개될 내용으로 알맞은 것은?

① '오늘이'는 원천강에 머물 것이다.
② '오늘이'는 문지기의 부름을 받게 될 것이다.
③ '오늘이'는 부모님을 떠나 독립적으로 살 것이다.
④ '오늘이'는 다른 이들과의 약속을 지키지 않을 것이다.
⑤ '오늘이'가 오는 길에 부탁받은 문제들을 해결할 것이다.

간단 체크 어휘 문제

다음 뜻풀이에 알맞은 낱말에 ○표 하시오.

(1) 남의 어려운 처지를 안타깝게 여기는 마음
(동정심, 수치심)

(2) 풀이나 나무 따위가 자라서 우거져 있다.
(무성하다, 물결치다)

❸ '오늘이'가 만난 대상과 그들에게 받은 부탁

장소	대상	부탁
흰모래 마을 별층당	'□□'	왜 밤낮으로 별층당에 앉아서 글만 읽어야 하고 집 밖으로 나갈 수가 없는지 알아봐 달라고 함.
연화못	연꽃 나무	왜 맨 윗가지에만 꽃이 피고 다른 가지에는 피지 않는지 알아봐 달라고 함.
청수 바닷가	큰 뱀	왜 □□□를 세 개나 물고서도 용이 못 되는지 알아봐 달라고 함.
길가 별층당	'매일이'	매일 글을 읽고 있는데 언제나 이 신세를 면할 수 있는지 알아봐 달라고 함.
□□□	하늘나라 선녀들	우물물을 퍼야 하는데 두레박에 큰 구멍이 뚫려서 아무리 애를 써도 물을 퍼낼 수 없다고 함.

전 학습 포인트

❶ 이 이야기의 사건 전개 방식 ② **❷ '오늘이'가 부탁받은 일을 해결하는 방법**

카 오늘이는 먼저 별층당에서 글을 읽고 있는 매일이를 만났다.

"부모님을 만나 뵙고 매일이 님의 일도 알아 왔습니다. 저와 함께 가시면 소원이 이루어질 거예요."

오늘이가 매일이를 이끌고 길을 떠나 전날의 바닷가에 이르니 큰 뱀이 여의주 세 개를 입에 넣은 채 뒹굴고 있었다.

"왜 용이 못 되는지 알아 왔습니다. 바다를 건네주면 알려 주지요."

큰 뱀은 기뻐하면서 오늘이와 매일이를 등에 태우고 수만 리 물길을 헤엄쳐 청수 바닷가에 이르렀다. / "하늘에 못 오르는 건 여의주를 세 개나 물었기 때문이랍니다. 하나만 물면 용이 될 수 있지요."

그러자 뱀은 얼른 여의주 두 개를 뱉어서 오늘이에게 주고 하나만 입에 문 채 몸을 뒤틀었다. 뱀은 힘찬 소리와 함께 용이 되어 하늘로 날아올랐다.

다음은 연화못의 연꽃 나무.

"윗가지에 핀 꽃을 처음 보는 사람에게 주면 가지마다 꽃이 핀답니다."

연꽃 나무는 얼른 윗가지에 핀 꽃을 꺾어서 오늘이에게 주었다. 그러자 가지마다 꽃봉오리가 맺히면서 탐스러운 꽃이 송이송이 피어나기 시작했다.

오늘이와 매일이는 길을 걸어 흰모래 마을 별층당에 이르렀다. 예전처럼 장상이가 글을 읽고 있었다.

"원천강에서 장상이 님의 일을 알아 왔습니다. 장상이 님처럼 몇 년간 홀로 글만 읽어 온 처녀를 만나 배필로 맞으시면 만년 영화를 누리실 수 있답니다."
몸이 귀하게 되어 오랜 세월 동안 이름이 세상에 빛남

"세상에 그런 처녀가 어디에 있을까요?" / "여기 모셔 왔습니다. 매일이 님이지요. 두 분이 부부의 연을 맺으면 행복해지실 거예요."

장상이와 매일이는 서로를 마주 보며 손을 꼭 잡았다.

간단 체크 내용 문제

14 (카)의 내용과 일치하지 않는 것은?
① '오늘이'가 돌아오면서 제일 처음 만난 대상은 '매일이'이다.
② '오늘이'는 '매일이'의 문제를 해결하기 위해 '매일이'와 함께 길을 떠난다.
③ '오늘이'는 큰 뱀에게 문제를 해결해 주겠다며 바다를 건네주기를 부탁하였다.
④ '큰 뱀'이 욕심 내지 않고 여의주를 모두 뱉은 결과 용이 되어 하늘로 날아올랐다.
⑤ '오늘이'는 비슷한 처지에 있는 '장상'과 '매일이'가 부부의 연을 맺도록 도와주었다.

15 (카)에서 '오늘이'가 연꽃 나무에게 알려 준 문제 해결 방법을 쓰시오.

16 〈보기〉의 밑줄 친 여정 중에서 부탁받은 문제를 해결해 준 대상으로 볼 수 없는 것은?

보기: 이 이야기는 주인공인 '오늘이'의 여정에 따라 요약할 수 있다. 이는 크게 '오늘이'가 부모님을 찾아 원천강으로 가는 길과 도움을 준 대상의 부탁을 들어주기 위해 집으로 돌아가는 길로 나눌 수 있다.

① '장상' ② 큰 뱀
③ '매일이' ④ 연꽃 나무
⑤ 하늘나라 선녀들

학습콕 전 | 소주제: '오늘이'가 집으로 돌아가면서 원천강으로 가는 길에 받은 부탁들을 해결해 줌.

❶ 이 이야기의 사건 전개 방식 ②

□□와 □□ 해결의 구조	'오늘이'가 여행 중에 만난 이들에게서 부탁받은 다양한 문제들을 해결해 주는 구조로 전개됨.

❷ '오늘이'가 부탁받은 일을 해결하는 방법

여정	대상	해결 방안
원천강으로 가는 길	하늘나라 선녀들	'오늘이'가 댕댕이덩굴을 으깨어 뭉쳐서 두레박의 구멍을 막고 송진을 녹여서 틈을 막아 물이 새지 않게 함.
□으로 돌아가는 길	'매일이'	'매일이'를 데리고 길을 떠남. → '장상'에게 데려가 서로 부부의 연을 맺게 함.
	큰 뱀	여의주를 하나만 물면 용이 될 수 있다고 알려 줌. → 뱀은 여의주 세 개 중 두 개를 '오늘이'에게 주고, 용이 되어 하늘로 올라감.
	연꽃 나무	윗가지에 핀 꽃을 처음 보는 사람에게 주면 가지마다 꽃이 핀다고 알려 줌. → 연꽃 나무가 윗가지에 핀 꽃을 꺾어 '□□□'에게 주자, 다른 가지에도 꽃이 피어남.
	'장상'	처지가 비슷한 처녀를 만나 배필로 맞으면 만년 영화를 누릴 수 있다고 알려 줌. → '매일이'와 부부의 연을 맺게 함.

간단 체크 내용 문제

17 (타)에서 '오늘이'가 맡게 된 일을 모두 고른 것은?

ㄱ. 원천강의 문지기
ㄴ. 옥황상제의 시녀
ㄷ. 선녀로서 원천강을 돌보는 일
ㄹ. 사계절의 소식을 세상에 전하는 일
ㅁ. 원천강의 여의주와 연꽃을 관리하는 일

① ㄱ, ㄴ ② ㄱ, ㅁ
③ ㄴ, ㄷ ④ ㄷ, ㄹ
⑤ ㄷ, ㄹ, ㅁ

결 학습 포인트

❶ 이 이야기의 결말 ❷ '오늘이'의 여행이 지닌 의미

(타) 오늘이는 전에 자기가 살던 마을로 돌아가 백씨 부인을 찾아갔다.

백씨 부인에게 부모님과 만난 일과 오가면서 겪은 일을 다 이야기하고 뱀한테서 받은 여의주 한 개를 드렸다. 백씨 부인은 어느새 어른이 된 오늘이를 꼭 안아 주었다.

그 뒤 오늘이는 옥황상제의 부름으로 하늘나라 선녀가 되어 원천강을 돌보며 사계절의 소식을 세상에 전하는 일을 맡게 되었다. 한 손에 여의주를, 또 한 손에 연꽃을 든 채로.

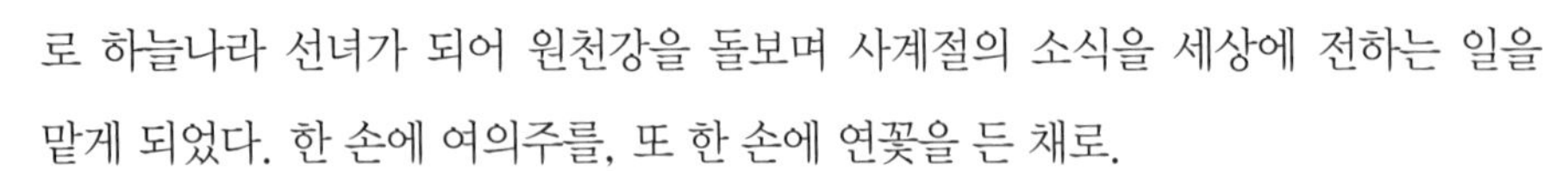

학습콕 결 | 소주제: 어른이 된 '오늘이'가 원천강을 돌보며 사계절의 소식을 전하는 선녀가 됨.

❶ 이 이야기의 결말

'오늘이'가 신적 존재가 됨.	➲	• 어른이 된 '오늘이'는 옥황상제의 부름을 받아 하늘나라 □□가 됨. • 원천강을 돌보며 사계절의 소식을 세상에 전하는 일을 맡게 됨.

❷ '오늘이'의 여행이 지닌 의미

'오늘이'가 부모님을 찾아가는 과정	=	훗날 신적 존재가 되는 '오늘이'가 □□□을 획득하기 위한 필연적인 과정

중요

18 '오늘이'의 여행의 의미를 다음과 같이 정리할 때, 빈칸에 들어갈 내용으로 적절한 것은?

이 이야기의 결말 부분에서 '오늘이'는 큰 뱀에게 받은 여의주와 연꽃 나무가 꺾어 준 연꽃을 든 채로 신적 존재인 하늘나라의 선녀가 된다. 이를 통해 '오늘이'가 부모님을 찾아가는 여행길 자체가 곧 (   ) (이)라고 볼 수 있다.

① 신과 인간의 갈등을 암시하는 것
② 우리 민족의 자긍심을 반영한 결과
③ 신성성을 획득하기 위한 필연적인 과정
④ 세상의 혼란이 해결될 것임을 암시하는 것
⑤ 인간들이 겪는 문제 상황을 비유적으로 상징하는 것

❶ 이야기의 특성을 고려하여 다양한 방법으로 내용 요약하기
❷ 이야기 속 인물의 삶의 태도를 이해하고, 우리의 삶 돌아보기

1 이야기의 특성을 고려하여 이 이야기를 요약해 보자.

(1) '오늘이'가 부모님을 찾아가는 길에 어디에서 누구를 만났는지 이야기 지도로 정리해 보자.

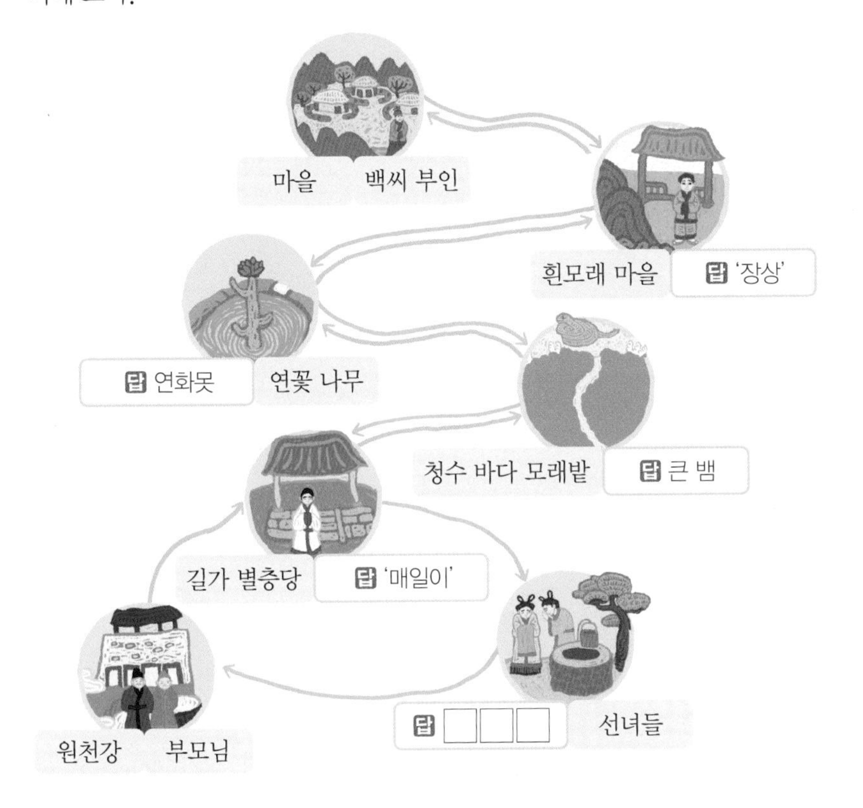

(2) '오늘이'가 원천강으로 가는 길에 부탁받은 일을 어떻게 해결했는지 정리해 보자.

부탁받은 일	해결 방안
'장상'이 왜 밤낮 별층당에 앉아서 글만 읽어야 하고 집 밖으로 나갈 수 없는지 알아봐 달라고 함.	답 처지가 비슷한 처녀를 만나 배필로 맞으면 만년 영화를 누릴 수 있다고 알려 줌. → '매일이'와 □□의 연을 맺게 함.
연꽃 나무가 왜 맨 윗가지에만 꽃이 피고 다른 가지에는 피지 않는지 알아봐 달라고 함.	답 윗가지에 핀 꽃을 처음 보는 사람에게 주면 가지마다 꽃이 핀다고 알려 줌. → 연꽃 나무가 윗가지에 핀 꽃을 꺾어 '오늘이'에게 주자 다른 가지에도 꽃이 피어남.
큰 뱀이 여의주를 세 개나 물고서도 용이 못 되고 있으니 어쩌면 좋겠는지 알아봐 달라고 함.	답 여의주 하나만 물면 □이 될 수 있다고 알려 줌. → 뱀은 여의주 세 개 중 두 개를 '오늘이'에게 주고 용이 되어 하늘로 올라감.
'매일이'가 하늘에서 벌을 받아 매일 글을 읽고 있는데 언제나 이 신세를 면할 수 있는지 알아봐 달라고 함.	답 '매일이'를 데리고 길을 떠남. → '장상'과 부부의 연을 맺게 함.

간단 체크 활동 문제

01 이 이야기를 요약하는 방법으로 알맞지 않은 것은? (정답 2개)

① 시간의 흐름을 중심으로 요약한다.
② 계절의 차이를 중심으로 요약한다.
③ 장소의 변화를 중심으로 요약한다.
④ 인물의 심리 변화를 중심으로 요약한다.
⑤ 문제와 문제 해결의 구조를 중심으로 요약한다.

02 '오늘이'가 원천강으로 가는 길에 만난 대상과 대상이 겪는 어려움의 연결이 바르지 않은 것은?

① '장상' – 왜 밤낮으로 별층당에 앉아 글만 읽어야 하는가?
② 연꽃 나무 – 왜 맨 윗가지에만 꽃이 피는가?
③ 큰 뱀 – 왜 여의주를 세 개나 물고도 용이 되지 못하는가?
④ '매일이' – 어떻게 하면 천생연분을 만나 결혼을 할 수 있는가?
⑤ 하늘나라 선녀들 – 어떻게 하면 우물물을 다 퍼낼 수 있는가?

하늘나라 선녀들이 우물물을 다 퍼야 하늘로 돌아갈 수 있는데 두레박에 큰 구멍이 뚫려서 아무리 애를 써도 물을 퍼낼 수가 없다고 함.	'오늘이'가 댕댕이덩굴을 으깨어 뭉쳐서 두레박의 구멍을 막고 송진을 녹여서 틈을 막아 물이 새지 않게 함.

(3) 이 이야기의 전체 줄거리를 띄어쓰기를 포함하여 500자 이내로 요약하여 써 보자.

예시 답 ›› '오늘이'는 들에서 태어나 홀로 살다가, 마을 사람들의 도움으로 마을에서 살게 된다. 어느 날 백씨 부인에게 부모님 이야기를 들은 '오늘이'는 부모님을 찾아 원천강으로 먼 길을 떠난다.
'오늘이'는 원천강으로 가는 도중에 많은 이를 만나 도움을 받고 부탁도 받는다. '오늘이'는 책만 읽고 집 밖으로 나갈 수 없는 '장상', 맨 윗가지에만 꽃이 피는 연꽃 나무, 여의주를 세 개나 물고도 용이 되지 못하는 큰 뱀, 책만 읽고 밖으로 나갈 수 없는 '매일이', 구멍 뚫린 두레박으로 우물물을 퍼내는 선녀들의 도움으로 원천강에 도착하여 부모님을 만난다.
사계절의 땅 원천강을 구경한 '오늘이'는 자신에게 도움을 주었던 이들과의 □□을 지키기 위해 부모님과 작별한다. '오늘이'는 마을로 돌아가는 길에 '매일이', 큰 뱀, 연꽃 나무, '장상'을 차례대로 만나 그들이 부탁했던 일을 □□해 준다.
그 뒤 옥황상제의 부름을 받은 '오늘이'는 원천강을 돌보고 사계절의 소식을 전하는 선녀가 된다.

(4) 이 이야기를 책으로 만든다고 할 때, 책의 띠지에 들어갈 문구를 한 문장으로 써 보자.

예시 답 ›› 『사계절의 땅 원천강 오늘이』는 사계절의 여신, '오늘이'가 부모님을 찾아가는 모험담을 담은 책입니다.

2 이 이야기에 드러나는 '오늘이'의 삶의 태도를 살펴보고, 이를 통해 우리의 삶을 돌아보자.

(1) '오늘이'의 행동에서 알 수 있는 삶의 태도를 정리해 보자.

'오늘이'의 행동	'오늘이'의 삶의 태도
부모님을 찾아 홀로 낯선 길을 떠남.	• 용감하다. • 독립심이 강하다.
처음 만나는 대상들에게 친절하게 대하고 그들의 부탁을 들어줌.	• 답 상냥하고 친절하다. • 답 다른 사람의 입장을 □□할 줄 안다. • 답 지혜롭고 현명하게 위기에 대처할 줄 안다.
부모님을 찾아가는 길에 부탁받았던 일을 해결해 주기 위해 다시 돌아감.	• 답 약속을 끝까지 지킨다. • 답 사소한 것도 소중하게 생각한다.

(2) 현재 자신의 모습을 돌아볼 때, '오늘이'의 삶의 태도 중 가장 닮고 싶은 점과 그 까닭을 말해 보자.

예시 답 ›› '오늘이'에게 가장 닮고 싶은 점은 처음 만나는 사람들과 자연스럽게 대화하는 것이다. 나는 낯을 많이 가려 새로운 사람들과 쉽게 어울리지 못한다. '오늘이'처럼 새로운 사람들과도 잘 어울릴 수 있게 사람들을 상냥하고 친절하게 대해야겠다.

간단 체크 활동 문제

03 〈보기〉를 고려하여 이 이야기를 요약한 내용으로 가장 적절한 것은?

보기
오늘의 과제: 책 『사계절의 땅, 원천강 오늘이』의 부제로 들어갈 수 있도록 이 이야기의 핵심 내용을 한 문장으로 써 보세요.

① '오늘이', 들에서 태어나 원천강을 구경하다.
② '오늘이'의 부모님, 하늘에서 신관과 선녀가 되다.
③ '오늘이'는 용감합니다. 그리고 상냥하고 친절합니다.
④ '매일이', 큰 뱀, 연꽃 나무, '장상'의 사연을 그려 내다.
⑤ 사계절을 전하는 선녀, '오늘이'가 부모님을 찾아가는 모험담을 담다.

04 〈보기〉에서 알 수 있는 '오늘이'의 됨됨이로 알맞은 것은?

보기
"이렇게 부모님을 만났으니 제 소원을 이루었습니다. 여기에 오는 길에 부탁받은 일이 많으니 이제 돌아가렵니다."

① 현명하다.
② 용기가 있다.
③ 눈치가 빠르다.
④ 약속을 끝까지 지키려고 노력한다.
⑤ 위기에 대처하는 능력이 뛰어나다.

교과서 74~77쪽

(1) 요약하며 읽기 _

마을 학교에서 '마을학교'로

제재 ❷ 설명하는 글

학습 목표 읽기 목적이나 글의 특성을 고려하여 내용을 요약할 수 있다.

처음 학습 포인트

❶ 처음 부분의 구성상 특징 ❷ 최근 사람들이 '마을'에 관심을 기울이는 까닭

(가) 몇 해 전까지만 해도 '도시'가 유행이더니 어느덧 대세는 '마을'이다. 왜 갑자기 마을일까? 우리 사회는 산업화, 근대화, 도시화를 겪으면서 물질적으로 풍요로워졌지만, 그 과정에서 '우리'가 아닌 '나', '협동'이 아닌 '경쟁'이 최우선의 가치가 되었다. 이러한 무한 경쟁에 지친 사람들은 콩 한 쪽도 이웃과 나누어 먹고, 네 일 내 일 할 것 없이 서로 도우며 살던 옛 공동체(생활이나 행동 또는 목적 따위를 같이하는 집단)의 모습을 그리워하며 마을로 돌아가자는 목소리를 높이고 있다.

(나) 우리나라의 지방 자치 단체들도 '지역 만들기', '마을 만들기', '마을 공동체 만들기' 등의 이름을 달고 마을 중심 사업을 적극적으로 추진하고 있다. 사람들의 관계가 중심이 되는 마을을 만들고자 체계적으로 노력하고 있다. 이 중심에 있는 것이 바로 '마을학교'이다.

학습콕 처음 | 소주제: '마을'과 '☐☐☐☐'에 대해 높아지는 관심

❶ 처음 부분의 구성상 특징

'왜 갑자기 마을일까?' ➡ 도입 부분에서 의문을 제기하며 독자의 ☐☐을 유발함.

❷ 최근 사람들이 '마을'에 관심을 기울이는 까닭

현대 사회의 무한 경쟁에 지친 사람들이 서로 도우며 살던 옛 ☐☐☐의 모습을 그리워하기 때문이다.

가운데 1 학습 포인트

❶ '마을학교'의 개념

(다) '마을학교'가 무엇인지는 다음의 네 가지 측면에서 살펴보면 이해할 수 있다. 첫째, '마을학교'를 '누가 주도하는가'이다. '마을학교'는 행정 관청의 주도하에 만들어지는 것이 아니라 마을 주민이 그들의 필요에 따라 만드는 것이다. 또한 '마을학교'에서는 누구라도 이웃을 가르치는 선생님이 될 수도, 이웃에게 배우는 학생이 될 수도 있다. 배울 내용 역시 주민이 스스로 결정한다. 그래서 주민은 '마을학교'의 주체이자 학습의 원천(사물의 근원)이 된다.

(라) 둘째, ㉠'마을학교'는 '어디에서 이루어지는가'이다. 우리는 '학교'라고 하면 대체로 그 안에 여러 교실이 있고 교탁과 책걸상, 칠판 등이 있는 시설을 떠올린다. 그러나 공간으로서의 '마을학교'란 일반 학교처럼 '이런 시설이어야 해.'라는 틀에서 벗어난다. 주민 센터나 학교뿐만 아니라 마을에 있는 찻집, 도서관, 식당, 놀이터 등 마을 주민들이 활동하는 공간이면 모두 '마을학교'가 될 수 있다.

간단 체크 내용 문제

01 (가)로 보아, 요즘 사람들이 '마을'에 관심을 기울이는 이유로 알맞은 것은?

① 산업화에 기여하고 싶어서
② 마을이 물질적으로 풍요로워지기를 바라므로
③ 마을이 지역 사업의 중심이 되어야 한다고 생각해서
④ 도시에서는 협동이 최우선의 가치로 인정받으므로
⑤ 무한 경쟁에 지친 사람들이 옛 공동체를 그리워하므로

중요

02 (다)에 나타난 '마을학교'를 이끌어 가는 주체로 알맞은 것은?

① 청소년들
② 행정 관청
③ 마을 주민들
④ 학교 선생님들
⑤ 학식 있는 마을 어른들

03 ㉠에 대한 답을 (라)에서 찾아 4어절로 쓰시오.

조건
• '마을학교'의 활동 공간을 모두 포괄하여 설명하는 표현으로 쓸 것

둘 이상의 사람, 사물, 현상 따위가 서로 관련을 맺어 그물처럼 얽혀 있는 조직이나 짜임새

(마) 셋째, '마을학교'는 '무엇을 위해 활동하는가'이다. '마을학교'는 단순히 무엇을 가르치거나 배우는 것만을 목적으로 하지 않는다. '마을학교'에서 하는 활동이나 사업은 마을의 문제를 해결하기 위한 시도와 더 나은 삶터를 만들기 위한 접근에서 시작된다. 또한 마을 주민들은 학습을 매개로 만나 상호 작용을 하면서 긴밀한 유대 관계를 만들려고 한다. 마을에 사는 사람들이라는 복합적인 관계망 속에서 서로 협력하고 소통하면서 '삶의 질 향상'을 목적으로 활동하는 것이다.

매개: 둘 사이에서 양편의 관계를 맺어 줌
유대: 끈과 띠라는 뜻으로, 둘 이상을 연결하거나 결합하게 하는 것. 또는 그런 관계

(바) 넷째, '마을학교'는 '어떤 활동을 하는가'이다. '마을학교'에서 가장 쉽게 할 수 있는 활동은 마을 주민의 교육 프로그램 운영이다. 그러나 '마을학교'의 활동은 여기서 끝나지 않는다. 교육 프로그램을 함께한 주민들은 동아리를 만들어 활동을 계속 이어 나가다가 축제와 같은 행사를 벌이고, 더 나아가 마을 사업으로 확장한다. 함께 학습하던 마을 주민들이 아이들을 더 잘 돌보기 위해 공동육아를 시작하고, 이를 발전시켜 어린이집이나 학교를 세우기도 한다. 공부방에서 함께 공부하던 학생들이 만든 청소년 악단의 연습실은 찻집, 도서관, 영화관, 공연 무대 등이 있는 마을의 문화 예술 공간으로 발전하기도 한다.

운영: 조직이나 기구, 사업체 따위를 운용하고 경영함

학습콕 가운데 1 | 소주제: 네 가지 측면에서 살펴본 '마을학교'의 개념

❶ '마을학교'의 개념

주체	□□ 주민들
활동 공간	마을 주민들이 활동하는 모든 공간 → 주민 센터나 □□, 찻집, 도서관, 식당, 놀이터 등
활동 목적	마을 사람들이 서로 협력하고 소통하면서 삶의 질 향상을 목적으로 활동함.
구체적 활동	마을 사람들의 행복한 □을 위한 다양한 활동 → 마을 주민의 교육 프로그램 운영, 동아리, 마을 축제, 마을 사업, 공동육아, 어린이집이나 학교 세우기, 마을의 문화 예술 공간 만들기 등

가운데 2 학습 포인트

❶ '마을학교'가 추구하는 방향과 그 역할 ❷ '비'와 '우산'의 의미

(사) '마을'과 '학교'를 띄어 쓰지 않는 것에서도 알 수 있듯이, '마을학교'는 마을과 학교가 하나가 되는 것을 추구한다. 마을이 학교의 기능을 단순히 보완하는 것이 아니라 마을 자체가 학교의 기능을 하는 것이다. 마을이 학교라면 그곳에는 마을도 있고 공동체도 있고 교육도 있다. 이러한 '마을학교'에서는 마을의 주인을 키워 내고 주민을 발견하고 주민 간의 어울림을 만들어 낼 것이다. 나아가 '마을학교'의 경험은 주민 스스로 마을을 움직이고 마을의 문제를 해결하는 마을 역량, 즉 마을력의 밑거름이 될 것이다.

(아) 우리는 비가 오면 우산을 펴 든다. 한 사람이 우산을 펴면 우산을 편 사람만 비를 피할 수 있다. 우산이 없는 사람은 비를 쫄딱 맞는다. 그러나 마을에 큰 우산

간단 체크 내용 문제

04 (마)의 주제로 알맞은 것은?
① '마을학교'의 조건
② '마을학교'의 기원
③ '마을학교'의 개념
④ '마을학교'의 운영 목적
⑤ '마을학교'의 활동 공간

05 (바)에 제시된 '마을학교'의 활동으로 거리가 먼 것은?
① 마을 축제
② 마을 사업
③ 마을 동아리
④ 어린이집 세우기
⑤ 사회적 기업 설립

중요
06 (사)의 중심 문장을 찾아 쓰시오.

간단 체크 어휘 문제

다음 문장에 들어갈 적절한 낱말을 〈보기〉에서 찾아 쓰시오.

보기: 매개, 유대, 운영

(1) 그 두 사람은 (   )이/가 매우 깊다.

(2) 조직 (   )에 대한 책임은 그에게 있다.

(3) '말라리아'라는 병은 모기를 (   )(으)로 하여 전염된다.

을 펴 보라. 마을에 큰 우산을 씌우면 마을 안에 사는 사람들이 다 함께 비를 덜 맞거나 피할 수 있다. 이렇게 삶에서 오는 문제와 어려움을 함께 펴 든 우산으로 막아 주는 일, 그 기능을 하는 우산이 '마을학교'이며, 이것이 '마을학교'를 만들려는 까닭이다.

학습콕 가운데 2 | 소주제: '마을학교'가 추구하는 방향 및 역할

❶ '마을학교'가 추구하는 방향과 그 역할

'마을학교'가 추구하는 것	'마을'과 '학교'가 ☐☐가 되는 것
'마을학교'의 역할	• 마을의 ☐☐을 키워 내고, 주민을 발견함. • 주민 간의 어울림을 만들어 냄. • 삶에서 오는 문제와 어려움을 주민들이 함께 막아 냄.

❷ '비'와 '우산'의 의미

비	함께 펴 든 ☐☐
삶에서 오는 문제와 어려움	삶의 문제와 어려움을 막아 주는 '마을학교' → '마을학교'의 역할을 빗댐.

끝 학습 포인트

❶ '마을학교'에 대한 글쓴이의 기대 ❷ '코메니우스'의 말을 인용한 의도

(자) 글을 맺으려니 체코슬로바키아의 교육자이자 종교 개혁가인 ㉠코메니우스의 말이 생각난다. 그가 한 말을 풀이하면 "세계가 전 인류를 위한 학교이듯이 한 사람의 생애는 우리 모두를 위한 학교이다. 학습이 삶의 전부이고, 삶의 전부가 학습인 사회이다. 세상이 학교이다. 모든 사람은 학교를 지니고 있는 동시에 다른 사람들의 학교로 존재한다."라는 뜻이다. 이 말을 '마을학교'에 적용하면 결국 우리 한 사람 한 사람이 '마을학교'이고, 우리가 사는 마을 자체도 역시 '마을학교'로 볼 수 있다. '마을학교'가 "나만 아니면 돼!"라고 외치는 현대의 이기적인 생활 방식을 대신할 새로운 가치를 제시할 수 있기를 기대해 본다.

학습콕 끝 | 소주제: 현대에 새로운 가치를 제시할 수 있는 '마을학교'에 대한 기대

❶ '마을학교'에 대한 글쓴이의 기대
'마을학교'가 현대의 이기적인 생활 방식을 대신할 새로운 가치를 제시할 수 있기를 기대한다.

❷ '코메니우스'의 말을 인용한 의도

"세계가 전 인류를 위한 학교이듯이 ~ 다른 사람들의 학교로 존재한다."	➡	'마을학교'의 필요성을 강조함.

간단 체크 내용 문제

07 (아)의 '비'와 '우산'의 의미를 〈보기〉와 같이 정리할 때, 빈칸에 들어갈 내용을 한 단어로 쓰시오.

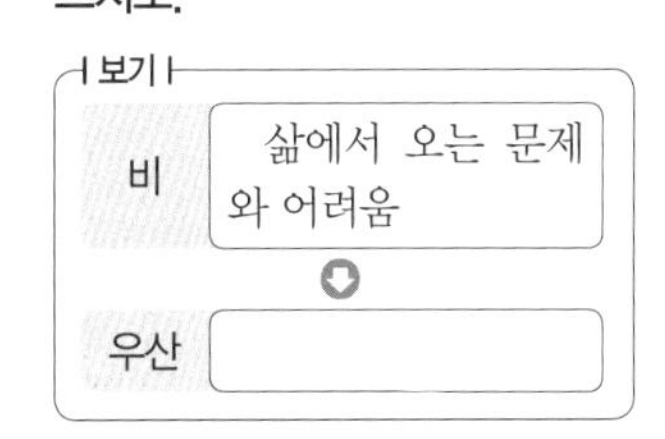
보기

비	삶에서 오는 문제와 어려움
우산	☐

중요
08 다음 내용이 (자)를 요약한 것이라고 할 때, 이에 사용된 요약 규칙을 바르게 묶은 것은?

> '마을학교'가 현대의 이기적인 생활 방식을 대신할 새로운 가치를 제시할 수 있기를 기대해 본다.

① 선택, 삭제
② 선택, 일반화
③ 삭제, 일반화
④ 삭제, 재구성
⑤ 일반화, 재구성

09 (자)에서 ㉠을 인용한 글쓴이의 의도를 한 문장으로 쓰시오.

이해
❶ 설명하는 글의 특성을 고려하여 다양한 방법으로 내용 요약하기
❷ '마을학교'에 대한 이해를 바탕으로 우리가 할 수 있는 '마을학교' 활동 찾기

1 설명하는 글의 특성을 고려하여 이 글을 요약해 보자.

(1) '지민'이 문단을 요약한 방법을 참고하여 (가)~(자)를 요약해 보자.

(가) 몇 해 전까지만 해도 '도시'가 유행이더니 어느덧 대세는 '마을'이다. 왜 갑자기 마을일까? 우리 사회는 산업화, 근대화, 도시화를 겪으면서 물질적으로 풍요로워졌지만, 그 과정에서 '우리'가 아닌 '나', '협동'이 아닌 '경쟁'이 최우선의 가치가 되었나. 이러한 무한 경쟁에 지친 사람들은 콩 한 쪽도 이웃과 나누어 먹고, 네 일 내 일 할 것 없이 서로 도우며 살던 옛 공동체의 모습을 그리워하며 마을로 돌아가자는 목소리를 높이고 있다.

(가)는 최근에 사람들이 마을에 관심을 기울이게 된 까닭을 설명하고 있어. 뚜렷한 중심 문장이 없으니 내용을 재구성하여 중심 문장을 새로 만들어야겠어. '경쟁에 지친 현대인들이 마을에 관심을 기울이기 시작했다.'라는 문장이 적절할 것 같아.

(라) 둘째, '마을학교'는 '어디에서 이루어지는가'이다. 우리는 '학교'라고 하면 대체로 그 안에 여러 교실이 있고 교탁과 책걸상, 칠판 등이 있는 시설을 떠올린다. 그러나 공간으로서의 '마을학교'란 일반 학교처럼 '이런 시설이어야 해.'라는 틀에서 벗어난다. ~~주민 센터나 학교뿐만 아니라 마을에 있는 찻집, 도서관, 식당, 놀이터 등~~ 마을 주민들이 활동하는 공간이면 모두 '마을학교'가 될 수 있다.

(라)의 중심 내용은 마지막 문장이군. 이 문장을 선택해서 요약하면 되겠어. 마지막 문장 중에서 구체적인 예에 해당하는 부분은 삭제해야지.

(바) 넷째, '마을학교'는 '어떤 활동을 하는가'이다. '마을학교'에서 가장 쉽게 할 수 있는 활동은 ⓐ마을 주민의 교육 프로그램 운영이다. 그러나 '마을학교'의 활동은 여기서 끝나지 않는다. 교육 프로그램을 함께한 주민들은 ⓑ동아리를 만들어 활동을 계속 이어 나가다가 ⓒ축제와 같은 행사를 벌이고, 더 나아가 마을 사업으로 확장한다. 함께 학습하던 마을 주민들이 아이들을 더 잘 돌보기 위해 ⓓ공동육아를 시작하고, 이를 발전시켜 ⓔ어린이집이나 학교를 세우기도 한다. 공부방에서 함께 공부하던 학생들이 만든 청소년 악단의 연습실은 찻집, 도서관, 영화관, 공연 무대 등이 있는 ⓕ마을의 문화 예술 공간으로 발전하기도 한다.

(바)는 '마을학교'에서 하는 활동에 대한 내용이고, 밑줄 친 부분이 '마을학교'에서 하는 구체적인 활동에 해당해. 이것들은 모두 마을 사람들의 행복한 삶을 위한 활동이야. 따라서 '마을학교에서는 마을 사람들의 행복한 삶을 위한 다양한 활동을 한다.'라고 일반화하여 요약할 수 있어.

간단 체크 활동 문제

01 다음이 (라)의 중심 내용이라고 할 때, 다음에 쓰인 요약 규칙에 대한 설명으로 가장 알맞은 것은?

> 마을 주민들이 활동하는 공간이면 모두 '마을학교'가 될 수 있다.

① 중심 문장을 선택해서 요약한다.
② 문장 내에서 반복되는 내용을 삭제한다.
③ 중심 문장을 선택하고, 문장 내에서 예로 든 내용은 삭제한다.
④ 구체적이고 개별적으로 제시된 내용을 포괄적 개념으로 일반화한다.
⑤ 중심 문장이 드러나 있지 않으므로 제시된 내용을 바탕으로 중심 문장을 재구성한다.

02 ⓐ~ⓕ는 '마을학교'에서 시행하는 구체적인 활동에 해당한다. 이와 같은 개별적인 내용을 포괄하여 일반화할 수 있는 표현을 6어절로 쓰시오.

㉮ 경쟁에 지친 현대인들이 마을에 관심을 기울이기 시작했다.

㉯ 답 우리나라에서도 마을 중심 사업을 적극적으로 추진하고 있는데, 이 중심에 있는 것이 '마을학교'이다.

㉰ 답 '마을학교'를 이끌어 가는 주체는 □□ □□이다.

㉱ 마을 주민들이 활동하는 공간이면 모두 '마을학교'가 될 수 있다.

㉲ 답 '마을학교'는 마을 주민들이 서로 협력하고 소통하면서 삶의 질 향상을 목적으로 활동하는 것이다.

㉳ '마을학교'에서는 마을 사람들의 행복한 삶을 위한 다양한 활동을 한다.

㉴ 답 '마을학교'는 마을과 □□가 하나 되는 것을 추구한다.

㉵ 답 '마을학교'는 삶에서 오는 문제와 어려움을 마을 주민들이 함께 해결할 힘을 기르는 역할을 하며, 이것이 '마을학교'를 만들려는 까닭이다.

㉶ 답 '마을학교'가 현대의 이기적인 생활 방식을 대신할 새로운 가치를 제시할 수 있기를 기대해 본다.

(2) 이 글을 '처음 – 가운데 – 끝'으로 나누고, 각 구성 단계의 중심 내용을 한 문장으로 요약해 보자.

구성 단계	문단	중심 내용
처음	㉮, ㉯	최근 마을에 대한 관심이 높아지고 있는데, 그 중심에 있는 것이 '마을학교'이다.
가운데 1	답 ㉰~㉳	답 '마을학교'는 마을 주민이 주도하여 마을의 여러 공간에서 자신들의 삶의 질 향상을 위해 다양한 활동을 벌이는 것을 말한다.
가운데 2	답 ㉴, ㉵	답 '마을학교'는 마을과 학교가 하나 되는 것을 추구하며, 삶에서 오는 문제와 어려움을 마을 주민들이 함께 해결할 힘을 기르는 역할을 한다.
끝	답 ㉶	답 '마을학교'가 현대의 이기적인 생활 방식을 대신할 새로운 □□를 제시할 수 있기를 기대해 본다.

간단 체크 활동 문제

03 1-(1)에 쓰인 요약 방법으로 알맞은 것은?

① 구성 단계별로 요약하기
② 사실과 의견으로 요약하기
③ 주장과 근거로 나누어 요약하기
④ 각 문단의 중심 내용 요약하기
⑤ 읽기 목적과 분량에 맞게 요약하기

04 이 글의 구성 단계에 따라 <보기>를 순서에 맞게 배열한 것은?

보기
ㄱ. 최근 '마을'과 '마을학교'에 대한 관심이 높아짐.
ㄴ. '마을학교'는 마을과 학교가 하나 되는 것을 추구함.
ㄷ. '마을학교'가 현대의 이기적인 생활 방식을 대신할 새로운 가치를 제시하기를 기대함.
ㄹ. '마을학교'는 삶의 문제와 어려움을 마을 주민들이 함께 해결할 힘을 기르는 역할을 함.
ㅁ. '마을학교'란 마을 주민의 주도로 마을의 여러 공간에서 주민들의 삶의 질 향상을 위해 다양한 활동을 벌이는 것임.

	처음	가운데	끝
①	ㄱ	ㄴ–ㄷ–ㄹ	ㅁ
②	ㄱ	ㅁ–ㄴ–ㄹ	ㄷ
③	ㄴ	ㄱ–ㄹ–ㅁ	ㄷ
④	ㄷ	ㅁ–ㄴ–ㄱ	ㄹ
⑤	ㅁ	ㄱ–ㄹ–ㄷ	ㄴ

(3) 다음 조건에 맞게 이 글을 요약해 보자.

- ㉠'마을학교'가 무엇인지 모르는 친구에게 '마을학교'를 설명하려는 목적으로 요약할 것.
- ㉡200자 이내로 요약할 것.

예시 답 〉〉

'마을학교'는 마을 주민이 주도하여 마을의 여러 공간에서 자신들의 삶의 질 향상을 위해 다양한 활동을 벌이는 것을 말한다. 비가 오면 우산을 펴서 비를 막을 수 있듯이 '마을학교'를 통해 삶에서 오는 문제와 어려움을 해결할 수 있다.

2 우리 반을 하나의 마을이라고 할 때, 우리가 할 수 있는 '마을학교' 활동에는 어떤 것이 있을지 다음 글을 참고하여 자유롭게 말해 보자.

[A] 부산에 있는 'OOO 서원'은 단순한 서점이 아니라 청소년들이 모여 책을 읽고 토론하고 공부하는 공간이다. 매주 수백 명의 청소년이 다양한 프로그램에 참여하기 위해 이 서원을 찾아온다. 일상적으로는 이곳에서 독서 모임과 토론 모임을 하지만 이 외에도 저자 초청 강연회와 전국 규모의 인문학 토론회를 열기도 하고, 세 달에 한 번은 교양 잡지를 펴내기도 한다. 이 모든 활동을 주도하고 세부적인 일까지 도맡아 하는 사람들은 놀랍게도 청소년들이다. 열정과 신념을 바탕으로 세상을 바꾸고자 하는 청소년들이 서로 교류하고 소통하는 자유로운 공동체가 곧 'OOO 서원'인 셈이다.

– 장성익, 『내 이름은 공동체입니다』

예시 답 〉〉 학급 축제 기획하기, 교과별 짝꿍을 만들어 함께 공부하기 등

학습콕

❶ 요약의 개념과 규칙

개념	선택, 삭제, 일반화, 재구성 등의 규칙에 따라 글의 중심 내용을 간략하게 정리하는 것을 말함.
규칙	• 선택: 중심 내용이 분명하게 드러나는 중심 문장을 찾음. • 삭제: 덜 중요하거나 반복되는 내용, 예로 든 내용은 지움. • 일반화: 구체적이고 개별적인 내용은 그것들을 포괄하는 표현으로 바꿈. • 재구성: 중심 문장이 나타나 있지 않으면 제시된 내용을 바탕으로 중심 문장을 새로 만듦.

❷ 글의 특성에 따라 요약하는 방법

- **이야기**: 이야기의 구성 요소인 인물, 배경, 사건을 중심으로 요약한다.
- **설명하는 글**: 설명하는 대상에 대한 정보를 중심으로 요약한다.
- **주장하는 글**: 주장과 근거를 중심으로 요약한다.

간단 체크 활동 문제

05 설명하는 글을 요약하는 방법을 모두 골라 바르게 묶은 것은?

ㄱ. 구성 단계별로 나누어 요약하기
ㄴ. 주장과 근거를 중심으로 요약하기
ㄷ. 대상에 대한 정보를 중심으로 요약하기
ㄹ. 인물, 사건, 배경을 중심으로 요약하기

① ㄱ, ㄴ ② ㄱ, ㄷ
③ ㄴ, ㄷ ④ ㄴ, ㄹ
⑤ ㄷ, ㄹ

06 요약할 때 고려할 요소 중 ㉠, ㉡에 해당하는 것을 〈보기〉에서 각각 찾아 쓰시오.

보기
읽기 목적, 글의 특성,
글의 갈래, 글의 구조,
요약 분량, 요약 목적

07 [A]를 다음과 같이 요약할 때, 빈칸에 들어갈 말을 30자 이내로 쓰시오.

부산에 있는 'OOO 서원'은 (   )

❶ 각 문단의 중심 내용을 요약하고, 구성 단계 구분하기
❷ 글의 내용을 주장과 근거로 나누어 요약하기
❸ 대상과 목적에 맞게 글의 내용을 요약하기

다음은 농촌 문제와 먹을거리 문제를 해결하기 위한 방안을 담은 시사 평론이다. 이 글을 읽고, 주장하는 글의 특성과 읽기 목적에 맞게 요약해 보자.

갈래	주장하는 글, 시사 평론	성격	논리적, 설득적, 주관적
제재	농장 시장		
주제	농장 시장으로 농촌 경제를 살리고 먹을거리 문제를 해결할 수 있다.		
특징	• 자신의 주장을 뒷받침할 수 있는 여러 근거를 들어 논리적으로 서술함. • 문제를 제기한 다음, 해결 방안을 제시하는 방식으로 내용을 전개함.		

먹을거리 문제, 농장 시장으로 해결하자

류강선

(가) 농민 노천 시장은 그 지역에 사는 농민들이 생산한 농산물을 시장에서 소비자와 직접 거래하는 것을 가리킨다. 하지만 최근 농민 노천 시장에서, 그 지역에서 생산하지 않은 농산물을 판매하는 경우가 종종 있어 농민 노천 시장에 대한 소비자들의 신뢰가 떨어졌다. 그래서 믿을 만한 먹을거리를 얻을 수 있는 대안으로 소비자가 직접 농장에 가서 농산물을 수확하는 '농장 시장'이 주목받고 있다.

(나) 젊은이 대부분이 도시로 빠져나가고, 1990년대부터 인구의 고령화가 진행되면서 농촌은 심각한 일손 부족 문제를 겪고 있다. 심지어 일손이 없어 힘들게 가꾼 농산물의 수확 시기를 놓치는 경우도 많다. 따라서 소비자들이 농장에 찾아가 직접 농산물을 수확하는 농장 시장은 농촌의 부족한 일손 문제를 해결할 수 있는 좋은 방안이 될 것이다.

(다) 농장 시장은 소비자에게 믿을 수 있는 먹을거리를 제공한다. 요즘 국내산이 아닌 농산물이 국내산으로 둔갑하여 유통된다는 말을 심심찮게 들을 수 있다. 그래서 시장이나 대형 할인점 등에서 파는 농산물을 신뢰하지 않는 사람들도 많다. 그러나 농장 시장의 농산물은 소비자가 농장에서 직접 거두어들인 것이기 때문에 안심하고 먹을 수 있다.

둔갑하여: 사물의 본디 형체나 성질이 바뀌거나 가리어져

(라) 일반적으로 농산물이 생산자로부터 소비자에게 전달되기까지는 여러 유통 단계를 거친다. 그래서 농민들은 제 가격에 농산물을 팔기가 어렵고, 소비자는 농산물을 비싸게 사는 경우가 발생한다. 하지만 농장 시장은 소비자가 농장에 가서 직접 농산물을 가져오는 것이기 때문에 유통 단계를 줄여 생산자와 소비자 모두에게 경제적 이익을 줄 수 있다.

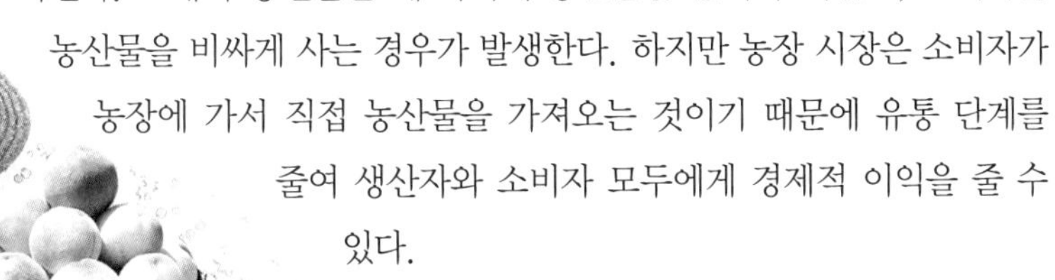

(마) 지금까지 농장 시장이 농촌과 소비자에게 어떤 이점을 주는지 살펴보았다. 어려운 농촌 경제를 살리고, 먹을거리 문제를 해결하기 위해 농장 시장을 확대해야 할 것이다.

간단 체크 활동 문제

08 이 글에 대한 설명으로 알맞지 않은 것은?

① 독자를 설득하는 것을 목적으로 하고 있다.
② 여러 가지 근거를 들어 주장을 논리적으로 뒷받침하고 있다.
③ 농촌 경제를 살리고 먹을거리 문제도 해결하기 위한 대안을 담고 있다.
④ 농민과 소비자가 재래시장에서 직접 거래 하는 방식을 대안으로 제시하고 있다.
⑤ 문제를 제기하고 그에 대한 해결 방안을 제시하는 방식으로 내용을 전개하고 있다.

09 <보기>는 (나)~(라) 부분의 중심 내용이다. 이를 뒷받침하는 근거에 해당하지 않는 것은? (정답 2개)

보기
본론 농장 시장을 운영함으로써 얻을 수 있는 사회·경제적 이익

① 농촌의 부족한 일손 문제를 해결할 수 있다.
② 다른 지역에서 생산된 농산물을 판매할 수 있다.
③ 소비자가 믿을 수 있는 먹을거리를 제공할 수 있다.
④ 소비자가 자신이 먹을 농산물을 직접 기르고 거두어들일 수 있다.
⑤ 유통 단계를 줄여 생산자와 소비자 모두에게 경제적 이익을 줄 수 있다.

1 각 문단의 중심 내용을 한 문장으로 요약하고 서론, 본론, 결론으로 나누어 보자.

문단	중심 내용	구성 단계
㈎	소비자가 믿을 만한 먹을거리를 얻을 수 있는 대안으로 농장 시장이 주목받고 있다.	서론
㈏	답 농장 시장은 농촌의 부족한 일손 문제를 해결할 수 있다.	답 본론
㈐	답 농장 시장은 소비자에게 믿을 수 있는 먹을거리를 제공할 수 있다.	답 본론
㈑	답 농장 시장은 유통 단계를 줄여 생산자와 소비자 모두에게 경제적 이익을 줄 수 있다.	답 □□
㈒	답 어려운 농촌 경제를 살리고, 먹을거리 문제도 해결할 수 있는 (㉠)을 확대해야 한다.	답 □□

2 1을 바탕으로 이 글의 내용을 주장과 근거로 나누어 요약해 보자.

주장	답 농촌 경제를 살리고, 먹을거리 문제도 해결하기 위해 (㉡)을 활성화하자.
근거 1	답 농장 시장은 소비자가 직접 농장으로 가서 수확에 참여하는 것이기 때문에 농촌의 일손 부족 문제를 해결할 수 있다.
근거 2	답 농장 시장의 농산물은 소비자가 농장에서 직접 거두어들인 것이기 때문에 안심하고 먹을 수 있다.
근거 3	답 농장 시장은 유통 단계를 줄여 생산자와 소비자 모두에게 경제적 이익을 줄 수 있다.

3 이 글의 내용을 들려줄 대상과 목적을 정하고, 이에 따라 내용을 요약해 보자.

예시 답 》 생략

간단 체크 활동 문제

10 이와 같은 글을 요약하는 방법으로 알맞지 않은 것은?

① 주장과 근거로 나누어 요약한다.
② 글의 구성 단계에 따라 요약한다.
③ 근거로 든 구체적 예시들을 중심으로 요약한다.
④ 각 문단의 중심 내용을 한 문장으로 요약한다.
⑤ 제기한 문제와 해결 방안을 중심으로 요약한다.

11 ㉠과 ㉡에 공통으로 들어갈 내용을 2어절로 쓰시오.

활동 마당

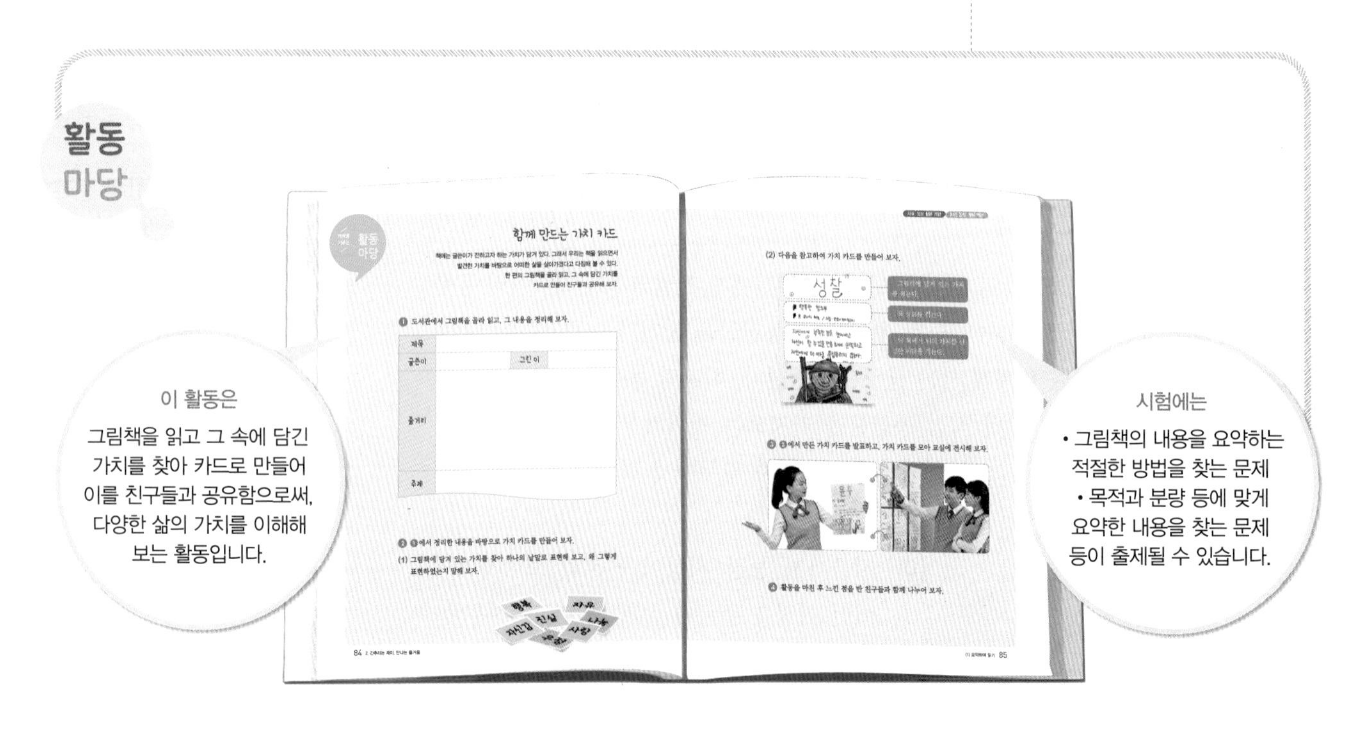

함께 만드는 가치 카드
이 활동은 그림책을 읽고 그 속에 담긴 가치를 찾아 카드로 만들어 이를 친구들과 공유함으로써, 다양한 삶의 가치를 이해해 보는 활동입니다.
시험에는
• 그림책의 내용을 요약하는 적절한 방법을 찾는 문제
• 목적과 분량 등에 맞게 요약한 내용을 찾는 문제
등이 출제될 수 있습니다.

• 정답과 해설 08쪽

제재 ❶ 「사계절의 땅 원천강 오늘이」

갈래	이야기, 설화(신화)	성격	신성성, 상징성
제재	'오늘이'의 여행담	주제	'오늘이'의 여행담과 신적 존재가 되는 과정
특징	• 제주도 신화 「원천강본풀이」의 내용으로, 서사 무가에 기원을 둠. • 시간의 흐름과 공간의 이동에 따라 사건이 전개되고 있으며, 문제와 문제 해결의 구조도 나타남.		

「사계절의 땅 원천강 오늘이」의 짜임

기		승		전		결
들에서 살던 여자아이가 '오늘이'라는 이름을 얻고, 부모님을 찾아 원천강으로 떠남.	→	'오늘이'가 원천강을 찾아가는 도중에 만난 이들에게 도움을 받아 부모님을 만남.	→	'오늘이'가 집으로 돌아가면서 원천강으로 가는 길에 받은 부탁들을 ❶□□해 줌.	→	어른이 된 '오늘이'가 원천강을 돌보며 ❷□□□의 소식을 전하는 선녀가 됨.

'오늘이'가 부탁받은 일을 해결하는 방법(문제와 문제 해결의 구조)

대상	부탁받은 일	해결 방법
'장상'	왜 밤낮으로 글만 읽어야 하는지 궁금함.	처지가 비슷한 '매일이'와 부부의 연을 맺게 함.
연꽃 나무	왜 맨 ❸□□□에만 꽃이 피는지 궁금함.	윗가지에 핀 꽃을 꺾어 '오늘이'에게 주어 다른 가지에도 꽃이 피어남.
큰 뱀	왜 ❹□이 되지 못하는지 궁금함.	여의주를 하나만 물도록 하여 뱀은 용이 되어 승천함.
'매일이'	언제까지 매일 글을 읽어야 할지 궁금함.	'매일이'를 '장상'에게 데려가 부부의 연을 맺게 함.
❺□□□	두레박에 난 구멍 때문에 물을 못 퍼냄.	댕댕이덩굴과 송진을 이용해 물이 새지 않게 함.

제재 ❷ 「마을 학교에서 '마을학교'로」

갈래	설명하는 글	성격	논리적, 체계적, 예시적
제재	'마을학교'	주제	'마을학교'의 개념과 역할
특징	• '마을학교'의 개념을 네 가지 측면으로 구분하여 설명함. • 비유와 인용의 방법으로 '마을학교'의 역할을 강조함.		

「마을 학교에서 '마을학교'로」의 짜임

처음		가운데		끝
'마을'과 '마을학교'에 대한 관심	→	'마을학교'의 개념과 역할	→	'마을학교'에 대한 글쓴이의 기대

'마을학교'의 개념과 역할

개념	• ❻□□: 마을 주민들 • 활동 공간: 마을 주민들이 ❼□□하는 모든 공간 • 활동 목적: 마을 주민들의 삶의 질 향상 • 구체적 활동: 마을 사람들의 행복한 삶을 위한 다양한 활동
역할	마을의 주인을 키워 내고, 주민 간의 어울림을 만들어 내며, 삶에서 오는 문제와 어려움을 함께 막아 냄.

시험에 나오는 소단원 문제

01~04 다음 글을 읽고, 물음에 답하시오.

(가) 아득한 옛날, 적막한 들에 여자아이 하나가 나타났다. 옥처럼 고운 아이였다. 그 아이를 발견한 사람들이 물었다. / "너는 어떠한 아이냐? 이름은 무엇이고 어디에서 왔느냐?"

"저는 부모님도 모르고 이름도 성도 나이도 모릅니다. 그냥 이 들에서 태어나 여기서 살아왔습니다."

(나) "어젯밤 꿈에 네 부모님을 만났다. 네 부모님은 지금 신관과 선녀가 되어 원천강을 지키고 계신다."

"원천강은 어떤 곳인가요? 어떻게 그곳에 갈 수 있나요?"

"거기는 사람이 갈 수 없는 멀고 먼 곳이다만……."

"꼭 부모님을 만나고 싶습니다. 가는 길을 알려 주세요."

"정히 그렇거든 남쪽으로 흰모래 마을을 찾아가 별층당에서 글을 읽고 있는 도령한테 길을 물어보거라."

(다) "저는 오늘이라고 합니다. 부모님을 찾아서 원천강으로 가는 중입니다. 원천강 가는 길을 알려 주세요."

"저는 장상이라고 합니다. 원천강은 아주 먼 곳이지요. 서쪽으로 연화못을 찾아가 연못가의 연꽃 나무에게 길을 물어보면 가는 길을 알 수 있을 거예요."

그러면서 장상이는 한 가지 부탁을 덧붙였다.

"원천강에 가시거든 제 사연도 좀 알아봐 주세요. 왜 밤낮 여기에 앉아서 글만 읽어야 하고 집 밖으로 나갈 수 없는지를요." / "꼭 알아다 드릴게요."

(라) "원천강에서 장상이 님의 일을 알아 왔습니다. 장상이 님처럼 몇 년 간 홀로 글만 읽어 온 처녀를 만나 배필로 맞으시면 만년 영화를 누리실 수 있답니다."

"세상에 그런 처녀가 어디에 있을까요?"

"여기 모셔 왔습니다. 매일이 님이지요. 두 분이 부부의 연을 맺으면 행복해지실 거예요."

(마) 백씨 부인에게 부모님과 만난 일과 오가면서 겪은 일을 다 이야기하고 뱀한테서 받은 여의주 한 개를 드렸다. 백씨 부인은 어느새 어른이 된 오늘이를 꼭 안아 주었다. / 그 뒤 오늘이는 옥황상제의 부름으로 하늘나라 선녀가 되어 원천강을 돌보며 사계절의 소식을 세상에 전하는 일을 맡게 되었다. 한 손에 여의주를, 또 한 손에 연꽃을 든 채로.

---

01 이 글에 대한 설명으로 알맞지 않은 것은?

① 아득한 옛날의 신성한 장소를 배경으로 한다.
② 주인공의 기이한 탄생과 모험담을 그려 낸다.
③ 사람이 쉽게 도달할 수 없는 초월적 공간이 나타난다.
④ 평범한 인간이 자신의 운명을 개척하는 내용을 다룬다.
⑤ 신관과 선녀, 옥황상제와 같은 천상적 존재가 등장한다.

학습 활동 응용

02 (나)와 (다)에 나타난 '오늘이'의 모습을 〈보기〉와 같이 정리할 때, 빈칸에 들어갈 내용으로 알맞은 것은?

보기

'오늘이'의 행동	'오늘이'의 면모
부모님을 찾아서 홀로 낯선 길을 떠남.	

① 자존심이 강하다.
② 상냥하고 친절하다.
③ 용감하고 독립심이 강하다.
④ 사소한 일도 소중하게 여긴다.
⑤ 한번 한 약속은 끝까지 지킨다.

학습 활동 응용

03 (다)와 (라)의 내용 전개상 관련성을 고려할 때, 이 글의 요약 방법으로 가장 알맞은 것은?

① 인물 간 갈등 관계에 따른 요약
② 문제와 문제 해결 구조에 따른 요약
③ 주장과 그에 대한 근거에 따른 요약
④ 인물의 이동 공간의 변화에 따른 요약
⑤ 인물의 행동과 심리 변화에 따른 요약

04 (마)에서 선녀가 된 '오늘이'의 신성성을 드러내는 소재를 모두 찾아 쓰시오.

05~08 다음 글을 읽고, 물음에 답하시오.

가 몇 해 전까지만 해도 '도시'가 유행이더니 어느덧 대세는 '마을'이다. 왜 갑자기 마을일까? 우리 사회는 산업화, 근대화, 도시화를 겪으면서 물질적으로 풍요로워졌지만, 그 과정에서 '우리'가 아닌 '나', '협동'이 아닌 '경쟁'이 최우선의 가치가 되었다. 이러한 무한 경쟁에 지친 사람들은 콩 한 쪽도 이웃과 나누어 먹고, 네 일 내 일 할 것 없이 서로 도우며 살던 옛 공동체의 모습을 그리워하며 마을로 돌아가자는 목소리를 높이고 있다.

나 '마을학교'가 무엇인지는 다음의 네 가지 측면에서 살펴보면 이해할 수 있다. 첫째, '마을학교'를 '누가 주도하는가'이다. '마을학교'는 행정 관청의 주도하에 만들어지는 것이 아니라 마을 주민이 그들의 필요에 따라 만드는 것이다. 또한 '마을학교'에서는 누구라도 이웃을 가르치는 선생님이 될 수도, 이웃에게 배우는 학생이 될 수도 있다. 배울 내용 역시 주민이 스스로 결정한다. 그래서 주민은 '마을학교'의 주체이자 학습의 원천이 된다.

다 둘째, '마을학교'는 '어디에서 이루어지는가'이다. 우리는 '학교'라고 하면 대체로 그 안에 여러 교실이 있고 교탁과 책걸상, 칠판 등이 있는 시설을 떠올린다. 그러나 공간으로서의 '마을학교'란 일반 학교처럼 '이런 시설이어야 해.'라는 틀에서 벗어난다. 주민 센터나 학교뿐만 아니라 마을에 있는 찻집, 도서관, 식당, 놀이터 등 마을 주민들이 활동하는 공간이면 모두 '마을학교'가 될 수 있다.

라 이 말을 '마을학교'에 적용하면 결국 우리 한 사람 한 사람이 '마을학교'이고, 우리가 사는 마을 자체도 역시 '마을학교'로 볼 수 있다. '마을학교'가 "나만 아니면 돼!"라고 외치는 현대의 이기적인 생활 방식을 대신할 새로운 가치를 제시할 수 있기를 기대해 본다.

마 젊은이 대부분이 도시로 빠져나가고, 1990년대부터 인구의 고령화가 진행되면서 농촌은 심각한 일손 부족 문제를 겪고 있다. 심지어 일손이 없어 힘들게 가꾼 농산물의 수확 시기를 놓치는 경우도 많다. 따라서 소비자들이 농장에 찾아가 직접 농산물을 수확하는 농장 시장은 농촌의 부족한 일손 문제를 해결할 수 있는 좋은 방안이 될 것이다.

05 (가)~(라)와 (마)를 쓴 목적이 바르게 묶인 것은?

① 정보 전달, 친교
② 정보 전달, 설득
③ 친교, 정서 표현
④ 설득, 정서 표현
⑤ 정보 전달, 정서 표현

06 (가)~(라)의 내용과 일치하지 않는 것은?

① '마을학교'의 주체는 마을 주민들이다.
② '마을학교'는 일반적인 학교 시설을 필요로 한다.
③ 마을 도서관, 식당 또한 '마을학교'가 될 수 있다.
④ 최근 '마을'이 주목받는 이유는 현대인들이 옛 공동체의 모습을 그리워하기 때문이다.
⑤ '마을학교'가 현대인의 이기적인 생활 방식을 대신할 새로운 가치를 제시할 수도 있다.

학습 활동 응용

07 (다)를 요약하며 나눈 대화 중, 그 내용이 적절하지 않은 것은?

① 소정: 중심 문장을 먼저 찾아야겠어.
② 석우: 마지막 문장이 (다)의 중심 내용인 것 같아.
③ 태훈: 그럼 마지막 문장을 선택해서 요약해야지.
④ 성소: 또 포괄적인 개념으로 일반화한 내용이 있으니까 구체적인 예를 추가해야 해.
⑤ 나리: '마을 주민들이 활동하는 공간이면 모두 '마을학교'가 될 수 있다.'라고 요약하면 되겠어.

서술형 학습 활동 응용

08 <보기>는 (마)가 속한 글 전체를 주장과 근거로 나눈 것이다. 빈칸에 (마)의 내용을 요약하여 쓰시오.

보기

주장	농촌 경제를 살리고 먹을거리 문제를 해결하기 위해 농장 시장을 활성화하자.
근거 1	
근거 2	농장 시장은 소비자에게 믿을 수 있는 먹을거리를 제공할 수 있다.
근거 3	농장 시장은 유통 단계를 줄여 생산자와 소비자 모두에게 경제적 이익을 줄 수 있다.

길잡이

• 정답과 해설 09쪽

면담이란

일정한 목적을 이루기 위해 특정 대상을 직접 만나서 이야기나 의견을 나누는 것을 말한다.

면담의 목적

정보 수집을 위한 면담	면담의 목적	상담을 위한 면담
평가를 위한 면담		설득을 위한 면담

면담의 목적에 따라 질문할 내용이 달라지므로, 면담을 준비할 때에는 면담의 목적을 분명히 알고 그에 맞게 질문을 마련해야 효과적으로 면담을 할 수 있다.

면담의 절차

면담 준비하기		면담 진행하기		면담 정리하기
면담의 목적과 면담 대상을 정하고, 그에 따라 면담 약속을 정한 후에 질문지를 작성함.	→	면담 대상과 만나서 준비한 질문을 하고 답변을 들음.	→	면담한 내용을 면담의 목적에 맞게 정리함.

면담의 준비 및 진행 단계에서 고려할 점

단계	고려할 점
면담 준비 단계	• 면담의 목적과 면담 대상을 정함. • 면담 주제에 대한 사전 정보를 수집함. • 면담 목적과 주제에 맞는 면담 대상을 섭외함. • 면담의 목적과 진행 과정에 따른 다양한 질문을 준비함.
면담 진행 단계	• 면담의 목적을 면담 대상에게 미리 알려야 함. • 질문은 구체적이면서도 간결해야 하며, 면담의 목적에 맞아야 함. • 면담 대상의 대답을 경청하고, 적절하게 반응함. • 녹음이나 촬영을 해야 할 때에는 미리 면담 대상에게 허락을 받음. • 면담 대상을 존중하고 배려하는 태도를 지녀야 함.

간단 체크 개념 문제

1 면담하기에 대한 설명이 맞으면 ○표, 틀리면 ×표 하시오.

(1) 면담은 특정 대상을 직접 만나지 않고 의견을 나누는 것을 말한다. (　　)

(2) 면담의 목적에는 정보 수집, 상담, 평가, 설득 등이 있다. (　　)

(3) 면담을 하기 위해서는 먼저 질문을 작성한 뒤, 면담 대상을 정해야 한다. (　　)

2 다음 빈칸에 들어갈 알맞은 말을 각각 쓰시오.

> 면담 □□은/는 비록 만나기 힘들거나 까다롭다 하더라도 면담의 □□(이)나 주제에 적합한 인물로 정해야 한다.

3 면담을 준비하는 단계에서 고려할 점으로 거리가 먼 것은?

① 면담 목적을 정한다.
② 면담 대상을 섭외한다.
③ 면담 주제에 대한 사전 정보를 수집한다.
④ 면담 목적과 진행 과정에 따라 질문을 준비한다.
⑤ 녹음이나 촬영을 하기 전에 미리 허락을 구한다.

교과서 87~101쪽

• 정답과 해설 09쪽

(2) 질문을 준비하여 면담하기

학습 목표 목적에 맞게 질문을 준비하여 면담할 수 있다.

이해
❶ 면담의 개념과 다양한 목적 이해하기
❷ 면담의 절차 이해하기

1 면담의 다양한 목적

학습 포인트
❶ 면담의 개념과 목적

1 다음과 같은 상황에서 어떤 목적의 면담이 필요할지 보기에서 골라 써 보자.

- 설득을 위한 면담
- 상담을 위한 면담
- 평가를 위한 면담
- 정보를 얻기 위한 면담

(가)

마을 신문에는 어떤 내용이 실리나요?
마을 사람들이 살아가는 소소한 이야기가 실립니다.

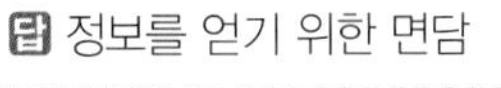

답 정보를 얻기 위한 면담

(나)

우리 회사에 지원한 까닭이 무엇인가요?
제가 이 회사에 지원한 까닭은 ......
면접관

답 ☐☐를 위한 면담

(다)

저, 이제부터 정기적으로 용돈을 받고 싶어요.
왜? 필요할 때마다 아빠에게 받아 쓰는 것이 불편하니?

답 설득을 위한 면담

(라)

준서야, 요즘 무슨 고민 있니?
요즘 자꾸 주변 사람들에게 짜증을 내요. 사람을 만나는 것도 귀찮고요. 제가 왜 이러는지 모르겠어요.

답 상담을 위한 면담

간단 체크 활동 문제

01 면담의 일반적인 목적과 거리가 먼 것은?

① 설득　② 평가
③ 친교　④ 상담
⑤ 정보 수집

02 다음 상황에서 알 수 있는 '민수'의 면담 목적을 〈보기〉에서 골라 쓰시오.

> 민수: 작가님은 만화가 무엇이라고 생각하세요?
> 만화가: 일반적으로 볼 때, 만화란 스토리를 가지고 있는 연속적인 그림과 글의 조합이라고 할 수 있습니다. 그러나 만화를 한마디로 정의하기란 쉽지 않죠.

보기
정보 수집, 상담, 평가, 설득

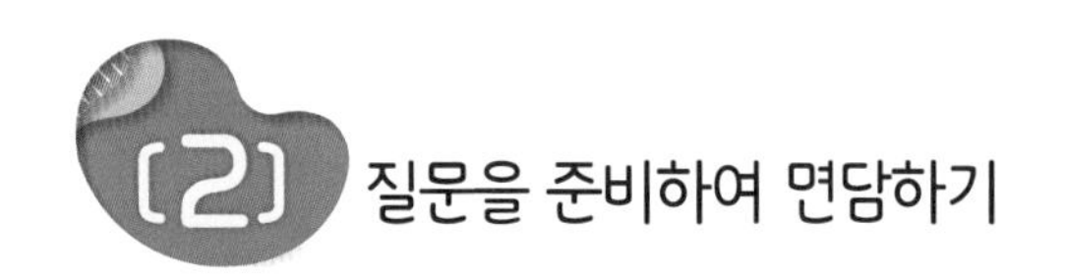

(2) 질문을 준비하여 면담하기

2 '지민'과 '준서'의 대화를 보고, 다음 활동을 해 보자.

(가) **준서**: 지민아, 어제 나온 마을 신문 봤니?

지민: 응, 정말 재밌더라. 우리 옆집 개가 새끼를 낳았다는 소식까지 있던걸! 그런데 우리 학교 친구들은 마을 신문이 있는지조차 잘 모르는 것 같더라. 마을 신문 편집장님과 면담을 해서 학교 신문에 소개하면 어떨까?

준서: 좋은 생각이야. 학교 신문에 편집장님 면담 기사를 실으면 많은 친구가 마을 신문에 관심을 보일 거야.

(나) **준서**: 지민아, 요즘 나 고민이 생겼어. 주변 사람에게 별 까닭 없이 자주 짜증을 내.

지민: 그래? 그럼 마을 찻집에 가 보는 건 어때? 마을 신문 기사에서 봤는데, 찻집을 운영하시는 지호 어머님께서 청소년 상담도 해 주신다고 하더라고.

준서: 그래? 당장 가 봐야겠다.

(1) (가)의 '지민'과 (나)의 '준서'가 하려는 면담의 목적과 대상을 정리해 보자.

	'지민'	'준서'
면담 목적	답 마을 신문을 학교 신문에 소개하기 위해	답 고민을 □□하기 위해
면담 대상	답 마을 신문 편집장	답 지호 어머니

(2) (1)을 고려하여, 다음 질문이 '지민'과 '준서' 중 누가 준비한 질문일지 써 보자.

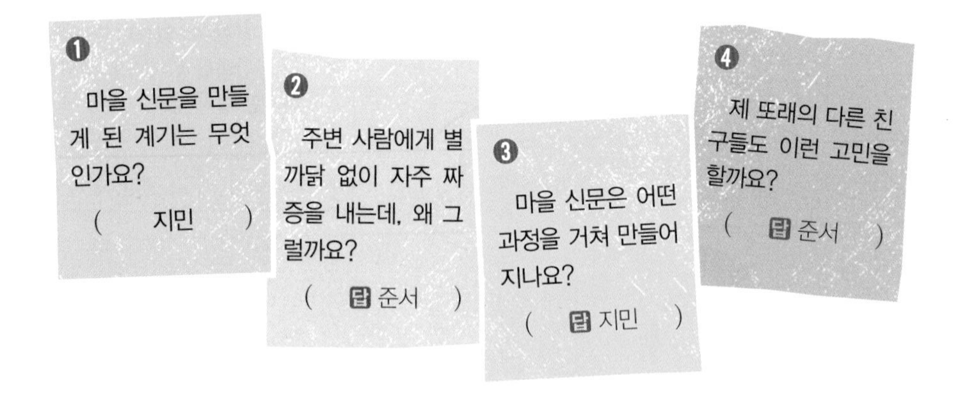

❶
마을 신문을 만들게 된 계기는 무엇인가요?
(지민)
❷
주변 사람에게 별 까닭 없이 자주 짜증을 내는데, 왜 그럴까요?
(답 준서)
❸
마을 신문은 어떤 과정을 거쳐 만들어지나요?
(답 지민)
❹
제 또래의 다른 친구들도 이런 고민을 할까요?
(답 준서)

학습콕

❶ 면담의 개념과 목적

면담의 개념	특정 대상을 직접 만나서 이야기나 □□을 나누는 것
면담의 목적	□□ 수집, 상담, 평가, 설득 등이 있으며 면담의 목적에 따라 질문할 내용이 달라짐.

간단 체크 활동 문제

중요
03 (가)로 보아, '지민'이 면담을 하려는 목적이 무엇인지 한 문장으로 쓰시오.

04 (가)와 (나)의 면담 대상을 각각 찾아 바르게 묶은 것은?

① 준서, 지민
② 준서, 지호 어머니
③ 지민, 지호 어머니
④ 지민, 마을 신문 편집장
⑤ 마을 신문 편집장, 지호 어머니

중요
05 다음은 (가)와 (나)에서 언급한 면담을 위해 준비한 질문이다. 면담을 진행할 사람과 준비한 질문이 바르게 연결된 것은?

ㄱ. 마을 신문을 만들게 된 계기는 무엇인가요?
ㄴ. 제 또래의 다른 친구들도 이런 고민을 할까요?
ㄷ. 마을 신문은 어떤 과정을 거쳐 만들어지나요?
ㄹ. 주변 사람에게 별 까닭 없이 자주 짜증을 내는데, 왜 그럴까요?

① 지민 – ㄱ, ㄴ
② 지민 – ㄱ, ㄹ
③ 지민 – ㄴ, ㄷ
④ 준서 – ㄴ, ㄹ
⑤ 준서 – ㄷ, ㄹ

2 면담의 절차

학습 포인트

❶ 면담의 절차

1 '정우'와 친구들의 대화를 보고, 다음 활동을 해 보자.

얘들아, 나 얼마 전에 잡지에서 본 요리 예술사라는 직업에 관심이 생겼어. 더 알아보고 싶어.
잡지에 나왔던 요리 예술사님을 찾아가서 면담하면 어떨까? 면담을 하면 인터넷이나 책에서보다 생생한 정보를 얻을 수 있을 거야.
좋은 생각이야. 그럼 먼저 그분께 허락을 받아야지. 잡지에 있는 주소로 전자 우편을 보내 보자.
면담하기 전에 질문을 미리 정리해 보면 좋을 것 같아. 그리고 면담을 하면서 녹음도 하고 사진도 찍어야 하니까 역할을 나눠 보자.

(1) '정우'와 친구들이 계획한 면담의 목적과 대상을 정리해 보자.

면담 목적	답 요리 예술사에 대한 ☐☐를 얻기 위해
면담 대상	답 요리 예술사

(2) 면담을 하기 전에 무엇을 준비해야 하는지 말해 보자.

예시 답 》 면담 대상에게 허락받기, 면담 질문 정리하기, 면담할 때의 역할 나누기 등

2 '정우'가 요리 예술사에게 보낸 전자 우편을 읽고, 다음 활동을 해 보자.

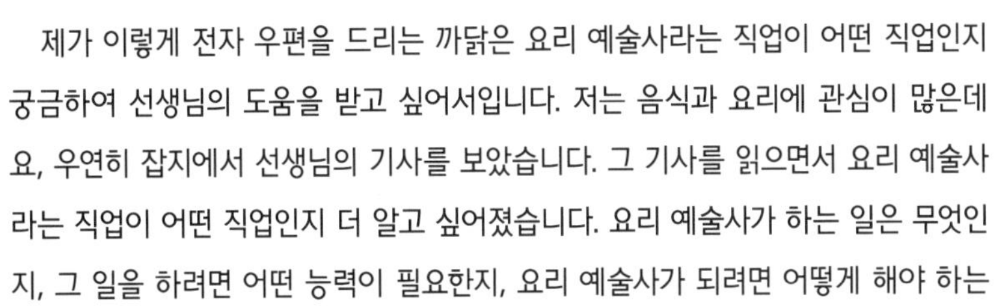

요리 예술사 선생님께

안녕하세요? 저는 행복 중학교에 다니고 있는 이정우라고 합니다.

제가 이렇게 전자 우편을 드리는 까닭은 요리 예술사라는 직업이 어떤 직업인지 궁금하여 선생님의 도움을 받고 싶어서입니다. 저는 음식과 요리에 관심이 많은데요, 우연히 잡지에서 선생님의 기사를 보았습니다. 그 기사를 읽으면서 요리 예술사라는 직업이 어떤 직업인지 더 알고 싶어졌습니다. 요리 예술사가 하는 일은 무엇인지, 그 일을 하려면 어떤 능력이 필요한지, 요리 예술사가 되려면 어떻게 해야 하는

간단 체크 활동 문제

06 '정우'와 친구들의 대화를 통해 확인할 수 있는 내용이 아닌 것은? (정답 2개)

① 면담 시기
② 면담 목적
③ 올바른 면담 태도
④ 면담 대상 섭외 방법
⑤ 면담 전에 준비할 사항

07 이 대화에서 계획한 면담 대상을 2어절로 쓰시오.

중요

08 이 대화를 참고할 때, 면담 전에 준비해야 할 사항이 아닌 것은?

① 면담에 활용할 질문을 마련한다.
② 면담 대상에게 면담 허락을 받는다.
③ 면담 내용을 목적에 맞게 정리한다.
④ 면담의 목적과 면담의 대상을 정한다.
⑤ 면담 준비 및 진행과 관련하여 역할을 나눈다.

지 등 궁금한 점이 무척 많습니다. 선생님께서 면담을 허락하신다면 친구와 함께 직접 찾아뵙고 궁금한 것들을 여쭤보고 싶습니다. 선생님을 직접 뵙고 대화를 나눌 수 있다면 저희가 미래에 직업을 선택하는 데에도 큰 도움이 될 것 같습니다. 괜찮으시다면 저희가 선생님 작업실로 찾아가 선생님을 직접 뵈었으면 하는데요. 언제가 좋을지 선생님께서 편하신 날짜와 시간을 알려 주세요. 그럼 그 시간에 맞추어 찾아뵙도록 하겠습니다. 그리고 궁금한 점을 정리한 면담 질문지를 미리 보냅니다. 참고해 주세요.

그럼 긍정적인 답변 기다리겠습니다. 안녕히 계세요.

행복 중학교 이정우 올림

첨부 파일 면담_질문지.hwp 34.0KB PC저장 | 미리 보기 ×

(1) '정우'가 전자 우편을 보낸 목적이 무엇인지 써 보자.

답 요리 예술사 선생님께 면담을 □□받고 면담 날짜와 시간을 정하기 위해서

(2) 이 전자 우편을 참고하여, 면담을 요청할 때에 어떤 내용을 담아야 하는지 정리해 보자.

답 면담의 목적, 면담 대상의 수락 여부를 묻는 내용, 면담 일시 및 장소에 관한 내용, 면담에서 질문할 내용 등

3 '정우'가 요리 예술사에게 보낸 면담 질문지를 읽고, 다음 활동을 해 보자.

1. 요리 예술사는 주로 어떤 일을 하나요?
2. 요리 예술사는 주로 어떤 영역에서 활동하나요?
3. 요리 예술사들이 즐겨 찾는 음식점은 어디인가요?
4. 요리 예술사가 된 계기는 무엇인가요?
5. 요리 예술사가 되려면 어떻게 해야 하나요?
6. 요리 예술사에게 필요한 능력은 무엇인가요?
7. 요리 예술사를 하시면서 힘들었던 점은 무엇인가요?
8. 요리 예술사를 하시면서 보람을 느끼는 순간은 언제인가요?

(1) 이 면담 질문지의 질문 중 삭제해야 할 질문의 번호와 그 까닭을 써 보자.

삭제해야 할 질문 번호	그 까닭
답 3번	답 요리 예술사라는 □□을 알아보기 위한 면담인데, 3번 질문은 목적에 맞지 않는다.

(2) 이 면담 질문지에 추가하고 싶은 질문을 써 보자.

예시 답 〉〉 요리 예술사를 희망하는 학생들에게 전하고 싶은 말은 무엇인가요?

간단 체크 활동 문제

09 다음은 '정우'가 전자 우편을 보낸 이유이다. 빈칸에 알맞은 말을 각각 쓰시오.

'정우'가 전자 우편을 보낸 이유는 면담 □□인 요리 예술사 선생님께 면담을 허락받고, 면담 장소 및 □□와/과 시간을 정하기 위해서이다.

중요

10 〈보기〉를 고려할 때, '정우'가 요리 예술사에게 보낸 면담 질문 중에서 적절하지 않은 것은?

| 보기 |
면담의 질문을 준비할 때에는 질문이 면담 목적에 맞는지 확인해야 한다.

① 요리 예술사가 된 계기는 무엇인가요?
② 요리 예술사는 주로 어떤 일을 하나요?
③ 요리 예술사가 되려면 어떻게 해야 하나요?
④ 요리 예술사들이 주로 갖는 취미는 무엇인가요?
⑤ 요리 예술사를 하시면서 보람을 느끼는 순간은 언제인가요?

4 '정우'와 '나라'가 요리 예술사를 면담한 내용을 보고, 다음 활동을 해 보자.

나라: 안녕하세요? 저는 행복 중학교 1학년 김나라입니다.

정우: 안녕하세요? 저는 전자 우편으로 인사드렸던 이정우입니다. 바쁘실 텐데 이렇게 면담을 허락해 주셔서 감사합니다.

요리 예술사: 학생들이 온다고 해서 기쁜 마음으로 기다리고 있었어요.

정우: 고맙습니다. 전자 우편으로 말씀드렸듯이 저희가 음식과 요리에 관심이 있다 보니 요리 예술사라는 직업이 어떤 직업인지 궁금한 점이 많습니다. 요리 예술사에 대한 정보를 얻기 위해 면담을 하려고 하니 진솔한 답변 부탁드립니다. 그리고 ㉠저희가 면담 내용을 녹음하고 중간에 사진도 찍으려고 하는데, 괜찮으신지요?

요리 예술사: 네, 괜찮아요. 편하게 질문하세요.

나라: 고맙습니다. 그럼, 지금부터 질문드리겠습니다. ㉡요리 예술사는 주로 어떤 일을 하나요?

요리 예술사: 저는 요리 예술사를 '요리를 예술로 승화하는 요리의 예술가'라고 표현하고 싶어요. 요리를 아름답게 표현하여 상품 가치를 높이는 일을 한다고 생각하면 돼요.

(승화하는: 어떤 현상이 더 높은 상태로 발전하는)

정우: ㉢좀 더 자세히 알고 싶은데요, 요리 예술사의 활동 영역을 말씀해 주세요.

요리 예술사: 음식과 관련된 모든 분야에서 활동할 수 있어요. 광고나 잡지, 드라마, 영화 속의 음식 모양새 꾸미기는 물론이고 요즘은 행사 음식 기획이나 새로운 식단 개발 등 여러 방면에서 활동해요.

나라: 활동 분야가 무척 넓군요. ㉣요리 예술사가 되신 계기는 무엇인가요?

요리 예술사: 어려서부터 요리를 좋아해서 대학에서도 요리를 전공했어요. 학교에 다니면서 요리와 관련된 간단한 일들을 했는데요, 그때의 경험을 통해 요리에 아름다움을 더하는 요리 예술사란 직업에 관심이 생겼죠.

정우: ㉤요리 예술사가 되려면 어떻게 해야 하나요?

요리 예술사: 제가 공부할 당시만 해도 요리 예술사를 양성하는 학원이라든가 요리 예술사로 활동하시는 분들이 많지 않았기 때문에 전문가에게서 배우는 것이 어려웠어요. 그런데 요즘에는 관련 학원은 물론이고 전공 학과도 있고 활동하는 분들도 많아서 처음부터 전문적으로 배울 기회가 많이 있죠. 그리고 기본적으로 음식이나 식재료와 관련된 공부를 해 놓으면 도움이 많이 됩니다. 전혀 모르는 상태에서 음식 모양새 꾸미기만 하는 것보다는 음식이나 식재료의 특성을 충분히 이해하면 요리를 더욱 돋보이게 할 수 있죠. 처음부터 음식 모양새를 꾸미는 것에만 치중하기보다 음식이나 식재료를 깊이 공부할 필요가 있어요.

간단 체크 활동 문제

11 이 면담을 통해 알 수 있는 요리 예술사에 대한 설명으로 알맞지 않은 것은?

① 음식이나 식재료의 특성을 공부해야 한다.
② 음식과 관련된 여러 분야에서 활동할 수 있다.
③ 대학에서 요리를 전공해야 할 수 있는 직업이다.
④ 요리를 아름답게 표현해서 상품 가치를 높이는 일을 한다.
⑤ 최근에는 행사 음식 기획이나 새로운 식단을 개발하는 일도 한다.

12 ㉠~㉤ 중, 〈보기〉에서 설명하는 질문의 성격을 지닌 것은?

보기
부차적 질문이란 질문자가 일차적으로 묻고자 했던 핵심적 내용을 담은 질문에 대한 보충적 질문을 말하는 것으로, 응답자의 응답이 불충분하거나 불명확할 때 활용한다.

① ㉠ ② ㉡
③ ㉢ ④ ㉣
⑤ ㉤

나라: 음식 모양새 꾸미기보다 음식이나 식재료를 이해하는 것이 우선이군요. 그럼 ㉠요리 예술사에게 필요한 능력은 무엇인가요?

요리 예술사: 호기심이 많고 색감과 요리에 대한 기본적인 감각이 있으면 좋습니다. 이런 능력이 있어도 노력하지 않으면 시장의 빠른 변화를 좇아가기가 힘들어서 꾸준히 노력하는 열정과 성실성도 필요하고요. 그리고 기본적으로 다양한 식재료의 특성을 알아야 해요. 식재료의 색, 질감, 맛 등의 특성이나 요리 방법을 알면 음식의 본질을 이해할 수 있고, 이를 통해 요리를 더욱 풍성하게 표현할 수 있죠.

정우: 요리 예술사 일을 하시면서 힘든 점은 무엇인가요?

요리 예술사: 요리 예술사가 하는 일이 흔히 음식의 겉모습을 아름답게 장식하는 것이라고만 생각하는 경우가 많아요. 하지만 육체적으로 많은 에너지가 필요하며 오랜 시간을 투자해야 하는 일입니다. 일이 규칙적이지 않고 밤샘 작업을 해야 하는 때도 있죠. 그래서 하고 싶어서 시작했지만 체력이 따라 주질 않아 중간에 포기하는 사람도 많습니다. 즉, 꾸준하게 자신의 체력을 관리해야 한다는 것입니다.

나라: 강한 체력이 필요하다니 미처 몰랐어요. 요리 예술사 일을 하시면서 보람을 느끼신 순간은 언제인가요?

요리 예술사: 요리 예술사는 대중에게 노출되는(겉으로 드러나는) 직업이 아니에요. 사람들이 광고에 나온 제가 만든 요리를 보고 좋은 반응을 보일 때나 제가 모양새를 꾸민 제품을 사람들이 선택하는 것을 볼 때 요리 예술사로서 보람을 느낍니다.

정우: 요리 예술사를 희망하는 학생들에게 해 주고 싶은 말씀이 있다면 무엇인가요?

요리 예술사: 음식과 관련된 일을 하고 싶다면 적어도 편식하지 말아야겠죠? 여러 음식을 접해 보면서 식재료 고유의 맛과 요리 방법 등을 알아 가는 것이 중요해요. 또한 음식 관련 전시회, 도서, 자료 등에서 보고 배운 것들을 자기 것으로 소화할 수 있도록 꾸준히 공부하는 자세가 필요합니다. 앞서 말했듯이 체력적으로 힘든 부분이 많으므로 기초 체력을 쌓아 둘 필요도 있고요. 어떤 분야이든 처음에는 힘들고 지루한 시간을 겪게 마련이에요. 하지만 그 시간을 잘 보내야 실력과 경력을 쌓을 수 있어요. 한곳에서 꾸준히 배우고 일한다면 언젠가 그 일을 즐길 수 있을 때가 올 거예요.

[A]

나라: 그렇군요. 선생님 덕분에 요리 예술사가 어떤 직업인지 잘 알게 되었습니다. 친절하게 답변해 주셔서 감사합니다.

요리 예술사: 저도 학생들과 만나서 즐거웠어요. 더 궁금한 점이 생기면 언제든 연락하세요.

정우: 네. 바쁘실 텐데 소중한 시간을 내어 주셔서 정말 감사합니다.

간단 체크 활동 문제

13 ㉠에 대한 요리 예술사의 답변 내용으로 알맞지 않은 것은?

① 식재료의 특성을 알아야 한다.
② 요리에 대한 호기심이 많아야 한다.
③ 꾸준히 노력하는 열정을 지녀야 한다.
④ 먼저 음식 모양새를 꾸미는 실력을 키워야 한다.
⑤ 색감과 요리에 대한 기본적인 감각이 있어야 한다.

14 [A]에서 알 수 있는 면담할 때의 바람직한 태도로 알맞은 것은?

① 면담 대상이 대답하기 곤란한 내용은 피한다.
② 면담 대상의 말을 귀기울여 듣고 적절하게 반응한다.
③ 겸손한 태도로 면담 대상에게 추후 면담을 부탁한다.
④ 면담 마무리 인사를 하며 면담 대상에 대한 예의를 갖춘다.
⑤ 면담 과정을 녹음하기 위해 면담 대상에게 정중하게 동의를 구한다.

(1) 면담 내용을 질문과 답변을 중심으로 정리해 보자.

요리 예술사가 주로 하는 일: 요리를 아름답게 표현하여 상품 가치를 높이는 일을 함.

요리 예술사의 활동 영역: 답 음식과 관련된 모든 분야에서 활동할 수 있음(광고, 잡지, 드라마, 영화 속 음식 모양새 꾸미기, 행사 음식 기획이나 새로운 식단 개발 등).

요리 예술사가 된 계기: 답 어려서부터 요리를 좋아해서 대학에서도 요리를 전공함. 학교에 다니면서 요리와 관련된 일들을 했는데, 그때의 경험을 통해 요리 예술사란 직업에 관심이 생김.

요리 예술사가 되는 방법: 답 전공 학과나 요리 예술사 관련 학원도 있고 활동하는 분들도 많아서 전문적으로 배울 기회가 많아짐. 음식이나 식재료와 관련된 공부를 해 놓으면 도움이 많이 됨.

요리 예술사에게 필요한 능력: 답 호기심과, 색감, 요리에 대한 기본 감각, 열정과 성실성, □□□에 대한 이해 등이 필요함.

요리 예술사 일을 하면서 힘든 점: 답 육체적으로 많은 에너지가 필요하고 오랜 시간을 투자해야 하는 일임. 따라서 꾸준하게 자신의 □□을 관리해야 함.

요리 예술사 일을 하면서 보람을 느낀 순간: 답 광고에 나온 자신이 만든 요리에 사람들이 좋은 반응을 보일 때나, 자신이 모양새를 꾸민 제품을 사람들이 선택하는 것을 볼 때 요리 예술사로서 보람을 느낌.

요리 예술사를 희망하는 학생들에게 해 주고 싶은 말: 답 적어도 편식하지는 않아야 하며, 꾸준히 음식과 관련된 공부를 해야 함. 그리고 기초 체력을 쌓아 둬야 함.

(2) (1)을 바탕으로 '정우'와 '나라'가 면담한 내용을 목적에 맞게 정리해 보자.

답 요리 예술사는 요리를 아름답게 표현하여 상품 가치를 높이는 일을 하는 사람이다. 요리 예술사는 광고, 잡지, 드라마, 영화 속의 음식 모양새 꾸미기는 물론 행사 음식 기획이나 새로운 식단 개발 등 음식과 관련된 일이라면 특정 분야에 상관없이 활동할 수 있다. 예전에는 많지 않았던 관련 학원이나 전공 학과, 전문가가 최근에는 많이 늘어나면서 요리 예술사가 될 기회가 많아졌다. 요리 예술사 일을 수행하기 위해서는 요리에 대한 기본적인 감각, 색감, 호기심, 열정과 성실성이 필요하다. 그리고 기본적으로 다양한 식재료의 특성을 알아야 한다. 식재료의 색, 질감, 맛 등의 특성이나 요리 방법을 알면 요리를 더욱 풍성하게 표현할 수 있다. 요리 예술사가 하는 일을 흔히 음식의 겉모습을 아름답게 장식하는 것이라고만 생각하는 경우가 많은데, 육체적인 에너지가 굉장히 많이 필요한 직업이다. 따라서 꾸준하게 자신의 체력을 관리하는 것이 중요하다. 요리 예술사를 꿈꾸는 학생들에게 첫 번째로 편식하지 말라는 말을 해 주고 싶다. 여러 음식을 접하고 식재료 고유의 맛과 요리 방법 등을 알아 가는 것이 중요하기 때문이다. 또한 꾸준한 체력 관리도 당부하고 싶다.

간단 체크 활동 문제

중요

15 '나라'와 '정우'가 면담을 하며 물어본 질문의 주제로 알맞지 않은 것은?

① 요리 예술사가 된 계기
② 요리 예술사의 활동 영역
③ 요리 예술사가 즐겨 찾는 음식점
④ 요리 예술사 일을 하면서 힘든 점
⑤ 요리 예술사를 하면서 보람을 느낀 순간

16 이 면담에서 다음 질문에 대해 답변한 내용으로 알맞지 않은 것은?

> 정우: 요리 예술사를 희망하는 학생들에게 해 주고 싶은 말씀이 있다면 무엇인가요?

① 편식하지 않아야 한다.
② 기초 체력을 쌓아 두어야 한다.
③ 꾸준히 공부하는 자세가 필요하다.
④ 여러 곳에서 일하며 다양한 경험을 쌓고 배워야 한다.
⑤ 여러 음식을 접하며 식재료 고유의 맛과 요리 방법을 알아 가야 한다.

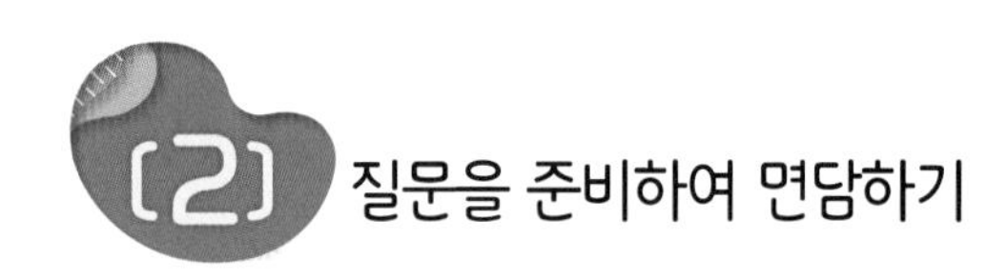

질문을 준비하여 면담하기

(3) 다음 중 면담할 때 유의할 점을 모두 골라 보자.

답

- [x] 질문은 구체적이면서도 간결해야 한다.
- [x] 면담의 목적을 면담 대상에게 미리 알린다.
- [x] 면담의 목적에 맞지 않는 질문은 하지 않는다.
- [x] 면담 대상의 대답을 경청하고 적절하게 반응한다.
- [ ] 더 궁금한 내용이 생기더라도 질문지에 없으면 하지 않는다.
- [x] 녹음이나 촬영을 할 때에는 미리 면담 대상에게 허락을 받는다.

학습콕

❶ 면담의 절차

면담 준비하기	면담 진행하기	면담 정리하기
면담의 목적과 면담 □□을 정하고, 그에 따라 면담 약속을 정한 후에 질문지를 작성함.	면담 대상과 만나서 준비한 □□을 하고 답변을 들음.	면담한 내용을 면담의 목적에 맞게 정리함.

적용 ❶ 면담의 절차에 맞게 실제 면담하기

면담의 목적과 대상을 정하고 목적에 맞게 질문을 준비하여 실제 면담을 해 보자.

1단계 면담 준비하기

1 다음을 참고하여 자신이 할 면담의 목적과 대상을 정해 보자.

면담 목적	면담 대상
제빵사가 되기 위한 방법을 알아보기 위해	마을 빵집 주인아저씨
친구와의 갈등을 해결하기 위한 조언을 듣기 위해	학교 상담 선생님
새로운 동아리 회원을 뽑기 위해	동아리 지원자
방학에 가족 여행을 가자고 설득하기 위해	부모님

예시 답 〉〉

면담 목적: 커피 전문가라는 직업을 알아보기 위해

면담 대상: 커피 전문가

간단 체크 활동 문제

중요
17 면담할 때 유의할 점으로 보기 어려운 것은?

① 구체적이면서도 간결하게 질문한다.
② 면담의 목적에 맞지 않는 질문은 하지 않는다.
③ 면담 대상의 대답을 경청하고 적절하게 반응한다.
④ 더 궁금한 점이 생기더라도 처음 준비한 질문만 한다.
⑤ 녹음이나 촬영을 할 때에는 미리 면담 대상에게 허락을 받는다.

18 면담 목적과 면담 대상의 연결이 알맞은 것끼리 묶인 것은?

ㄱ. 새로운 동아리 회원을 뽑기 위한 면담
ㄴ. 제빵사가 되기 위한 방법을 알아보기 위한 면담
ㄷ. 방학에 가족 여행을 가자고 설득하기 위한 면담
ㄹ. 친구와의 갈등을 해결하기 위한 조언을 듣기 위한 면담

	면담 목적	면담 대상
ㄱ	평가	동아리 지원자
ㄴ	설득	마을 빵집 주인아저씨
ㄷ	정보 수집	부모님
ㄹ	상담	학교 상담 선생님

① ㄱ, ㄴ ② ㄱ, ㄹ
③ ㄴ, ㄷ ④ ㄴ, ㄹ
⑤ ㄷ, ㄹ

2 면담 대상에게 면담을 요청하는 글을 써서 보내고, 면담 약속을 정해 보자.

예시 답 〉〉

커피 전문점 'OO' 사장님께

사장님, 안녕하세요? 저는 행복 중학교 1학년 3반 강하은입니다. 저희 어머니께서 우리 동네에서 가장 맛있는 커피를 만드는 곳이 'OO'라고 해서 이 커피 전문점을 알고 있었습니다.

제가 이렇게 전자 우편을 드린 까닭은 '커피 전문가'라는 직업을 알고 싶어서입니다. 저는 나중에 커피 전문가가 되고 싶거든요. 저는 지금 커피를 마시지는 않지만 어머니께서 커피를 즐겨 드십니다. 제가 보기에는 똑같은 커피인데도 어머니는 어떤 것은 맛이 있다고, 어떤 것은 맛이 없다고 말씀하십니다. 그것이 어떤 차이인지 참 궁금합니다. 그리고 제가 어머니께 세상에서 가장 맛있는 커피를 만들어 드리고 싶기도 합니다. 그래서 커피 전문가라는 직업을 알고 싶어 직접 찾아뵙고 궁금한 점을 여쭈려고 합니다. 바쁘시겠지만 허락해 주시면 감사하겠습니다.

만약 면담을 허락하신다면 다음 주 토요일 오전 10시에 제가 가게로 찾아뵐까 합니다. 혹시 시간이 맞지 않으면 가능한 날짜와 시간을 알려 주세요. 그 시간에 맞추어 찾아뵙도록 하겠습니다.

그럼, 긍정적인 답변 기다리겠습니다. 안녕히 계세요.

행복 중학교 강하은 올림

3 면담 목적에 맞게 다양한 질문을 만들어 보자.

예시 답 〉〉

면담 질문지

1. 커피 전문가는 주로 어떤 일을 하나요?
2. 커피 전문가가 된 계기는 무엇인가요?
3. 커피 전문가라는 직업의 장단점은 무엇인가요?
4. 커피 전문가에게 가장 중요한 것은 무엇인가요?
5. 가장 기억에 남는 손님은 누구이며, 그 까닭은 무엇인가요?
6. 커피 전문가의 전망은 어떠한가요?
7. 커피 전문가가 되려면 어떻게 해야 하나요?
8. 커피 전문가가 되려는 학생들에게 해 주고 싶은 말씀은 무엇인가요?

지식 사전

질문의 유형

- 주안적 질문: 질문자가 일차적으로 묻고자 하는 핵심적 내용을 담은 질문
  예 "환경 오염이 왜 중요한 문제라고 생각합니까?"
- 부차적 질문: 주안적 질문에 대한 보충적 질문
  예 "좀 더 구체적으로 설명해 주시겠습니까?"

간단 체크 활동 문제

19 2의 전자 우편의 내용으로 볼 때, 빈칸에 들어갈 알맞은 내용을 쓰시오.

이 면담의 대상은 커피 전문점 'OO' 사장님이고, 면담의 목적은 (　　　　)이다.

20 '커피 전문가'를 면담하기 위해 준비한 질문으로 적절하지 않은 것은?

① 커피 전문가가 된 계기는 무엇인가요?
② 커피 전문가는 주로 어떤 일을 하나요?
③ 커피 전문가가 되기 전 꿈은 무엇이었나요?
④ 커피 전문가가 되려면 어떻게 해야 하나요?
⑤ 커피 전문가라는 직업의 장단점은 무엇인가요?

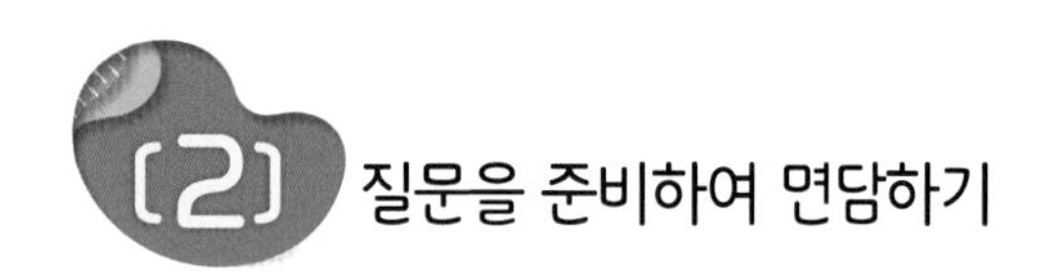

질문을 준비하여 면담하기

4 1~3을 바탕으로 면담 계획서를 작성해 보자.

예시 답 〉〉

항목	계획 내용
면담 목적	커피 전문가라는 직업이 어떤 직업인지 알아보려고
면담 대상	커피 전문점 '○○' 사장님
면담 일시 및 장소	토요일 오전 10시, 커피 전문점 '○○'
면담 준비물	수첩, 필기구, 녹음과 사진 촬영이 가능한 휴대 전화
질문 내용	① 커피 전문가는 주로 어떤 일을 하나요? ② 커피 전문가가 된 계기는 무엇인가요? ③ 커피 전문가라는 직업의 장단점은 무엇인가요? ④ 커피 전문가에게 가장 중요한 것은 무엇인가요? ⑤ 가장 기억에 남는 손님은 누구이며, 그 까닭은 무엇인가요? ⑥ 커피 전문가의 전망은 어떠한가요? ⑦ 커피 전문가가 되려면 어떻게 해야 하나요? ⑧ 커피 전문가가 되려는 학생들에게 해 주고 싶은 말은 무엇인가요?

5 4를 바탕으로 실제 면담을 해 보자.

예시 답 〉〉 생략

지식 사전

면담을 잘하기 위한 요령

① 면담 대상이 말하기 편한 분위기를 만든다.
② 겸손한 자세로 자기소개를 먼저 하고, 면담을 하는 까닭과 목적을 분명히 밝힌다.
③ 면담 주제에 대한 사전 준비를 철저히 한다.
④ 밝은 표정으로 상대와 눈을 맞추면서 확실하고 분명하게, 구체적으로 질문한다.
⑤ 가벼운 질문을 먼저 던지고, 상대가 주저하는 내용은 나중에 적절한 시기에 우회적으로 묻는다.
⑥ 면담 대상이 꺼리는 내용은 일단 피하고 넘어간다.
⑦ 면담 대상에 대한 선입견이나 편견은 버린다.
⑧ 면담 대상의 사소한 말과 행동에도 신경을 쓴다.
⑨ 최대한 집중하여 경청한다.
⑩ 녹음기에만 의존하지 말고 기록도 함께 한다.

6 면담한 내용을 목적에 맞게 정리하고, 그 내용을 발표해 보자.

예시 답 〉〉 커피 전문가는 커피를 전문적으로 만들어 주는 사람이다. 좋은 원두를 선택하고, 다양한 방법으로 커피를 추출하여 고객에게 커피를 제공하는 일을 한다. 커피 전문가에게 가장 중요한 것은 건강한 신체인데, 많은 커피를 만들어 보고 마셔 보아야 하기 때문이다. 현재 커피 시장은 대기업이 뛰어들 만큼 성장 가능성이 높으므로 커피 전문가가 설 자리는 더욱 확대될 전망이다. 커피 전문가가 되고 싶다면, 대학의 커피 전문가 관련 학과나 외식 산업과 관련된 학과에 진학하는 것을 고려해 볼 수 있다. 하지만 반드시 대학에 진학해야만 하는 것은 아니며, 사설 학원에 다니거나 독학으로도 충분히 할 수 있다. 단시간에 한 분야의 전문가가 되는 것은 어려우므로 끊임없이 노력하는 성실한 자세가 중요하다.

간단 체크 활동 문제

21 면담 계획서를 작성할 때 필요한 항목이 아닌 것은?

① 면담 목적
② 면담 대상
③ 면담 답변 정리
④ 면담 질문 내용
⑤ 면담 일시 및 장소

중요

22 실제 면담을 할 때의 자세로 알맞지 않은 것은?

① 겸손한 자세로 자기소개를 먼저 한다.
② 면담 대상이 대답하기 편한 분위기를 만든다.
③ 면담 주제에 대한 사전 준비를 철저히 한다.
④ 면담 대상과 눈을 맞추면서 확실하고 분명하게 말한다.
⑤ 면담 대상이 꺼리는 내용은 잠시 생각할 시간을 주고 답변을 받아 낸다.

23 면담을 하고 난 후에 가장 먼저 해야 할 일로 알맞은 것은?

① 면담 질문지 및 계획서를 작성한다.
② 면담의 목적에 맞게 면담 내용을 정리한다.
③ 면담의 상황에 맞게 질문 순서를 조정한다.
④ 면담 대상에게 면담의 목적을 분명히 전달한다.
⑤ 면담 주제에 대한 철저한 사전 조사를 통해 질문을 준비한다.

7 자신이 한 면담을 떠올려 보면서 다음 기준에 따라 면담 과정을 평가해 보자.

예시 답 〉〉

평가 기준		
• 면담의 목적에 맞는 질문을 하였는가?	예 ✓	아니오 ☐
• 면담 질문이 구체적이면서도 간결하였는가?	예 ✓	아니다 ☐
• 면담 과정에서 면담 대상에게 예의를 지켰는가?	예 ✓	아니다 ☐

8 면담을 준비하고 진행하면서 느낀 점을 말해 보자.

예시 답 〉〉 면담은 책이나 인터넷상의 정보와는 달리 면담 대상의 경험과 그 경험에서 나오는 생생한 정보를 얻을 수 있어서 좋았다. 또한 내가 궁금한 점을 정확하게 물을 수 있고, 답변을 들으면서 생기는 궁금증도 바로 해결할 수 있었다. 그리고 면담의 전 과정을 내가 직접 계획하고 참여했기 때문에 면담을 통해 얻은 정보를 더 오래 기억할 수 있을 것 같다.

간단 체크 활동 문제

24 면담의 평가 기준으로 알맞지 않은 것은?

① 면담의 목적에 맞는 질문을 하였는가?
② 면담 질문이 구체적이면서도 간결하였는가?
③ 면담 과정에서 면담 대상에게 예의를 지켰는가?
④ 면담 대상의 답변을 경청하며 적절하게 반응하였는가?
⑤ 면담 대상이 예상치 못한 질문을 하여 사실을 말하도록 유도했는가?

활동 마당

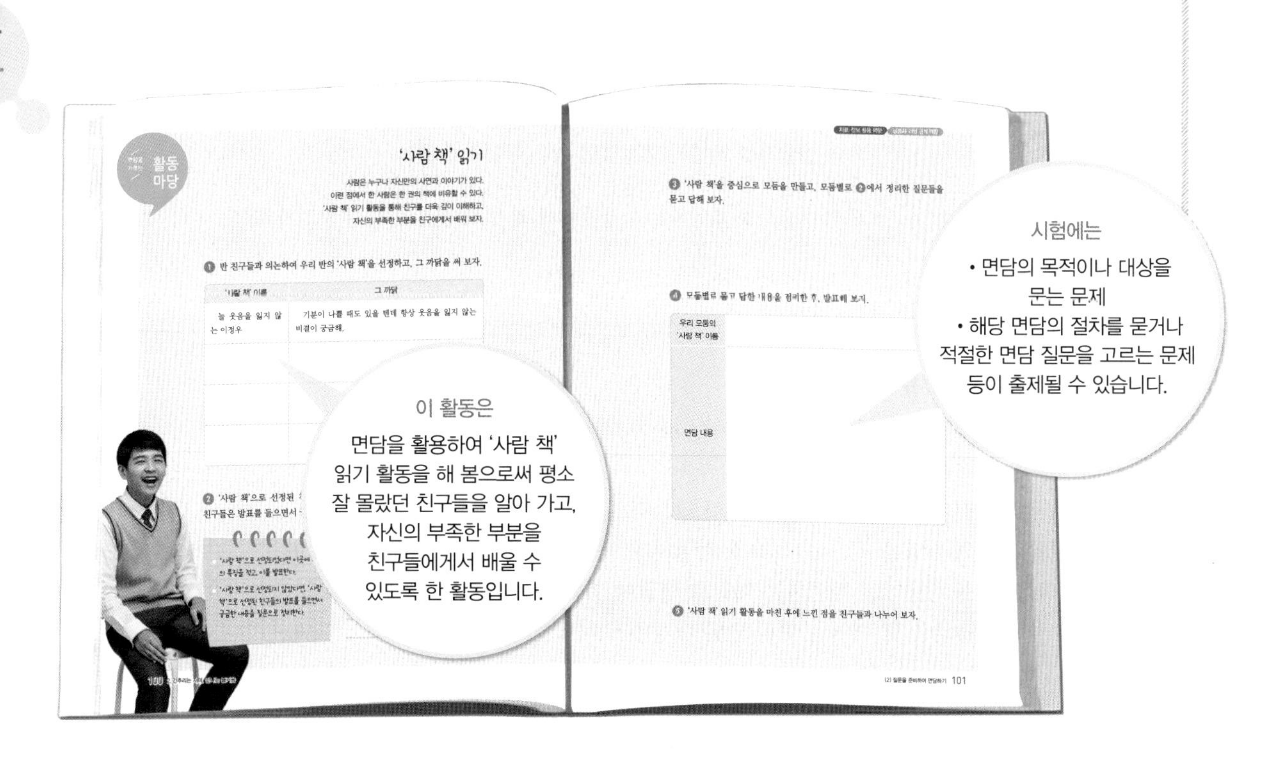

'사람 책' 읽기
이 활동은
면담을 활용하여 '사람 책' 읽기 활동을 해 봄으로써 평소 잘 몰랐던 친구들을 알아 가고, 자신의 부족한 부분을 친구들에게서 배울 수 있도록 한 활동입니다.
시험에는
• 면담의 목적이나 대상을 묻는 문제
• 해당 면담의 절차를 묻거나 적절한 면담 질문을 고르는 문제
등이 출제될 수 있습니다.

• 정답과 해설 10쪽

면담의 개념과 목적

면담의 개념		면담의 목적
특정 대상을 직접 만나서 ❶☐☐나 의견을 나누는 것	➡	면담의 목적은 정보 수집, 상담, 평가, 설득 등으로 다양하기 때문에, 면담의 목적에 따라 ❷☐☐할 내용이 달라짐.

면담의 절차

면담 준비하기		면담 진행하기		면담 정리하기
면담의 ❸☐☐과 면담 대상을 정하고, 그에 따라 면담 약속을 정한 후에 질문지를 작성함.	➡	면담 ❹☐☐과 만나서 준비한 질문을 하고 답변을 들음.	➡	면담한 내용을 면담의 목적에 맞게 정리함.

'정우'와 '나라'의 면담 계획 내용

항목	계획 내용
면담 목적	요리 예술사(라는 직업)에 대한 ❺☐☐를 얻기 위해
면담 대상	요리 예술사
면담 일시 및 장소	• 면담 일시: 미정(면담 대상이 원하는 때) • 장소: 요리 예술사의 작업실
면담 준비물	수첩, 필기구, 녹음과 사진 촬영이 가능한 휴대 전화(또는 녹음기, 카메라)
면담 질문	• 요리 예술사는 주로 어떤 일을 하나요? • 요리 예술사는 주로 어떤 영역에서 활동하나요? • 요리 예술사가 된 계기는 무엇인가요? • 요리 예술사가 되려면 어떻게 해야 하나요? • 요리 예술사에게 필요한 ❻☐☐은 무엇인가요? • 요리 예술사를 하면서 힘들었던 점은 무엇인가요? • 요리 예술사를 하면서 보람을 느끼는 순간은 언제인가요? • 요리 예술사를 희망하는 학생들에게 해 주고 싶은 말은 무엇인가요?

면담을 할 때 유의할 점

- 면담의 목적을 면담 대상에게 미리 알린다.
- 질문은 구체적이면서도 간결해야 한다.
- 면담의 목적에 맞지 않는 질문은 하지 않는다.
- 면담 대상의 대답을 ❼☐☐하고 적절하게 반응한다.
- 면담 대상을 존중하고 배려하는 태도로 면담에 임해야 한다.
- 녹음이나 촬영을 할 때에는 미리 면담 대상에게 허락을 받는다.

시험에 나오는 소단원 문제

• 정답과 해설 10쪽

학습 활동 응용

01 〈보기〉의 상황에 해당하는 면담의 목적으로 알맞은 것은?

보기

저, 이제부터 정기적으로 용돈을 받고 싶어요.
왜? 필요할 때마다 아빠에게 받아 쓰는 것이 불편하니?

① 설득 ② 평가 ③ 상담
④ 정보 수집 ⑤ 갈등 해결

02~03 다음을 읽고, 물음에 답하시오.

(가) 준서: 지민아, 어제 나온 마을 신문 봤니?
지민: 응, 정말 재밌더라. 우리 옆집 개가 새끼를 낳았다는 소식까지 있던걸! 그런데 우리 학교 친구들은 마을 신문이 있는지조차 잘 모르는 것 같더라. ㉠마을 신문 편집장님과 면담을 해서 학교 신문에 소개하면 어떨까?
준서: 좋은 생각이야. 학교 신문에 ㉡편집장님 면담 기사를 실으면 ㉢많은 친구가 마을 신문에 관심을 보일 거야.
(나) 준서: ㉣지민아, 요즘 나 고민이 생겼어. 주변 사람에게 별 까닭 없이 자주 짜증을 내.
지민: 그래? 그럼 마을 찻집에 가 보는 건 어때? 마을 신문 기사에서 봤는데, 찻집을 운영하시는 ㉤지호 어머님께서 청소년 상담도 해 주신다고 하더라고.
준서: 그래? 당장 가 봐야겠다.

서술형 학습 활동 응용

02 (가), (나)를 바탕으로 면담을 진행할 때, 〈보기〉의 질문을 준비한 사람과 면담의 목적을 찾아 각각 한 단어로 쓰시오.

보기
• 주변 사람에게 별 까닭 없이 자주 짜증을 내는데, 왜 그럴까요?
• 제 또래의 다른 친구들도 이런 고민을 할까요?

학습 활동 응용

03 ㉠~㉤에 대한 이해로 알맞지 않은 것은?

① ㉠: '지민'이 면담을 하려는 목적이 드러나는군.
② ㉡: '지민'이 면담을 하려는 대상이야.
③ ㉢: '지민'의 면담이 지닌 의의라고 볼 수 있어.
④ ㉣: '준서'가 면담을 시작하고 있어.
⑤ ㉤: '준서'가 면담을 하려는 대상에 해당해.

04~05 다음을 읽고, 물음에 답하시오.

학생 1: 얘들아, 나 얼마 전에 잡지에서 본 요리 예술사라는 직업에 관심이 생겼어. 더 알아보고 싶어.
학생 2: 잡지에 나왔던 요리 예술사님을 찾아가서 면담하면 어떨까? 면담을 하면 인터넷이나 책에서보다 생생한 정보를 얻을 수 있을 거야.
학생 3: 좋은 생각이야. 그럼 먼저 그분께 허락을 받아야지. 잡지에 있는 주소로 ㉠전자 우편을 보내 보자.
학생 4: 면담하기 전에 질문을 미리 정리해 보면 좋을 것 같아. 그리고 면담을 하면서 녹음도 하고 사진도 찍어야 하니까 역할을 나눠 보자.

학습 활동 응용

04 이 대화로 보아, 면담 준비 단계에서 해야 할 일이 아닌 것은?

① 면담 목적 확인하기
② 면담 질문 정리하기
③ 녹음하고 사진 찍기
④ 면담 대상에게 허락받기
⑤ 면담할 때의 역할 나누기

05 ㉠과 같은 절차를 거치는 이유가 아닌 것은?

① 면담 대상을 섭외하기 위해서
② 면담의 목적을 밝히기 위해서
③ 면담 진행 상황을 확인하기 위해서
④ 면담 장소와 시간을 정하기 위해서
⑤ 준비한 질문을 미리 전달하기 위해서

06~09 다음을 읽고, 물음에 답하시오.

(가) 정우: 안녕하세요? 저는 전자 우편으로 인사드렸던 이정우입니다. 바쁘실 텐데 이렇게 면담을 허락해 주셔서 감사합니다.

요리 예술사: 학생들이 온다고 해서 기쁜 마음으로 기다리고 있었어요.

정우: 고맙습니다. 전자 우편으로 말씀드렸듯이 저희가 음식과 요리에 관심이 있다 보니 요리 예술사라는 직업이 어떤 직업인지 궁금한 점이 많습니다. 요리 예술사에 대한 정보를 얻기 위해 면담을 하려고 하니 진솔한 답변 부탁드립니다. 그리고 저희가 면담 내용을 녹음하고 중간에 사진도 찍으려고 하는데, 괜찮으신지요?

요리 예술사: 네, 괜찮아요. 편하게 질문하세요.

(나) 나라: 고맙습니다. 그럼, 지금부터 질문드리겠습니다. 요리 예술사는 주로 어떤 일을 하나요?

요리 예술사: 저는 요리 예술사를 '요리를 예술로 승화하는 요리의 예술가'라고 표현하고 싶어요. 요리를 아름답게 표현하여 상품 가치를 높이는 일을 한다고 생각하면 돼요. / 정우: 좀 더 자세히 알고 싶은데요, 요리 예술사의 활동 영역을 말씀해 주세요.

요리 예술사: 음식과 관련된 모든 분야에서 활동할 수 있어요. 광고나 잡지, 드라마, 영화 속의 음식 모양새 꾸미기는 물론이고 요즘은 행사 음식 기획이나 새로운 식단 개발 등 여러 방면에서 활동해요.

(다) 정우: 요리 예술사를 희망하는 학생들에게 해 주고 싶은 말씀이 있다면 무엇인가요?

요리 예술사: 음식과 관련된 일을 하고 싶다면 적어도 편식하지 말아야겠죠? 여러 음식을 접해 보면서 식재료 고유의 맛과 요리 방법 등을 알아 가는 것이 중요해요. 또한 음식 관련 전시회, 도서, 자료 등에서 보고 배운 것들을 자기 것으로 소화할 수 있도록 꾸준히 공부하는 자세가 필요합니다. 앞서 말했듯이 체력적으로 힘든 부분이 많으므로 기초 체력을 쌓아 둘 필요도 있고요. 어떤 분야이든 처음에는 힘들고 지루한 시간을 겪게 마련이에요. 하지만 그 시간을 잘 보내야 실력과 경력을 쌓을 수 있어요. 한곳에서 꾸준히 배우고 일한다면 언젠가 그 일을 즐길 수 있을 때가 올 거예요.

(라) 나라: 그렇군요. 선생님 덕분에 요리 예술사가 어떤 직업인지 잘 알게 되었습니다. 친절하게 답변해 주셔서 감사합니다.

학습 활동 응용

06 이와 같은 면담을 할 때 고려할 점이 아닌 것은?

① 질문은 구체적이고 간결해야 한다.
② 면담 대상에 대한 선입견은 버리지 않는다.
③ 면담의 목적은 면담 대상에게 미리 알린다.
④ 면담의 목적에 맞지 않는 질문은 하지 않는다.
⑤ 면담 대상을 존중하고 배려하는 태도로 말한다.

07 이 면담에 대한 설명으로 알맞지 않은 것은?

① 전문가 상담을 목적으로 한다.
② 면담 대상은 요리 예술사이다.
③ 실제 면담 진행 과정을 보여 준다.
④ 면담 주제는 '요리 예술사란 어떤 직업인가?'이다.
⑤ 면담을 통해 새로운 직업을 간접 경험할 수 있다.

학습 활동 응용

08 이 면담에 추가할 수 있는 질문으로 적절하지 않은 것은?

① 요리 예술사가 된 계기는 무엇인가요?
② 요리 예술사가 되려면 어떻게 해야 하나요?
③ 요리 예술사에게 필요한 능력은 무엇인가요?
④ 요리 예술사는 어느 지역 출신이 가장 많은가요?
⑤ 요리 예술사를 하면서 힘들었던 점은 무엇인가요?

서술형

09 다음은 (가)~(라)의 면담 진행 과정을 정리한 것이다. ⓐ와 ⓑ의 내용을 쓰시오.

(가)	면담을 시작하며 간단한 인사와 자기소개 후, (ⓐ).
(나), (다)	면담 대상에게 궁금한 내용을 질문하고 면담 내용을 기록함.
(라)	면담을 마무리하며 (ⓑ).

어휘력 키우기

교과서 102~103쪽

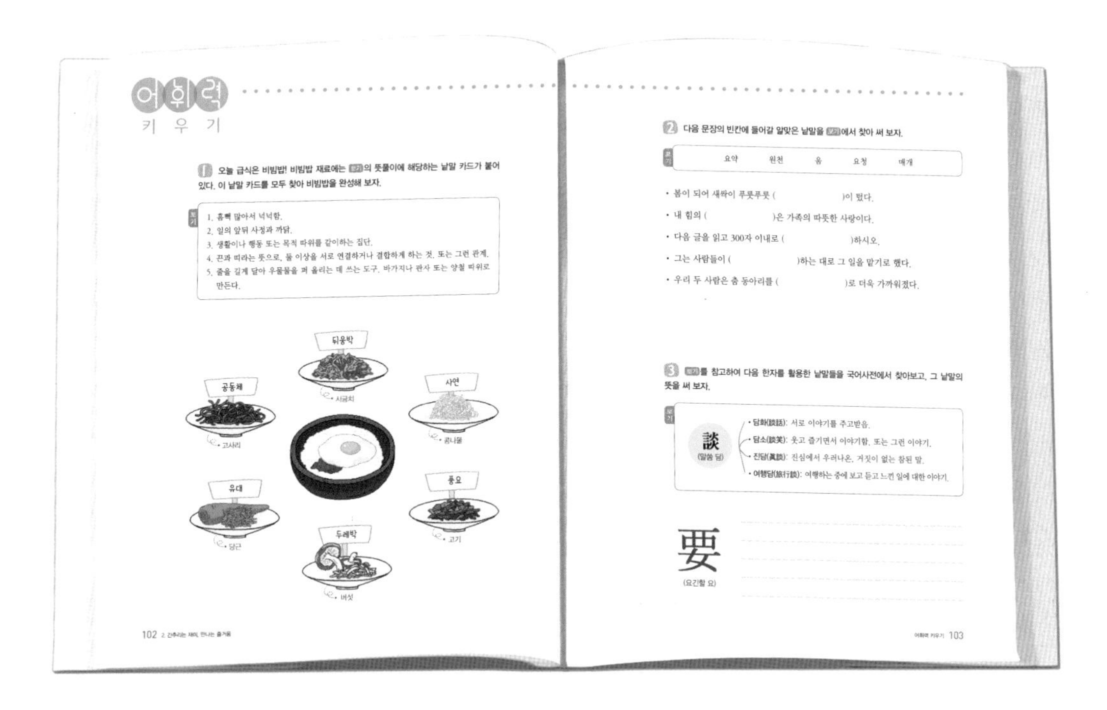

어휘력 키우기

1 오늘 급식은 비빔밥! 비빔밥 재료에는 보기의 뜻풀이에 해당하는 낱말 카드가 붙어 있다. 이 낱말 카드를 모두 찾아 비빔밥을 완성해 보자.

보기
1. 흠뻑 많아서 넉넉함.
2. 일의 앞뒤 사정과 까닭.
3. 생활이나 행동 또는 목적 따위를 같이하는 집단.
4. 끈과 따라는 뜻으로, 둘 이상을 서로 연결하거나 결합하게 하는 것. 또는 그런 관계.
5. 줄을 길게 달아 우물물을 퍼 올리는 데 쓰는 도구. 바가지나 판자 또는 양철 따위로 만든다.

2 다음 문장의 빈칸에 들어갈 알맞은 낱말을 보기에서 찾아 써 보자.

보기: 요약 원천 움 요청 매개

- 봄이 되어 새싹이 푸릇푸릇 (   )이 텄다.
- 내 힘의 (   )은 가족의 따뜻한 사랑이다.
- 다음 글을 읽고 300자 이내로 (   )하시오.
- 그는 사람들이 (   )하는 대로 그 일을 맡기로 했다.
- 우리 두 사람은 춤 동아리를 (   )로 더욱 가까워졌다.

3 보기를 참고하여 다음 한자를 활용한 낱말들을 국어사전에서 찾아보고, 그 낱말의 뜻을 써 보자.

보기
談 (말씀 담)
- 담화(談話): 서로 이야기를 주고받음.
- 담소(談笑): 웃고 즐기면서 이야기함. 또는 그런 이야기.
- 진담(眞談): 진심에서 우러나온, 거짓이 없는 참된 말.
- 여행담(旅行談): 여행하는 중에 보고 듣고 느낀 일에 대한 이야기.

要 (요긴할 요)

102 · 103 어휘력 키우기

1.

1. 흠뻑 많아서 넉넉함. → 풍요
2. 일의 앞뒤 사정과 까닭. → 사연
3. 생활이나 행동 또는 목적 따위를 같이하는 집단. → 공동체
4. 끈과 띠라는 뜻으로, 둘 이상을 서로 연결하거나 결합하게 하는 것. 또는 그런 관계. → 유대
5. 줄을 길게 달아 우물물을 퍼 올리는 데 쓰는 도구. 바가지나 판자 또는 양철 따위로 만든다. → 두레박

비빔밥 재료: 고기, 콩나물, 고사리, 당근, 버섯

2.

- 봄이 되어 새싹이 푸릇푸릇 (움)이 텄다.
- 내 힘의 (원천)은 가족의 따뜻한 사랑이다.
- 다음 글을 읽고 300자 이내로 (요약)하시오.
- 그는 사람들이 (요청)하는 대로 그 일을 맡기로 했다.
- 우리 두 사람은 춤 동아리를 (매개)로 더욱 가까워졌다.

3.

- 요건(要件): ① 긴요한 일이나 안건. ② 필요한 조건.
- 요점(要點): 가장 중요하고 중심이 되는 사실이나 관점.
- 요충지(要衝地): 지세(地勢)가 군사적으로 아주 중요한 곳.
- 요인(要因): 사물이나 사건이 성립되는 까닭. 또는 조건이 되는 요소.

확인 문제

1 밑줄 친 낱말의 사용이 바르지 않은 것은?

① 그 두 사람은 사연이 깊다.
② 4월이 되니 벚꽃이 활짝 움이 폈다.
③ 도시화의 영향으로 이웃 간의 유대가 급속하게 약해졌다.
④ 인공 지능 분야의 원천 기술을 개발할 수 있는 인재를 양성해야 한다.
⑤ 인간의 행복을 위해서는 물질적 만족보다는 정신적 풍요가 중요하다.

시험에 나오는 대단원 문제

01~04 다음 글을 읽고, 물음에 답하시오.

가 "어젯밤 꿈에 네 부모님을 만났다. 네 부모님은 지금 신관과 선녀가 되어 ㉠원천강을 지키고 계신다."
"원천강은 어떤 곳인가요? 어떻게 그곳에 갈 수 있나요?"
"거기는 사람이 갈 수 없는 멀고 먼 곳이다만……."
"꼭 부모님을 만나고 싶습니다. 가는 길을 알려 주세요."
"정히 그렇거든 남쪽으로 흰모래 마을을 찾아가 별층당에서 글을 읽고 있는 도령한테 길을 물어보거라."

나 오늘이는 바로 길을 나섰다. 남쪽으로 길을 잡아 하루 종일 걸으니 흰모래가 펼쳐진 곳에 우뚝 선 별층당이 있었고 그 안에서 글 읽는 소리가 들려왔다. 사람을 찾으니 푸른 옷을 입은 도령이 나왔다.
"저는 오늘이라고 합니다. 부모님을 찾아서 원천강으로 가는 중입니다. 원천강 가는 길을 알려 주세요."
"저는 장상이라고 합니다. 원천강은 아주 먼 곳이지요. 서쪽으로 연화못을 찾아가 연못가의 연꽃 나무에게 길을 물어보면 가는 길을 알 수 있을 거예요."

다 "우리는 하늘나라의 선녀들이랍니다. 천하궁에서 물 긷는 일을 소홀히 한 죄로 여기서 물을 푸고 있지요. 이 우물물을 다 퍼야 하늘로 돌아갈 수 있는데 두레박에 큰 구멍이 뚫려서 아무리 애를 써도 물을 퍼낼 수가 없어요." / 오늘이는 두레박을 받아 들더니 댕댕이덩굴을 으깨어 뭉쳐서 구멍을 막고 나서 송진을 녹여서 틈을 막았다. 송진이 굳은 뒤에 두레박으로 물을 푸게 하니 물이 한 방울도 새지 않았다.

라 "원천강에서 장상이 님의 일을 알아 왔습니다. 장상이 님처럼 몇 년 간 홀로 글만 읽어 온 처녀를 만나 배필로 맞으시면 만년 영화를 누리실 수 있답니다."
"세상에 그런 처녀가 어디에 있을까요?"
"여기 모셔 왔습니다. 매일이 님이지요. 두 분이 부부의 연을 맺으면 행복해지실 거예요."
장상이와 매일이는 서로를 마주 보며 손을 꼭 잡았다.

마 그 뒤 오늘이는 옥황상제의 부름으로 하늘나라 선녀가 되어 원천강을 돌보며 사계절의 소식을 세상에 전하는 일을 맡게 되었다. 한 손에 여의주를, 또 한 손에 연꽃을 든 채로.

01 이 글을 요약하는 방법에 대한 의견으로 알맞지 않은 것은?

① 수미: 인물, 배경, 사건을 중심으로 요약해야지.
② 준범: '오늘이'의 이동 경로에 따라 요약하면 좋겠어.
③ 광수: '오늘이'가 문제 상황을 해결하는 구조에 따라 요약할 거야.
④ 지연: '오늘이'가 상상한 일과 실제로 겪은 일로 나누어 요약해야 해.
⑤ 영식: '오늘이'가 겪는 사건들을 시간의 흐름에 맞게 요약하면 어떨까?

02 이 글의 내용과 일치하지 않는 것은?

① '오늘이'는 부모님을 만나기 위해 원천강으로 떠난다.
② '오늘이'는 지혜를 발휘해서 선녀들의 문제를 해결해 준다.
③ '오늘이'는 원천강에서 알아 온 방법대로 '장상'의 문제를 해결해 준다.
④ '오늘이'는 부모님의 자리를 물려받아 선녀가 되고자 했던 소망을 이룬다.
⑤ '장상'은 '오늘이'에게 서쪽 연화못을 찾아가 연꽃 나무에게 길을 물어보라고 알려 준다.

03 <보기>는 영웅 설화의 일반적인 구조이다. 다음 ⓐ~ⓔ 중, (마)에 해당되는 단계로 알맞은 것은?

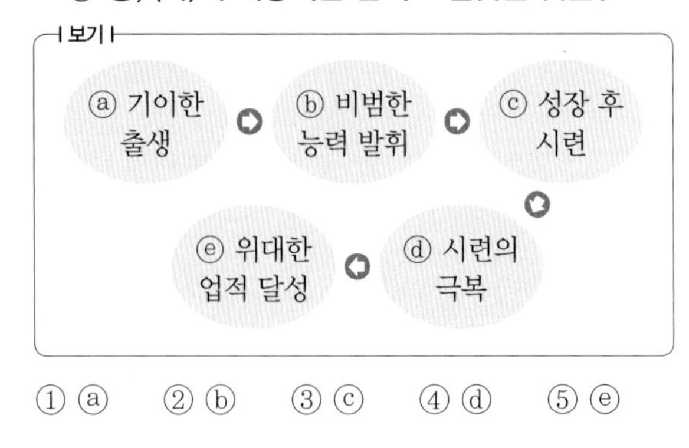

보기
ⓐ 기이한 출생
ⓑ 비범한 능력 발휘
ⓒ 성장 후 시련
ⓓ 시련의 극복
ⓔ 위대한 업적 달성

① ⓐ ② ⓑ ③ ⓒ ④ ⓓ ⑤ ⓔ

서술형

04 ㉠의 상징적 의미를 한 문장으로 쓰시오.

05~08 **다음 글을 읽고, 물음에 답하시오.**

가 몇 해 전까지만 해도 '도시'가 유행이더니 어느덧 대세는 '마을'이다. 왜 갑자기 마을일까? 우리 사회는 산업화, 근대화, 도시화를 겪으면서 물질적으로 풍요로워졌지만, 그 과정에서 '우리'가 아닌 '나', '협동'이 아닌 '경쟁'이 최우선의 가치가 되었다. 이러한 무한 경쟁에 지친 사람들은 콩 한 쪽도 이웃과 나누어 먹고, 네 일 내 일 할 것 없이 서로 도우며 살던 옛 공동체의 모습을 그리워하며 마을로 돌아가자는 목소리를 높이고 있다.

나 넷째, '마을학교'는 '어떤 활동을 하는가'이다. '마을학교'에서 가장 쉽게 할 수 있는 활동은 마을 주민의 ㉠교육 프로그램 운영이다. 그러나 ㉡'마을학교'의 활동은 여기서 끝나지 않는다. 교육 프로그램을 함께한 주민들은 ㉢동아리를 만들어 활동을 계속 이어 나가다가 ㉣축제와 같은 행사를 벌이고, 더 나아가 마을 사업으로 확장한다. 함께 학습하던 마을 주민들이 아이들을 더 잘 돌보기 위해 ㉤공동육아를 시작하고, 이를 발전시켜 어린이집이나 학교를 세우기도 한다.

다 농장 시장은 소비자에게 믿을 수 있는 먹을거리를 제공한다. 요즘 국내산이 아닌 농산물이 국내산으로 둔갑하여 유통된다는 말을 심심찮게 들을 수 있다. 그래서 시장이나 대형 할인점 등에서 파는 농산물을 신뢰하지 않는 사람들도 많다. 그러나 농장 시장의 농산물은 소비자가 농장에서 직접 거두어들인 것이기 때문에 안심하고 먹을 수 있다.

라 일반적으로 농산물이 생산자로부터 소비자에게 전달되기까지는 여러 유통 단계를 거친다. 그래서 농민들은 제 가격에 농산물을 팔기가 어렵고, 소비자는 농산물을 비싸게 사는 경우가 발생한다. 하지만 농장 시장은 소비자가 농장에 가서 직접 농산물을 가져오는 것이기 때문에 유통 단계를 줄여 생산자와 소비자 모두에게 경제적 이익을 줄 수 있다.

마 지금까지 농장 시장이 농촌과 소비자에게 어떤 이점을 주는지 살펴보았다. 어려운 농촌 경제를 살리고, 먹을거리 문제를 해결하기 위해 농장 시장을 확대해야 할 것이다.

05 **다음은 (가)~(나)와 (다)~(마)를 요약하는 방법이다. 빈칸에 들어갈 내용이 바르게 묶인 것은?**

(   )을/를 중심으로 요약한다.

	(가)~(나)	(다)~(마)
①	설명 대상에 대한 정보	사실과 의견
②	설명 대상에 대한 정보	주장과 근거
③	사실과 의견	설명 대상에 대한 정보
④	주장과 근거	설명 대상에 대한 정보
⑤	주장과 근거	사실과 의견

고난도 서술형

06 **(가)를 한 문장으로 요약하기에 알맞은 규칙을 〈보기〉에서 찾고, 그와 같은 규칙을 적용해야 하는 이유를 쓰시오.**

보기

선택, 삭제, 일반화, 재구성

07 **(다)~(마)의 글쓴이가 궁극적으로 주장하는 바로 알맞은 것은?**

① 농민들에게서 믿을 수 있는 먹을거리를 얻자.
② 농장 시장을 통해 농산물의 유통 단계를 줄이자.
③ 농장 시장에서 안심하고 먹을 수 있는 농산물을 구입하자.
④ 생산자와 소비자 모두에게 이로운 농장 시장을 활성화하자.
⑤ 건강을 위해 농장 시장에서 내가 먹을 농산물을 직접 수확하자.

08 **㉠~㉤ 중, 나머지 내용을 포괄하는 개념으로 알맞은 것은?**

① ㉠　② ㉡　③ ㉢　④ ㉣　⑤ ㉤

09~11 **다음을 읽고, 물음에 답하시오.**

가 준서: 지민아, 요즘 나 고민이 생겼어. 주변 사람에게 별 까닭 없이 자주 짜증을 내.
지민: 그래? 그럼 마을 찻집에 가 보는 건 어때? 마을 신문 기사에서 봤는데, 찻집을 운영하시는 지호 어머님께서 청소년 상담도 해 주신다고 하더라고.

나 학생 1: 애들아, 나 얼마 전에 잡지에서 본 요리 예술사라는 직업에 관심이 생겼어. 더 알아보고 싶어.
학생 2: 잡지에 나왔던 요리 예술사님을 찾아가서 면담하면 어떨까? 면담을 하면 인터넷이나 책에서보다 생생한 정보를 얻을 수 있을 거야.
학생 3: 좋은 생각이야. 그럼 먼저 그분께 허락을 받아야지. 잡지에 있는 주소로 전자 우편을 보내 보자.
학생 4: 면담하기 전에 질문을 미리 정리해 보면 좋을 것 같아. 그리고 면담을 하면서 녹음도 하고 사진도 찍어야 하니까 역할을 나눠 보자.

다 나라: ㉠안녕하세요? 저는 행복 중학교 1학년 김나라입니다.
정우: 안녕하세요? 저는 전자 우편으로 인사드렸던 이정우입니다. ㉡바쁘실 텐데 이렇게 면담을 허락해 주셔서 감사합니다.
요리 예술사: 학생들이 온다고 해서 기쁜 마음으로 기다리고 있었어요.
정우: 고맙습니다. 전자 우편으로 말씀드렸듯이 저희가 음식과 요리에 관심이 있다 보니 요리 예술사라는 직업이 어떤 직업인지 궁금한 점이 많습니다. ㉢요리 예술사에 대한 정보를 얻기 위해 면담을 하려고 하니 진솔한 답변 부탁드립니다. 그리고 저희가 ㉣면담 내용을 녹음하고 중간에 사진도 찍으려고 하는데, 괜찮으신지요?
요리 예술사: 네, 괜찮아요. 편하게 질문하세요.
나라: 고맙습니다. 그럼, 지금부터 질문드리겠습니다. 요리 예술사는 주로 어떤 일을 하나요?
요리 예술사: 저는 요리 예술사를 '요리를 예술로 승화하는 요리의 예술가'라고 표현하고 싶어요. 요리를 아름답게 표현하여 상품 가치를 높이는 일을 한다고 생각하면 돼요.
정우: ㉤좀 더 자세히 알고 싶은데요, 요리 예술사의 활동 영역을 말씀해 주세요.
요리 예술사: 음식과 관련된 모든 분야에서 활동할 수 있어요. 광고나 잡지, 드라마, 영화 속의 음식 모양새 꾸미기는 물론이고 요즘은 행사 음식 기획이나 새로운 식단 개발 등 여러 방면에서 활동해요.

09 **(가)에서 '준서'가 면담을 하려는 목적을 다음과 같이 정리할 때, 빈칸에 들어갈 내용으로 알맞은 것은?**

( )을/를 위한 면담

① 정보 수집
② 개인 평가
③ 상대 설득
④ 고민 상담
⑤ 진로 상담

10 **(나)에 대해 이해한 내용으로 알맞지 않은 것은?**

① 보라: 요리 예술사를 면담하려나 봐.
② 은실: 맞아. 요리 예술사를 직접 만나 생생한 이야기를 들으려는군.
③ 태용: 그럼, 이 면담의 목적은 정보 수집이구나.
④ 다솜: 상대가 면담을 허락했으니, 미리 질문지를 전달해 두려고 전자 우편을 보내려 하는군.
⑤ 상진: 면담을 준비하고 진행하려면 할 일이 많으니, 면담할 때의 역할을 미리 나누고 있어.

11 **㉠~㉤에 나타난 두 학생의 면담 태도로 알맞지 않은 것은?**

① ㉠: 면담 전에 먼저 인사를 하고, 자신이 누구인지 밝히고 있다.
② ㉡: 면담 대상을 존중하고 배려하는 태도로 면담을 시작하고 있다.
③ ㉢: 면담 전에 자신들이 면담을 하려는 목적이 무엇인지 정확히 밝히고 있다.
④ ㉣: 녹음이나 사진 촬영을 하기 전에 미리 면담 대상에게 허락을 구하고 있다.
⑤ ㉤: 면담 대상의 답변이 만족스럽지 못하여 다른 이야기로 화제를 돌리고 있다.

창의적 사고력을 키우는 창의·융합

교과서 106~111쪽

이 활동은 우리 마을에서 가치가 있는 것을 찾아 보물로 선정하고, 그에 관한 이야기를 수집하여 지도를 그려 보는 활동입니다.

면담을 통해서 보물에 대한 정보를 수집하고, 면담 내용을 간략하게 정리해 보세요.

친구들과 함께 우리 마을 보물 지도를 직접 제작해 보고 발표도 해 볼까요?

의사소통 역량

생각을 나누는 삶

문법

(1) 언어의 본질

- 언어의 본질 이해하기
- 소설 속에 담긴 언어의 본질 탐구하기
- 다양한 자료를 활용하여 낱말 새롭게 정의하기

듣기·말하기

(2) 문제 해결을 위한 토의

- 토의의 방법과 토의에 참여하는 올바른 태도 알아보기
- 우리 주변의 문제를 토의로 해결하기
- 피라미드 토의로 무인도에 가져갈 물건 결정하기

왜 배울까?

우리는 언어를 통해 다른 사람의 생각과 감정을 이해하고, 자신의 생각과 느낌을 표현한다. 따라서 다른 사람과 효과적으로 의사소통하기 위해서는 우리가 사용하는 언어에 어떤 특성이 있는지 그 본질을 이해하는 것이 필요하다. 한편, 우리는 살아가면서 많은 문제 상황과 맞닥뜨린다. 이때 여러 사람과 토의를 통해 의견을 주고받으면 그 해결 방안을 쉽게 찾을 수 있다. 이처럼 언어의 본질을 이해하고 토의를 통해 문제를 해결해 보면 다양한 상황에서의 의사소통 능력을 기를 수 있을 것이다.

뭘 배울까?

이 단원에서는 의사소통 역량을 기르기 위해 언어의 자의성, 사회성, 역사성, 창조성 등 언어의 본질을 탐구해 볼 것이다. 그리고 토의 방법과 절차를 이해하고, 이를 바탕으로 직접 토의해 보면서 문제를 합리적으로 해결하는 태도를 기를 것이다.

• 정답과 해설 12쪽

언어의 개념

사람이 생각이나 느낌, 감정을 전달하기 위해 사용하는 음성 또는 문자 등의 수단을 뜻한다. 언어는 전달하려는 의미(내용)와 그것을 표현하는 말소리(형식)가 결합하여 이루어진다.

언어의 역할

• 자신의 생각을 표현하고 다른 사람의 생각을 이해하는 수단이다.
• 사람들 간의 의사소통을 원활하게 하여 공동체를 유지하고 발달시킨다.

언어의 본질

	개념	예
언어의 자의성	언어의 말소리와 뜻 사이에는 필연적인 관계가 없음을 뜻함.	'어머니'를 뜻하는 단어가 한국어에서는 '어머니[어머니]', 영어에서는 'mother[마더]', 독일어에서는 'Mutter[무터]'로 다르게 표현됨.
언어의 사회성	언어는 사회 구성원 간의 약속이므로 개인이 마음대로 바꿀 수 없음을 뜻함.	한 개인이 마음대로 '책상'을 '의자'로 바꾸어 부른다면 다른 사람들과 의사소통하는 데 어려움이 생김.
언어의 역사성	언어는 시간의 흐름에 따라 변함을 뜻함. 즉, 언어는 끊임없이 생성되기도 하고, 변화하기도 하며, 소멸하기도 한다는 뜻임.	• 생성: '인공 지능, 스마트폰' 등과 같이 새로운 대상이나 개념이 생기면서 그것을 나타낼 새말이 만들어짐. • 변화: '플 → 풀', '영감(정삼품과 종이품의 벼슬아치를 이르던 말 → 나이가 많아 중년이 지난 남자를 대접하여 이르는 말)' 등과 같이 소리나 의미가 변함. • 소멸: 한자어 '용(龍)'과 순우리말 '미르'가 서로 경쟁하다 잘 쓰이지 않던 '미르'가 사라짐.
언어의 창조성	새로운 물건이나 개념이 생기면 그에 맞는 새로운 낱말을 만들어 내거나, 이미 알고 있는 낱말들을 활용하여 문장을 끊임없이 만들 수 있음을 뜻함.	'밥', '먹어' 등의 단어를 가르치면 배운 말만을 반복하는 앵무새와 달리 사람은 '밥 먹니?', '밥 먹을래?' 등과 같이 새로운 문장을 무한대로 만들어 사용함.

간단 체크 개념 문제

1 다음 빈칸에 들어갈 알맞은 말을 쓰시오.

> 언어는 사람의 생각이나 느낌을 전달하는 가장 기본적인 □□□□의 수단이며, 내용과 형식의 결합으로 이루어진다.

2 언어에 대한 설명이 맞으면 ○표, 틀리면 ×표 하시오.

(1) 언어의 말소리와 의미 사이에는 필연적인 관계가 있다. ( )
(2) 인간이 한정된 낱말을 활용하여 무한히 많은 문장을 만들어서 사용할 수 있다는 언어의 특성을 사회성이라고 한다. ( )
(3) 시간의 흐름에 따라 끊임없이 변화하는 언어의 특성을 역사성이라고 한다. ( )

3 〈보기〉와 관련된 언어의 본질로 알맞은 것은?

> 보기
> '사과'를 영어로는 'apple[애플]', 독일어로는 'Apfel[압펠]'이라고 한다.

① 언어의 자의성
② 언어의 사회성
③ 언어의 역사성
④ 언어의 창조성
⑤ 언어의 규칙성

교과서 117~120쪽

• 정답과 해설 12쪽

(1) 언어의 본질

학습 목표 언어의 본질에 대한 이해를 바탕으로 국어 생활을 할 수 있다.

1 언어의 자의성

학습 포인트

❶ 언어의 자의성

밤하늘에 별이 많네.
저 길게 뻗은 뿌연 것은 뭐예요?

저건 은하수야. 그리스 신화에 '밀키 웨이'가 나왔던 거 기억나지?
그 '밀키 웨이'가 저거예요?

응, '갤럭시'라고도 하지.
'은하수'를 뜻하는 말이 다양하네요?

그래. 같은 대상이라도 이를 표현하는 말은 다양하단다.

언어는 말소리에 뜻을 담아 의사를 전달하는 대표적인 의사소통 수단이다. 그런데 어떤 말소리와 뜻이 반드시 그렇게 연결되어야 한다는 원칙이나 법칙은 없다. 즉, 말소리와 뜻은 필연적으로 연결된 관계가 아니라는 말이다. 그래서 은하수, 밀키 웨이(Milky Way), 갤럭시(Galaxy)처럼 같은 뜻을 나타내더라도 말소리는 다르게 나타나는 것이다. 이처럼 말소리와 뜻이 필연적으로 연결되지 않고, 마음대로 연결되는 특성을 **언어의 자의성**이라고 한다.

필연적: 사물의 관련이나 일의 결과가 반드시 그렇게 될 수밖에 없는. 또는 그런 것

✓ 만약 말소리와 뜻 사이의 관계가 필연적이라면 어떤 일이 일어날지 상상하여 말해 보자.

예시 답>> 전 세계의 언어가 같을 것이다. / 동음이의어가 사라질 것이다. / 지역 방언이 없을 것이다.

학습콕

❶ 언어의 자의성

개념	언어의 말소리와 뜻 사이에는 □□□인 관계가 없음.
예	'은하수', '밀키 웨이', '갤럭시'처럼 같은 뜻을 나타내더라도 □□□는 다양하게 나타남.

간단 체크 내용 문제

중요

01 다음과 관련 있는 언어의 본질을 2어절로 쓰시오.

> '집'이라는 대상을 우리말에서는 '집[집]'이라고 표현하지만 프랑스어에서는 'maison[메종]'이라고 표현한다.

02 다음 질문에 대한 답변으로 적절하지 않은 것은?

> 언어의 내용과 형식이 필연적으로 연결된 관계라면 어떤 일이 일어날까?

① 같은 뜻을 지닌 말이 모든 나라에서 동일할 것이다.
② 말소리는 다르지만 의미가 같은 단어들이 사라질 것이다.
③ 모든 낱말의 의미와 말소리가 일대일로 대응될 것이다.
④ 다양한 대상을 하나의 말소리로 표현할 수 있을 것이다.
⑤ 같은 언어권 안에서 지역마다 다른 말이 존재하지 않을 것이다.

2 언어의 사회성

학습 포인트

❶ 언어의 사회성

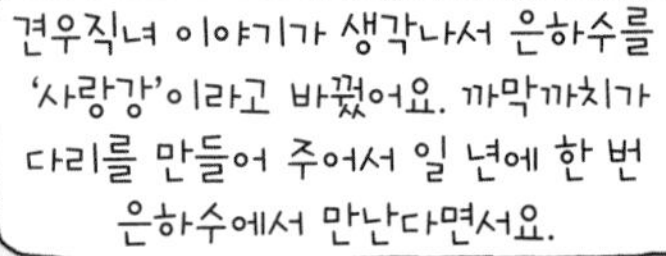

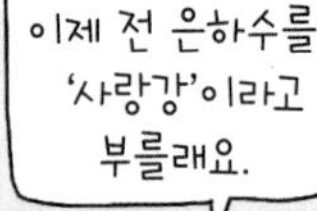

'은하수'라는 말소리와 '밤하늘에 구름 띠 모양으로 길게 펼쳐진 수많은 별의 무리'라는 뜻은 자의적으로 연결된 것이다. 이렇게 처음에는 말소리와 뜻이 자의적으로 연결되지만 그 말이 사회 전체에 널리 쓰이게 되면 함부로 바꾸거나 없애기 어렵다. 이미 그 언어를 사용하는 사람들 사이에서 사회적 약속으로 굳어졌기 때문이다. 이처럼 사회적 약속으로 굳어진 말은 개인이 마음대로 바꿀 수 없다. 이와 같은 특성을 **언어의 사회성**이라고 한다.

자의적: 일정한 질서를 무시하고 제멋대로 하는. 또는 그런 것

✓ '민지'가 다른 사람과 대화할 때 '은하수'를 '사랑강'으로 바꾸어 말하면 어떤 일이 일어날지 말해 보자.

예시 답 》 주변 사람들과의 의사소통에 문제가 생길 것이다.

학습콕

❶ 언어의 사회성

개념	언어는 사회 구성원 간의 ☐☐이므로 마음대로 바꿀 수 없음.
예	'은하수'를 개인이 마음대로 '사랑강'이라고 바꾸어 쓰면 다른 사람이 '사랑강'이 무엇인지 이해하지 못해 의사소통에 문제가 생김.

간단 체크 내용 문제

03 '민지'가 혼자서 '사랑강'이라는 말을 계속 사용할 때, 예상되는 상황으로 가장 적절한 것은?

① 타인과의 의사소통에 어려움을 겪을 것이다.
② 사람들이 '민지'의 말을 자연스럽게 이해할 것이다.
③ 견우직녀 이야기가 사람들에게 널리 알려질 것이다.
④ '은하수'를 사람마다 다른 말로 바꾸어 부를 것이다.
⑤ '은하수'가 사라지고 '사랑강'이라는 새말이 쓰이게 될 것이다.

중요

04 다음 빈칸에 들어갈 말로 알맞은 것은?

> 언어는 사회 구성원 간의 약속이기 때문에 개인이 마음대로 바꿀 수 없는데, 이를 언어의 (   )이라고 한다.

① 규칙성 ② 역사성
③ 사회성 ④ 분절성
⑤ 추상성

3 언어의 역사성

학습 포인트

❶ 언어의 역사성

사회적 약속으로 굳어진 말들도 시간이 흐르면서 조금씩 변한다. 예를 들어 백(百)을 뜻하는 '온'이나 천(千)을 뜻하는 '즈믄'은 오늘날에는 거의 쓰이지 않는다. 또 '어리다'라는 말은 '어리석다'라는 뜻에서 오늘날에는 '나이가 적다'라는 뜻으로 바뀌었다. 그뿐만 아니라 '컴퓨터, 공정 무역, 누리꾼'처럼 새로운 사물이나 개념이 나타나면 그에 맞는 새말이 만들어지기도 한다. 이와 같이 시간의 흐름에 따라 언어가 변해 가는 특성을 **언어의 역사성**이라고 한다.

✓ 언어의 역사성을 보여 주는 예를 더 찾아보자.
- 사라진 말: 예시 답 ›› 암행어사(조선 시대 벼슬), 뫼(산), 가람(강) 등
- 뜻이 변한 말: 예시 답 ›› 어여쁘다(불쌍하다 → 예쁘다), 놈(일반적인 사람을 부르는 말 → 남자를 낮추어 부르는 말) 등
- 새로 생긴 말: 예시 답 ›› 인공 지능, 스마트폰 등

학습콕

❶ 언어의 역사성

개념	언어는 시간의 흐름에 따라 □□.
예	• 사라진 말: 온(백), □□(천), 암행어사(조선 시대 벼슬), 뫼(산), 가람(강) 등 • 뜻이 변한 말: 어리다(□□□□ → 나이가 적다), 어여쁘다(불쌍하다 → 예쁘다), 놈(일반적인 사람을 부르는 말 → 남자를 낮추어 부르는 말) 등 • 새로 생긴 말: 컴퓨터, 공정 무역, 누리꾼, 인공 지능, 스마트폰 등

간단 체크 내용 문제

05 〈보기〉를 통해 알 수 있는 언어의 본질이 무엇인지 쓰시오.

보기
- 온 → 백(百)
- 가람 → 강(江)

06 언어의 역사성에 대한 설명으로 적절한 것은?

① 언어에는 지켜야 할 일정한 규칙이 있다.
② 언어는 시간의 흐름에 따라 끊임없이 변한다.
③ 언어의 말소리와 뜻 사이에는 필연적인 관계가 없다.
④ 언어는 연속적으로 이루어진 세계를 불연속적으로 끊어서 표현한다.
⑤ 인간은 한정된 말소리로 새로운 낱말이나 문장을 끊임없이 만들 수 있다.

4 언어의 창조성

학습 포인트

❶ 언어의 창조성

사람들은 말을 할 때 이미 알고 있는 낱말이나 같은 문장만을 반복하지 않는다. 앞에서 살펴보았듯이 새로운 물건이나 개념이 생기면 그에 맞는 새로운 낱말을 만들어 내기도 하고, 이미 알고 있는 낱말을 활용하여 상황에 맞게 새로운 문장을 만들어 사용하기도 한다. 이처럼 새로운 낱말이나 문장을 끊임없이 만들어 낼 수 있는 특성을 **언어의 창조성**이라고 한다.

✓ '바람'이라는 낱말을 활용하여 다음과 같이 새로운 문장들을 만들 수 있는 까닭을 말해 보자.

- 바람이 분다, 당신이 좋다.
- 바람은 왜 등 뒤에서 불어오는가?
- 내 손은 바람을 그려요.

예시 답 》 새로운 낱말이나 문장을 끊임없이 만들어 낼 수 있는 언어의 창조성 때문이다.

학습콕

❶ 언어의 창조성

개념	사람들은 □□□ 낱말이나 문장을 끊임없이 만들어 사용할 수 있음.
예	• 인터넷 매체가 보급되면서 '누리집', '블로그' 등과 같은 낱말이 새롭게 만들어짐. • '□□'이라는 낱말을 활용하여 '바람이 분다.', '바람은 왜 등 뒤에서 불어오는가?', '내 손은 바람을 그려요.' 등과 같이 새로운 문장을 끊임없이 만들 수 있음.

간단 체크 내용 문제

중요

07 다음 중 언어의 창조성을 보여 주는 사례로 적절한 것은?

① '뫼'는 사라진 옛말이다.
② '책상'을 '빵'이라고 부르면 의사소통에 문제가 생긴다.
③ '개'를 영어로는 'dog[도그]', 일본어로는 'いぬ[이누]'라고 한다.
④ '어여쁘다'는 과거에 '불쌍하다'는 의미로 사용되었으나 현재는 그렇지 않다.
⑤ '희망'이라는 낱말로 '희망을 품었다.', '희망이 넘쳤다.' 등과 같은 새로운 문장을 끊임없이 만들 수 있다.

08 ⓐ와 ⓑ에 들어갈 알맞은 말을 각각 쓰시오.

> 아이들에게 '사과가 맛있다.'라는 말과 '포도를 딴다.'라는 말을 알려 주면 '사과를 딴다.'라는 새로운 문장을 만들어 낼 수 있다.

⬇

> 이와 같이 서로 다른 문장에 쓰인 낱말을 조합하여 (ⓐ)을/를 만드는 것은 언어의 본질 중 (ⓑ)과 관련이 있다.

교과서 121~127쪽

학습 활동

• 정답과 해설 12쪽

이해
❶ 언어의 본질 정리하기
❷ 자료에 나타난 언어의 본질 파악하기

1 다음 상황과 관련된 언어의 본질을 찾아 바르게 연결해 보자.

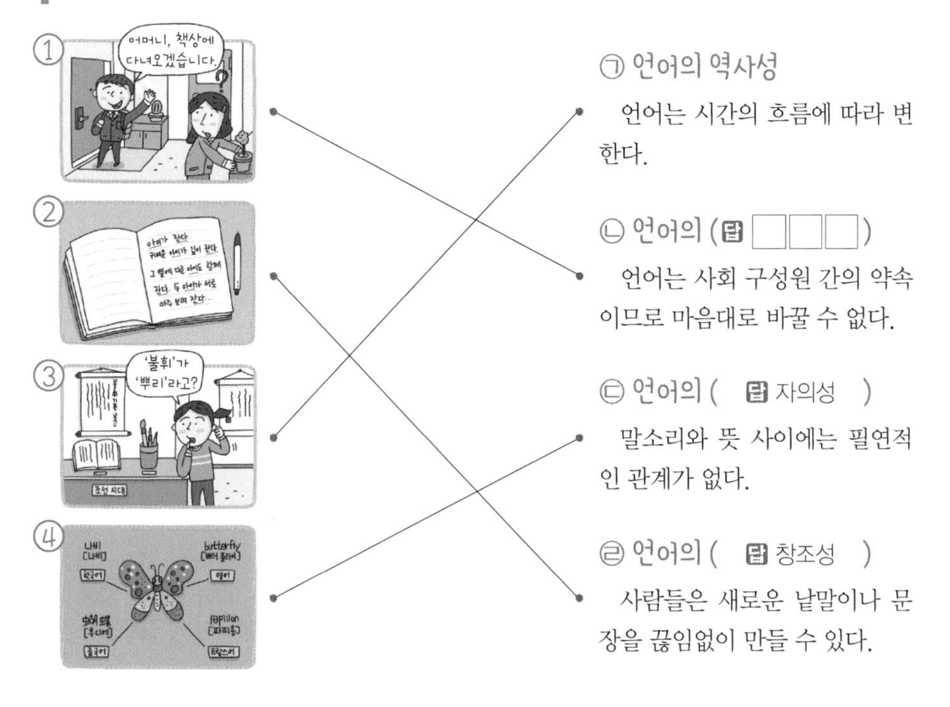

㉠ 언어의 역사성
언어는 시간의 흐름에 따라 변한다.

㉡ 언어의 (답 사회성)
언어는 사회 구성원 간의 약속이므로 마음대로 바꿀 수 없다.

㉢ 언어의 (답 자의성)
말소리와 뜻 사이에는 필연적인 관계가 없다.

㉣ 언어의 (답 창조성)
사람들은 새로운 낱말이나 문장을 끊임없이 만들 수 있다.

2 1에서 정리한 언어의 본질을 생각하며, 다음 활동을 해 보자.

(1) (가)와 (나)를 살펴보고, 빈칸에 알맞은 말을 써 보자.

(가)와 같이 뜻이 서로 다르지만 소리가 (답 같은) 낱말이 있고, (나)와 같이 뜻은 같지만 소리가 서로 (답 다른) 낱말도 있다. 그 까닭은 말소리와 뜻 사이에 (답 필연적인 관계가 없기) 때문이다. 이를 언어의 (답 자의성)이라고 한다.

(2) 다음 그림을 보고 물음에 답해 보자.

• '부채'라는 낱말을 활용하여 그림에 표시된 사람의 모습을 묘사해 보자.

예시 답〉〉 어떤 선비가 흙먼지를 피하려고 부채로 자기의 얼굴을 막고 있다. 등

• 앞에서 묘사한 문장을 친구들과 비교해 보고, 문장이 서로 다른 까닭을 언어의 본질과 관련하여 말해 보자.

예시 답〉〉 친구들이 만든 문장과 비교해 보니, 같은 문장이 거의 없었다. 그 까닭은 각자 자신의 생각과 느낌을 담아 새로운 문장을 창조했기 때문이다.

간단 체크 활동 문제

01 언어에 대한 설명으로 적절하지 않은 것은?

① 언어의 형식과 내용 사이의 관계는 필연적이지 않다.
② 언어는 사회 구성원 간의 약속이므로 변하지 않는다.
③ 언어는 말소리에 뜻을 담아 전달하는 의사소통의 수단이다.
④ 인간은 상황에 따라 새로운 낱말이나 문장을 끊임없이 만들 수 있다.
⑤ 언어는 시간의 흐름에 따라 새로 생겨나기도 하고 사라지기도 한다.

02 〈보기〉를 통해 알 수 있는 언어의 본질을 순서대로 바르게 나열한 것은?

보기
• 타는 '배', 먹는 '배', 신체의 일부인 '배'와 같이 각각 다른 의미를 지닌 낱말이 '배[배]'라는 하나의 문자 또는 음성으로 표현된다.
• 동일한 그림을 본 여러 사람들이 각각 그 그림을 묘사하는 문장을 만들면 같은 문장이 거의 없다.

① 자의성, 창조성
② 창조성, 사회성
③ 사회성, 역사성
④ 역사성, 자의성
⑤ 자의성, 역사성

적용
❶ 언어가 사회성을 획득해 가는 과정 정리하기
❷ 언어의 본질 설명하기
❸ 인물의 행동 평가하기

다음은 「프린들 주세요」라는 소설의 일부이다. 이 글을 읽고 언어의 본질을 탐구해 보자.

갈래	단편 소설, 외국 소설	성격	서사적, 일상적
시점	전지적 작가 시점	배경	학교
제재	프린들(펜)	주제	'닉'의 새로운 말 만들기
특징	• 새로운 말이 생성되고 변화하는 과정을 흥미롭게 보여 줌. • 주인공의 기발한 계획으로 벌어지는 일들을 재미있게 그려 냄.		

프린들 주세요

앤드루 클레먼츠

가 둘은 어느덧 동네 모퉁이에 와 있었는데, 닉이 생각에 푹 빠져서 걷다가 자넷을 민 것이다. 자넷은 비틀거리다가 경계석에서 떨어지면서 금빛 볼펜을 길바닥에 툭 떨어뜨렸다.

모퉁이: 변두리나 구석진 곳
경계석: 경계임을 나타내기 위하여 세운 돌

"미안. 일부러 그런 게 아니야, 정말로. 미처 너를 보지 못하고…… 자……."

닉은 펜을 집어서 자넷에게 건네주었다. / "자……."

바로 그 순간에 세 번째 사건이 일어났다.

닉은 '펜'이라고 하지 않았다. 대신 "자…… 프린들."이라고 했다. / "프린들?"

자넷은 볼펜을 받아 들며 '바보 아냐?' 하는 눈빛으로 닉을 쳐다보았다.

ⓐ"프린들이 뭐야?" / 자넷이 얼굴을 찡그리며 묻자, 닉은 싱글거리며 말했다.

"곧 알게 될 거야. 나중에 보자."

그것은 9월의 어느 오후, 닉네 집에서 한 골목 떨어진 스프링 거리와 사우스 그랜드 거리가 만나는 길모퉁이에서 일어난 일이다. 바로 그때 닉이 기발한 생각을 떠올린 것이다.

기발한: 유달리 재치가 뛰어난

나 닉이 집으로 뛰어가서 계단을 올라가 2층 자기 방에 들어갔을 때쯤, 그것은 이제 단순히 기발한 생각이 아니었다. 기발한 생각이 계획으로, 계획이 완벽한 실천 방법으로 발전해 닉에게 어서 실천에 옮기라고 재촉하고 있었다. 그리고 '실천' 하면 닉이었다.

재촉하고: 어떤 일을 빨리 하도록 조르고

이튿날 수업이 끝난 뒤 닉은 계획을 행동에 옮기기 시작했다. 닉은 페니 팬트리 가게에 가서 계산대에 있는 아주머니에게 '프린들'을 달라고 했다.

아주머니는 눈을 가늘게 뜨고 물었다. / ⓑ"뭐라고?"

"프린들요. 까만색으로요." / 닉은 이렇게 말하며 싱긋 웃었다.

아주머니는 한쪽 귀를 닉 쪽으로 돌리며 닉에게 몸을 더 가까이 기울였다.

"뭘 달라고?" / "프린들요."

닉은 아주머니 뒤쪽 선반에 있는 볼펜을 가리켰다. / "까만색으로요."

선반: 물건을 얹어 두기 위하여 까치발을 받쳐서 벽에 달아 놓은 긴 널빤지

아주머니는 닉에게 볼펜을 주었다. 닉은 아주머니에게 45센트를 건네주고는 "안녕히 계세요." 하고 인사한 뒤 가게를 나섰다.

다 며칠 뒤, 자넷이 그 계산대 앞에 서 있었다. 똑같은 가게, 똑같은 아주머니였다.

간단 체크 활동 문제

03 이 글에 나타난 '닉'의 행동을 다음과 같이 설명할 때, 빈칸에 들어갈 말을 3음절로 쓰시오.

> '닉'이 '펜'을 '프린들'로 바꾸어 부를 수 있는 것은 '펜'을 반드시 '펜'으로 불러야 할 이유가 없기 때문인데, 이는 언어의 본질 중에서 (   )을 잘 보여 준다.

04 ⓐ, ⓑ와 같은 반응이 나타나는 공통적인 이유로 적절한 것은?

① '펜'이 '프린들'로 바뀐 지 얼마 되지 않았기 때문이다.
② '닉'이 언어의 일정한 규칙인 문법을 지키지 않았기 때문이다.
③ '닉'이 같은 언어를 사용하는 구성원 간의 사회적 약속을 어겼기 때문이다.
④ '자넷'과 '아주머니'가 언어가 다르면 말소리도 다르다는 점을 이해하지 못했기 때문이다.
⑤ '자넷'과 '아주머니'가 상황에 따라 새로운 낱말을 창조할 수 있다는 점을 몰랐기 때문이다.

그 전날은 존이 다녀갔고, 그 전날은 피트가, 그 전날은 크리스가, 그 전날은 데이브가 다녀갔다. 자넷은 닉의 부탁을 받고 프린들을 사러 온 다섯 번째 아이였다.

자넷이 프린들을 달라고 하자, 아주머니는 볼펜 쪽으로 손을 뻗으며 물었다.

"파란색, 까만색?" / 닉은 옆에 있는 사탕 진열대 앞에 서 있다가 씨익 웃었다.

㉠'프린들'은 이제 펜을 가리키는 어엿한 낱말이다.

30분 뒤, 5학년 아이들이 심각한 표정을 지으며 닉의 방에서 회의를 했다. 존, 피트, 데이브, 크리스, 자넷이었다. 닉까지 합하면 여섯 명. 여섯 명의 비밀 요원이었다!

아이들은 오른손을 들고 닉이 쓴 서약서를 읽었다.
(서약서: 맹세하고 약속하는 글 또는 그런 문서)

> 나는 오늘부터 영원히 펜이라는 말을 쓰지 않겠다. 그 대신 프린들이란 말을 쓸 것이며, 다른 사람들도 그렇게 하도록 최선을 다할 것을 맹세한다.

여섯 명 모두 서약서에 서명을 했다. 닉의 프린들로. 이 계획은 꼭 성공할 것이다.

〈중략〉

라 수업이 끝난 뒤, 닉은 그레인저 선생님 방에 고개를 내밀었다.

"저랑 이야기하고 싶다고 하셨죠?" / "그래, 닉. 어서 들어와 앉아라."

닉이 자리에 앉자, 선생님은 닉을 바라보며 말했다.

"'프린들' 문제가 너무 커진 것 같지 않니? 내 생각엔 학교를 혼란에 몰아넣고 있는 것 같은데 말이야."

닉은 마른침을 꿀꺽 삼키고 말했다.
(마른침: 애가 타거나 긴장하였을 때 입 안이 말라 무의식중에 힘들게 삼키는 아주 적은 양의 침)

"제가 보기엔 잘못된 게 전혀 없어요. 그 말은 그냥 재미로 쓰는 거고, 이젠 어엿한 낱말이 되었어요. 좀 색다르긴 하지만 나쁜 말은 아니에요. ㉮더구나 말이란 건 원래 그렇게 변하는 거라고 선생님이 그러셨잖아요."
(어엿한: 행동이 거리낌 없이 아주 당당하고 떳떳한)

선생님은 한숨을 쉬었다. / "그런 식으로 새로운 말이 만들어지는 건 맞다만, 펜은 어떻게 되는 거니? 펜이 꼭 그…… 그런 말로 바뀌어야 할까? 펜이라는 말은 오랜 역사를 가지고 있어. 펜은 깃털이라는 뜻의 라틴어 '피나'에서 온 말이다. 깃털로 만든 펜이 최초의 필기도구였기 때문에 피나가 펜이라는 말이 된 거야. 펜은 하늘에서 뚝 떨어진 말이 아니야. 펜이 된 데에는 그럴 만한 까닭이 있어."

닉이 말했다. / "프린들이라는 말도 그럴 만한 까닭이 있어요. 어차피 '피나'라는 말도 누군가 만들어 낸 거 아니에요?"

1 ㉠이 되기까지의 과정을 정리해 보자.

'닉'이 펜을 '프린들'이라고 부르자, '자넷'이 답 의아해하며 다시 물음.
→ '닉'과 '닉'의 부탁을 받은 친구들이 가게에서 펜을 '프린들'이라고 부름.
→ '자넷'이 가게에서 아주머니에게 '프린들'을 달라고 하자 답 그 말을 알아듣고 자연스럽게 펜 쪽으로 손을 뻗으며 펜의 색을 물어봄.

간단 체크 활동 문제

05 이 글을 통해 알 수 있는 내용이 아닌 것은?

① '아주머니'는 처음에 '프린들'이 무엇인지 알지 못했다.
② '닉'의 부탁을 받은 친구들은 '펜'을 '프린들'로 불렀다.
③ '닉'은 '자넷'이 '프린들'을 '펜'으로 인식하게 되자 기뻐했다.
④ '닉'과 친구들은 '펜'이란 말을 절대 쓰지 않겠다고 서로 약속했다.
⑤ '그레인저 선생님'은 낱말을 마음대로 바꾸면 사람들이 혼란에 빠질 수 있다고 생각했다.

06 ㉮와 관련 깊은 언어의 본질로 알맞은 것은?

① 언어의 자의성
② 언어의 사회성
③ 언어의 역사성
④ 언어의 창조성
⑤ 언어의 이원성

2 모둠별로 다음 질문 중 하나를 고른 후, 다른 모둠에게 그 질문의 답을 언어의 본질과 관련지어 설명해 보자.

✓ '닉'이 펜을 '프린들'이라는 이름으로 바꿀 수 있겠다고 생각한 까닭은 무엇일까?

답 낱말의 말소리와 뜻은 필연적으로 연결된 것이 아니기 때문에, '닉'은 펜을 다른 이름으로 바꾸어 쓸 수 있겠다고 생각한 것이다.

✓ '그레인저 선생님'은 왜 '닉'에게 계획을 그만두라고 했을까?

답 언어는 사회 구성원 간의 약속이어서 '닉'처럼 개인이 마음대로 낱말을 바꾸어 쓰면 의사소통에 문제가 생길 수 있고 결국 사회를 혼란에 빠뜨릴 수 있기 때문이다.

✓ '피나'가 '펜'으로, '펜'이 '프린들'로 바뀐 사건에서 알 수 있는 언어의 특성은 무엇일까?

답 언어의 □□□을 알 수 있다. 사회적 약속으로 굳어진 말도 시간의 흐름에 따라 바뀔 수 있다는 것을 알 수 있다.

3 새로운 낱말을 만들어 낸 '닉'의 행동을 평가해 보자.

예시 답 〉〉

나는 '닉'이 참 대단하다고 생각해. 왜냐하면 언어의 뜻과 말소리 사이에는 필연성이 없다는 사실을 이해하고 새로운 말을 □□적으로 만들었기 때문이야.

나는 '닉'의 행동을 좋게만 볼 수 없다고 생각해. 왜냐하면 언어는 사회적 □□인데, '닉'이 그 약속을 깨고 마음대로 바꾸려고 했기 때문이야.

간단 체크 활동 문제

07 '닉'의 행동을 평가한 내용으로 적절하지 않은 것은?

① 새로운 말을 창조적으로 만들었다는 점에서 창의성이 풍부한 것 같아.
② 낱말의 뜻과 말소리의 관계가 필연적이지 않다는 점을 잘 이해하고 있어.
③ 자기 마음대로 낱말에 대한 사회적 약속을 깨려고 한 점은 무리하다고 봐.
④ 학교 안에서 몇몇 친구들끼리는 괜찮겠지만 그 외의 사람들은 알아들을 수 없어서 문제가 될 거야.
⑤ 언어는 시간이 지나도 고정불변한데 이에 대한 저항감으로 새로운 말을 만들어 보려 한 것이겠군.

활동 마당

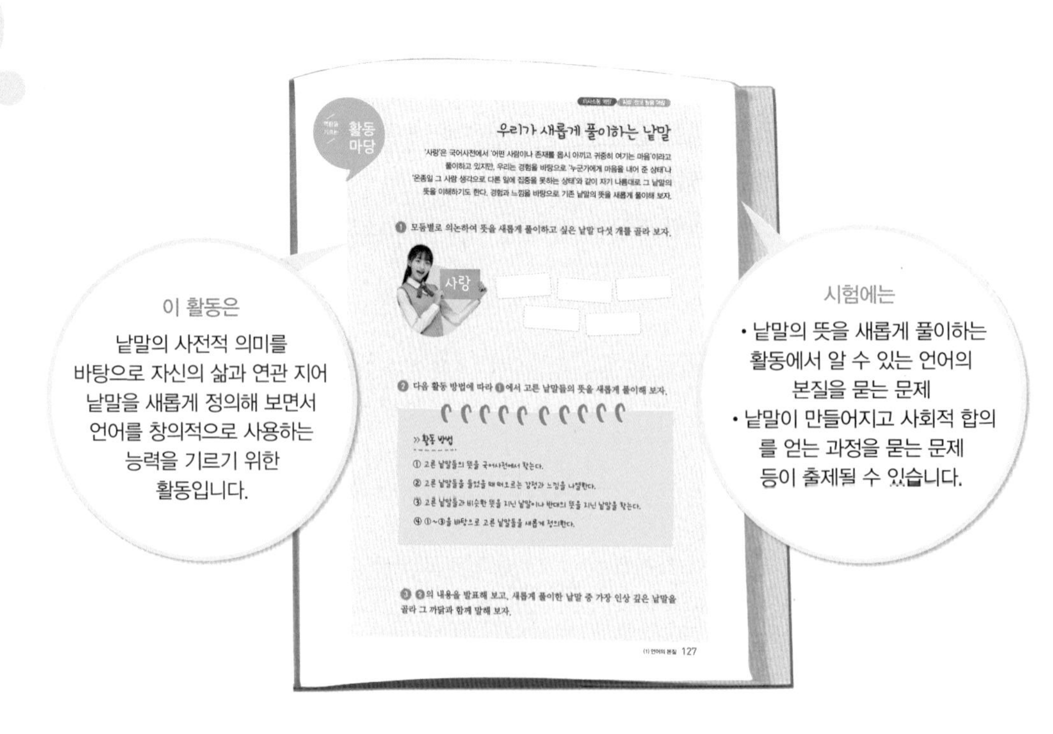

활동 마당
우리가 새롭게 풀이하는 낱말
사랑
이 활동은
낱말의 사전적 의미를 바탕으로 자신의 삶과 연관 지어 낱말을 새롭게 정의해 보면서 언어를 창의적으로 사용하는 능력을 기르기 위한 활동입니다.
시험에는
• 낱말의 뜻을 새롭게 풀이하는 활동에서 알 수 있는 언어의 본질을 묻는 문제
• 낱말이 만들어지고 사회적 합의를 얻는 과정을 묻는 문제
등이 출제될 수 있습니다.

• 정답과 해설 13쪽

언어의 본질

언어의 ❶□□□	개념	언어의 말소리와 뜻 사이에는 필연적인 관계가 없음.
	예	• '은하수', '밀키 웨이(Milky Way)', '갤럭시(Galaxy)'처럼 같은 뜻을 나타내더라도 말소리가 다르게 나타남. • 동일한 대상인 '나비'를 표현하는 말이 각 나라마다 다르게 표현됨. (우리말: 나비[나비], 영어: butterfly[버터플라이], 중국어: 蝴蝶[후디에], 프랑스어: papillon[파피용]) • '배(선박, 배나무의 열매, 가슴과 엉덩이 사이의 부위)'와 같이 뜻이 다르지만 말소리가 같은 낱말이 존재함. • '다슬기, 올갱이, 골배, 데사리'와 같이 뜻은 같지만 말소리가 다른 낱말이 존재함.
언어의 사회성	개념	언어는 사회 구성원 간의 약속이므로 마음대로 바꿀 수 없음.
	예	• '은하수'를 개인이 마음대로 '사랑강'이라고 바꾸어 쓰면 다른 사람이 '사랑강'이 무엇인지 이해하지 못해 ❷□□□□에 문제가 생김. • '학교'를 마음대로 '책상'으로 바꾸어 사용하면 의사소통에 어려움이 생김.
언어의 역사성	개념	언어는 시간의 흐름에 따라 끊임없이 변함.
	예	• 사라진 말: 온(백), 즈믄(천), 암행어사(조선 시대 벼슬), 뫼(산), 가람(강) • 뜻이 변한 말: ❸□□□(어리석다 → 나이가 적다), 어여쁘다(불쌍하다 → 예쁘다), 놈(일반적인 사람을 가리키는 말 → 남자를 낮추어 부르는 말) • 새로 생긴 말: 컴퓨터, 공정 무역, 누리꾼, 인공 지능, 스마트폰
언어의 ❹□□□	개념	사람들은 새로운 낱말이나 문장을 끊임없이 만들 수 있음.
	예	• 인터넷 매체가 보급되면서 '누리집', '블로그' 등과 같은 낱말이 새롭게 만들어짐. • '바람'이라는 낱말을 활용하여 '바람이 분다.', '바람은 왜 등 뒤에서 불어오는가?'와 같이 새로운 문장을 끊임없이 만들 수 있음. • 같은 대상을 본 여러 사람들이 그 대상을 묘사하기 위해 만든 문장들 중에 똑같은 문장이 거의 없음.

「프린들 주세요」에 나타난 언어의 본질

언어의 자의성	'닉'은 언어의 말소리와 뜻 사이에 ❺□□□이 없다는 점에 착안해 '펜'을 '프린들'이라는 새로운 이름으로 바꾸려는 계획을 세우고 실행함.
언어의 사회성	• '닉'이 사회적으로 약속된 말인 '❻□'을 '프린들'로 바꾸어 부르자 처음에 '자넷'과 '아주머니'는 '닉'의 말을 알아듣지 못해 의사소통에 문제가 생김. • '닉'과 친구들이 '펜'을 '프린들'로 계속 부르자 '아주머니'가 '프린들'을 '펜'으로 자연스럽게 인식하게 되면서 의사소통이 원활히 이루어짐.
언어의 ❼□□□	깃털이라는 뜻의 라틴어인 '피나'가 '펜'으로, '펜'이 '프린들'이라는 낱말로 바뀌게 됨.
언어의 창조성	'닉'이 '펜'을 보고 '프린들'이라는 새로운 낱말을 만들어 냄.

한끝의 한 끗

• 정답과 해설 13쪽

◆ 언어의 본질을 배웠으니, 다음 물음에 답을 하면서 출구를 찾아가 보도록 할까?

start!

언어가 시간의 흐름에 따라 새로 생기거나, 변하거나, 사라지기도 하는 특성은?

- 역사성 → ①번 방으로
- 사회성 → ②번 방으로

1

맛있는 아이스크림 먹고 ③번 방으로 가세요.

2

어흥! 호랑이에게 잡히기 전에 빨리 처음으로 돌아가세요.

3

언어의 의미와 말소리의 관계는 자의적이므로 '나무'라는 대상을 '돼지'라고 불러도 의사소통에 문제가 되지 않는다.

- ○ → ④번 방으로
- × → ⑤번 방으로

4

하마가 콧김을 뿜고 있어요. 답이 맞다고 생각하시나요? ③번 방으로 가서 다시 생각해 보세요.

5

짝짝! 잘했어요. ⑥번 방에서 다음 문제를 풀어 보세요.

6

'혼밥(혼자서 밥을 먹음.)', '심쿵(심장이 쿵)'과 같은 말이 국어사전에 오르지 못한 이유와 관련된 언어의 특성은?

- 사회성 → ⑦번 방으로
- 창조성 → ⑧번 방으로

7

귀여운 판다랑 사진 한 방! 이제 ⑨번 방에서 문제를 풀어 보세요.

8

앗! 악어가 입을 벌리고 있어요. 빨리 ⑥번 방으로 돌아가세요.

9

'블로그', '내비게이션'은 새로운 대상이나 개념이 생기면서 새로 생겨난 말이다.

- ○ → ⑩번 방으로
- × → ⑪번 방으로

10

순하디순한 꽃사슴을 구경하고 ⑫번 방으로 가세요.

11

으악, 뱀이다. ⑨번 방으로 돌아가세요.

12

'물'과 '주세요'라는 단어를 배운 아이가 '물 좀 주세요.'라는 문장을 만들어 낼 수 있는 것과 관련된 언어의 특성은?

- 사회성 → ⑬번 방으로
- 창조성 → ⑭번 방으로

13

우리에 아무도 없네요. 다시 ⑫번 방으로 가세요.

14

잠깐 쉬다가 ⑮번 방으로 가세요.

15

'짜장면'을 '자장면'의 복수 표준어로 인정한 것이나 '너무'를 긍정적인 뜻으로도 쓸 수 있게 한 것과 관련된 언어의 특성은 언어의 역사성, 사회성이다.

- ○ → ⑯번 방으로
- × → ⑰번 방으로

16

'공을 차다', '날씨가 차다', '물이 가득 차다'의 '차다'처럼 말소리는 같지만 의미가 다른 말이 있는 것과 관련된 언어의 특성은?

- 자의성 → A 출구로
- 역사성 → B 출구로

17

귀신의 집에 잘못 찾아 왔네요! ⑮번 방으로 다시 가세요.

finish!

A 출구

참 잘했어요.
다음에 또 놀러 오세요♡

B 출구

앗, 문이 없네요!
⑯번 방으로 가세요.

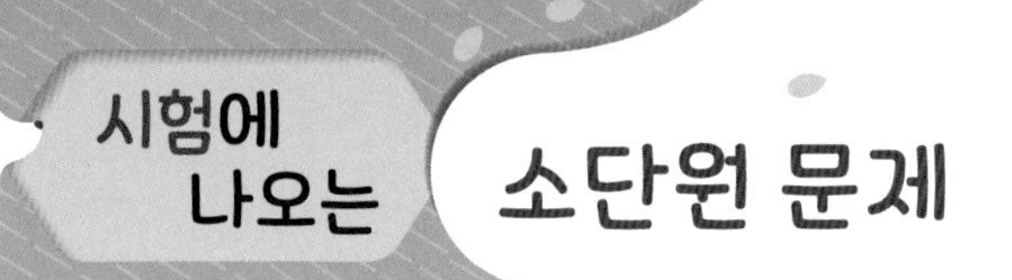

• 정답과 해설 13쪽

01~05 다음 글을 읽고, 물음에 답하시오.

(가) 사회적 약속으로 굳어진 말들도 시간이 흐르면서 조금씩 변한다. 예를 들어 백(百)을 뜻하는 '온'이나 천(千)을 뜻하는 '즈믄'은 오늘날에는 거의 쓰이지 않는다. 또 '어리다'라는 말은 '(ⓐ)'라는 뜻에서 오늘날에는 '나이가 적다'라는 뜻으로 바뀌었다. 그뿐만 아니라 '컴퓨터, 공정 무역, 누리꾼'처럼 새로운 사물이나 개념이 나타나면 그에 맞는 새말이 만들어지기도 한다.

(나) 사람들은 말을 할 때 이미 알고 있는 낱말이나 같은 문장만을 반복하지 않는다. 앞에서 살펴보았듯이 새로운 물건이나 개념이 생기면 그에 맞는 새로운 낱말을 만들어 내기도 하고, 이미 알고 있는 낱말을 활용하여 상황에 맞게 새로운 문장을 만들어 사용하기도 한다.

(다) '은하수'라는 말소리와 '밤하늘에 구름 띠 모양으로 길게 펼쳐진 수많은 별의 무리'라는 뜻은 자의적으로 연결된 것이다. 이렇게 처음에는 말소리와 뜻이 자의적으로 연결되지만 그 말이 사회 전체에 널리 쓰이게 되면 함부로 바꾸거나 없애기 어렵다. 이미 그 언어를 사용하는 사람들 사이에서 사회적 약속으로 굳어졌기 때문이다.

(라) 언어는 말소리에 뜻을 담아 의사를 전달하는 대표적인 의사소통 수단이다. 그런데 어떤 말소리와 뜻이 반드시 그렇게 연결되어야 한다는 원칙이나 법칙은 없다. 즉, ㉠<u>말소리와 뜻은 필연적으로 연결된 관계가 아니라는 말이다.</u> 그래서 은하수, 밀키 웨이(Milky Way), 갤럭시(Galaxy)처럼 같은 뜻을 나타내더라도 말소리는 다르게 나타나는 것이다.

01 (가)~(라)에서 설명하는 언어의 본질을 바르게 나열한 것은?

	(가)	(나)	(다)	(라)
①	기호성	규칙성	역사성	추상성
②	역사성	창조성	사회성	자의성
③	자의성	사회성	역사성	창조성
④	규칙성	사회성	창조성	자의성
⑤	분절성	자의성	사회성	역사성

02 다음에 대한 설명으로 적절하지 <u>않은</u> 것은?

> 민지: 이제 전 은하수를 '사랑강'이라고 부를래요.
> 아빠: 민지야, 그렇게 하면 곤란한 상황이 벌어질 거야.

① '민지'는 단어나 문장을 만들 때 지켜야 할 문법 규칙을 따르고 있지 않다.
② '민지'가 말소리를 '사랑강'으로 바꾸어 불러도 언어의 뜻이 변하는 것은 아니다.
③ '민지'가 혼자서 '사랑강'을 계속 사용하면 다른 사람과의 의사소통에 문제가 생길 것이다.
④ '민지'의 뜻대로 '은하수'를 '사랑강'으로 바꾸려면 같은 언어 사용자들의 동의가 필요하다.
⑤ '은하수'라는 단어를 '사랑강'으로 바꾸기 어려운 이유는 '은하수'가 사회적으로 약속된 말이기 때문이다.

서술형 학습 활동 응용

03 <보기>와 관련 있는 언어의 본질을 설명하고 있는 문단의 기호를 쓰시오.

> 보기
> • 선비가 부채를 들어 흙먼지를 막고 있다.
> • 선비가 부채로 자기의 얼굴을 가리고 있다.
> • 선비가 부채를 들고 몰래 씨름을 구경하고 있다.

학습 활동 응용

04 ㉠을 뒷받침하는 사례로 알맞지 <u>않은</u> 것은?

① [볼]이라는 말소리가 우리말과 영어에서 나타내는 의미가 다르다.
② '다슬기'를 지역에 따라 '올갱이', '골배', '데사리' 등으로 표현하기도 한다.
③ '나비'를 중국에서는 '蝴蝶[후디에]', 프랑스에서는 'papillon[파피용]'이라고 한다.
④ '인공위성'은 1957년 최초로 발사된 스푸트니크 1호와 같은 장치를 가리키며 생겨난 말이다.
⑤ '배나무의 열매', '선박', '가슴과 엉덩이 사이의 부위'를 뜻하는 말을 모두 [배]라고 발음한다.

05 ⓐ에 들어갈 말로 알맞은 것은?

① 예쁘다 ② 얼리다 ③ 어리석다
④ 얼떨떨하다 ⑤ 어리바리하다

• 정답과 해설 13쪽

06~09 다음 글을 읽고, 물음에 답하시오.

가 ㉠닉은 페니 팬트리 가게에 가서 계산대에 있는 아주머니에게 '프린들'을 달라고 했다.

아주머니는 눈을 가늘게 뜨고 물었다. / "뭐라고?"

"프린들요. 까만색으로요."

닉은 이렇게 말하며 싱긋 웃었다.

아주머니는 한쪽 귀를 닉 쪽으로 돌리며 닉에게 몸을 더 가까이 기울였다. / "뭘 달라고?" / "프린들요."

닉은 아주머니 뒤쪽 선반에 있는 볼펜을 가리켰다.

"까만색으로요." / 아주머니는 닉에게 볼펜을 주었다. 닉은 아주머니에게 45센트를 건네주고는 "안녕히 계세요." 하고 인사한 뒤 가게를 나섰다.

며칠 뒤, 자넷이 그 계산대 앞에 서 있었다. 똑같은 가게, 똑같은 아주머니였다. 그 전날은 존이 다녀갔고, 그 전날은 피트가, 그 전날은 크리스가, 그 전날은 데이브가 다녀갔다. 자넷은 닉의 부탁을 받고 프린들을 사러 온 다섯 번째 아이였다.

자넷이 프린들을 달라고 하자, 아주머니는 볼펜 쪽으로 손을 뻗으며 물었다. / "파란색, 까만색?"

닉은 옆에 있는 사탕 진열대 앞에 서 있다가 씨익 웃었다. / '프린들'은 이제 펜을 가리키는 어엿한 낱말이다.

나 닉은 마른침을 꿀꺽 삼키고 말했다.

"제가 보기엔 잘못된 게 전혀 없어요. 그 말은 그냥 재미로 쓰는 거고, 이젠 어엿한 낱말이 되었어요. 좀 색다르긴 하지만 나쁜 말은 아니에요. 더구나 말이란 건 원래 그렇게 변하는 거라고 선생님이 그러셨잖아요." / 선생님은 한숨을 쉬었다.

"그런 식으로 새로운 말이 만들어지는 건 맞다만, 펜은 어떻게 되는 거니? 펜이 꼭 그…… 그런 말로 바뀌어야 할까? 펜이라는 말은 오랜 역사를 가지고 있어. 펜은 깃털이라는 뜻의 라틴어 '피나'에서 온 말이다. 깃털로 만든 펜이 최초의 필기도구였기 때문에 피나가 펜이라는 말이 된 거야. 펜은 하늘에서 뚝 떨어진 말이 아니야. 펜이 된 데에는 그럴 만한 까닭이 있어."

닉이 말했다.

㉡"프린들이라는 말도 그럴 만한 까닭이 있어요. 어차피 '피나'라는 말도 누군가 만들어 낸 거 아니에요?"

서술형 · 학습 활동 응용

06 (가)의 주요 사건을 다음과 같이 정리할 때, 빈칸에 들어갈 내용을 쓰시오.

• '닉'이 '펜'을 '프린들'이라고 부르자 '아주머니'는 '닉'의 말을 이해하지 못함.

↓

• '닉'과 친구들이 계속 '펜'을 '프린들'이라고 부름.

↓

• '자넷'이 '프린들'을 달라고 하자 '아주머니'는 ______ ______________________.

학습 활동 응용

07 '닉'을 비판하는 입장에서 근거로 삼을 수 있는 언어의 본질로 알맞은 것은?

① 언어의 규칙성 ② 언어의 자의성
③ 언어의 분절성 ④ 언어의 창조성
⑤ 언어의 사회성

학습 활동 응용

08 (나)를 고려할 때, '닉'이 ㉠과 같은 행동을 할 수 있었던 이유와 관련이 없는 것은?

① 언어는 고정불변하는 것이 아니기 때문이다.
② 언어의 말소리와 뜻은 필연적 관계가 아니기 때문이다.
③ 인간은 새로운 단어를 끊임없이 만들어 사용할 수 있기 때문이다.
④ 언어는 의미와 말소리가 결합해 의사를 전달하는 기본적인 소통의 수단이기 때문이다.
⑤ 언어는 같은 대상을 표현하는 말들이 서로 경쟁하다가 덜 쓰이는 쪽이 사라지게 되기 때문이다.

09 ㉡을 이해한 내용으로 바른 것끼리 묶은 것은?

ㄱ. '프린들'은 '닉'이 새롭게 창조한 이름이다.
ㄴ. '피나'도 누군가 자의적으로 붙인 이름이다.
ㄷ. '펜'은 시간의 흐름에 따라 '피나'로 바뀌었다.
ㄹ. '피나'라는 말을 사용하는 것은 사회적 약속을 지키는 것이다.

① ㄱ, ㄴ ② ㄱ, ㄷ ③ ㄴ, ㄷ
④ ㄴ, ㄹ ⑤ ㄷ, ㄹ

길잡이

• 정답과 해설 13쪽

토의의 개념과 필요성

토의란 공통의 문제에 대한 최선의 해결 방안을 얻기 위해 여러 사람이 의견을 나누는 과정을 말한다. 토의는 여러 사람이 협력하여 문제를 해결하는 말하기이므로, 일상생활에서 일어나는 문제들을 합리적으로 해결할 수 있다.

토의의 일반적인 절차

논제 정하기	토의가 필요한 문제들을 탐색하고, 그중 하나를 골라 토의의 주제(논제)로 선정함.

⬇

토의 내용 마련하기	논제에 대한 자신의 의견을 정리하고, 그 의견을 뒷받침할 수 있는 타당한 근거를 마련함.

⬇

토의하기	준비한 내용을 바탕으로 토의 참여자의 역할에 맞게 의견과 정보를 교환하여 최선의 해결 방안을 결정함.

⬇

토의 내용 정리하기	토의 과정과 결과를 정리하고, 평가 기준에 따라 토의 준비와 실행 과정을 평가함.

토의 참여자의 역할

사회자	• 논제와 토의자를 소개한다. • 토의 내용을 요약하고 정리한다. • 청중의 토의 참여를 이끌어 낸다. • 토의자 간의 의견 조정을 유도한다.
토의자	• 타당한 근거를 들어 의견을 제시한다. • 자신이 제시한 의견의 장단점을 파악하여 다른 토의자나 청중의 질의에 대비한다.
청중	• 토의자들의 발표를 경청한다. • 문제 해결에 필요하다면 적극적으로 질문하고 의견을 제시한다.

토의에 참여하는 올바른 태도

• 근거를 들어 자신의 생각을 조리 있게 말해야 한다.
• 다른 사람의 의견을 경청하고 능동적으로 수용해야 한다.
• 토의에 참여하는 모든 사람들을 존중하고 배려하는 태도를 지녀야 한다.
• 토의의 목적이 협동적인 문제 해결임을 알고 적극적인 태도로 참여해야 한다.

간단 체크 개념 문제

1 다음 빈칸에 들어갈 알맞은 말을 쓰시오.

> □□은/는 공통의 문제에 대한 최선의 해결 방안을 찾는 협력적인 의사소통 과정을 말한다.

2 토의의 절차 중, 〈보기〉의 설명에 해당하는 단계로 적절한 것은?

> 보기
> 토의 과정과 결과를 정리하고, 토의 과정을 평가한다.

① 토의하기
② 논제 정하기
③ 참여자 역할 정하기
④ 토의 내용 정리하기
⑤ 토의 내용 마련하기

3 다음 설명이 맞으면 ○표, 틀리면 ×표 하시오.

(1) 토의자는 타당한 근거를 들어 의견을 제시해야 한다. (   )
(2) 토의에 참여할 때 다른 사람의 의견을 능동적으로 수용해야 한다. (   )
(3) 사회자는 자신의 의견에 대한 다른 토의자나 청중의 질의에 대비해야 한다. (   )

교과서 129~139쪽

(2) 문제 해결을 위한 토의

학습 목표 합리적으로 문제를 해결하기 위해 의견을 교환하며 토의할 수 있다.

이해
❶ 토의로 문제를 해결하는 과정 이해하기
❷ 토의 참여자의 역할 및 바람직한 토의 태도 이해하기

학습 포인트
❶ 패널 토의의 절차
❷ 토의 참여자의 역할
❸ 토의에 참여하는 올바른 태도

축제 장터에서 무엇을 운영할까?

토의 논제와 토의자 소개

가 사회자: 올해부터 학교 축제 기간에 장터를 열기로 하였습니다. 우리 반이 장터에서 무엇을 운영하면 좋을지 설문 조사를 한 결과, 벼룩시장과 먹거리 가게 그리고 사진 찍기 체험장을 운영하자는 의견이 많이 나왔습니다. 오늘은 지민이와 정우, 나라가 각 의견을 대표하는 토의자로 나와서 '축제 장터에서 무엇을 운영할까?'라는 주제로 토의해 보도록 하겠습니다. 그럼 지민이, 정우, 나라의 순서로 준비해 온 의견을 이야기해 주십시오.

토의자 제안

나 지민: 저는 벼룩시장을 열었으면 합니다. 여러분도 잘 알다시피 벼룩시장은 온갖 중고품을 사고파는 만물 시장을 말합니다. 벼룩시장은 판매할 물건들이 집에서 쓰던 것이어서 준비하는 데에 많은 돈이 들지 않습니다. 또한 잘 쓰지 않는 물건을 재활용하는 것이기 때문에 환경을 보호한다는 점에서도 가치가 있고, 새것만 찾는 친구들에게 절약 정신을 일깨워 줄 수 있다는 점에서도 가치가 있습니다.

다 정우: (지민이의 발표가 끝나고 잠시 후에) 축제는 우선 재미있어야 한다고 생각합니다. 그래서 저는 먹거리 가게를 제안합니다. 먹거리 가게는 우리들이 직접 음식을 만들어 팔기 때문에 다른 가게보다 훨씬 재미있고 추억에 남을 것입니다. 그리고 '금강산도 식후경'이라는 속담도 있듯이, 아무리 좋은 행사라도 먼저 배가 불러야 즐길 수 있는 법이죠. 맛이 좋은 음식을 판다면, 친구들의 배도 채워 주고 수익도 많이 낼 수 있다고 생각합니다.

금강산도 식후경: 아무리 재미있는 일이라도 배가 부르고 난 뒤에야 흥이 난다는 것을 비유적으로 이르는 말

라 나라: (지민이와 정우를 번갈아 보며) 지민이와 정우의 의견 잘 들었습니다. 둘 다 좋은 의견이라고 생각합니다. 특히 축제는 재미있어야 한다는 정우의 생각에 저도 동의합니다. 그런데 친구들이 즐겁게 참여하려면 개성 넘치는 가게를 운영하는 것이 좋지 않을까요? 그래서 저는 사진 찍기 체험장을 운영하는 것이 좋다고 생각합니다. 그리고 요즘 청소년들은 자신만의 특별한 사진을 갖고 싶어 한다는 내용의 신문 기사를 읽은 적이 있습니다. 평소에 입어 보기 힘든 옷이나 특이한 소품을 함께 준비해 놓으면 사진을 찍으러 오는 친구들이 많을 것입니다.

간단 체크 활동 문제

중요

01 이 토의의 절차를 고려할 때, (가)에 해당하는 단계로 알맞은 것은?

① 사회자가 논제를 제시하고 토의자를 소개한다.
② 토의자가 근거를 들어 자신의 의견을 제시한다.
③ 제안된 의견을 토대로 토의자들끼리 의견을 교환한다.
④ 청중이 궁금한 점을 질문하고 토의자가 이에 응답한다.
⑤ 사회자가 토의자와 청중의 의견을 종합하여 토의를 마무리한다.

02 (나)~(라)에 나타난 토의자들의 의견으로 적절하지 않은 것은?

① 지민: 축제 장터에서 벼룩시장을 운영하자고 제안하였다.
② 지민: 물건을 재활용하는 것이 환경 보호 차원에서 가치 있다고 말하였다.
③ 정우: 친구들이 먹거리에 관심이 많다고 하며 먹거리 가게를 운영하자고 제안하였다.
④ 나라: 축제는 재미있어야 한다는 의견에 동의하며 사진 찍기 체험장을 운영하자고 제안하였다.
⑤ 나라: 요즘 청소년들이 자신만의 특별한 사진을 갖고 싶어 한다는 신문 기사의 내용을 근거로 들었다.

토의자 간 의견 교환

마 사회자: 세 토의자의 의견 잘 들었습니다. 그러면 이제 토의자끼리 서로의 의견을 교환하겠습니다. 먼저 지민이의 제안에 질문해 주십시오.

정우: 벼룩시장에서 판매할 물건은 어떻게 모을 계획인가요?

지민: 우리 반뿐만 아니라 다른 반 친구들과 선생님들께도 알려 다양한 물건을 기부받을 생각입니다. 관심을 두고 집 안을 살펴보면 잘 사용하지는 않지만 꽤 쓸 만한 물건들이 많을 것 같은데요? 예를 들어 사 놓고 미처 풀지 못한 문제집이나 깨끗한 장난감 같은 것들이 있을 것입니다.

나라: ㉠벼룩시장은 단순하게 물건을 사고팔기만 해서 다른 가게에 비해 친구들이 별로 흥미를 느끼지 못할 것 같은데요. 대책은 있나요?

지민: 네. 먼저 친구들이 좋아할 만한 물건들을 사진으로 찍어 벼룩시장 홍보물을 만들면 친구들의 관심을 끌 수 있을 것입니다. 그리고 축제 기간에 경품 추첨 행사를 함께 진행하는 방법도 생각하고 있습니다.

바 사회자: 이번에는 정우의 제안에 질문해 주시겠습니까?

나라: 음식 재료를 준비할 돈은 어떻게 마련할 계획인가요?

정우: 그동안 모아 놓은 학급비로 음식 재료를 장만하려고 합니다. 돈이 모자라면 우리가 조금씩만 더 보태면 될 것입니다.

지민: 장터 수익금은 학생회에서 이웃 돕기 성금으로 기부한다던데……. 그러면 우리 반 학급비가 하나도 안 남을 것 같은데요.

정우: 재료비를 제외한 수익금을 기부한다고 합니다. 재료를 구입한 영수증을 학생회에 제출하면 그 금액만큼을 학급에 돌려준다고 합니다. 그러니 학급비를 돌려받고 기부금도 많이 내기 위해서는 우리가 더욱 노력해야겠죠.

사 사회자: 마지막으로 나라의 제안에 질문을 받겠습니다.

정우: 설문 조사 결과를 보면, 여학생들과 달리 남학생들은 사진 찍기 체험장에 관심이 적다는 것을 알 수 있습니다. 남학생들이 많이 찾아오지 않을 것 같은데 사진 찍기 체험장이 제대로 운영될까요?

[A] 나라: 네, 좋은 지적입니다. 우선 여학생들의 참여율이 매우 높을 것 같아 사진 찍기 체험장을 운영하는 데에는 큰 문제가 없을 것입니다. 남학생들에게는 더욱더 적극적으로 홍보하여 다 함께 즐길 수 있는 축제를 만들 생각입니다.

지민: 독특한 의상과 소품은 어떻게 마련할 계획인가요?

나라: 대훈이 아버지께서 캐릭터 의상 대여점을 하시는데, 우리 반이 사진 찍기 체험장을 운영한다면 공주 드레스와 같은 의상이나 수염, 가발 등과 같은 소품들을 무료로 빌려주신다고 합니다.

간단 체크 활동 문제

03 (마)~(사)에 제시된 사회자의 발언을 참고하여 다음 빈칸에 들어갈 알맞은 말을 쓰시오.

> 사회자는 토의자 간 □□ □□(이)라는 토의 절차에 따라 토의를 □□하며 토의자 간의 의견 조정을 유도하고 있다.

04 ㉠에 대한 답변 내용으로 알맞은 것은?

① 남학생들에게 적극적으로 홍보할 것입니다.
② 홍보물 제작 및 경품 추첨 행사를 진행할 것입니다.
③ 벼룩시장에 기부된 물건들이 유용해 흥미를 끌 것입니다.
④ 유행하는 물건을 전시하면 친구들이 관심을 가질 것입니다.
⑤ 판매할 물건을 사진으로 찍어 누리소통망(SNS)에 올릴 것입니다.

중요

05 [A]로 보아, '나라'가 토의에 참여하는 태도로 적절한 것은?

① 자신의 입장을 고집하고 있다.
② 질문의 의도를 이해하지 못하고 있다.
③ 자신의 생각을 명확하게 전달하지 못하고 있다.
④ 전문가의 말을 인용하여 자신의 입장을 보완하고 있다.
⑤ 다른 사람의 의견을 수용하면서 대안을 제시하고 있다.

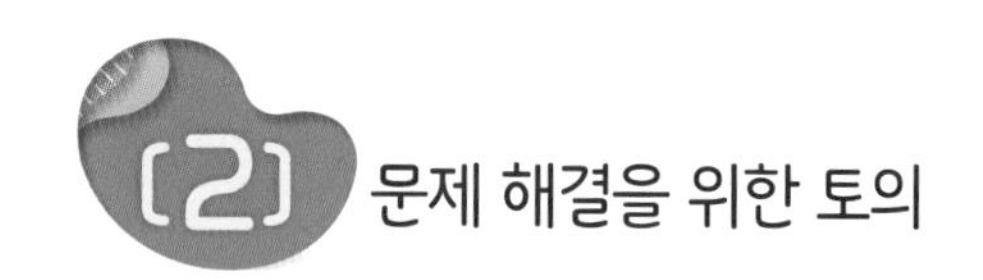

(2) 문제 해결을 위한 토의

청중과의 질의응답

(아) 사회자: 토의자들의 의견 잘 들었습니다. 지금까지의 의견을 바탕으로 ㉠청중의 질문과 의견을 들어보겠습니다.

민재: 벼룩시장 행사가 끝나고 남은 물건은 어떻게 처리할 것인지 궁금합니다.

지민: 남은 물건은 우리 학교 근처에 있는 자선 단체에 모두 기증할 생각입니다.

(자) 사회자: 네, 벼룩시장 행사가 끝나고 남는 물건을 어떻게 처리할 것인지 잘 들었습니다. 또 다른 질문이나 의견 있습니까?

다혜: 먹거리 가게를 운영하려면 휴대용 가스레인지와 같은 취사도구가 필요한데, 좀 위험하지 않을까요?

정우: 부탄가스 사용은 학교에서 금지하고 있습니다. 그래서 집에서 준비해 온 재료들로 김밥이나 샌드위치를 만들어 판매하거나 전기 제품을 이용하여 간단하게 만들 수 있는 토스트와 같은 음식을 판매할 생각입니다.

유미: (짜증 섞인 말투로) 요즘 누가 김밥이나 샌드위치를 사 먹으러 먹거리 가게에 오겠습니까? 정말 어이가 없습니다.

슬기: (빈정거리며) 사실 저는 먹거리 가게를 희망했는데 김밥이나 판다고 하니 기가 막힙니다. 그럴 바에는 사진 찍기 체험장을 하는 게 훨씬 낫겠습니다.

(차) 사회자: 다른 친구들이 먹거리 가게를 어떻게 생각하고 있는지 잘 들었습니다. 또 다른 질문이나 의견이 있습니까?

수아: 대훈이 아버지께 공주 드레스 외에 다른 옷도 빌릴 수 있나요?

나라: 네, 더 빌릴 수 있다고 합니다. 자세한 것은 대훈이에게 직접 물어보면 어떨까요?

사회자: (대훈이를 쳐다보며) 그러면 대훈이의 이야기를 들어보겠습니다.

대훈: 아버지 가게에는 남학생들이 좋아하는 만화나 영화 주인공들의 의상뿐만 아니라 귀신과 같은 특수 분장을 할 수 있는 재료도 많이 있습니다. 아버지께서 우리가 의상과 소품을 깨끗이 쓴다면 빌려주실 수 있다고 하셨습니다.

(카) 하은: 그렇다면 저는 나라의 의견에 따르겠습니다. 사진 찍기 체험장에서 친구들과 재미있는 사진을 찍는다면 그 추억을 오랫동안 기억할 수 있을 것 같습니다.

간단 체크 활동 문제

06 이 토의에서 다음과 같은 태도를 보이는 토의 참여자를 모두 찾아 쓰시오.

> 다른 사람의 감정을 상하게 하고, 합리적인 해결 방안을 이끌어 내는 데 방해가 되는 말을 한다.

07 (아)~(카)에 제시된 토의 참여자들의 발언으로 옳지 않은 것은?

① '민재'는 벼룩시장 행사 후 남는 물건을 처리할 방법을 계획하고 있다.
② '다혜'는 먹거리 가게에서 사용할 취사도구의 위험성을 염려하고 있다.
③ '수아'는 공주 드레스 외에 빌릴 수 있는 의상이 있는지 묻고 있다.
④ '대훈'은 아버지 가게에서 대여할 수 있는 소품을 설명하고 있다.
⑤ '하은'은 사진 찍기 체험장을 운영하자는 '나라'의 의견에 동의하고 있다.

중요

08 토의에서 ㉠의 역할을 바르게 골라 묶은 것은?

> ㄱ. 토의자 간의 의견 조정을 유도한다.
> ㄴ. 토의자들의 토의 참여를 이끌어 낸다.
> ㄷ. 토의자들의 발표를 주의 깊게 경청한다.
> ㄹ. 문제 해결을 위해 질문하고 의견을 제시한다.

① ㄱ, ㄴ ② ㄱ, ㄷ ③ ㄴ, ㄷ ④ ㄴ, ㄹ ⑤ ㄷ, ㄹ

지민: 저도 생각해 보니 사진 찍기 체험장을 운영해 보는 것이 평소에 쉽게 해 볼 수 없는 경험이라는 점에서 특별한 기억으로 남을 것 같습니다.

사회자: 먹거리 가게를 제안했던 정우의 생각은 어떻습니까?

정우: 먹거리 가게를 운영하지 못해서 아쉽긴 하지만, 많은 친구가 사진 찍기 체험장을 희망한다면 저도 그 의견을 기쁘게 받아들이겠습니다.

사회자: (잠시 기다린 후에 청중을 둘러보며) 또 다른 의견이 없으면, 우리 반은 축제 장터에서 사진 찍기 체험장을 운영하는 것으로 결정해도 되겠습니까?

청중: (고개를 끄덕이며) 네.

토의 마무리

(타) 사회자: 지금까지 토의한 결과, 우리 반은 축제 장터에서 사진 찍기 체험장을 운영하기로 하였습니다. 자세한 운영 계획은 다음 시간에 다시 의논하기로 하겠습니다. 이것으로 오늘 토의를 모두 마치겠습니다.

간단 체크 활동 문제

중요

09 토의 절차를 고려할 때, (타)에 대한 설명으로 적절한 것은?

① 토의 논제를 소개하고 있다.
② 문제점에 대한 대책을 제시하고 있다.
③ 의견을 종합하여 토의를 마무리하고 있다.
④ 논리적인 근거를 들어 새로운 의견을 제시하고 있다.
⑤ 청중과의 질의응답을 통해 의견을 하나로 모으고 있다.

10 다음을 근거로 들어 제안한 의견과 그 의견을 제안한 토의자의 이름을 쓰시오.

• 환경을 보호한다는 점에서 가치가 있다.
• 새것만 찾는 친구들에게 절약 정신을 일깨워 줄 수 있다.

1 토의를 통해 문제를 해결하는 과정을 정리해 보자.

(1) 이 토의의 논제와 토의자들의 제안이 무엇인지 써 보자.

• 논제: 답 축제 장터에서 무엇을 운영할까?

• 토의자의 제안

토의자	제안	근거
지민	벼룩시장	• 준비하는 데에 많은 돈이 들지 않는다. • 답 잘 쓰지 않는 물건을 재활용하는 것이기 때문에 환경을 보호할 수 있다. • 답 절약 정신을 일깨워 줄 수 있다.
정우	답 □□□ 가게	• 답 직접 음식을 만들어 팔기 때문에 재미있고 추억에 남을 것이다. • 배가 불러야 축제를 즐길 수 있다. • 답 맛이 좋은 음식으로 친구들의 배도 채워 주고 수익도 많이 낼 수 있다.
나라	답 사진 찍기 체험장	• 답 친구들이 즐겁게 참여하게 하려면 개성 넘치는 가게를 운영해야 한다. • 답 요즘 청소년들은 자신만의 특별한 □□을 갖고 싶어 한다.

지식 사전

논제의 개념과 요건

개념	토의에서 함께 논의해야 할 문제, 즉 주제를 말한다.
요건	• 집단 구성원의 공동 관심사여야 한다. • 논제의 범위가 어느 정도 한정되어야 한다. • 토의자들이 해결할 수 있는 문제여야 한다. • 의문문의 형태로 진술하여 다양한 의견이 나올 수 있도록 해야 한다.

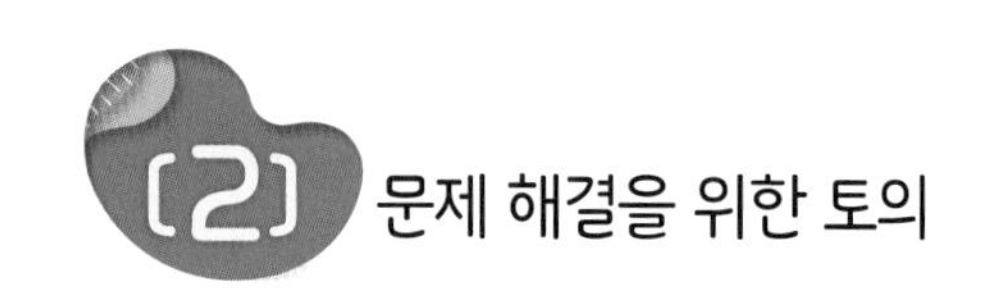

(2) 문제 해결을 위한 토의

(2) 다음 세 가지 제안을 두고 토의자 사이에 어떤 의견이 오갔는지 써 보자.

질문 ❶ : 벼룩시장에서 판매할 물건은 어떻게 모을 계획인가요?

→ 답 우리 반뿐만 아니라 다른 반 친구들과 선생님들께도 알려 다양한 물건을 □□받을 생각입니다.

질문 ❷ : 다른 가게에 비해 친구들이 별로 흥미를 느끼지 못할 것 같은데요. 대책은 있나요?

→ 답 친구들이 좋아할 만한 물건들을 사진으로 찍어 벼룩시장 홍보물을 만들면 친구들의 관심을 끌 수 있을 것입니다. 그리고 축제 기간에 경품 추첨 행사를 함께 진행하는 방법도 생각하고 있습니다.

질문 ❶ : 답 음식 재료를 준비할 돈은 어떻게 마련할 계획인가요?

→ 학급비로 음식 재료를 장만하려고 합니다. 돈이 모자라면 우리가 조금씩만 더 보태면 될 것입니다.

질문 ❷ : 답 장터 수익금은 학생회에서 이웃 돕기 성금으로 기부한다던데, 그러면 우리 반 학급비가 하나도 안 남을 것 같은데요?

→ 재료를 구입한 영수증을 학생회에 제출하면 그 금액만큼을 학급에 돌려준다고 합니다.

질문 ❶ : 남학생들이 많이 찾아오지 않을 것 같은데 사진 찍기 체험장이 제대로 운영될까요?

→ 답 여학생들의 참여율이 높아서 운영하는 데에는 문제가 없을 것입니다. 남학생들에게는 적극적으로 □□할 생각입니다.

질문 ❷ : 답 독특한 의상과 소품은 어떻게 마련할 계획인가요?

→ 답 대훈이 아버지께서 캐릭터 대여점을 하시는데, 우리 반이 사진 찍기 체험장을 운영한다면 공주 드레스와 같은 의상이나 수염, 가발 등과 같은 소품들을 무료로 빌려주신다고 합니다.

간단 체크 활동 문제

11 축제 장터에서 '먹거리 가게'를 운영한다고 할 때, 그 계획으로 적절하지 않은 것은?

① 학급비를 사용하여 음식 재료를 준비한다.
② 친구들과 선생님께 음식 재료를 기부받는다.
③ 재료 구입 비용을 학생회로부터 돌려받는다.
④ 장터 수익금은 이웃 돕기 성금으로 기부한다.
⑤ 음식 재료비가 부족할 경우 학생들이 돈을 조금씩 더 보탠다.

12 '사진 찍기 체험장'에 제기된 질문 내용으로 적절한 것은?

① 수익 마련을 위한 홍보 계획
② 여학생들의 참여율을 높일 방법
③ 공주 드레스의 착용 가능 여부
④ '대훈'이 아버지의 행사 참여 여부
⑤ 개성 있는 의상과 소품을 마련할 계획

(3) 청중의 다음 질의에 토의자가 응답한 내용을 찾아 말해 보자.

- ㉠벼룩시장 행사가 끝나고 남은 물건은 어떻게 처리할 것인지 궁금합니다.
- ㉡먹거리 가게를 운영하려면 휴대용 가스레인지와 같은 취사도구가 필요한데, 좀 위험하지 않을까요?
- ㉢대훈이 아버지께 공주 드레스 외에 다른 옷도 빌릴 수 있나요?

답 • 질문: 벼룩시장 행사가 끝나고 남은 물건은 어떻게 처리할 것인지 궁금합니다.
답변: 남은 물건은 우리 학교 근처에 있는 자선 단체에 모두 기증할 생각입니다.

• 질문: 먹거리 가게를 운영하려면 휴대용 가스레인지와 같은 취사도구가 필요한데, 좀 위험하지 않을까요?
답변: 집에서 준비해 온 재료들로 김밥이나 샌드위치를 만들어 판매하거나 전기 제품을 이용하여 간단하게 만들 수 있는 토스트와 같은 음식을 판매할 생각입니다.

• 질문: 대훈이 아버지께 공주 드레스 외에 다른 옷도 빌릴 수 있나요?
답변: 더 빌릴 수 있다고 합니다. / (대훈이) 아버지 가게에는 남학생들이 좋아하는 만화나 영화 주인공들의 의상뿐만 아니라 귀신과 같은 특수 분장을 할 수 있는 재료도 많이 있습니다. (대훈이) 아버지께서 우리가 의상과 소품을 깨끗이 쓴다면 빌려주실 수 있다고 합니다.

(4) 이 토의를 통해 모인 의견을 정리해 보자.

답 우리 반은 축제 장터에서 □□ □□ □□□을 운영한다.

2 이 토의를 통해 알 수 있는 사회자, 토의자, 청중의 역할을 바르게 연결해 보자.

답

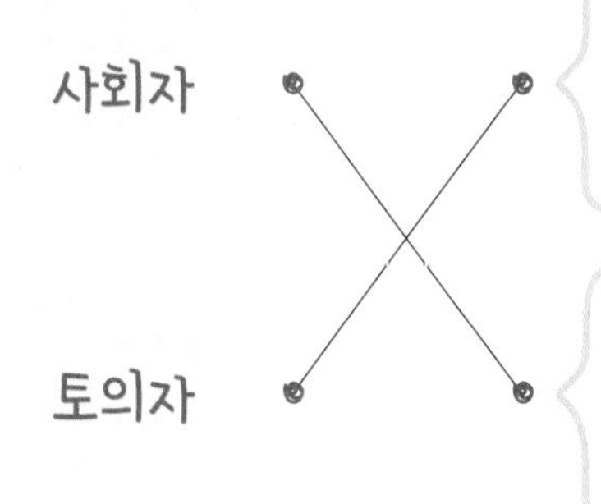

- 타당한 근거를 들어 의견을 제시한다.
- 자신이 제시한 의견의 장단점을 파악하여 다른 토의자나 청중의 질의에 대비한다.

- 논제와 토의자를 소개한다.
- 토의 내용을 요약하고 정리한다.
- 청중의 토의 참여를 이끌어 낸다.
- 토의자 간의 의견 조정을 유도한다.

- 토의자들의 발표를 경청한다.
- 문제 해결에 필요하다면 적극적으로 질문하고 의견을 제시한다.

간단 체크 활동 문제

13 청중과의 질의응답 단계에서 나온 질문 중, ㉠~㉢에 대한 설명으로 옳지 않은 것은?

① ㉠은 벼룩시장을 제안한 토의자에게 하는 질문이다.
② ㉠은 토의자의 제안을 뒷받침하는 방법을 판단하려는 질문이다.
③ ㉡은 먹거리 가게를 운영할 때 안전상의 주의점을 지적한 질문이다.
④ ㉢은 청중인 '대훈'에게 하는 토의자의 질문이다.
⑤ ㉢은 사진 찍기 체험장을 운영할 계획에 대해 묻는 질문이다.

중요
14 토의 참여자들의 역할에 대한 설명으로 적절하지 않은 것은?

① 사회자: 토의자 간의 의견을 조정한다.
② 사회자: 절차에 따라 토의를 진행한다.
③ 토의자: 논제에 대해 논리적으로 비판한다.
④ 토의자: 자신의 의견에 대한 질문에 대비한다.
⑤ 청중: 토의자들의 발표를 경청하고 논제와 토의의 흐름에 알맞게 질문한다.

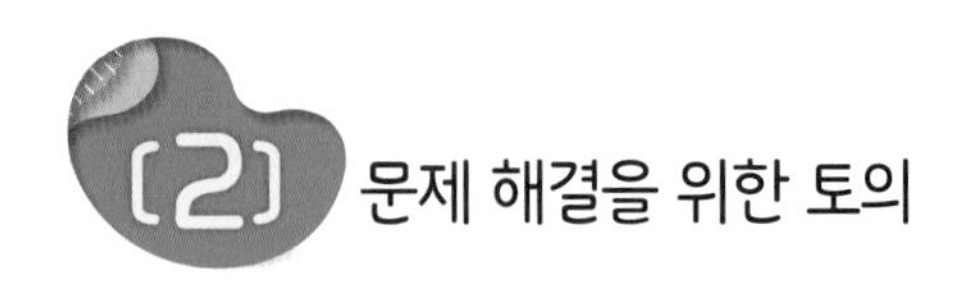

(2) 문제 해결을 위한 토의

3 다음 활동을 통해 토의에 참여하는 올바른 태도를 알아보자.

(1) 다음과 같은 '나라'와 '정우'의 말이 토의에 어떤 영향을 미칠지 생각해 보고, 그렇게 생각한 까닭과 함께 말해 보자.

지민이와 정우의 의견 잘 들었습니다. 둘 다 좋은 의견이라고 생각합니다.

먹거리 가게를 운영하지 못해서 아쉽긴 하지만, 많은 친구가 사진 찍기 체험장을 희망한다면 저도 그 의견을 기쁘게 받아들이겠습니다.

예시 답》 '나라'와 '정우'의 말은 다른 사람의 의견을 능동적으로 수용하는 말이다. 이와 같은 말은 서로 다른 의견을 지닌 토의 참여자들이 좋은 분위기 속에서 협력적으로 소통할 수 있게 해 주어 최선의 □□□을 이끌어 내는 데 도움을 준다.

(2) 원활한 토의가 되도록 '슬기'의 말을 고쳐 써 보자.

예

요즘 누가 김밥이나 샌드위치를 사 먹으러 먹거리 가게에 오겠습니까? 정말 어이가 없습니다.

→ 김밥이나 샌드위치 같은 음식은 학생들에게 별로 인기가 없을 것 같습니다. 불을 쓰지 않고 만들 수 있으면서 학생들도 좋아할 만한 음식을 개발해야 합니다.

'유미'의 말

㉠사실 저는 먹거리 가게를 희망했는데 김밥이나 판다고 하니 기가 막힙니다. 그럴 바에는 사진 찍기 체험장을 하는 게 훨씬 낫겠습니다.

→ **예시 답》** 사실 저는 먹거리 가게를 희망했는데 팔 수 있는 음식이 한정되어 있다고 하니 좀 아쉽습니다. 이를 해결할 대책이 없다면 사진 찍기 체험장을 운영하는 것이 더 나을 것 같습니다.

'슬기'의 말

간단 체크 활동 문제

15 토의에 참여하는 올바른 태도에 대해 정리한 다음 내용 중, 적절하지 않은 것은?

> 토의 참여자는 ①토의의 목적이 문제의 심각성을 인식하는 것임을 알고, ②다른 사람의 의견을 경청해야 한다. 또한 ③토의에 협력적으로 참여해야 하며 ④토의에서 결정된 사항을 수용하는 자세와 ⑤다른 사람을 배려하는 태도를 지녀야 한다.

16 원활한 토의를 위해 ㉠과 같은 말을 한 '슬기'에게 해 줄 조언으로 적절한 것은?

① 자신의 의견을 분명하게 표현하는 것이 중요해.
② 사회자의 진행 방식에 이의를 제기하지 않는 것이 좋아.
③ 다른 사람과 의견이 다르더라도 다수의 의견에 따르도록 노력해 봐.
④ 자신의 제안에 대한 질문에 당황하지 않고 대답하려는 자세가 필요해.
⑤ 협력적인 의사소통을 위해 자신의 의견을 공손하게 전하는 것이 바람직해.

학습콕

❶ 패널 토의의 절차

토의 논제와 토의자 소개	사회자가 토의의 논제와 토의자(패널)를 소개함.
토의자 제안	토의자들(패널들)은 적절한 근거를 들어 자신의 의견을 제시함.
토의자 간 의견 교환	제안된 의견을 바탕으로, 토의자들(패널들)이 자유롭게 의견을 주고받음.
청중과의 질의응답	토의자들은 청중의 의견을 듣고, 청중들은 논제와 토의의 흐름에 맞게 질문함.
토의 마무리	사회자는 토의자(패널)와 청중들의 의견을 □□하여 토의를 마무리함.

❷ 토의 참여자의 역할

사회자	• □□와 토의자를 소개함. • 토의 내용을 요약하고 정리함. • 청중의 토의 참여를 이끌어 냄. • 토의자 간의 의견 조정을 유도함.
토의자	• 타당한 근거를 들어 의견을 제시함. • 자신이 제시한 의견의 장단점을 파악하여 다른 토의자나 청중의 질의에 대비함.
청중	• 토의자들의 발표를 □□함. • 문제 해결에 필요하다면 적극적으로 질문하고 의견을 제시함.

❸ 토의에 참여하는 올바른 태도

토의 참여자는 토의의 목적이 여러 사람과 협동하여 문제를 해결하는 것임을 알고, 다른 사람의 의견을 경청하며 근거를 들어 자신의 생각을 조리 있게 말해야 한다. 또한 토의에 참여하는 모든 사람을 존중하고 배려하는 태도를 지녀야 한다.

❶ 우리 주변에서 해결해야 할 문제를 찾아 논제 정하기
❷ 의견을 마련하여 실제로 토의하기

다음 절차에 따라 우리 주변의 문제를 토의로 해결해 보자.

1단계 논제 정하기

1 우리 주변에서 해결해야 할 문제를 떠올려 보고, 토의할 논제를 정해 보자.

예

- 체육 대회 응원을 어떻게 할 것인가?
- 학교 담장에 어떤 벽화를 그릴 것인가?
- 청소년들의 스마트폰 중독, 어떻게 예방할 것인가?
- 우리말을 올바르게 사용하기 위한 방안은 무엇인가?
- 에너지를 절약하기 위해 우리가 실천할 수 있는 일은 무엇인가?

• 토의 논제: 예시 답 〉〉 학교 담장에 어떤 벽화를 그릴 것인가?

간단 체크 활동 문제

17 다음은 패널 토의의 절차이다. 빈칸에 들어갈 알맞은 말을 쓰시오.

토의 논제와 토의자 소개
↓
(　　　　　　)
↓
토의자 간 의견 교환
↓
청중과의 질의응답
↓
토의 마무리

18 〈보기〉를 참고할 때, 토의의 논제로 알맞지 않은 것은? (정답 2개)

보기
토의의 논제는 집단 구성원의 공동 관심사이면서 다양한 생각이나 의견을 나눌 수 있는 문제여야 하며, 의문문의 형태로 진술되어야 한다.

① 소풍을 갈 때 교복을 입을 것인가?
② 우리 반 급훈을 무엇으로 할 것인가?
③ 진로 체험 학습을 어디로 갈 것인가?
④ 음식물 쓰레기를 줄일 수 있는 방법은 무엇인가?
⑤ 청소년들의 언어폭력 문제에 대한 해결 방안 논의

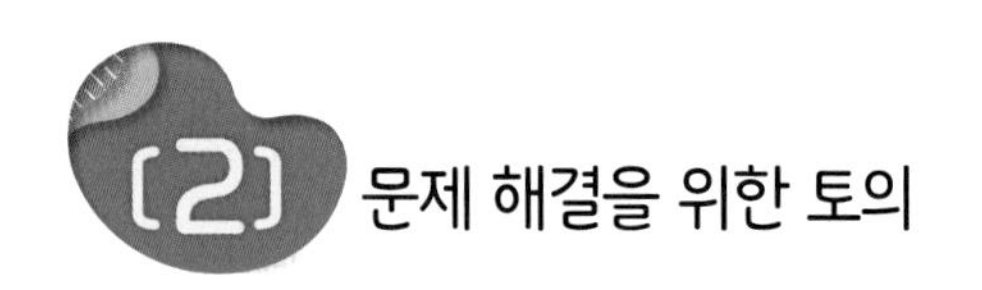

(2) 문제 해결을 위한 토의

2단계 토의 내용 마련하기

2 논제에 대한 자신의 의견과 그 의견을 뒷받침할 수 있는 근거를 마련해 보자.

예시 답〉〉

나의 의견	학교 담장에 우리 학교의 상징물을 그린다.
근거	• 우리 학교에 다니면서도 우리 학교를 상징하는 것이 무엇인지 모른다는 친구들이 많았음. • 벽화를 통해 우리 학교에 관심을 기울이게 할 수 있음.

3단계 토의하기

3 2에서 준비한 내용을 바탕으로 토의해 보고, 그 내용을 정리해 보자.

예시 답〉〉

제시된 의견	• 우리 학교의 상징물을 그리자. • 행복한 학교생활을 보여 주는 그림을 그리자. • 친구들에게 익숙한 명화를 패러디하여 그리자.
토의 후 결정된 의견	학교 담장에 우리 학교의 상징물을 그린다.

4 다음 기준에 따라 토의 과정을 평가해 보자.

예시 답〉〉

평가 기준	
• 논제가 무엇인지 정확히 파악하였는가?	★★★★★
• 근거를 들며 의견을 조리 있게 제시하였는가?	★★★★☆
• 문제를 해결하기 위해 협력적인 태도를 보였는가?	★★★★☆
• 문제를 합리적으로 해결할 수 있는 방안을 이끌어 냈는가?	★★★★☆

간단 체크 활동 문제

19 토의 내용 마련하기 단계에서 유의할 점으로 옳은 것을 모두 골라 기호를 쓰시오.

ㄱ. 다양한 매체를 활용하여 논제와 관련된 자료를 찾아본다.
ㄴ. 토의에 참여하는 올바른 태도에 유의하며 토의에 임한다.
ㄷ. 자신의 생각을 뒷받침할 수 있는 타당한 근거를 정리한다.
ㄹ. 자신의 주변에서 발생하는 문제를 탐색하여 논제를 선정한다.

중요

20 토의 과정을 평가하는 기준으로 적절하지 않은 것은?

① 논제를 정확하게 파악하였는가?
② 근거를 들어 의견을 조리 있게 제시하였는가?
③ 문제를 해결하기 위해 협력적으로 임하였는가?
④ 문제에 대한 합리적인 해결 방안을 도출해 냈는가?
⑤ 자신의 의견을 수용할 때까지 청중을 설득하였는가?

지식 사전

• 다양한 토의 유형

토의는 의견을 발표하는 방식, 청중의 참여 여부, 논제의 성격 등에 따라 원탁 토의, 패널 토의, 심포지엄, 포럼 등의 다양한 유형으로 나뉜다.

패널 토의	각 의견의 대표자가 청중 앞에서 서로 의견을 주고받으며 토의를 하고, 이후 청중이 질의하며 참여하는 토의 유형
원탁 토의	소수의 사람이 동등한 자격으로 자유롭게 의견을 나누는 토의 유형
심포지엄	주로 학술적인 문제를 주제로 각 분야의 전문가들이 의견을 발표하고 난 뒤, 참석자의 질문에 답하는 토의 유형
포럼	전문성이 있는 토의자가 발표한 뒤, 청중이 적극적으로 참여하여 결론을 이끌어 내는 토의 유형

• 토의와 토론의 비교

	토의	토론
개념	공통의 문제에 대한 최선의 해결 방안을 얻기 위한 말하기	어떤 문제에 대해 찬성과 반대의 입장으로 나뉘어 근거를 들어 자신의 주장을 논리적으로 펼치는 말하기
차이점	문제 해결 방법을 공동으로 탐구하는 협동적인 의사소통임.	찬성과 반대로 나뉘어 서로 자신의 의견에 동의하도록 설득하는 경쟁적인 의사소통임.
공통점	공동의 문제를 해결하는 과정이며, 논리적인 근거를 사용함.	

간단 체크 활동 문제

21 〈보기〉와 같은 경우에 적합한 토의 유형으로 가장 적절한 것은?

보기

'미세 먼지 문제를 어떻게 해결할 것인가'라는 논제에 대해 각 분야의 전문가들의 의견을 듣고 싶을 때

① 포럼
② 심포지엄
③ 원탁 토의
④ 패널 토의
⑤ 집단 토의

활동 마당

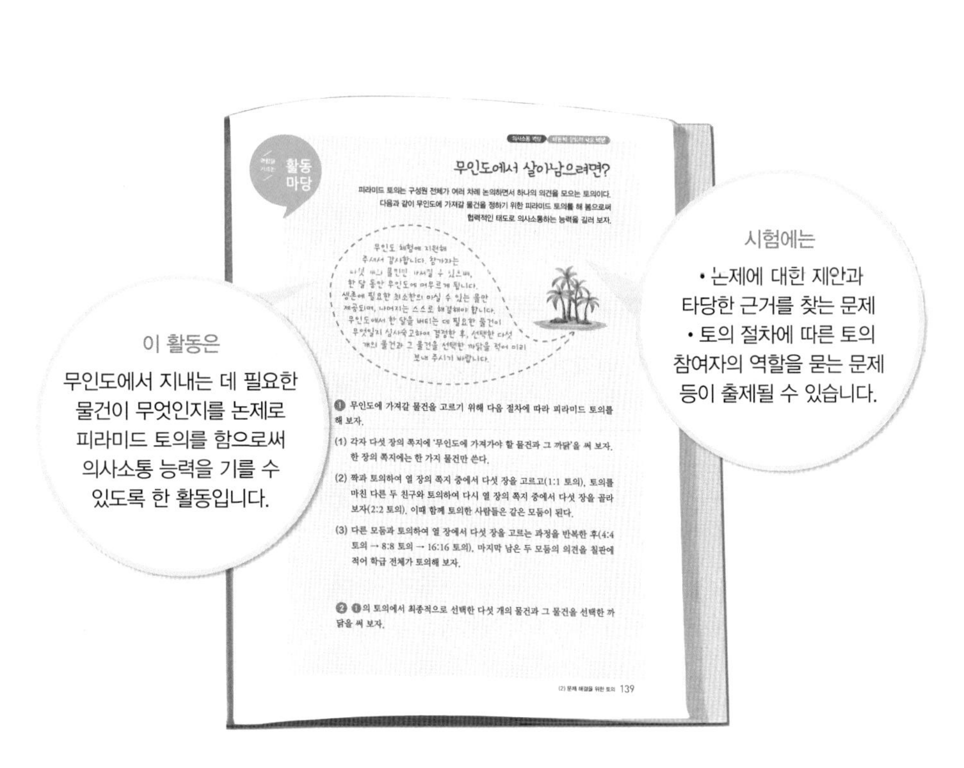
의사소통 역량

활동 마당

무인도에서 살아남으려면?

피라미드 토의는 구성원 전체가 여러 차례 논의하면서 하나의 의견을 모으는 토의이다. 다음과 같이 무인도에 가져갈 물건을 정하기 위한 피라미드 토의를 해 봄으로써 협력적인 태도로 의사소통하는 능력을 길러 보자.

무인도 체험에 지원해 주셔서 감사합니다. 참가자는 다섯 개의 물건만 가져갈 수 있으며, 한 달 동안 무인도에 머무르게 됩니다. 생존에 필요한 최소한의 마실 수 있는 물만 제공되며, 나머지는 스스로 해결해야 합니다. 무인도에서 한 달을 버티는 데 필요한 물건이 무엇일지 심사숙고하여 결정한 후, 선택한 다섯 개의 물건과 그 물건을 선택한 까닭을 적어 미리 보내 주시기 바랍니다.

❶ 무인도에 가져갈 물건을 고르기 위해 다음 절차에 따라 피라미드 토의를 해 보자.

(1) 각자 다섯 장의 쪽지에 '무인도에 가져가야 할 물건과 그 까닭'을 써 보자. 한 장의 쪽지에는 한 가지 물건만 쓴다.

(2) 짝과 토의하여 열 장의 쪽지 중에서 다섯 장을 고르고(1:1 토의), 토의를 마친 다른 두 친구와 토의하여 다시 열 장의 쪽지 중에서 다섯 장을 골라 보자(2:2 토의). 이때 함께 토의한 사람들은 같은 모둠이 된다.

(3) 다른 모둠과 토의하여 열 장에서 다섯 장을 고르는 과정을 반복한 후(4:4 토의 → 8:8 토의 → 16:16 토의), 마지막 남은 두 모둠의 의견을 칠판에 적어 학급 전체가 토의해 보자.

❷ ❶의 토의에서 최종적으로 선택한 다섯 개의 물건과 그 물건을 선택한 까닭을 써 보자.

(2) 문제 해결을 위한 토의 139
이 활동은
무인도에서 지내는 데 필요한 물건이 무엇인지를 논제로 피라미드 토의를 함으로써 의사소통 능력을 기를 수 있도록 한 활동입니다.
시험에는
• 논제에 대한 제안과 타당한 근거를 찾는 문제
• 토의 절차에 따른 토의 참여자의 역할을 묻는 문제
등이 출제될 수 있습니다.

압축 파일

• 정답과 해설 14쪽

토의의 개념과 필요성

개념	공통의 문제에 대한 최선의 ❶□□ □□을 찾는 의사소통 과정
필요성	토의는 여러 사람이 협력하여 문제를 해결하는 데에 초점을 맞추기 때문에 일상생활에서 일어나는 문제를 합리적으로 해결할 수 있음.

토의 참여자의 역할

사회자	토의자	청중
• 논제와 토의자를 소개함. • 토의자 간의 의견 조정을 유도함. • 청중의 토의 참여를 이끌어 냄. • 토의 내용을 요약하고 정리함.	• 타당한 ❷□□를 들어 의견을 제시함. • 자신이 제시한 의견의 장단점을 파악하여 다른 토의자나 청중의 질의에 대비함.	• 토의자들의 발표를 경청함. • 문제 해결에 필요하다면 적극적으로 ❸□□하고 의견을 제시함.

'축제 장터에서 무엇을 운영할까' 토의의 유형

❹□□ 토의	각 의견의 대표자가 청중 앞에서 서로 의견을 주고받으며 토의를 하고, 이후 청중이 질의하며 참여하는 토의 유형

'축제 장터에서 무엇을 운영할까' 토의의 과정

토의 논제와 토의자 소개	• 논제: 축제 장터에서 무엇을 운영할까? • 토의자: '지민', '정우', '나라'
토의자 제안	지민: ❺□□□□ / 정우: 먹거리 가게 / 나라: 사진 찍기 체험장
❻□□□ 간 의견 교환	• 지민의 제안에 대한 의견 교환 ─ 판매할 물건을 모을 계획 / 친구들의 ❼□□를 높일 대책 • 정우의 제안에 대한 의견 교환 ─ 음식 재료비를 마련할 계획 / 학급비가 안 남을 것에 대한 우려 • 나라의 제안에 대한 의견 교환 ─ 남학생들의 참여율이 저조할 것에 대한 우려 / 독특한 의상과 소품을 마련할 계획
❽□□과의 질의응답	• 민재와 지민: 벼룩시장 행사가 끝나고 남은 물건을 처리할 방법에 대해 질의응답함. • 다혜와 정우: 먹거리 가게를 운영할 경우 취사도구 사용의 위험성에 대해 질의응답함. • 수아와 나라: 공주 드레스 외 다른 옷도 대여 가능한지 여부에 대해 질의응답함.
토의 마무리	축제 장터에서 사진 찍기 체험장을 운영하기로 결정함.

시험에 나오는 소단원 문제

• 정답과 해설 14쪽

01~04 다음을 읽고, 물음에 답하시오.

가 사회자: 올해부터 학교 축제 기간에 장터를 열기로 하였습니다. 우리 반이 장터에서 무엇을 운영하면 좋을지 설문 조사를 한 결과, 벼룩시장과 먹거리 가게 그리고 사진 찍기 체험장을 운영하자는 의견이 많이 나왔습니다. 오늘은 지민이와 정우, 나라가 각 의견을 대표하는 토의자로 나와서 '축제 장터에서 무엇을 운영할까?'라는 주제로 토의해 보도록 하겠습니다. 그럼 지민이, 정우, 나라의 순서로 준비해 온 의견을 이야기해 주십시오.

나 지민: 저는 벼룩시장을 열었으면 합니다. 여러분도 잘 알다시피 벼룩시장은 온갖 중고품을 사고파는 만물 시장을 말합니다. 벼룩시장은 판매할 물건들이 집에서 쓰던 것이어서 준비하는 데에 많은 돈이 들지 않습니다. 또한 잘 쓰지 않는 물건을 재활용하는 것이기 때문에 환경을 보호한다는 점에서도 가치가 있고, 새것만 찾는 친구들에게 절약 정신을 일깨워 줄 수 있다는 점에서도 가치가 있습니다.

다 정우: (지민이의 발표가 끝나고 잠시 후에) 축제는 우선 재미있어야 한다고 생각합니다. 그래서 저는 먹거리 가게를 제안합니다. 먹거리 가게는 우리들이 직접 음식을 만들어 팔기 때문에 다른 가게보다 훨씬 재미있고 추억에 남을 것입니다. 그리고 '금강산도 식후경'이라는 속담도 있듯이, 아무리 좋은 행사라도 먼저 배가 불러야 즐길 수 있는 법이죠.

라 나라: (지민이와 정우를 번갈아 보며) ㉠지민이와 정우의 의견 잘 들었습니다. 둘 다 좋은 의견이라고 생각합니다. 특히 축제는 재미있어야 한다는 정우의 생각에 저도 동의합니다. 그런데 친구들이 즐겁게 참여하려면 개성 넘치는 가게를 운영하는 것이 좋지 않을까요? 그래서 저는 사진 찍기 체험장을 운영하는 것이 좋다고 생각합니다. 그리고 요즘 청소년들은 자신만의 특별한 사진을 갖고 싶어 한다는 내용의 신문 기사를 읽은 적이 있습니다. 평소에 입어 보기 힘든 옷이나 특이한 소품을 함께 준비해 놓으면 사진을 찍으러 오는 친구들이 많을 것입니다.

01 이와 같은 토의에 대한 설명으로 알맞지 않은 것은?

① 여러 사람의 협력적 사고를 바탕으로 한다.
② 일정한 절차에 따라 이루어지는 말하기이다.
③ 문제를 다양한 측면에서 깊이 있게 이해할 수 있다.
④ 의견을 교환하고 조정하면서 부족한 점을 보완할 수 있다.
⑤ 개인의 문제에 대한 합리적인 해결 방안을 마련하는 것이 목적이다.

02 (가)에서 알 수 있는 사회자의 역할을 한 문장으로 쓰시오.

학습 활동 응용

03 (나)~(라)에서 알 수 있는 토의자의 제안과 근거가 바르게 연결되지 않은 것은?

	제안	근거
①	벼룩시장	환경 보호에 도움이 됨.
②	벼룩시장	친구들에게 절약 정신을 일깨워 줄 수 있음.
③	먹거리 가게	직접 음식을 만들어 팔기 때문에 추억에 남을 것임.
④	사진 찍기 체험장	개성이 넘쳐서 친구들이 즐겁게 참여할 수 있음.
⑤	사진 찍기 체험장	자신만의 특별한 소품을 가질 수 있음.

학습 활동 응용

04 ㉠에 대한 설명으로 적절하지 않은 것은?

① 다른 토의 참여자들을 존중하는 발언이다.
② 토의 분위기에 좋은 영향을 주는 말하기이다.
③ 다른 사람의 의견을 능동적으로 수용하는 발언이다.
④ 원활한 소통을 위해 자신의 의견을 양보하는 발언이다.
⑤ 최선의 해결책을 이끌어 내는 데 도움을 주는 말하기이다.

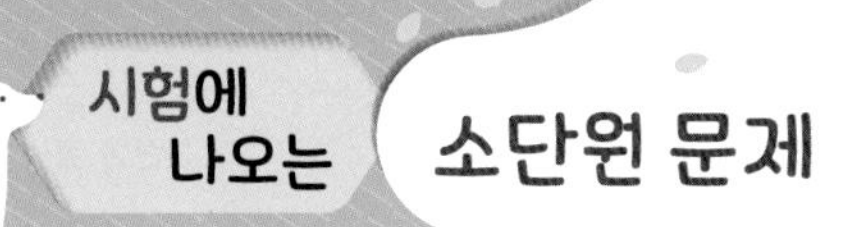

• 정답과 해설 14쪽

05~08 다음을 읽고, 물음에 답하시오.

(가) 정우: ㉠벽룩시장에서 판매할 물건은 어떻게 모을 계획인가요?

지민: 우리 반뿐만 아니라 다른 반 친구들과 선생님들께도 알려 다양한 물건을 기부받을 생각입니다. 관심을 두고 집 안을 살펴보면 잘 사용하지는 않지만 꽤 쓸 만한 물건들이 많을 것 같은데요? 예를 들어 사 놓고 미처 풀지 못한 문제집이나 깨끗한 장난감 같은 것들이 있을 것입니다.

(나) 사회자: 마지막으로 나라의 제안에 질문을 받겠습니다.

정우: ㉡설문 조사 결과를 보면, 여학생들과 달리 남학생들은 사진 찍기 체험장에 관심이 적다는 것을 알 수 있습니다. 남학생들이 많이 찾아오지 않을 것 같은데 사진 찍기 체험장이 제대로 운영될까요?

나라: 네, 좋은 지적입니다. 우선 여학생들의 참여율이 매우 높을 것 같아 사진 찍기 체험장을 운영하는 데에는 큰 문제가 없을 것입니다. 남학생들에게는 더욱더 적극적으로 홍보하여 다 함께 즐길 수 있는 축제를 만들 생각입니다.

(다) 사회자: 토의자들의 의견 잘 들었습니다. 지금까지의 의견을 바탕으로 청중의 질문과 의견을 들어보겠습니다.

(라) 다혜: ㉢먹거리 가게를 운영하려면 휴대용 가스레인지와 같은 취사도구가 필요한데, 좀 위험하지 않을까요?

정우: 부탄가스 사용은 학교에서 금지하고 있습니다. 그래서 집에서 준비해 온 재료들로 김밥이나 샌드위치를 만들어 판매하거나 전기 제품을 이용하여 간단하게 만들 수 있는 토스트와 같은 음식을 판매할 생각입니다.

유미: (짜증 섞인 말투로) 요즘 누가 김밥이나 샌드위치를 사 먹으러 먹거리 가게에 오겠습니까? 정말 어이가 없습니다.

슬기: (빈정거리며) 사실 저는 먹거리 가게를 희망했는데 김밥이나 판다고 하니 기가 막힙니다. 그럴 바에는 사진 찍기 체험장을 하는 게 훨씬 낫겠습니다.

(마) 사회자: 지금까지 토의한 결과, 우리 반은 축제 장터에서 사진 찍기 체험장을 운영하기로 하였습니다. 자세한 운영 계획은 다음 시간에 다시 의논하기로 하겠습니다. 이것으로 오늘 토의를 모두 마치겠습니다.

05 이 토의의 절차를 고려할 때, (가)~(마)에 해당하는 단계에 대한 설명으로 알맞은 것은?

① (가): 토의할 논제를 소개한다.
② (나): 토의자들이 논제에 대한 의견을 제안한다.
③ (다): 사회자가 토의 내용을 종합하여 마무리한다.
④ (라): 토의자가 청중의 질문에 답변한다.
⑤ (마): 토의자들이 자유롭게 의견을 교환한다.

학습 활동 응용

06 (라)의 '유미'와 '슬기'가 토의 참여 시 유의해야 할 점으로 가장 적절한 것은?

① 토의자들의 제안을 경청하였는가?
② 논제가 무엇인지 정확하게 파악하였는가?
③ 근거를 들어 의견을 조리 있게 제시하였는가?
④ 다른 사람의 의견을 비판적으로 받아들였는가?
⑤ 토의 참여자에게 예의를 갖추어 발언하였는가?

서술형 학습 활동 응용

07 이 토의의 결과를 (마)에서 찾아 쓰시오.

학습 활동 응용

08 ㉠~㉢에 대한 토의자들의 답변이 바르게 연결되지 않은 것은?

① ㉠: 친구들과 선생님들께 기부받아 판매할 물건을 모을 것이다.
② ㉠: 상점에 홍보하여 문제집이나 장난감을 모을 것이다.
③ ㉡: 여학생들의 참여율이 높아 정상적으로 운영이 될 것이다.
④ ㉡: 남학생들의 참여를 유도할 대책을 마련할 것이다.
⑤ ㉢: 학교에서 사용 가능한 도구로 만들 수 있는 음식을 판매할 것이다.

어휘력 키우기

교과서 140~141쪽

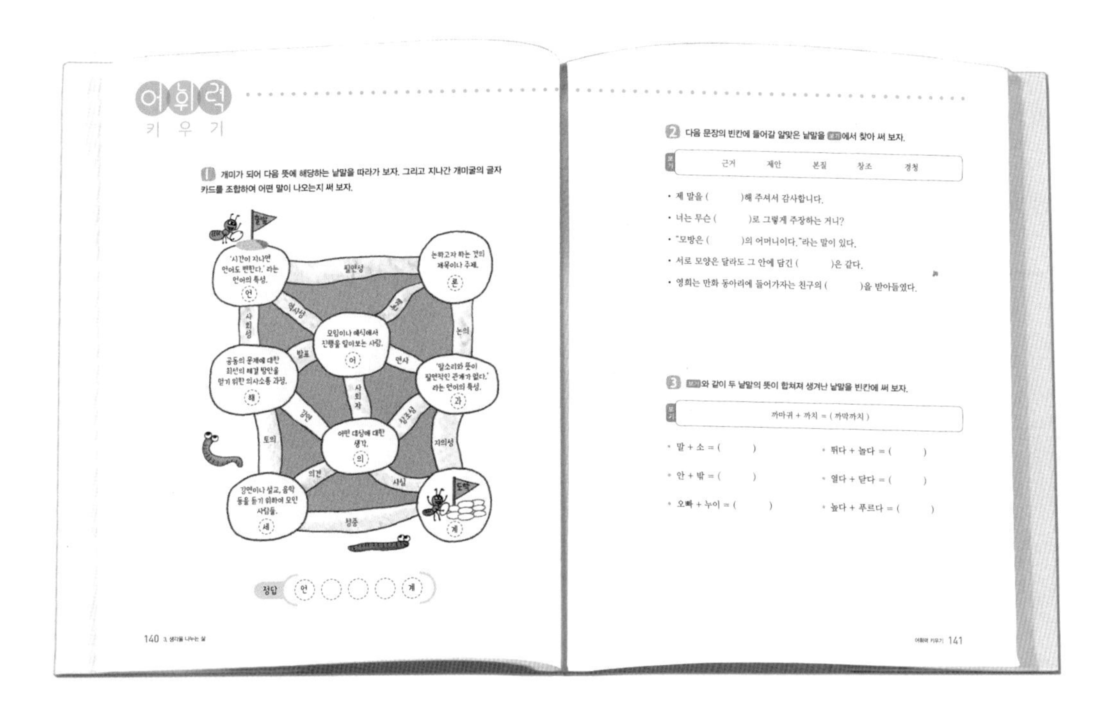

예시답안

1.

2.

- 제 말을 (경청)해 주셔서 감사합니다.
- 너는 무슨 (근거)로 그렇게 주장하는 거니?
- "모방은 (창조)의 어머니이다."라는 말이 있다.
- 서로 모양은 달라도 그 안에 담긴 (본질)은 같다.
- 영희는 만화 동아리에 들어가자는 친구의 (제안)을 받아들였다.

3.

- 말+소=(마소)
- 안+밖=(안팎)
- 오빠+누이=(오누이)
- 뛰다+놀다=(뛰놀다)
- 열다+닫다=(여닫다)
- 높다+푸르다=(높푸르다)

확인 문제

1 낱말의 뜻풀이가 바르지 않은 것은?

① 창조: 새로운 의견을 생각하여 냄.
② 논제: 논하고자 하는 것의 제목이나 주제
③ 제안: 안이나 의견으로 내놓음. 또는 그 안이나 의견
④ 본질: 본디부터 가지고 있는 사물 자체의 성질이나 모습
⑤ 청중: 강연이나 설교, 음악 등을 듣기 위하여 모인 사람들

2 밑줄 친 낱말 중, 생겨난 과정이 나머지와 다른 하나는?

① 싸전에서 쌀 두 되를 샀다.
② 늦여름에 장맛비가 내렸다.
③ 등굣길에 항상 차를 조심해야 한다.
④ 딸은 아빠를 그림자처럼 따라 다닌다.
⑤ 창틈으로 들어오는 바람에도 촛불은 쉽게 꺼지지 않았다.

시험에 나오는 대단원 문제

01 다음 ⓐ, ⓑ에 들어갈 말을 바르게 연결한 것은?

- 손01: 사람의 팔목 끝에 달린 부분
- 손02: 다른 곳에서 찾아온 사람
- 손05: 한 손에 잡을 만한 분량을 세는 단위

⬇

이와 같이 동음이의어가 존재하는 까닭은 언어의 말소리와 뜻 사이의 관계가 (ⓐ)이기 때문인데, 이를 언어의 (ⓑ)이라고 한다.

	ⓐ	ⓑ
①	임의적	자의성
②	임의적	사회성
③	개방적	창조성
④	필연적	역사성
⑤	필연적	규칙성

02 〈보기〉의 설명과 같은 언어의 변화가 일어난 단어로 알맞은 것은?

보기

'컴퓨터, 공정 무역, 누리꾼'처럼 새로운 사물이나 개념이 나타나면 그에 맞는 새말이 만들어지기도 한다.

① 놈 ② 미르
③ 슈룹 ④ 나무(←나모)
⑤ 와이파이

03 다음 대화와 관련 있는 설명으로 알맞은 것은?

학생: (등교하며) 어머니, 책상에 다녀오겠습니다.
어머니: (의아해하며) ?

① 언어는 사회 구성원 간의 약속이다.
② 언어와 인간의 사고는 영향을 주고받는다.
③ 언어는 가장 기본적인 의사소통의 수단이다.
④ 언어는 시간의 흐름에 따라 생성, 변화, 소멸한다.
⑤ 인간은 새로운 단어나 문장을 무한히 만들 수 있다.

04 〈보기〉를 읽고 난 반응으로 적절하지 않은 것은?

보기

"'프린들' 문제가 너무 커진 것 같지 않니? 내 생각엔 학교를 혼란에 몰아넣고 있는 것 같은데 말이야."
닉은 마른침을 꿀꺽 삼키고 말했다.
"제가 보기엔 잘못된 게 전혀 없어요. 그 말은 그냥 재미로 쓰는 거고, 이젠 어엿한 낱말이 되었어요. 좀 색다르긴 하지만 나쁜 말은 아니에요. 더구나 말이란 건 원래 그렇게 변하는 거라고 선생님이 그러셨잖아요."
선생님은 한숨을 쉬었다.
"그런 식으로 새로운 말이 만들어지는 건 맞다만, 펜은 어떻게 되는 거니? 펜이 꼭 그…… 그런 말로 바뀌어야 할까? 펜이라는 말은 오랜 역사를 가지고 있어. 펜은 깃털이라는 뜻의 라틴어 '피나'에서 온 말이다. 깃털로 만든 펜이 최초의 필기도구였기 때문에 피나가 펜이라는 말이 된 거야. 펜은 하늘에서 뚝 떨어진 말이 아니야. 펜이 된 데에는 그럴 만한 까닭이 있어."

① '펜'을 '프린들'로 바꾼 '닉'의 발상은 언어의 자의성과 관련 있군.
② '선생님'은 개인이 낱말을 마음대로 바꾸면 혼란이 생길 수 있다고 생각하는군.
③ '선생님'은 '펜'이라는 낱말의 말소리와 뜻이 필연적으로 결합하였다고 주장하는군.
④ 깃털을 뜻하는 '피나'가 '펜'으로, '펜'이 '프린들'로 바뀐 사건에서 언어의 역사성이 드러나는군.
⑤ '닉'이 언어의 특성을 이해하고 '프린들'이라는 새로운 낱말을 창조했다는 점은 대단한 일이군.

서술형

05 다음에서 알 수 있는 언어의 본질을 한 문장으로 설명하시오.

아이가 잔다. 귀여운 아이가 깊이 잔다. 그 옆에 다른 아이도 함께 잔다. 두 아이가 서로 마주 보며 잔다.

06~10 다음을 읽고, 물음에 답하시오.

가 사회자: 올해부터 학교 축제 기간에 장터를 열기로 하였습니다. ㉠우리 반이 장터에서 무엇을 운영하면 좋을지 설문 조사를 한 결과, 벼룩시장과 먹거리 가게 그리고 사진 찍기 체험장을 운영하자는 의견이 많이 나왔습니다. 오늘은 지민이와 정우, 나라가 각 의견을 대표하는 토의자로 나와서 '축제 장터에서 무엇을 운영할까?'라는 주제로 토의해 보도록 하겠습니다.

나 지민: 저는 벼룩시장을 열었으면 합니다. ㉡여러분도 잘 알다시피 벼룩시장은 온갖 중고품을 사고파는 만물 시장을 말합니다. 벼룩시장은 판매할 물건들이 집에서 쓰던 것이어서 준비하는 데에 많은 돈이 들지 않습니다.

다 정우: (지민이의 발표가 끝나고 잠시 후에) 축제는 우선 재미있어야 한다고 생각합니다. 그래서 저는 먹거리 가게를 제안합니다. 먹거리 가게는 우리들이 직접 음식을 만들어 팔기 때문에 다른 가게보다 훨씬 재미있고 추억에 남을 것입니다. ㉢그리고 '금강산도 식후경'이라는 속담도 있듯이, 아무리 좋은 행사라도 먼저 배가 불러야 즐길 수 있는 법이죠.

라 나라: 벼룩시장은 단순하게 물건을 사고팔기만 해서 다른 가게에 비해 친구들이 별로 흥미를 느끼지 못할 것 같은데요. 대책은 있나요?

지민: 네. ㉣먼저 친구들이 좋아할 만한 물건들을 사진으로 찍어 벼룩시장 홍보물을 만들면 친구들의 관심을 끌 수 있을 것입니다. 그리고 축제 기간에 경품 추첨 행사를 함께 진행하는 방법도 생각하고 있습니다.

마 나라: 음식 재료를 준비할 돈은 어떻게 마련할 계획인가요? / 정우: 그동안 모아 놓은 학급비로 음식 재료를 장만하려고 합니다. 돈이 모자라면 우리가 조금씩만 더 보태면 될 것입니다.

지민: ㉤장터 수익금은 학생회에서 이웃 돕기 성금으로 기부한다던데……. 그러면 우리 반 학급비가 하나도 안 남을 것 같은데요.

정우: 재료비를 제외한 수익금을 기부한다고 합니다. 재료를 구입한 영수증을 학생회에 제출하면 그 금액만큼을 학급에 돌려준다고 합니다.

06 이와 같은 토의에 참여하는 태도로 알맞지 않은 것은?

① 자신의 생각을 조리 있게 말한다.
② 상대방의 의견이 타당한지 판단하며 듣는다.
③ 토의 주제에 맞게 간결하고 명확하게 말한다.
④ 토의에 참여하는 모든 사람을 존중하고 배려한다.
⑤ 상대의 의견을 반박하며 자신의 의견을 고수한다.

07 이 토의의 논제를 찾아 쓰시오.

08 이 토의를 통해 알 수 있는 내용이 아닌 것은?

① 사회자는 토의 주제와 토의자를 소개하고 있다.
② '지민'은 비용을 근거로 벼룩시장을 제안하고 있다.
③ '정우'는 먹거리 가게가 추억에 남을 것이라고 여기고 있다.
④ '나라'는 먹거리 가게를 운영할 경우 흥미를 끌 대책이 있는지 질문하고 있다.
⑤ '정우'는 음식 재료비를 마련하기 위해 추가로 돈을 보탤 대책까지 제시하고 있다.

09 (나)~(마)에 나타난 토의자의 역할을 모두 고른 것은?

ㄱ. 타당한 근거를 들어 의견을 제시한다.
ㄴ. 다른 토의자의 의견에 대해 질문한다.
ㄷ. 토의 주제를 분석하고 결론을 내린다.
ㄹ. 청중의 질문을 주의 깊게 듣고 답변한다.

① ㄱ, ㄴ ② ㄱ, ㄷ ③ ㄴ, ㄷ
④ ㄴ, ㄹ ⑤ ㄷ, ㄹ

10 ㉠~㉤에 대한 설명으로 적절하지 않은 것은?

① ㉠: 설문 자료를 활용하여 토의를 시작하고 있다.
② ㉡: 단어의 뜻을 설명하여 듣는 이의 이해를 돕고 있다.
③ ㉢: 속담을 활용하여 말하고자 하는 바를 효과적으로 전달하고 있다.
④ ㉣: 검증된 방법을 활용하여 대책을 마련하고 있다.
⑤ ㉤: 장터 수익금에 대한 학생회의 원칙을 언급하며 우려를 드러내고 있다.

• 정답과 해설 15쪽

11~14 다음을 읽고, 물음에 답하시오.

(가) 사회자: 토의자들의 의견 잘 들었습니다. 지금까지의 의견을 바탕으로 청중의 질문과 의견을 들어보겠습니다.
민재: 벼룩시장 행사가 끝나고 남은 물건은 어떻게 처리할 것인지 궁금합니다. / 지민: 남은 물건은 우리 학교 근처에 있는 자선 단체에 모두 기증할 생각입니다.

(나) 수아: 대훈이 아버지께 공주 드레스 외에 다른 옷도 빌릴 수 있나요?
나라: 네, 더 빌릴 수 있다고 합니다. 자세한 것은 대훈이에게 직접 물어보면 어떨까요?
사회자: (대훈이를 쳐다보며) 그러면 대훈이의 이야기를 들어보겠습니다.
대훈: 아버지 가게에는 남학생들이 좋아하는 만화나 영화 주인공들의 의상뿐만 아니라 귀신과 같은 특수 분장을 할 수 있는 재료도 많이 있습니다. 아버지께서 우리가 의상과 소품을 깨끗이 쓴다면 빌려주실 수 있다고 하셨습니다.

(다) 하은: 그렇다면 저는 나라의 의견에 따르겠습니다. 사진 찍기 체험장에서 친구들과 재미있는 사진을 찍는다면 그 추억을 오랫동안 기억할 수 있을 것 같습니다.
지민: 저도 생각해 보니 사진 찍기 체험장을 운영해 보는 것이 평소에 쉽게 해 볼 수 없는 경험이라는 점에서 특별한 기억으로 남을 것 같습니다.
사회자: 먹거리 가게를 제안했던 정우의 생각은 어떻습니까?
정우: ㉠<u>먹거리 가게를 운영하지 못해서 아쉽긴 하지만, 많은 친구가 사진 찍기 체험장을 희망한다면 저도 그 의견을 기쁘게 받아들이겠습니다.</u>
사회자: (잠시 기다린 후에 청중을 둘러보며) 또 다른 의견이 없으면, 우리 반은 축제 장터에서 사진 찍기 체험장을 운영하는 것으로 결정해도 되겠습니까?
청중: (고개를 끄덕이며) 네.

(라) 사회자: 지금까지 토의한 결과, 우리 반은 축제 장터에서 사진 찍기 체험장을 운영하기로 하였습니다. 자세한 운영 계획은 다음 시간에 다시 의논하기로 하겠습니다. 이것으로 오늘 토의를 모두 마치겠습니다.

11 (가)와 (나)에 나타난 토의 참여자에 대한 설명으로 알맞지 <u>않은</u> 것은?

① 사회자는 절차에 따라 청중의 토의 참여를 이끌어 내고 있다.
② '민재'는 '지민'에게 벼룩시장 행사 이후에 발생할 일을 묻고 있다.
③ '나라'는 질문과 관련된 상황을 잘 아는 청중에게 대답을 부탁하고 있다.
④ '수아'는 사진 찍기 체험장을 운영하자는 의견에 근거를 들어 반박하고 있다.
⑤ '대훈'은 사진 찍기 체험장을 운영할 경우 의상과 소품을 지원받을 계획을 설명하고 있다.

12 (다)에서 '하은'이 '나라'의 의견에 동의한 이유로 적절한 것은?

① 의상을 깨끗이 쓸 자신이 있어서
② 평소에 쉽게 해 볼 수 없는 경험이어서
③ 오랫동안 기억할 추억을 만들 수 있어서
④ 많은 친구가 사진 찍기 체험장을 희망해서
⑤ 특수 분장을 할 수 있는 재료가 많이 있어서

13 다음은 패널 토의의 절차이다. (라)에 해당하는 단계로 알맞은 것은?

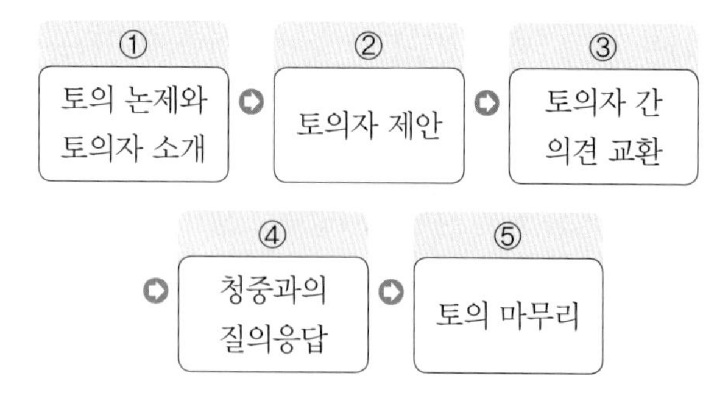

고난도 서술형

14 ㉠이 토의에 미치는 영향을 한 문장으로 쓰시오.

조건
① ㉠에 드러난 말하기 태도와 연결 지어 쓸 것
② '㉠은 ~ 도움을 준다.'의 형식으로 쓸 것

창의적 사고력을 키우는

창의·융합

교과서 144~147쪽

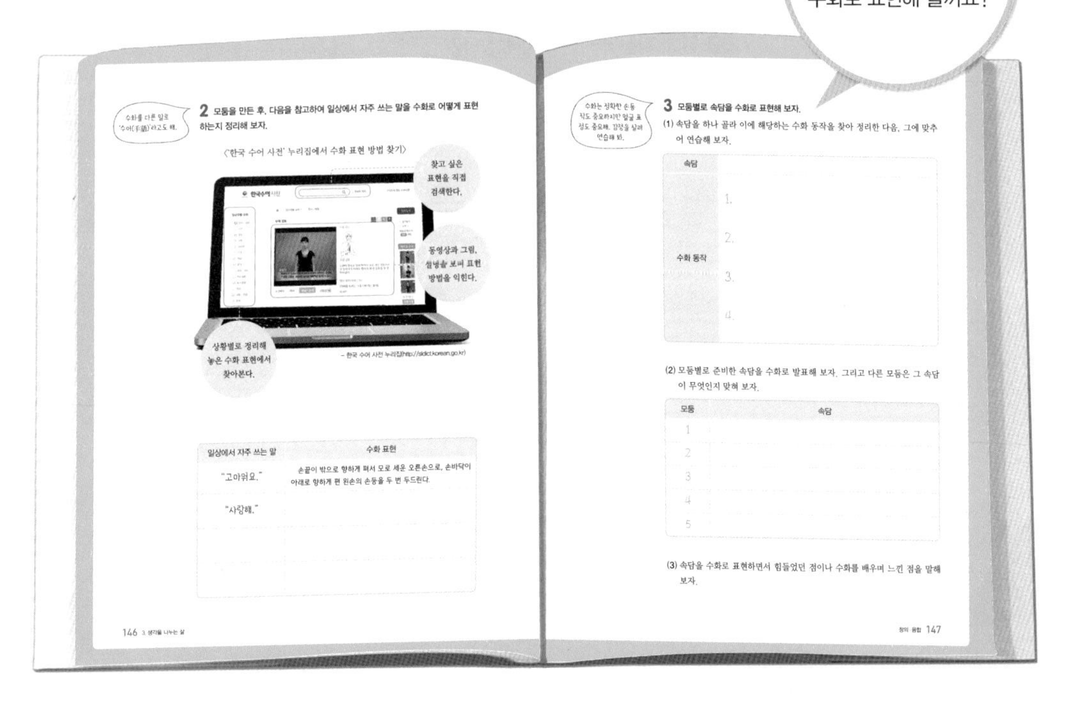

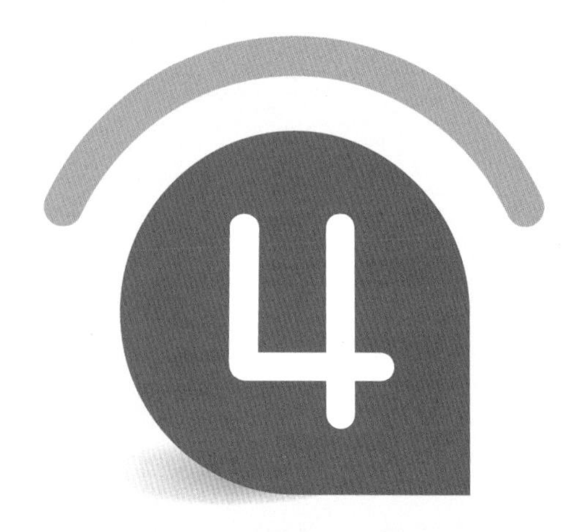

자기 성찰·계발 역량

성장으로 가는 길

문학

(1) 문학 작품을 통한 삶의 성찰

_「빨간 호리병박」(차오원쉬엔 지음 / 양태은 옮김)

• 소설 속 등장인물의 성장 과정을 이해하고, 자신의 삶 성찰하기
• 시를 읽고, 자신과 타인의 삶 성찰하기
• 친구들과 고민 나누고 해결하기

쓰기

(2) 경험을 바탕으로 글 쓰기

• 경험을 담아 글을 쓰는 것의 가치 이해하기
• 자신의 삶과 경험을 바탕으로 감동과 즐거움을 주는 글 쓰기
• 자신에게 감동이나 즐거움을 준 노래와 관련된 경험 나누기

왜 배울까?

문학 작품에는 시간과 공간을 초월한 인간의 보편적인 삶이 담겨 있다. 특히 성장 소설은 성장 과정에서 겪는 여러 어려움과 고민을 담고 있어, 우리는 소설 속 등장인물을 따라가면서 성장통을 겪고 있는 자신의 모습을 발견하고 나아가 자신의 삶을 돌아볼 수 있다. 경험을 담은 글을 쓰는 것도 자신의 삶을 성찰하는 방법 중 하나이다. 그리고 자신의 삶과 경험을 진솔하게 표현한 글은 다른 사람에게 감동과 즐거움을 주기도 한다. 이처럼 우리는 문학 작품을 읽거나 경험을 담은 글을 쓰면서 자신의 삶을 돌아보고 삶의 가치를 되새겨 봄으로써 한 단계 더 성장하는 계기를 마련할 수 있을 것이다.

뭘 배울까?

이 단원에서는 자기 성찰·계발 활용 역량을 기르기 위해 성장 과정이 잘 드러나는 문학 작품을 읽고 작품 속 등장인물의 삶과 자신의 삶을 성찰해 볼 것이다. 그리고 자신의 삶과 경험을 바탕으로 독자에게 감동이나 즐거움을 주는 글을 써 볼 것이다.

길잡이

• 정답과 해설 16쪽

소설이란

현실 세계에 있음 직한 일을 글쓴이가 상상하여 꾸며 쓴 이야기를 말한다.

시점이란

소설에서 이야기를 서술해 나가는 서술자가 있는 위치나 사건을 바라보는 관점과 태도를 말한다. 서술자의 위치에 따라 1인칭 시점과 3인칭 시점으로 나뉜다.

시점의 종류

서술자가 소설 속에 '나'로 등장하는 경우	1인칭 주인공 시점	소설 안 주인공인 '나'가 자신이 겪은 이야기를 하기 때문에 독자에게 친근감과 신뢰감을 줌.
	1인칭 관찰자 시점	소설 안 인물인 '나'가 주인공을 관찰하여 이야기를 전달하기 때문에 독자의 상상력을 자극함.
서술자가 소설 속에 등장하지 않는 경우	3인칭 관찰자 시점	소설 밖 서술자가 인물의 행동이나 사건 등을 관찰하여 서술하기 때문에 독자가 상상할 여지가 많음.
	전지적 작가 시점	소설 밖 서술자가 신과 같은 입장에서 인물의 심리와 사건을 구체적으로 서술하기 때문에 독자의 상상력이 제한될 수 있음.

성장 소설이란

한 인물이 유년기에서 소년기를 거쳐 성인이 되는 과정에서 겪는 내면적인 갈등과 정신적 성숙, 자신을 둘러싸고 있는 현실에 대한 깨달음을 주로 담고 있는 소설을 말한다. 여러 가지 면에서 미숙한 상태에 있는 어린아이나 소년, 소녀가 갈등을 통해 자신의 미숙함을 딛고 일어서 자신의 고유한 존재 가치와 세계의 의미를 깨닫게 되는 것으로 결말을 맺는다.

문학 작품을 통한 삶의 성찰

문학 작품은 인간의 보편적인 삶을 표현하고 있으므로, 작품 속 등장인물의 삶을 들여다보며 자신의 삶을 성찰할 수 있음. → 문학 작품을 통해 삶을 성찰함으로써 자신의 고유한 가치관을 형성하고, 한 단계 더 성장할 수 있는 계기를 마련할 수 있음.

문학 작품을 읽고 자신의 삶을 성찰하는 방법

• 문학 작품 속 상황을 자신과 연결 지어 비슷한 경험을 떠올려 본다.
• 자신의 말과 행동을 되돌아보고 그 결과가 어떠했는지 생각해 본다.
• 문학 작품 속 인물이 삶의 문제와 고민을 어떻게 해소하였는지 살펴본다.

간단 체크 개념 문제

1 소설의 시점에 대한 설명으로 적절하지 않은 것은?

① 이야기를 서술하는 방식이나 관점이다.
② 서술자가 사건을 바라보는 태도와 관련된다.
③ 서술자의 위치에 따라 1인칭 시점과 3인칭 시점으로 나뉜다.
④ 1인칭 시점의 경우, 서술자가 소설 속에서 '나'로 등장한다.
⑤ 전지적 작가 시점의 소설은 독자의 상상력이 개입할 여지가 가장 많다.

2 다음 빈칸에 들어갈 알맞은 말을 쓰시오.

미숙한 상태에 있는 인물이 성인이 되는 과정에서 겪는 갈등과 성숙, 깨달음을 담고 있는 소설을 □□ 소설이라고 한다.

3 다음 설명이 맞으면 ○표, 틀리면 ×표 하시오.

(1) 문학 작품은 사람들의 공통적인 삶의 모습을 담아낸다. ( )
(2) 문학 작품을 읽으며 자신의 삶을 성찰함으로써 작가의 가치관을 그대로 내면화한다. ( )
(3) 문학 작품을 읽을 때는 인물이 삶의 문제와 고민을 어떻게 풀어 나가는지 살펴본다. ( )

• 정답과 해설 16쪽

(1) 문학 작품을 통한 삶의 성찰 _ 빨간 호리병박

학습 목표 인간의 성장을 다룬 작품을 읽으며 삶을 성찰할 수 있다.

차오원쉬엔(1954~)
중국의 아동 문학가. 인간에 대한 애정을 바탕으로 성장기 청소년의 심리를 탁월하게 묘사한 작품을 많이 썼다. 주요 작품으로는 「바다소」, 「빨간 기와」, 「안녕, 싱싱」 등이 있다.

발단 학습 포인트

❶ '완'을 대하는 '뉴뉴'의 태도와 심리
❷ '뉴뉴'를 의식한 '완'의 행동과 심리

1

가 대문만 나서면 뉴뉴는 언제나 완이라는 남자아이가 선명한 빨간 호리병박을 품에 안고 헤엄치는 모습을 볼 수 있었다. 하지만 뉴뉴는 언제나 완을 보고도 못 본 척했다. 집을 나선 뉴뉴의 눈에 완의 모습이 들어오면, 그녀는 고개를 돌려 울타리를 기어 올라가는 오이 덩굴이나 작은 나뭇가지에 매달린 동글동글한 새집에 눈길을 주곤 했다.

하지만 뉴뉴의 귀만큼은 완이 물장구를 치는 힘찬 소리에 활짝 열려 있었다. 그리고 그 소리에 이끌려 그녀의 눈길도 어느덧 물장구를 치는 완에게 향하곤 했다. 물론 완을 쳐다보면서도 표정은 언제나 무관심을 가장했지만(태도를 거짓으로 꾸몄지만) 말이다.

뉴뉴는 완이 어떤 아이인지 아는 것이 거의 없었다. 알고 있는 것이라고는 완의 아버지가 근방 100여 리에서 아주 유명한 사기꾼이라는 사실뿐이었다.

나 큰 강은 길디길고도 넓디넓었다. 뉴뉴의 집과 완의 집은 멀리서 서로 마주 보고 있었다. 강 이편에는 뉴뉴의 집 한 채뿐이었고, 강 저편에는 완의 집 한 채뿐이었다. 마치 끝도 없는 세상 속에 그 집 두 채만이 외떨어져 있는 것 같았다.

큰 강은 하루 종일 잔잔히 흘러갈 따름이었다. 가끔씩 멀리서 끼익하는 봉선(햇빛이나 비, 바람, 추위 등을 막기 위해 대나무나 갈대 거적, 천 등으로 만든 덮개를 씌운 배)의 노 젓는 소리가 들려왔지만, 그 소리는 적막 속에서 더 크게 울리며 강 끝 너머로 천천히 사라져 가곤 했다. / 여름이면 강의 양쪽 기슭을 뒤덮은 갈대만이 소리 없이 하늘을 찔러, 이편에서 저편을 바라보면 맞은편 집의 지붕 끝자락만 보였다.

다 매일 해가 뜰 무렵이면, 완은 갈대숲을 가르며 강가에 나타났다. 그는 먼저 빨간 호리병박을 강물 속에 던져 넣은 후, 이내 물속으로 뛰어들었다. 물은 조금 차가웠다. 완은 과장된 몸짓으로 온몸을 떨더니 하늘을 향해 한껏 소리를 질렀다. 그러고는 자맥질(무자맥질. 물속에서 팔다리를 놀리며 떴다 잠겼다 하는 짓) 치며 물속으로 들어가서는, 있는 힘껏 손과 발을 저으며 첨벙대는 소리를 냈다.

푸른 물 위에 떠 있는 ㉠빨간 호리병박은 갓 솟아오른 작은 태양처럼 반짝거렸다.

이 고장의 아이들은 항상 햇볕에 잘 말린 커다란 호리병박을 손에 쥐고 헤엄을 쳤다. 그것은 말하자면 도시 아이들이 사용하는 튜브와도 같은 것이었다. 배에서 살아가는 아이들의 허리춤에도 언제나 호리병박이 매달려 있었다. 실수로 물에 빠졌을 때를 대비하기 위해서였다. 호리병박에 새빨간 칠을 해 놓은 것도 눈에 잘 띄어 쉽게 찾도록 하기 위해서였다. 물 위에 떠 있는 빨간 호리병박은 너무나도 눈부시게 반짝거려서 똑바로 쳐다볼 수 없을 정도였다.

간단 체크 내용 문제

01 '뉴뉴'에 대한 설명으로 알맞지 않은 것은?
① '완'에게 관심이 있다.
② '완'을 보고도 못 본 척하고 있다.
③ '완'의 성격이 어떠한지 알고 있다.
④ '완'이 물장구를 치는 소리에 이끌리곤 한다.
⑤ 큰 강을 사이에 두고 '완'의 집 맞은편 집에 살고 있다.

02 이 고장의 아이들이 헤엄을 칠 때 ㉠을 사용하는 이유를 (다)에서 찾아 쓰시오.

간단 체크 어휘 문제

다음 뜻풀이에 해당하는 낱말을 〈보기〉에서 찾아 쓰시오.

보기
가장, 봉선, 자맥질

(1) 태도를 거짓으로 꾸밈. (　　　)
(2) 물속에서 팔다리를 놀리며 떴다 잠겼다 하는 짓 (　　　)
(3) 햇빛이나 비, 바람, 추위 등을 막기 위해 대나무나 갈대 거적, 천 등으로 만든 덮개를 씌운 배 (　　　)

완이 헤엄치는 모습은 근사했다. 두 손으로 힘껏 물살을 헤쳐 나갈 때면 하늘 높이 물보라가 튀어 올랐고, 재빨리 몸을 틀어 방향을 바꿀 때면 커다란 파문(수면에 이는 물결)이 일면서 물결이 둥그렇게 그를 감싸 안았다. 하늘로 솟구친 물보라는 얇디얇은 폭포를 이루었는데, 그 폭포는 햇살 아래서 무지갯빛으로 반짝였다.

라 뉴뉴의 새까만 눈동자는 그 모습과 그 소리, 그리고 그 아름다운 색깔들이 뿜어내는 유혹을 차마 떨쳐 버릴 수가 없었다. 그녀는 강 쪽을 바라볼 수밖에 없었다. 뉴뉴는 무지갯빛 폭포에서 눈길을 뗄 수가 없었고, 발가벗은 완의 모습과 그의 빨간 호리병박에서 눈길을 뗄 수가 없었다.

완은 강가에 있는 한 쌍의 눈동자가 언젠가는 자신을 쳐다보리라는 사실을 알고 있었다. 그래서 그는 더욱더 힘차게 자신의 수영 실력을 과시하곤 했다.

완은 발가벗은 모습으로 물 위에 누웠다. 한 팔은 팔베개를 하고 다른 한 팔로는 호리병박의 허리춤을 단단히 틀어쥔 채로 누워 있으니, 마치 큰 침대에 누워 잠을 자는 것처럼 온몸이 편안했다. 그는 온몸에 부딪히는 잔잔한 강물의 흐름을 만끽하며 물결과 함께 천천히 흘러갔다.

그 모습을 본 뉴뉴는 알지 못할 어떤 경이로움(놀랍고 신기한 데가 있음)에 사로잡혔다. 하지만 그녀는 자신이 느끼는 경이로움이 저 강물이 보여 주는 부력(기체나 액체 속에 있는 물체가 그 물체에 작용하는 압력 때문에 중력(重力)에 반하여 위로 뜨려는 힘) 때문인지, 아니면 저렇게 편안하게 물 위에 누워 있을 수 있는 완의 수영 실력 때문인지는 알 수 없었다.

마 바람의 방향 때문에 완은 뉴뉴가 서 있는 쪽으로 천천히 다가오고 있었다. 뉴뉴는 처음으로 완의 모습을 제대로 볼 수 있게 되었다. 가까이서 본 완의 첫인상은 별로였다. 깡마른데다 그다지 잘생긴 얼굴도 아니었다.

완은 이제 막 잠에서 깨어난 것처럼 기지개를 켰다. 그러고는 다시 물속으로 퐁당 뛰어들어 갔다가 빙글빙글 맴(제자리에 서서 뱅뱅 도는 장난)을 돌더니, 이내 다시 물 위로 떠올랐다. 물 위로 올라온 완은 뉴뉴를 힐끗 쳐다보았다. 뉴뉴가 자기에게 주의를 기울이고 있다는 생각이 들자, ㉠완은 앞으로 헤엄쳐 오면서 휙 하고 등을 구부려 물속으로 곤두박질쳐 들어갔다. 하지만 쇠꼬챙이처럼 깡마른 두 다리는 수면 위에 꼿꼿이 서 있었다.

뉴뉴는 그 모습이 우스워 웃음을 터뜨렸다. 하지만 물속에 머리를 박고 있는 완은 그 모습을 볼 수가 없었다.

그때 잠자리 한 마리가 완에게로 날아왔다. 꼼짝도 않고 있는 완의 깡마른 두 다리를 대나무 작대기쯤으로 여긴 모양이었다. 힘겨운 날개를 쉬기라도 할 양인지 잠자리는 몸을 비스듬히 하여 천천히 완의 다리를 향해 날아가더니 발바닥 한가운데에 살며시 내려앉았다.

잠자리의 작고 미세한 발톱이 발바닥에 닿자, 완은 간지러움을 참을 수가 없었다. 순간 완은 몸을 뒤집어 물 위로 튀어 올랐다. 수면 위로 머리를 내민 완은 물을 털어 내려고 머리를 힘껏 휘저었다. 그 바람에 사방으로 물방울이 튀었다. 그리고

간단 체크 내용 문제

03 (라)에서 알 수 있는 '뉴뉴'의 감정으로 적절한 것은?

① 미안함 ② 두려움
③ 초조함 ④ 놀라움
⑤ 부끄러움

04 '완'이 ㉠과 같이 행동하는 이유로 알맞은 것은?

① 물속에 있는 고기를 잡기 위해서
② '뉴뉴'의 시야에서 벗어나기 위해서
③ '뉴뉴'에게 수영하는 방법을 알려 주기 위해서
④ 자신을 의식하는 '뉴뉴'에게 잘 보이기 위해서
⑤ '뉴뉴'가 자신을 지켜보는 것이 부끄러워 숨기 위해서

간단 체크 어휘 문제

다음 낱말의 뜻풀이가 맞으면 ○표, 틀리면 ×표 하시오.

(1) 파문: 파도와 바람 ( )

(2) 맴: 제자리에 서서 뱅뱅 도는 장난 ( )

(3) 경이로움: 마음에 거슬림이 없이 흐뭇하고 기쁨. ( )

(4) 부력: 기체나 액체 속에 있는 물체가 그 물체에 작용하는 압력 때문에 중력에 반하여 위로 뜨려는 힘 ( )

물방울들과 함께 완의 두 눈망울도 반짝반짝 빛났다.

그 모습은 참으로 인상적이었다. 완은 입을 쑥 내밀고는 아주 쾌활하게 물을 뿜어 댔다.

인상적: 인상이 강하게 남는. 또는 그런 것

바 그 모습을 본 뉴뉴가 강 쪽으로 다가왔다. 그러자 완은 천천히 잠수를 하더니 마침내 자취를 감추어 버렸다.

뉴뉴는 완의 모습을 찾아 강 여기저기를 훑어보았다. 그때만 해도 뉴뉴는 아무런 생각이 없었다. 그런데 완은 물속에 들어가서 한참 지났는데도 물 위로 떠오르지 않았다.

물 위에는 빨간 호리병박만 외로이 떠 있었다. 뉴뉴는 갑자기 무서운 생각이 들었다. 자리에서 벌떡 일어난 뉴뉴는 눈동자를 재빨리 굴리며 완의 모습을 찾아 물 위를 이리저리 훑어보았다. 하지만 여전히 빨간 호리병박만 보일 뿐이었다.

큰 강물은 죽은 듯이 고요했다.

"엄마! 엄마!" / 뉴뉴가 고함을 쳤다.

집 뒤편에서 뉴뉴의 엄마가 걸어 나왔다.

"뉴뉴!" / "엄마! 엄마!"

"뉴뉴, 왜 그러니?"

"걔가……."

그때 근처의 연잎 사이로 미소 띤 얼굴 하나가 불쑥 솟아올랐다. ㉡순간 뉴뉴는 큰 소리가 터져 나오려는 자신의 입을 두 손으로 막아 버렸다.

"뉴뉴, 왜 그러냐니까?" / 엄마가 다가오며 물었다.

뉴뉴는 몸을 돌려 엄마에게로 걸어갔다.

"무슨 일이니?" / 엄마가 다시 물었다.

하지만 뉴뉴는 고개를 가로저으며 곧장 집으로 들어가 버렸다.

학습콕 발단 | 소주제: '뉴뉴'와 '완'이 서로를 의식하며 지켜봄.

❶ '완'을 대하는 '뉴뉴'의 태도와 심리

'완'을 대하는 '뉴뉴'의 태도		'뉴뉴'의 심리
• '완'이 수영하는 모습을 보고도 못 본 척함. • '완'을 쳐다보면서도 표정은 □□□을 가장함. • '완'이 수영하는 모습과 이것 때문에 생기는 아름다운 풍경에서 눈을 떼지 못함.	➡	• '완'에게 관심이 있지만, 그 모습을 들키고 싶지는 않음. • '완'이 수영하는 모습에 □□□□을 느끼며, '완'뿐만 아니라 수영에도 마음을 빼앗김.

❷ '뉴뉴'를 의식한 '완'의 행동과 심리

'완'의 행동		'완'의 심리
• '뉴뉴'가 자신을 쳐다보는 것을 알고 자신의 수영 실력을 과시함. • '뉴뉴'가 자신에게 주의를 기울이고 있다는 생각이 들자, 물속으로 곤두박질쳐 들어감. • '뉴뉴'가 강 쪽으로 다가오자, 천천히 잠수하더니 자취를 감춤.	➡	'뉴뉴'를 의식하여 '뉴뉴'에게 잘 보이려고 하는 '완'의 모습에서, '완'도 '뉴뉴'에게 □□이 있음을 알 수 있음.

간단 체크 내용 문제

05 (바)에서 '뉴뉴'가 '엄마'를 부른 이유로 가장 알맞은 것은?

① '완'의 행방을 '엄마'에게 물으려고
② 갑자기 사라진 '완'이 걱정되어서
③ '엄마'에게 '완'에 대해 물어보려고
④ 강물 속에 들어가기 전에 허락을 받으려고
⑤ '엄마'에게 '완'의 잠수 실력을 보여 주고 싶어서

06 다음에 해당하는 내용을 (바)에서 찾아 4어절로 쓰시오.

• '뉴뉴'의 심리를 '완'이 알아챘음을 표정으로 드러냄.
• 물속에 숨었다가 갑자기 모습을 드러낸 '완'을 묘사함.

07 ㉡에서 '뉴뉴'가 떠올렸을 생각으로 적절한 것은?

① '완'은 남을 속이는 나쁜 아이야.
② '완'과 친한 친구 사이가 되고 싶어.
③ '완'이 나 못지않은 말썽꾸러기구나.
④ '완'이 수영하는 모습은 정말 멋있어.
⑤ '완'이 나를 놀라게 하려고 장난을 친 거였어.

전개 ① 학습 포인트

❶ 마름 열매에 담긴 '완'의 마음

2

사 그 후 며칠 동안 완은 뉴뉴를 볼 수 없었다. 아무리 첨벙첨벙 물소리를 내도, 아무리 소리를 질러도 뉴뉴는 강가로 나오지 않았다.

뉴뉴가 나와 주기를 포기할 즈음, 완은 빨간 호리병박을 안고 예전에 자주 가던 강 한가운데 작은 섬으로 향했다.

그 섬은 정말 작디작았다. 그 섬은 뉴뉴를 만나기 전까지만 해도 완 혼자서 하루 종일 시간을 보내던 곳이었다. 그가 거기서 도대체 뭘 하며 시간을 보내는지는 아무도 알 수 없었다.

한편 강가에 나오지는 않았지만 뉴뉴는 언제나 문 뒤에 숨어서 완이 하는 모든 행동을 지켜보았다. 그리고 자신이 강가에 나오기를 완이 바라고 있다는 사실도 알고 있었다.

아 그렇게 또 며칠이 지났다. 이제는 완도 뉴뉴가 강가에 나오리라고는 기대하지 않게 되었다. ㉠강가로 나온 완은 조금도 머뭇거리지 않고 곧장 작은 섬으로 향했다. 그런데 그때 뉴뉴가 대나무 작대기 하나를 들고 강가에 나타났다. 빨간 윗도리를 입은 뉴뉴는 바지 자락을 무릎까지 걷어 올리고 있었다.

맞은편 강가에 앉아 있던 완은 빨간 호리병박을 옆에 둔 채 뉴뉴를 바라보았다.

강가로 걸어 나온 뉴뉴가 대나무 작대기로 마름(마름과의 한해살이풀) 잎사귀들을 뒤적거리자, 마름 열매가 모습을 드러냈다. 뉴뉴는 작대기를 이용해서 마름을 자기 쪽으로 끌어당긴 뒤, 빨간 마름 열매를 땄다. 하지만 대부분의 마름들은 대나무 작대기로도 닿지 않는 먼 곳에 있었다. 발꿈치를 들고 한껏 팔을 뻗어 가며 한참 애를 쓴 후에야, 뉴뉴는 마름 열매 몇 개를 간신히 손에 넣을 수 있었다.

자 그 모습을 본 완은 호리병박을 품에 안고 물속으로 뛰어들었다. 완은 가뿐하게 헤엄치며 뉴뉴가 있는 쪽으로 다가왔다. 뉴뉴는 대나무 작대기를 손에 쥔 채 완이 가까이 오는 모습을 보고 있었다.

마름이 있는 곳까지 헤엄쳐 온 완은 커다란 연잎 하나를 따더니, 마름 잎사귀를 뒤적이며 마름 열매를 찾아다녔다. 마름 열매는 큰 것이 좋긴 하지만, 양쪽으로 굽은 모양이 예쁘고 그 끝이 뾰족해야 잘 익은 것이다. 완은 마름 잎사귀 사이를 뒤적이면서 그렇게 잘 익은 것만 골라 딴 후, 그것을 연잎으로 쌌다. 새파란 연잎 위에 순식간에 새빨간 마름 열매들이 한 무더기 쌓였다. 연잎 위에 더 이상 담을 수 없게 된 다음에도, 완은 몇 개를 더 따서는 두 손에 담아 들고서 뉴뉴가 있는 쪽으로 다가왔다. 그는 열매가 쏟아지지 않게 천천히 걸음을 옮기며 물 바깥으로 나왔다.

간단 체크 내용 문제

08 (사)~(자)에 나타난 '완'에 대한 설명으로 알맞지 않은 것은?

① '뉴뉴'가 강가로 나와 주기를 기다렸다.
② '뉴뉴'를 위해 잘 익은 마름 열매를 찾아다녔다.
③ 능숙한 수영 실력으로 '뉴뉴'가 있는 곳으로 다가왔다.
④ 강에서 함께 놀자는 약속을 지키지 않은 '뉴뉴'를 원망하였다.
⑤ 맞은편 강가에서 오랜만에 강가로 나와 마름 열매를 따는 '뉴뉴'를 지켜보았다.

09 '완'이 '뉴뉴'를 만나기 전에 혼자서 시간을 보내던 장소를 (사)에서 찾아 4어절로 쓰시오.

10 ㉠의 이유로 가장 알맞은 것은?

① '뉴뉴'를 작은 섬으로 오게 만들기 위해서
② '뉴뉴' 몰래 혼자만의 시간을 즐기고 싶어서
③ '뉴뉴'가 아닌 다른 친구들을 만나 보고 싶어서
④ '뉴뉴'가 강가에 나오지 않을 것이라고 생각해서
⑤ '뉴뉴'의 '엄마'의 눈을 피해 '뉴뉴'를 만나기 위해서

차 확실히 완은 깡마른 체구였다. 가슴 양쪽으로 나란히 드러난 갈비뼈가 선명하게 보일 정도였다. 게다가 햇볕에 그을려 아주 새까맣게 보였다. 마른 체구에 새까만 완의 모습은 정말 보잘것없었다.

완은 뉴뉴를 향해 마름 열매가 든 두 손을 내밀었다. 하지만 뉴뉴는 손을 내밀지 않았다. 완은 마름 열매를 뉴뉴의 발아래 가만히 내려놓고는 뒤돌아 강 쪽으로 걸어가 버렸다. 뉴뉴는 가냘픈 그의 등을 바라보며 꼼짝 않고 서 있기만 했다.

빨간 호리병박을 안고 있는 완의 눈동자에는 뭔지 모를 진심이 가득 차 있는 것만 같았다.

㉡뉴뉴는 천천히 무릎을 꿇고 앉아 두 손으로 연잎을 받쳐 들었다. 그 순간 완의 눈동자가 감격으로 빛났다.

카 "뉴뉴!"

엄마가 부르는 소리에 뉴뉴는 대답하지 않았다.

"뉴뉴!"

엄마가 뉴뉴를 찾으려고 이쪽으로 오고 있었다. 뉴뉴는 손 위에 놓인 마름 열매만 쳐다보면서 어쩔 줄 몰라 했다.

"뉴뉴, 어디 있니?"

뉴뉴는 마름 열매를 원래 있던 자리에 다시 내려놓고는 몸을 돌려 엄마에게 소리쳤다. / "저 여기 있어요!"

"뉴뉴, 어서 와라. 엄마랑 외할머니 댁에 가게."

강기슭을 기어 올라가던 뉴뉴는 고개를 돌려 완을 한 번 쳐다보고는 다시 고개를 숙인 채 엄마에게로 걸어갔다.

집으로 들어가면서 뉴뉴는 엄마에게 물었다.

"엄마, 쟤네 아빠가 정말로 사기꾼이에요?" / "누구 말이니?"

뉴뉴는 손가락으로 강 건너편을 가리켰다.

"걔네 아빠는 감옥에 들어간 지가 벌써 삼 년이나 됐어."

뉴뉴가 다시 고개를 돌려 강 쪽을 바라보았을 때는 완이 저만치서 헤엄치는 모습만 보였다. 완은 빨간 호리병박을 안고 강 한가운데 있는 작은 섬을 향해 가고 있었다.

학습콕 전개 ① | 소주제: 서로에게 관심을 보이는 '완'과 '뉴뉴'

❶ 마름 열매에 담긴 '완'의 마음

□□□□ → '뉴뉴'와 친해지고 싶은 '완'의 마음을 표현한 소재

'뉴뉴'와 '완'은 서로에게 관심이 있지만, 누구도 먼저 표현하지 못한다. 그러던 중 마름 열매를 따기 어려워하는 '뉴뉴'에게 '완'이 마름 열매를 따 주면서 '뉴뉴'와 가까워지고 싶은 마음을 먼저 드러낸다.

간단 체크 내용 문제

중요

11 (차)에서 알 수 있는 내용으로 적절한 것은?

① '완'은 '뉴뉴'와 친해지고 싶은 마음을 드러냈다.
② '완'은 '뉴뉴'의 손을 잡으려고 두 손을 내밀었다.
③ '뉴뉴'는 '완'의 깡마른 체구를 보며 부러움을 느꼈다.
④ '뉴뉴'는 뒤돌아 걸어가는 '완'의 등을 붙잡으려 했다.
⑤ '완'은 '뉴뉴'가 마름 열매를 따지 못하도록 방해하였다.

12 〈보기〉의 빈칸에 들어갈 내용을 (카)에서 찾아 3음절로 쓰시오.

보기

'뉴뉴'는 '완'의 아버지가 정말 (　　　)인지 '엄마'에게 확인하고 있다.

13 ㉡을 본 '완'의 감정으로 적절하지 않은 것은?

① 기쁨　② 감동
③ 고마움　④ 안도감
⑤ 홀가분함

전개 ② 학습 포인트

❶ '뉴뉴'와 '완'의 관계 변화 ①　❷ '완'의 처지와 그에 따른 심리

3

타 뉴뉴는 예전과 마찬가지로 매일매일 강가에 나왔다.

완은 뉴뉴에게 강의 매력을 보여 주려는 듯했다. 그리고 그 강 속에서 자유롭게 헤엄치는 자신을 한껏 과시함으로써 뉴뉴를 은근히 매료했다. 때로는 뉴뉴에게 잘 보이기 위해 의식적으로 멋진 자세를 취하기도 했다.

(과시: 자랑하여 보임 / 매료: 사람의 마음을 완전히 사로잡아 홀리게 했다)

여름은 점점 깊어 가고 대지는 뜨거울 대로 뜨거워졌다. 한낮이 되면 짙푸른 갈대들도 더위에 지쳐 고개를 숙였다. 그늘 속에서 아낙네의 베 짜는 듯한 쉿소리가 흘러나와 한낮의 열기와 건조한 적막을 더욱 짙게 만들었다. 7월의 높푸른 하늘 아래 온종일 열기만이 춤을 추었다.

(적막: 고요하고 쓸쓸함)

차가운 강물이 뉴뉴를 유혹했다. 뉴뉴는 강 속으로 뛰어들고 싶었다.

"넌 왜 하루 종일 물속에만 있니?" / 뉴뉴가 완에게 물었다.

"물속이 얼마나 시원한데." / "정말로 그렇게 시원해?"

"못 믿겠으면 너도 들어와 봐."

뉴뉴는 몸을 돌려 강기슭으로 올라갔다. 그러고는 엄마가 저쪽으로 멀어지는 것을 확인하고서야 다시 강가로 돌아왔다. / "안 깊어?"

"가운데는 깊지만, 나머지는 모두 얕아. 밑바닥도 모래라서 아주 부드러워."

완은 물속에 서서 뉴뉴에게 물 깊이를 확인시켜 주었다. 물은 허벅지가 잠길 정도였다.

파 [A] 그때 갈대숲에서 털이 보송보송한 새끼 오리들이 떼 지어 몰려나왔다. 새끼 오리들은 가볍게 몸을 날려 물속으로 뛰어들더니 유연하게 헤엄쳤다. 조그만 부리로 물을 쪼아 대면서 가끔씩 온몸에 물방울을 튀기는 모습은 참으로 앙증맞았다. 새끼 오리들의 보드라운 털 위로 떨어진 물방울들은 반짝이는 구슬처럼 또르르 흘러내렸다.

(유연하게: 부드럽고 연하게)

청개구리 한 마리가 앉아 있는 연잎 위로 산들바람이 한차례 불어왔다. 바람결에 흠칫 놀란 청개구리가 물속으로 뛰어들었다. 연잎 위에 있던 물방울들이 청개구리를 좇아 또르르 굴러떨어지며 맑은 물소리를 냈다.

강 위로 맑은 기운이 퍼져 나갔다.

뉴뉴는 강의 유혹을 떨칠 수가 없었다. 강물 속으로 뛰어들 생각에 뉴뉴의 가슴이 마구 뛰었다. 따가운 햇볕에 발갛게 달아오른 뉴뉴의 얼굴은 더욱 빨개졌다.

완은 뉴뉴에게 물속이 얼마나 상쾌하고 편안한지를 보여 주기 위해 한껏 애쓰고 있었다. / 뉴뉴는 손을 뻗어 강물에 담가 보았다. 시원한 기운이 손가락에서부터 온몸으로 퍼져 나갔다.

간단 체크 내용 문제

14 다음 설명에 해당하는 부분을 (파)에서 찾아 한 문장으로 쓰시오.

> 서술자가 강의 매력에 매료된 '뉴뉴'의 심리를 직접적으로 드러내고 있다.

중요

15 [A]의 역할로 알맞은 것은?

① 앞으로 일어날 사건을 암시한다.
② 계절의 변화를 구체적으로 보여 준다.
③ 아름답고 평화로운 분위기를 조성한다.
④ 사건의 배경이 된 역사적 상황을 제시한다.
⑤ 인물이 처한 상황을 상징적으로 드러낸다.

간단 체크 어휘 문제

낱말과 낱말의 뜻풀이로 알맞은 것을 찾아 선으로 연결하시오.

(1) 과시 •　• ㉠ 자랑하여 보임.
(2) 매료 •　• ㉡ 부드럽고 연함.
(3) 적막 •　• ㉢ 고요하고 쓸쓸함.
(4) 유연 •　• ㉣ 사람의 마음을 완전히 사로잡아 홀리게 함.

"어서 들어와. 이 호리병박 너한테 줄게."

뉴뉴는 여전히 망설였다.

"무서워할 것 없어. 내가 있잖아."

그 말에 뉴뉴의 마음이 흔들리며 눈동자가 반짝반짝 빛났다. 하지만 발걸음은 여전히 머뭇거리고 있었다.

하 그 순간 완이 뉴뉴를 향해 갑자기 물세례를 퍼부었다. 달궈진 뉴뉴의 몸에 차가운 물방울이 닿자 뉴뉴는 온몸을 떨며 옆으로 물러섰다.

완은 더 대담하게 물세례를 퍼붓기 시작했다. 뉴뉴는 수줍게 윗도리를 벗어 한쪽에 가지런히 개켜 놓고는 조심조심 물속으로 들어갔다.

물속으로 천천히 들어간 뉴뉴는 우선 무릎을 꿇고 앉아 보았다. 그러고는 두 손으로 물가에 자라난 갈대 줄기를 움켜쥐고 살며시 엎드려 보았다. 두 발로 물을 차자 물방울이 사방으로 튀었다.

물은 확실히 사람을 매혹하는 힘이 있었다. 일단 한번 물에 들어가자 뉴뉴는 다시는 물에서 나오고 싶지 않았다.

매혹하는: 남의 마음을 사로잡아 호리는

뉴뉴가 물에 들어오자 완은 어떤 책임감 같은 것을 느꼈다. 이제 그는 더 이상 헤엄을 치지 않고 뉴뉴를 보호하는 데만 신경을 썼다.

물은 두 아이 사이의 낯섦과 거리감을 모두 녹여 버렸다. 두 아이는 갈대 수풀 사이에서 우렁이를 잡기도 하고, 얕은 물가를 뛰어다니고 엎어지기도 하며 놀았다. 한번은 깊은 물속까지 들어가 얼굴만 내밀고 마주 서 있어 보기도 했다. 두 아이에겐 그 순간이 가장 멋진 시간이었다. 강물은 이상하게도 고요했다. 두 아이는 한참 동안 서로의 눈동자를 바라보며 말없이 서 있었다.

우렁이: 우렁잇과의 고둥을 통틀어 이르는 말. 껍데기는 원뿔형이며 어두운 녹색이다. 무논, 웅덩이 등지에 산다.

거 며칠이 지났다. 물의 시원함과 부드러움을 한껏 만끽한 뉴뉴는 더 이상 얕은 물가에서 노는 것에 만족하지 않았다. 뉴뉴는 물 한가운데로 들어가 보고 싶었다. 강 건너까지 가 보고도 싶었다. 저 넓은 강물 속을 마음대로 헤엄쳐 다니고 싶었다.

완은 기꺼이 뉴뉴를 도와주었다. 그는 하루 종일 피곤한 줄도 모른 채, 뉴뉴에게 수영하는 법을 가르쳐 주었다.

그들이 함께하는 시간 동안, 하늘의 태양은 황금빛 햇살을 찬란하게 비추었고, 우거진 수풀과 갈대밭은 구름 한 점 없는 하늘과 한데 어울려 눈부시게 빛났다. ㉠완의 마음은 환하게 밝아졌다.

강도 더 이상 외롭지 않았다.

간단 체크 내용 문제

16 (하)와 (거)의 내용을 다음과 같이 정리할 때, 빈칸에 들어갈 말을 찾아 쓰시오.

> '뉴뉴'는 물에 차츰 적응하여 며칠이 지나자 얕은 곳에서 노는 것에 만족하지 못했다. '완'은 '뉴뉴'가 물에 들어오자 (　　)을/를 느껴 '뉴뉴'를 보호하면서 함께 놀았다.

17 (하)에서 '뉴뉴'와 '완'의 관계에 대한 설명으로 적절한 것은?

① '뉴뉴'와 '완'의 갈등이 고조된다.
② '뉴뉴'와 '완'이 더욱 가까워진다.
③ '뉴뉴'가 '완'을 깊이 동정하게 된다.
④ '뉴뉴'와 '완'이 서로 경쟁심을 느끼게 된다.
⑤ '뉴뉴'가 '완'에게 조금씩 거리감을 느끼게 된다.

18 ㉠으로 미루어 알 수 있는 바로 적절한 것은?

① '완'이 건강을 회복하게 되었다.
② '완'이 고민하던 문제를 해결하게 되었다.
③ '완'이 새로운 놀이 장소를 발견하게 되었다.
④ '완'이 더 이상 외로움을 느끼지 않게 되었다.
⑤ '완'이 더 이상 아버지를 그리워하지 않게 되었다.

(너) 뉴뉴는 하루가 다르게 대담해졌다.
담력이 크고 용감해졌다

일주일쯤 지나자 뉴뉴는 강 한가운데에 있는 작은 섬에 가 보고 싶은 생각이 더욱 간절해졌다.

"내가 호리병박을 안고 있을 테니까 네가 나를 저 작은 섬까지 데려다줘!"

뉴뉴가 갑자기 완을 향해 말했다. 완은 그렇게 해 주겠다고 했다.

뉴뉴는 빨간 호리병박을 안고 천천히 헤엄쳤다. 그 옆에서 완이 뉴뉴를 도와주었다.

작은 섬은 흙이 그다지 두껍지 않았다. 수면 위에 간신히 떠 있는 작은 섬은 물기 때문에 흙이 모두 축축했다. 섬에는 커다란 백양나무 수십 그루가 자라고 있었다. 물속에는 곧게 뻗은 백양나무 그림자가 편안히 누워 있었고, 사방에는 온갖 꽃들이 가지각색으로 예쁘게 피어 있었다. 섬 한가운데에는 작은 연못이 하나 있었고, 연못 가장자리 나뭇가지 위에는 물새 몇 마리가 날개를 쉬고 있었다.

(더) 뉴뉴는 고개를 들어 위를 올려다보았다. 파란 하늘 위로 백양나무가 곧게 뻗어 있었다.

"너, 여기에 매일 오니?" / "응."

"매일 여기 와서 뭐 해?" / "그냥 놀아."

"여기 재미있는 게 뭐가 있길래?" / "재미있어."

"……?" / "여기 우리 반 친구들하고 노는 거야."

뉴뉴는 완의 말을 이해할 수가 없었다.

'여기는 아무것도 없는 작은 섬인데…….'

완은 ㉠백양나무 쪽으로 뉴뉴를 데리고 갔다. 그러고는 손가락으로 나무를 가리키며 이렇게 말했다. / "얘는 우리 반의 왕싼건이야."

그제서야 뉴뉴는 나무에 새겨진 글자를 발견했다. 거기에는 '왕싼건'이라는 세 글자가 새겨져 있었던 것이다.

뉴뉴는 다른 나무들도 살펴보았다. 거기에는 각기 다른 이름과 별명들이 새겨져 있었다. 리헤이, 납작코 저우밍, 딩니, 우싼진, 누룽지 쩌우샤오친 등등.

학교 친구를 만난 완은 잠시 동안 뉴뉴의 존재를 잊은 듯, 그들과 신나게 놀기 시작했다. 완은 이 나무에서 저 나무로 뛰어다니기도 하고, 머리 위의 나뭇가지를 흔들어 대기도 하고, 주먹으로 나뭇가지를 치기도 하고, 때로는 나무를 향해 소리치기도 했다.

(러) "납작코야, 이리 와! 안 오면 똥개!"

완은 꼭 미친 사람처럼 나무 사이를 뛰어다녔다. 한참을 뛰어다니느라 온몸에 땀이 흥건히 배고 숨을 헐떡이던 완은 마침내 땅바닥에 쓰러졌다. 그러더니 손으로 얼굴을 가리며 이렇게 말했다.
물 따위가 푹 잠기거나 고일 정도로 많게

간단 체크 내용 문제

19 (너)와 (더)를 통해 알 수 있는 내용으로 알맞지 않은 것은?

① '완'은 작은 섬에서 노는 것을 재미있어했다.
② '뉴뉴'는 점점 더 물을 두려워하지 않게 되었다.
③ '뉴뉴'는 강 한가운데에 있는 섬에 가고 싶은 마음이 커졌다.
④ '뉴뉴'는 '완'이 작은 섬에서 무엇을 하며 보내는지 궁금해했다.
⑤ '완'은 자신이 혼자 논다는 사실을 '뉴뉴'에게 감추려고 하였다.

20 '완'에게 있어서 ㉠의 의미로 적절한 것은?

① 친구 역할을 해 주는 존재이다.
② 어린 시절의 추억이 담겨 있는 대상이다.
③ 자신의 본모습을 드러낼 유일한 대상이다.
④ 다른 사람들에게 과시할 만한 자랑거리이다.
⑤ 자연 보호를 실천하게 된 계기를 마련한 대상이다.

간단 체크 어휘 문제

다음 뜻풀이에 알맞은 낱말에 ○표 하시오.

(1) 담력이 크고 용감하다.
(대담하다 , 강성하다)

(2) 물 따위가 푹 잠기거나 고일 정도로 많다.
(풍성하다 , 흥건하다)

"싼건, 싼건, 이제 그만! 아야! 그만 때리라니까!"

몸을 일으킨 완은 무언가를 끌어안듯이 하면서 땅바닥을 뒹굴었다.

뉴뉴는 완을 묵묵히 쳐다보고 있었다. 뉴뉴의 발치까지 굴러온 완은 뉴뉴를 보자 그제서야 환상에서 깨어났다. 완은 당혹스러웠다.

"아이들이 너랑 안 놀아 주니? 그런 거야?"

뉴뉴가 물었다.

ⓛ완은 눈빛이 멍해지면서 우울한 빛을 보였다. 얼굴을 돌린 완은 백양나무 사이로 보이는 아득한 하늘을 바라보았다. 나중에 생각해 보니 그때 완은 울고 있었던 것 같았다.

(마) 그 일이 있은 후 한참이 지나서야 뉴뉴와 완은 작은 섬에서 신나게 놀 수 있었다.

어느 날 두 아이는 온종일 집을 짓느라 정신이 없었다. 아이들은 나뭇가지와 갈대 줄기를 가져다가 연못 옆에 집을 지었다. 풀 더미를 한 아름 뜯어다가 자리를 깔았다. 뉴뉴는 갈대 줄기로 집 옆에 닭장을 지어 놓기도 했다. 두 사람은 진흙을 빚어, 부뚜막과 솥을 만들고 여러 가지 그릇과 접시도 만들었다. 그리고 갖가지 들풀을 뜯어다가 냠냠 맛있게 밥을 해 먹는 놀이도 했다.

얼마나 시간이 흘렀을까. 해는 어느새 강 너머로 넘어가고 있었다.

뉴뉴의 엄마가 뉴뉴를 불렀다.

"뉴뉴!"

ⓒ뉴뉴는 대답하지 않았다.

뉴뉴의 엄마는 계속해서 뉴뉴의 이름을 부르며 저쪽으로 사라져 갔다.

완과 뉴뉴는 할 수 없이 그들의 '집'을 떠나 강가로 나아갔다. 뉴뉴가 빨간 호리병박을 안고 앞에서 헤엄쳐 나가고, 완은 그녀를 보호하며 뒤따라갔다.

석양이 강물을 황금빛으로 물들이고 있었다. 그들은 석양을 맞으며 금빛 물속에서 소리 없이, 그렇지만 편안하게 흘러가고 있었다.

학습콕 **전개 ② | 소주제:** '완'은 '□□'가 물에 들어갈 수 있도록 돕고, 그 후 둘은 물놀이를 하며 가까워짐.

❶ '뉴뉴'와 '완'의 관계 변화 ①

'뉴뉴'가 물에 들어가기 전		'뉴뉴'가 물에 들어간 후
'뉴뉴'와 '완'은 서로에게 관심이 있지만 이를 적극적으로 표현하지 못하고 서로를 지켜보기만 함.	➡	'완'이 '뉴뉴'에게 수영을 가르치고 함께 물놀이도 하면서 급격하게 가까워짐.

❷ '완'의 처지와 그에 따른 심리

- 아버지가 근방에서 유명한 사기꾼으로 알려져 있고 현재 감옥에 들어가 있음.
- 작은 섬에서 □□□□에 친구들의 이름을 붙이고 나무들과 놂.

→ '완'의 외로운 처지로 보아 '완'이 '뉴뉴'와 친구가 되었을 때 그가 얼마나 기뻤을지, '뉴뉴'를 얼마나 좋아하고 믿었을지 짐작할 수 있음.

간단 체크 내용 문제

21 (마)에 제목을 붙인다고 할 때, 가장 적절한 것은?

① '뉴뉴'와 '완'의 앞에 닥친 불행
② '뉴뉴'와 '완'의 새로운 모험과 도전
③ 작은 섬에서 우정을 쌓아 가는 '뉴뉴'와 '완'
④ 정들었던 '집'을 떠나 슬퍼하는 '뉴뉴'와 '완'
⑤ 점점 깊어지는 '뉴뉴'와 '뉴뉴'의 '엄마'의 갈등

중요
22 ⓛ을 통해 짐작할 수 있는 '완'의 처지로 알맞은 것은?

① 몹시 가난하다.
② 아버지를 그리워한다.
③ 공부하는 것에 지쳐 있다.
④ 학교 친구들과 어울리지 못한다.
⑤ 진로와 관련하여 부모님과 갈등을 겪고 있다.

23 ⓒ의 이유를 한 문장으로 쓰시오.

위기·절정 학습 포인트

❶ '완'의 계획과 결과 ❷ '뉴뉴'가 물에 빠진 후 '뉴뉴'와 '완'의 심리
❸ '뉴뉴'와 완의 관계 변화 ②

4

(버) "이젠 강가에 가서 놀지 마라!" / 엄마는 몇 번이고 다짐을 놓았다.

"왜요?"

"특별한 까닭은 없어. 어쨌든 이젠 강가에 가지 마. 엄마는 네가 강가에 가는 게 싫어."

뉴뉴는 엄마의 말을 듣지 않고 여전히 강가로 달려갔다. 뉴뉴는 강에 넋을 빼앗긴 듯이 보였다.

곡식도 익어 가고 뜨겁게 타오르던 태양도 사그라들었다. 열기가 휩쓸던 하늘에도 이젠 서늘한 바람이 불기 시작했다. 여름이 끝나 가고 있었던 것이다. 하지만 ㉠뉴뉴는 아직도 빨간 호리병박 없이는 수영을 할 수 없었다.

"내년 여름에도 나한테 수영을 가르쳐 줘야 해!" / 뉴뉴가 말했다.

"사실 지금도 넌 수영할 수 있어. 네가 겁을 먹어서 못할 뿐이지."

"그래도 내년에 또 가르쳐 줘!"

(서) 그러던 어느 날 오후, 뉴뉴가 얕은 물가에서 물장구를 치고 있을 때였다.

"우리 강 건너까지 한번 가 보자. 넌 호리병박을 안고 가면 될 거야."

줄곧 꼼짝 않고 앉아 있던 완이 뉴뉴에게 제안을 했다.

"무서워." / "내가 있잖아."

"그래도 무서워."

"내가 널 꼭 잡고 있을게. 그래도 안 돼?"

"그럼 좋아. 절대로 날 놓으면 안 돼!" / 완은 고개를 끄덕였다.

강 한가운데 이르자 뉴뉴는 자신이 강 양쪽에서 아득히 멀리 떨어져 있다는 생각이 들었다. 그 순간 뉴뉴는 갑자기 두려워지기 시작했다. 그때 완은 뉴뉴를 보고 씽긋 웃어 보였다. 그의 웃음은 의미심장했다(뜻이 매우 깊었다). 꼭 무슨 음모를 감추고 있는 듯했다.

사방이 온통 강물로만 둘러싸여 있었다. 뉴뉴는 이 강이 너무나 크다는 사실을 처음으로 깨달았다. 뉴뉴는 다시 완을 쳐다보았다. 완은 무표정한 얼굴로 앞만 바라보고 있었다.

"우리 돌아가자!"

"앞으로 가나 돌아가나 멀기는 마찬가지야."

"그래도 무서워."

(어) 완은 그래도 계속 앞쪽만 바라보고 있었다. 그는 무언가 결단을 내린 듯했다.

"무섭다니까……." / "무섭긴 뭐가 무서워!"

간단 체크 내용 문제

24 (버)에 대한 설명으로 알맞은 것은?

① 행복한 결말을 예고한다.
② 계절의 변화를 드러낸다.
③ 환상적인 분위기를 형성한다.
④ 주변 인물이 이전의 사건을 요약하여 제시한다.
⑤ 인물이 서술자로서 자신의 심리를 직접적으로 설명한다.

25 (서)에서 알 수 있는 내용으로 적절하지 않은 것은?

① '뉴뉴'는 '완'을 믿고 강을 건너기로 했다.
② '완'은 '뉴뉴'에게 알리지 않고 어떤 계획을 꾸몄다.
③ '완'은 '뉴뉴'에게 강 건너까지 가 볼 것을 제안했다.
④ '완'은 '뉴뉴'를 안심시키기 위한 말을 '뉴뉴'에게 건넸다.
⑤ '뉴뉴'는 강 한가운데 이르렀을 때 의외로 여유로운 태도를 보였다.

중요
26 '완'이 생각하는 ㉠의 이유를 (버)에서 찾아 한 문장으로 쓰시오.

갑자기 완이 뉴뉴를 꼭 끌어안더니 ㉡뉴뉴의 손에 들린 호리병박을 낚아챘다. 뉴뉴는 날카로운 비명을 지르며 물속으로 가라앉았다.

공포에 떨며 두 손으로 물을 움켜쥐면서 뉴뉴는 완을 향해 소리쳤다.

"호리병박! 호리병박!"

하지만 완은 미소 지으며 뉴뉴에게서 멀어져 가기만 했다.

저 뉴뉴는 계속 물속으로 가라앉았다. 2초 정도 물속에 잠겨 있던 뉴뉴가 물 위로 튀어 오르더니 겁에 질려 미친 듯이 소리를 질렀다.

"살려 줘!"

그때 강가에 나와 있던 뉴뉴의 엄마가 그 모습을 보았다. 엄마는 순간적으로 넋이 빠져 쳐다보다가 이내 주위를 향해 소리치기 시작했다. / "사람 살려!"

뉴뉴의 입으로 물이 쏟아져 들어왔다. 벌컥벌컥 물을 삼키던 뉴뉴는 정신없이 목구멍을 타고 넘어가는 물에 숨이 막혀 고통스럽게 기침을 해 댔다. 그래도 완은 뉴뉴를 건져 주지 않았다.

다시 한번 물 위로 솟아오른 뉴뉴는 원망의 눈초리로 완을 쳐다보았다. 밭에서 일을 하던 사람들이 고함 소리에 강가로 달려왔다. 순식간에 사방이 소란스러워졌다.

뉴뉴가 더 이상 몸부림을 치지 않고 그대로 물속으로 가라앉자, 완도 당황하기 시작했다. 완은 재빨리 뉴뉴에게로 다가가 그녀의 두 손을 끌어당겨 빨간 호리병박을 쥐여 주었다. / 뉴뉴는 호리병박을 안은 채 두 눈을 꼭 감고 기침을 하며 서럽게 울기 시작했다. 뉴뉴는 울면서 엄마를 불렀다.

완은 무슨 말인가 하고 싶었지만, 말을 할 수가 없었다. 눈앞에 펼쳐진 광경이 너무나도 당혹스러웠기 때문이다. 그는 더 이상 아무 생각도 할 수 없었다. 완은 멍청한 표정으로 호리병박의 허리에 묶인 새끼줄을 잡은 채 뉴뉴를 강가로 이끌고 나왔다.

처 강가에는 많은 사람이 나와 있었다. 하지만 사람들은 아무 말도 하지 않았다. 그 침묵은 너무나도 무겁게 완을 짓눌렀다. 그 순간 완은 자신이 죄를 지은 듯한 느낌이 들었다.

뉴뉴의 엄마는 더 이상 기다리지 못하고 물속으로 뛰어들었다.

"뉴뉴!" / "엄마, 엄마."

뉴뉴는 호리병박을 꼭 끌어안은 채 울음을 터뜨렸다.

완이 뉴뉴를 강가로 끌어올렸다.

호리병박을 손에서 놓자, 뉴뉴는 극도의 공포가 극도의 원망으로 바뀌는 걸 느꼈다. 뉴뉴는 완을 향해 소리 질렀다.

"사기꾼! 넌 거짓말쟁이 사기꾼이야."

말을 마친 뉴뉴는 엄마 품으로 뛰어들며 온몸을 떨면서 엉엉 울었다.

간단 체크 내용 문제

27 (저)와 (처)에 나타난 갈등을 다음과 같이 정리할 때, 빈칸에 들어갈 말로 알맞은 것은?

> '뉴뉴'가 물에 빠진 사건을 계기로 (　　)와/과 (　　)이/가 갈등한다.

① 완, 뉴뉴
② 완, 마을 사람들
③ 뉴뉴, 뉴뉴의 엄마
④ 뉴뉴, 마을 사람들
⑤ 뉴뉴의 엄마, 마을 사람들

28 (저)와 (처)에서 '뉴뉴'의 심리가 어떻게 변화하였는지 (처)에서 찾아 각각 2음절로 쓰시오.

> (　　) → (　　)

중요

29 '완'이 ㉡과 같이 행동한 까닭으로 알맞은 것은?

① '뉴뉴'에게 그동안 느꼈던 서운함을 되갚아 주려고
② '뉴뉴'가 호리병박 대신 자신에게 의지하기를 원해서
③ '뉴뉴'에게 호리병박의 소중함을 깨닫게 하기 위해서
④ 호리병박을 이용하여 '뉴뉴'와 재미있는 놀이를 하고 싶어서
⑤ '뉴뉴'가 호리병박 없이도 수영을 잘할 수 있음을 깨닫게 하려고

"뉴뉴, 괜찮아. 뉴뉴! 무서워할 것 없어!"

엄마는 뉴뉴를 다독이며 이렇게 말했다.

완은 고개를 떨군 채 그저 서 있는 수밖에 없었다.

뉴뉴의 엄마는 두 눈을 부릅뜨고 완을 노려보며 말했다.

"넌 왜 그렇게 사람을 속이는 거니! 사람들한테 무슨 원수가 졌다고 그런 짓을 한 거야?" / 완은 뭔가 말을 하고 싶었지만 그럴 수가 없었다. 두 줄기 눈물이 콧등으로 흘러내렸다.

커 뉴뉴는 엄마와 함께 집으로 돌아갔다. 다른 사람들도 하나둘 강가를 떠났다.

[A] 완 혼자만이 마지막까지 강가에 서 있었다. 그의 머리카락에서 방울방울 물방울이 떨어졌다. 그 물방울은 가냘픈 그의 몸뚱이를 타고 강물 속으로 흘러들어 갔다. 그의 옆에선 빨간 호리병박만이 둥둥 떠다니고 있었다.

강 위로 저녁 바람이 불어오면서 강물이 일렁이기 시작했다. 강물은 순식간에 완의 가슴까지 차올랐다가는 다시금 종아리까지 물러나곤 했다.

빨간 호리병박은 작은 심장처럼 강물 위에서 반짝반짝 요동치고 있었다.
(요동치고: 심하게 흔들리거나 움직이고)

하늘은 점점 어두워져 갔다.

벌거벗은 완의 몸 위로 차가운 바람이 불어왔다. 완은 불어오는 바람을 맞으며 온몸을 떨었다. 그러고는 고개를 들어 강물 위에 떨어진 별들을 바라보았다.

5

터 며칠 뒤 황혼 녘, 강 한가운데 있는 작은 섬에서 불길이 솟구쳤다. 검푸른 연기가 공중으로 날아오르더니 이내 물 위를 뒤덮고는 천천히 흩어져 무(無)로 돌아갔다. / ㉠완이 그들의 '집'을 불살라 버린 것이다.
(솟구쳤다: 아래에서 위로, 또는 안에서 밖으로 세차게 솟아올랐다)

학습콕 위기·절정 | 소주제: '완'이 강 한가운데에서 □□□□을 빼앗자 '뉴뉴'는 물에 빠지게 되고, '뉴뉴'는 이런 '완'의 행동을 오해하여 둘의 사이가 멀어짐.

❶ '완'의 계획과 결과

'완'의 계획	'뉴뉴'가 호리병박 없이도 수영을 잘할 수 있다는 것을 깨닫게 하기 위해 강 한가운데에서 '뉴뉴'의 호리병박을 빼앗기로 함.
결과	예상과 다르게 '뉴뉴'가 그대로 물속으로 가라앉아, '완'의 계획은 실패함.

❷ '뉴뉴'가 물에 빠진 후 '뉴뉴'와 '완'의 심리

'뉴뉴'	'완'이 자신을 속였다고 생각하여 '완'을 원망함.
'완'	• 자신의 의도와는 다르게 '뉴뉴'가 물에 빠지자 당황하며 □□□을 느낌. • 믿었던 '뉴뉴'에게서 사기꾼이라는 말을 듣고 서글프고 속상함. • 자신의 의도와 진심을 몰라주는 '뉴뉴'에게 서운함.

❸ '뉴뉴'와 '완'의 관계 변화 ②

'뉴뉴'가 물에 빠지기 전	'뉴뉴'가 물에 빠진 후
'뉴뉴'와 '완'은 물놀이를 하면서 가깝게 지내고, 서로를 믿고 의지함.	'뉴뉴'는 '완'을 비난하며 강가를 떠나고, 며칠 뒤 '완'은 '뉴뉴'와의 추억이 깃든 '□'을 불태움.

간단 체크 내용 문제

30 [A]의 역할로 적절한 것은?

① '완'의 행동을 평가한다.
② '완'의 성격 변화를 나타낸다.
③ '완'의 감정을 간접적으로 묘사한다.
④ '완'의 가치관을 직접적으로 설명한다.
⑤ '완'의 독백으로 심리를 생생하게 전달한다.

중요

31 ㉠의 의미로 알맞은 것을 골라 바르게 묶은 것은?

보기
ㄱ. '완'이 느끼는 서글픔이 담겨 있다.
ㄴ. '완'이 '뉴뉴'를 기다리고 있음을 나타낸다.
ㄷ. '뉴뉴'와 멀어진 '완'의 절망감을 드러낸다.
ㄹ. 새로운 출발을 다짐하는 '완'의 의지를 표현한다.

① ㄱ, ㄴ ② ㄱ, ㄷ
③ ㄴ, ㄷ ④ ㄴ, ㄹ
⑤ ㄷ, ㄹ

간단 체크 어휘 문제

다음 문장에 들어갈 적절한 낱말을 〈보기〉에서 찾아 쓰시오.

보기
요동쳤다, 솟구쳤다

(1) 분화구에서 용암이 (   ).

(2) 자전거가 움직일 때마다 짐짝들이 (   ).

결말 학습 포인트

❶ '뉴뉴'의 깨달음 ❷ 결말에 담긴 의미

6

퍼 뉴뉴는 다시는 강가로 나오지 않았을 뿐만 아니라, 강 쪽으로는 쳐다보지도 않았다. 뉴뉴는 외할머니 댁으로 갔다. 거기서 남은 여름 방학을 보내기로 한 것이다.

하루는 점심을 먹는 자리에서 외할머니께서 아이들에게 어린 시절 이야기를 들려주셨다.

"그때는 나도 너희들처럼 물에서 놀기를 좋아했단다. 하지만 겁이 많아서 뒤뜰에 있는 조그만 ⓐ물웅덩이에서 헤엄을 치곤 했지. 그런 나를 보고 계시던 아버지께서 말씀하시길 나도 큰 강에서 헤엄칠 수 있다는 게야. 그 말에 나는 너무나 겁이 나서 숨어 버리고 말았지. 그런 나를 보고 아버지는 겁쟁이라고 호통을 치셨지. 그날 아버지는 커다란 ⓑ나무 대야를 가져오시더니 내가 거기 앉아 있으면, 나를 강 건너까지 데리고 가서 ⓒ대나무 숲에 있는 ⓓ새끼 참새를 보여 주겠다고 하시더구나. 나는 좋다고 했지. 그런데 아버지께서는 강 한가운데까지 나를 데리고 가서는, ㉡갑자기 나무 대야를 뒤집어 버리셨어. 물에 빠진 나는 허우적대면서 몇 번이나 물을 삼켰지. 물 위로 머리를 내밀고는 소리를 질러 대며 난리 법석을 부렸어. 순식간에 사람들이 모여들었지. 하지만 아버지께서는 나를 냉정하게 쳐다보고만 계셨단다. 애당초 나를 꺼내 줄 생각이 없었던 게야. 나는 두 번이나 물속으로 가라앉았다 올라왔지. 물을 너무 많이 마셔서 배가 부를 정도였단다. 그러고는 몸이 다시 물속으로 가라앉더구나. 이젠 더 이상 희망이 없구나 하고 생각했었지. 그런데 그때 이상한 일이 일어났지 뭐니. 갑자기 몸이 가벼워지더니 뒤뜰 물웅덩이에서처럼 헤엄을 칠 수 있게 된 거야. 난 꽤나 긴장하긴 했지만 굉장히 기뻤단다. 그러고는 순식간에 맞은편까지 헤엄쳐 갈 수 있었단다. 그 후로는 더 ⓔ큰 강에서도 아무런 두려움 없이 헤엄을 칠 수 있게 되었단다."

뉴뉴는 이로 젓가락을 물어뜯고 있었다.

"뉴뉴야, 어서 밥 먹어야지." / 외할머니께서 말씀하셨다.

뉴뉴는 젓가락을 내려놓으며 이렇게 말했다.

㉢"저 집으로 돌아갈래요."

"여기 며칠 있기로 한 게 아니냐?" / 외할머니께서 물으셨다.

"아뇨. 저 집에 갈래요. 지금 당장요."

말을 마치자마자 뉴뉴는 일어나서 걸어 나갔다. 외할머니가 무슨 말을 해도 뉴뉴는 듣지 않았다.

간단 체크 내용 문제

중요

32 ㉡에 담긴 '외할머니'의 아버지 생각으로 가장 적절한 것은?

① 강에서는 항상 조심해야 한단다.
② 아버지는 너를 많이 사랑한단다.
③ 너는 스스로 헤엄을 칠 수 있단다.
④ 시련을 이겨 내야 더 큰 시련에 대비할 수 있단다.
⑤ 가까운 사람에게 의지하려는 마음을 버려야 한단다.

33 ㉢의 이유를 다음과 같이 쓸 때, 빈칸에 들어갈 말을 2음절로 쓰시오.

'외할머니'의 어린 시절 이야기를 듣고 '뉴뉴'는 자신이 '완'의 의도를 (　　　)했음을 깨달았기 때문이다.

34 ⓐ~ⓔ 중, '호리병박'과 비슷한 역할을 하는 소재로 알맞은 것은?

① ⓐ ② ⓑ ③ ⓒ ④ ⓓ ⑤ ⓔ

허 뉴뉴는 그 길로 곧장 강까지 달려갔다.

강에는 아무것도 보이지 않았다. 고개를 숙여 보니, 물가 갈대밭에 빨간 호리병박이 걸려 있었다. 호리병박은 예전과 다름없이 선명하게 반짝이고 있었다.

뉴뉴는 가만히 앉아 기다렸다. 하지만 강 건너에서는 인기척이라고는 전혀 없었다.

태양이 서서히 저물어 갈 무렵, 뉴뉴의 눈은 뭔가를 간절히 찾고 있었다.

여름도 지나가고, 강 위로는 벌써 새파란 가을 하늘이 찾아들었다. 반쯤 마른 연잎 위에는 어디서 왔는지 청개구리 한 마리가 조용히 앉아 있었다. 마른 연잎은 강물을 따라 흘러 내려가고 있었다.

끝없는 정적이 흘렀다. 끝없는 정적만이…….

고 뉴뉴는 모든 것을 잊고 물속으로 뛰어들어 헤엄쳐 나아갔다. 그녀는 가라앉지 않았을 뿐만 아니라 헤엄도 아주 잘 쳤다. 그녀의 수영 실력은 이미 강을 건널 수 있을 정도였던 것이다.

그녀는 처음으로 맞은편 초가집에 가 보았다. 하지만 그 집의 대문은 단단한 자물쇠로 채워져 있었다.

소를 치는 한 아이가 뉴뉴에게 말해 주었다. 완은 전학을 갔다고. 엄마를 따라 여기에서 300리나 떨어진 외갓집으로 이사를 갔다고.

7

개학하기 전날 황혼 녘, ㉠뉴뉴는 갈대숲에 걸려 있던 빨간 호리병박을 풀어 주었다. 그리고 빨간 호리병박은 반짝반짝 빛을 내면서 그렇게 황혼 속으로 떠내려갔다.

학습콕 **결말 | 소주제:** '뉴뉴'가 '□□□□'의 이야기를 들으면서 '완'의 마음을 오해한 것을 깨닫고, 개학 전날 갈대숲에 가서 호리병박을 풀어 줌.

❶ '뉴뉴'의 깨달음

'뉴뉴'의 경험		'외할머니'의 경험
'완'이 호리병박을 빼앗아 강 한가운데에서 '뉴뉴'를 물에 빠뜨림.	=	'외할머니'의 □□□가 나무 대야를 뒤집어 강 한가운데에서 '외할머니'를 물에 빠뜨림.

⇩

'뉴뉴'는 '완'이 자신을 속인 것이 아니라 자신이 수영할 수 있음을 일깨우기 위한 것이었음을 깨달음.

❷ 결말에 담긴 의미

빨간 호리병박을 풀어 주는 '뉴뉴'	• 빨간 호리병박이 필요 없을 정도로 '뉴뉴'의 수영 실력이 늘었음을 뜻함. • '뉴뉴'가 '완'과의 추억을 떠나보내는 것을 뜻함.

간단 체크 내용 문제

중요

35 (허)에서 '뉴뉴'가 떠올렸을 생각으로 가장 알맞은 것은?

① '완'에게 미안하다고 사과하고 싶어.
② '완'에게 내 수영 실력을 자랑할 거야.
③ '엄마'에게 '외할머니'의 진심을 전달해야겠어.
④ '완'에게 '외할머니'의 어린 시절 이야기를 들려줘야지.
⑤ '엄마'에게 그동안 말썽만 피워서 죄송하다고 말해야겠어.

중요

36 ㉠에 담긴 의미로 적절하지 않은 것은?

① '뉴뉴'의 마음이 성장하였다.
② '완'과의 추억을 떠나보냈다.
③ '뉴뉴'의 수영 실력이 향상되었다.
④ '완'과 다시 만날 수 없음을 깨달았다.
⑤ '뉴뉴'의 억울함이 말끔히 해소되었다.

한끝의 한 끗

◆ '뉴뉴'의 성찰 일기

20○○년 ○○월 ○○일 날씨 : 더움

오늘도 강에는 빨간 호리병박을 안고 헤엄치는 그 애가 있었다. 무관심한 척 했지만, 오늘따라 그 애의 수영 실력과 그 강의 모습에서 눈을 뗄 수 없었다. 무언가를 느꼈는데 그게 경이로움이었을까? 나는 그 감정을 왜 느끼는지 알 수 없었다.

20○○년 ○○월 ○○일 날씨 : 맑음

처음으로 강에 들어갔다. 물을 무서워하는 나에게 완은 물세례를 퍼부었다. 막상 물에 들어가니 강물의 시원함과 부드러움에 한껏 매료될 수밖에 없었다. 그렇게 물에서 놀다 보니 완과도 금세 친해졌다. 다시는 물에서 나오고 싶지 않을 정도로 즐거웠다.

20○○년 ○○월 ○○일 날씨 : 흐림

오늘은 빨간 호리병박을 안고 강 한 가운데 있는 섬에 갔다. 그런데 완이 백양나무들을 보고 자기 반 친구들이라고 소개하며 나무들을 친구 삼아 신나게 노는 게 아닌가? 완이 아이들과 못 어울리는 것 같았다. 마음이 아팠다.

20○○년 ○○월 ○○일 날씨 : 기억 안 남

완은 내게 강 건너까지 가 보자고 제안했다. 강 한가운데 이르자 두려움이 몰려오기 시작했다. 완에게 돌아가자고 했는데, 갑자기 완이 호리병박을 뺏어 버리는 것이 아니겠는가? 나는 그대로 가라앉았고, 완은 나를 건져 주지 않았다. 나는 완을 용서할 수 없다. 그 애는 거짓말쟁이 사기꾼이다.

20○○년 ○○월 ○○일 날씨 : 맑음

외할머니의 말씀을 듣고 완이 나를 속이려고 한 것이 아니라는 것을 깨달았다. 완에게 사과하기 위해 강가로 달려가 그를 기다리다 강물에 뛰어 들었다. 완의 생각대로 나는 이미 헤엄을 잘 치고 있었다. 나는 그런 줄도 모르고 완에게 화만 내 버렸으니……. 강 건너편에 가 보았지만 완은 이사를 가고 없었다. 나는 빨간 호리병박을 풀어 주기로 했다.

학습 활동

교과서 175~181쪽

이해
❶ 줄거리 파악하기
❷ 등장인물의 심리 파악하기
❸ 등장인물의 성장 과정을 파악하고 자신의 삶 성찰하기

1 다음 그림을 보면서 '뉴뉴'와 '완'의 관계를 중심으로 이 소설의 줄거리를 정리해 보자.

뉴뉴 : 완 :

'뉴뉴'와 '완'이 서로를 의식하며 지켜봄.

답 '완'의 도움으로 '뉴뉴'가 물에 들어가게 되고, 함께 □□□를 하면서 둘이 가까워짐.

'뉴뉴'는 강 한가운데에서 자신의 호리병박을 빼앗은 '완'에게 화를 내고, 그 후 '뉴뉴'와 함께 만든 집을 '완'이 불태움.

답 '뉴뉴'는 '□□□□'의 어린 시절 이야기를 듣고 자신이 '완'을 오해했음을 깨닫고, '완'을 만나기 위해 강가로 달려감.

답 '완'은 이미 멀리 이사를 가 버렸고, '뉴뉴'는 빨간 호리병박을 풀어 줌.

간단 체크 활동 문제

01 이 소설의 중심 사건을 시간 순서대로 간추린 내용으로 적절하지 않은 것은?

① '뉴뉴'와 '완'은 서로에게 관심을 가지고 바라본다.
↓
② '뉴뉴'는 '완'의 도움으로 물속에 들어가게 되고, '완'과 친구가 된다.
↓
③ '완'은 강을 헤엄치며 건너다 '뉴뉴'에게서 호리병박을 빼앗고, '뉴뉴'는 '완'을 오해한다.
↓
④ '뉴뉴'에게 서운함을 느낀 '완'은 '뉴뉴'와 함께 만든 집을 불태운다.
↓
⑤ '뉴뉴'는 '완'에게 사과하기 위해 '완'의 외할머니댁을 찾아간다.

02 다음에 해당하는 소재를 4음절로 쓰시오.

- 수영하다가 위급한 상황에 대비하기 위한 것
- '완'과 '뉴뉴'의 추억이 담긴 것

2 다음 활동을 통해 '완'과 '뉴뉴'의 심리를 이해해 보자.

(1) '완'과 '뉴뉴'의 입장이 되어 다음 질문에 답해 보자.

빨간 호리병박을 빼앗은 일에 대한 두 사람의 입장이 많이 다를 것 같은데요. 먼저, '완' 군은 '뉴뉴' 양에게서 왜 빨간 호리병박을 빼앗은 거죠?

완 : 답 '뉴뉴'를 위해서 그랬습니다. '뉴뉴'는 호리병박이 없어도 ☐☐할 수 있는데 자신이 그걸 깨닫지 못했어요. 그래서 그걸 알게 해 주려고 호리병박을 빼앗은 거예요.

그렇군요. 이때 '뉴뉴' 양은 기분이 어땠고, 어떻게 행동했나요?

뉴뉴 : 답 '완'에게 "넌 거짓말쟁이 사기꾼이야."라고 쏘아붙였죠. 물에 빠지고 나서 너무 무서웠고 '완'이 저를 물에 빠뜨리려고 속였다는 생각밖에 안 들었어요. '완'이 정말 원망스러웠고, 배신감마저 들었지요.

그랬군요. 그럼, '완' 군은 '뉴뉴' 양의 이런 반응을 보면서 기분이 어땠나요?

완 : 답 정말 슬프고 '뉴뉴'에게 서운했어요. 자기를 위해 그랬다는 것을 '뉴뉴'는 전혀 알아차리지 못했거든요. '뉴뉴'는 저에게 하나밖에 없는 소중한 친구인데, 그런 친구가 저를 오해하고 원망까지 하니 마음이 너무 아팠어요.

이 일이 있은 후 '뉴뉴' 양은 외할머니 집으로 갔죠. 그런데 그곳에서 외할머니의 말씀을 듣고 갑자기 뛰쳐나갔는데, 왜 그랬나요?

뉴뉴 : 답 '외할머니' 말씀을 들으면서 외증조할아버지와 마찬가지로 '완'도 저를 위해 그런 행동을 했다는 것을 깨달았어요. 그 순간 '완'에게 무척 미안해졌고, '완'에게 달려가 ☐☐하고 싶었어요.

(2) '완'과 '뉴뉴' 중 한 명을 선택하여 그 사람에게 해 주고 싶은 말을 써 보자.

예시 답 》 생략

3 '뉴뉴'가 어떻게 성장하였는지 살펴보고, 자신의 삶을 성찰해 보자.

(1) 이 소설에서 '뉴뉴'가 겪은 일들이 '뉴뉴'를 어떻게 변화시켰는지 써 보자.

'뉴뉴'가 겪은 일

- 강 한가운데에서 두려움을 느끼던 '뉴뉴'
  - 답 '뉴뉴'가 물속으로 가라앉지 않았을 뿐만 아니라 ☐을 건널 수 있을 정도로 헤엄을 아주 잘 치게 되었다.
- '완'이 호리병박을 빼앗은 일이 자신을 속인 것이라고 생각한 '뉴뉴'
  - 답 '뉴뉴'가 자신이 '완'을 ☐☐했음을 깨닫고 '완'에게 미안함을 느꼈다.

(2) '뉴뉴'와 같이 어떠한 사건을 계기로 성장하게 된 경험을 친구들과 함께 나누어 보자.

예시 답 》 초등학교 5학년 때 친하게 지내던 친구가 있었다. 그 친구와 나는 서로의 집에 자주 드나들 정도로 가까운 사이였다. 여느 때처럼 그 친구가 우리 집에 놀러 온 날이었다. 하필이면 그날 할머니께 받은 용돈을 책상 위에 놓아두었는데, 그 친구가 다녀간 뒤로 사라져 버린 것이다. 나는 무턱대고 그 친구를 의심했고, 그 이후 그 친구와 연락을 끊었다. 몇 달이 지나서야 책상 뒤로 넘어가 버린 돈 봉투를 발견했지만 이미 멀어진 우리 사이는 되돌릴 수가 없었다. 그때 이후로는 무언가 없어졌을 때 나 자신을 먼저 되돌아보는 습관이 생겼다. 친구를 잃게 된 아픈 경험이었지만 나에게 큰 교훈을 주었고, 이는 앞으로 내 삶의 지침이 될 것이라 생각한다.

간단 체크 활동 문제

03 다음을 '완'과 '뉴뉴'가 나눈 대화라고 할 때, 적절하지 않은 것은?

① 완: 내가 호리병박을 빼앗은 건 네가 스스로 수영할 수 있다는 것을 깨닫게 하기 위해서였어.
② 뉴뉴: 나는 그것도 모르고 네가 나를 속였다는 생각밖에 들지 않아서 너를 원망했어.
③ 완: 네가 나를 오해하니까 나도 서운한 마음이 들더라.
④ 뉴뉴: 너의 진심을 깨닫고 나니 너에게 정말 미안해졌고 사과하고 싶었어.
⑤ 완: 나중에라도 네가 내 진심을 알아줄 거라고 믿고 우리가 함께 만든 집에서 널 기다렸어.

04 이 소설의 마지막 부분에서 '뉴뉴'에게 일어난 변화로 적절한 것은?

① 평생 믿을 수 있는 친구를 얻게 되었다.
② 남을 배려하는 마음이 중요하다는 교훈을 얻었다.
③ 호리병박 없이도 능숙하게 수영을 잘할 수 있게 되었다.
④ 마음이 성장하려면 몸이 성장해야 한다는 것을 깨닫게 되었다.
⑤ 친구와 헤어지기 전에 추억을 많이 쌓아야 한다는 것을 알게 되었다.

학습 활동

적용
❶ 「풀잎에도 상처가 있다」의 주제 파악하기
❷ 「빨간 호리병박」의 주인공 입장에서 시 해석하기
❸ 시를 통해 자신의 모습 성찰하기

다음은 상처와 성장을 노래한 「풀잎에도 상처가 있다」라는 시이다. 이 시의 시어가 뜻하는 바가 무엇인지 생각하며 시를 통해 자신을 성찰해 보자.

갈래	자유시, 서정시	성격	서정적, 사색적
운율	내재율	제재	상처 많은 풀잎과 꽃잎
주제	• 상처를 극복한 내면의 아름다움 • 서로 상처를 위로하며 더불어 사는 삶		
특징	• 의인법을 사용하여 주제를 구체적으로 형상화함. • 각운을 사용하고 비슷한 문장 구조를 반복하여 운율을 형성함.		

풀잎에도 상처가 있다

정호승

풀잎에도 상처가 있다
꽃잎에도 상처가 있다
너와 함께 걸었던 들길을 걸으면
들길에 앉아 저녁놀을 바라보면
상처 많은 풀잎들이 손을 흔든다
상처 많은 꽃잎들이
가장 향기롭다

1 이 시에서 '풀잎'과 '꽃잎'이 어떤 사람을 가리키는지 생각해 보고, '상처 많은 꽃잎들이 / 가장 향기롭다'에 담긴 뜻이 무엇일지 말해 보자.

답 이 시에서 '풀잎'과 '□□'은 작고 여린 존재를 가리킨다. 사람이라면 가난하고 힘없는 사람, 아픔을 지닌 사람으로 볼 수 있다. '상처'는 사람들이 살아가면서 겪게 되는 아픔과 고통, 좌절 등을 나타내는데, 이러한 상처를 극복해 낼 때 비로소 성장할 수 있으므로 '상처 많은 꽃잎들'이 가장 □□□□고 한 것이다.

2 「빨간 호리병박」의 '뉴뉴'가 이 시를 읽는다면 어떻게 해석할지 말해 보자.

예시 답 ≫ 이 시에서 '풀잎'과 '꽃잎'은 '완'과 내('뉴뉴')를 가리키는 것 같다. '완'에게는 사기꾼인 아버지 때문에 사람들에게 손가락질을 받아야 하는 상처가 있었다. 하지만 '완'은 상처 많은 풀잎들이 손을 흔들 듯이 나에게 먼저 다가와 주었고, 우리는 편견 없이 친구가 되었다. 하지만 나는 '완'의 행동으로 물에 빠지게 되었고, 그 일로 나는 '완'을 원망했다. 뒤늦게 그것이 오해였다는 것을 깨달은 나는 한 뼘 더 성장하게 되었는데, '상처 많은 꽃잎들이 / 가장 향기롭다' 라는 시구는 이처럼 □□한 나를 말하는 것 같다.

간단 체크 활동 문제

05 이 시에 대한 설명으로 적절하지 <u>않은</u> 것은?

① 서정적이고 사색적이다.
② 상처를 위로하며 더불어 사는 삶을 노래한다.
③ 의인법을 사용하여 주제를 구체적으로 나타낸다.
④ 비슷한 문장 구조를 반복하여 운율을 형성한다.
⑤ 시간의 흐름에 따라 대상이 변화하는 과정을 묘사한다.

06 이 시에서 '작고 여린 존재'를 의미하는 시어 두 가지를 찾아 쓰시오.

07 다음을 「빨간 호리병박」의 '완'이 이 시를 해석한 것이라고 할 때, 적절하지 <u>않은</u> 것은?

> 이 시에서 ① '풀잎'과 '꽃잎'은 나를 의미한다고 생각한다. 나는 ② 사람들의 차가운 시선을 받아야 하는 아픔이 있었기 때문이다. ③ 편견 없이 나에게 다가와 준 '뉴뉴'와 친구가 되었지만, ④ '뉴뉴'의 오해로 나는 또 한 번 상처를 받았다. 그러나 ⑤ 다시 내게 손을 흔들어 준 '뉴뉴' 덕분에 나는 향기로운 존재로 성장할 수 있었다.

3 다음 글을 참고하여, 현재 자신의 '상처'는 무엇이며, 그것을 어떻게 '향기'로 바꿀 수 있을지 말해 보자.

나에게는 나보다 세 살 많은 누나가 있다. 누나는 나와 달리 공부도 무척 잘하고 자기 할 일도 알아서 잘 챙긴다. 이렇게 누나와 내가 다르니 부모님께서는 비교를 안 하실 수가 없나 보다. 드러내 놓고 비교하는 말씀을 하시진 않지만, 나를 꾸짖으실 때 알게 모르게 누나와 비교하는 듯한 느낌이 들 때가 있다. 그런데 누나가 요즘 시험 준비를 하면서 엄마를 매우 힘들게 한다. 며칠 전에는 엄마께서 누나와 한바탕 전쟁을 치르신 후 힘없이 방으로 들어가셨다. 나는 김치볶음밥을 만들어 밥상을 차리고 엄마께 식사하러 나오시라고 했다. 엄마께서 "우리 막내밖에 없다."라고 말씀하시다가 울컥하셨는지 눈물을 갑자기 흘리셨다. 그런 엄마의 모습에 덩달아 나도 울컥했다. '엄마께 이런 말을 듣다니……. 그래, 그동안 나를 힘들게 했던 것은 부모님 마음이 아니라 내가 만든 생각이었구나.'라는 생각이 들었다. 누나와 나는 경쟁 상대가 아니다. 또 누나보다 내가 잘하는 것도 많다. 앞으로는 마음이 만들어 놓은 덫에 걸리지 않을 것이다.

예시 답》 격의 없이 말하는 행동 때문에 친구들에게 상처를 주거나, 그로 인해 내가 상처를 받는 경우가 많았다. 앞으로는 상대의 기분을 고려하면서도 솔직하게 생각을 전하도록 노력하여 친구들의 기억 속에 '예의 없는 친구'가 아닌, '진솔한 친구'로 남고 싶다.

간단 체크 활동 문제

08 이 시를 읽고 〈보기〉의 인물들에게 공통적으로 해 줄 수 있는 말로 가장 적절한 것은?

보기
• 집에서 항상 누나와 비교당해 자신감을 잃은 '주상' • 직설적인 말투 때문에 오해를 받아 친구와 갈등을 겪는 '지현'

① 형식에 얽매이지 않으면 정답이 보일 거야.
② 서로의 실수를 눈감아 주면 공존할 수 있을 거야.
③ 자신만 생각하면 목표를 빨리 이룰 수 있을 거야.
④ 다름을 인정하면 평화로운 공동체를 만들 수 있을 거야.
⑤ 자신을 되돌아보며 누구나 장단점이 있다는 것을 알고 노력하면 성장하게 될 거야.

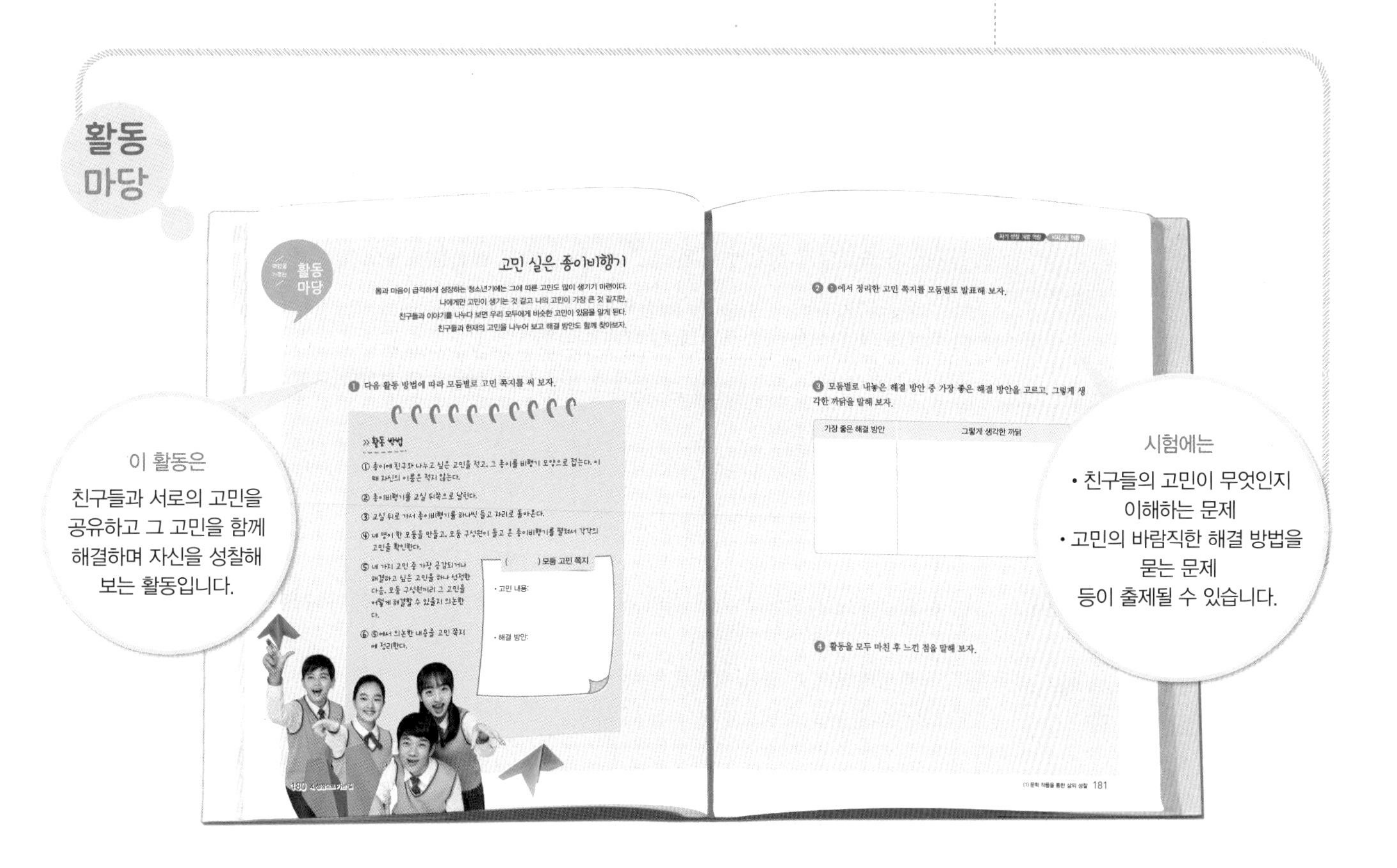

활동 마당
이 활동은
친구들과 서로의 고민을 공유하고 그 고민을 함께 해결하며 자신을 성찰해 보는 활동입니다.
고민 실은 종이비행기
시험에는
• 친구들의 고민이 무엇인지 이해하는 문제
• 고민의 바람직한 해결 방법을 묻는 문제
등이 출제될 수 있습니다.

압축 파일

• 정답과 해설 18쪽

갈래	현대 소설, 단편 소설, 성장 소설	성격	서정적, 감각적
배경	1960~1970년대, 중국의 한 시골 마을	시점	전지적 작가 시점
제재	빨간 호리병박		
주제	소년과 소녀의 맑고 순수한 우정과 사랑, 아픈 경험을 통한 소녀의 깨달음과 성장		
특징	• 사춘기 아이들의 아픔과 성장을 따뜻한 시선으로 그려 냄. • 서정적인 문체로 배경과 인물의 심리를 묘사함.		

「빨간 호리병박」의 구성

구성	내용
발단	'뉴뉴'와 '완'이 서로를 의식하며 지켜봄.
전개	'완'은 '뉴뉴'가 물에 들어갈 수 있도록 돕고, 그 후 둘은 ❶□□□를 하며 가까워짐.
위기·절정	'완'이 강 한가운데에서 호리병박을 빼앗자 '뉴뉴'는 물에 빠지게 되고, '뉴뉴'는 이런 '완'의 행동을 오해함.
결말	'뉴뉴'가 외할머니의 이야기를 듣고 '완'의 행동을 이해하게 되고, 홀로 강가에 가서 호리병박을 풀어 줌.

'뉴뉴'와 '완'의 관계 변화

'뉴뉴'와 '완'은 서로에게 관심이 있지만 이를 적극적으로 표현하지 못하고 지켜보기만 함.
→ '뉴뉴'가 물에 들어감.
→ '완'이 '뉴뉴'에게 ❷□□을 가르치고 함께 물놀이도 하면서 서로를 믿고 의지함.
→ '뉴뉴'가 물에 빠짐.
→ '완'은 '뉴뉴'와의 ❸□□이 담긴 집을 불태우고 '뉴뉴'는 강가로 나오지 않음.

'뉴뉴'가 물에 빠진 후 '뉴뉴'와 '완'의 심리

'완'이 강 한가운데에서 호리병박을 빼앗았지만, '뉴뉴'가 수영을 못하고 물에 가라앉아 위험을 겪음.

↓

인물	심리
'뉴뉴'	'완'이 자신을 속였다고 생각하여 '완'을 ❹□□하고 배신감마저 느낌.
'완'	• 자신의 의도와는 다르게 '뉴뉴'가 물에 빠지자 당황하며 죄책감을 느낌. • 자신의 의도와 진심을 몰라주는 '뉴뉴'에게 서운함. • 믿었던 '뉴뉴'에게서 ❺□□□이라는 말을 듣고 서글프고 속상함.

'뉴뉴'의 깨달음과 성장

계기	내용
'외할머니'의 이야기를 들음.	'뉴뉴'는 '완'이 호리병박을 빼앗은 것이 자신을 속인 것이 아니라, 자신이 수영할 수 있음을 일깨우기 위한 것이었음을 깨달음.
빨간 호리병박을 풀어 줌.	• 빨간 호리병박이 필요 없을 정도로 '뉴뉴'의 수영 실력이 성장함. • '완'과의 추억을 떠나보냄으로써 '뉴뉴'의 마음도 ❻□□함.

시험에 나오는 소단원 문제

• 정답과 해설 18쪽

01~04 다음 글을 읽고, 물음에 답하시오.

가 뉴뉴의 새까만 눈동자는 그 모습과 그 소리, 그리고 그 아름다운 색깔들이 뿜어내는 유혹을 차마 떨쳐 버릴 수가 없었다. 그녀는 강 쪽을 바라볼 수밖에 없었다. 뉴뉴는 무지갯빛 폭포에서 눈길을 뗄 수가 없었고, 발가벗은 완의 모습과 그의 빨간 호리병박에서 눈길을 뗄 수가 없었다. / 완은 강가에 있는 한 쌍의 눈동자가 언젠가는 자신을 쳐다보리라는 사실을 알고 있었다. 그래서 그는 더욱더 힘차게 자신의 수영 실력을 과시하곤 했다.

나 완은 뉴뉴를 향해 마름 열매가 든 두 손을 내밀었다. 하지만 뉴뉴는 손을 내밀지 않았다. 완은 마름 열매를 뉴뉴의 발아래 가만히 내려놓고는 뒤돌아 강 쪽으로 걸어가 버렸다. 뉴뉴는 가냘픈 그의 등을 바라보며 꼼짝 않고 서 있기만 했다.

빨간 호리병박을 안고 있는 완의 눈동자에는 뭔지 모를 진심이 가득 차 있는 것만 같았다.

뉴뉴는 천천히 무릎을 꿇고 앉아 두 손으로 연잎을 받쳐 들었다. 그 순간 완의 눈동자가 감격으로 빛났다.

다 "어서 들어와. 이 호리병박 너한테 줄게."

뉴뉴는 여전히 망설였다.

"무서워할 것 없어. 내가 있잖아."

그 말에 뉴뉴의 마음이 흔들리며 눈동자가 반짝반짝 빛났다. 하지만 발걸음은 여전히 머뭇거리고 있었다.

그 순간 완이 뉴뉴를 향해 갑자기 물세례를 퍼부었다. 달궈진 뉴뉴의 몸에 차가운 물방울이 닿자 뉴뉴는 온몸을 떨며 옆으로 물러섰다. / 완은 더 대담하게 물세례를 퍼붓기 시작했다. 뉴뉴는 수줍게 윗도리를 벗어 한쪽에 가지런히 개켜 놓고는 조심조심 물속으로 들어갔다.

라 뉴뉴는 물 한가운데로 들어가 보고 싶었다. 강 건너까지 가 보고도 싶었다. 저 넓은 강물 속을 마음대로 헤엄쳐 다니고 싶었다.

완은 기꺼이 뉴뉴를 도와주었다. 그는 하루 종일 피곤한 줄도 모른 채, 뉴뉴에게 수영하는 법을 가르쳐 주었다.

㉠그들이 함께하는 시간 동안, 하늘의 태양은 황금빛 햇살을 찬란하게 비추었고, 우거진 수풀과 갈대밭은 구름 한 점 없는 하늘과 한데 어울려 눈부시게 빛났다. 완의 마음은 환하게 밝아졌다. / 강도 더 이상 외롭지 않았다.

01 이와 같은 글을 읽는 태도로 적절하지 않은 것은?

① 주인공의 고민과 그 해결 방법에 주목한다.
② 작품 속 상황을 자신의 경험과 연결 지어 파악한다.
③ 내가 주인공이라면 문제를 어떻게 극복할지 생각한다.
④ 인물의 행동을 따라 하며 그가 얻은 깨달음을 이해한다.
⑤ 비슷한 일을 겪었을 때의 자신의 말과 행동을 되돌아보고 결과가 어떠했는지 떠올려 본다.

학습 활동 응용

02 이 글에 나타난 '뉴뉴'와 '완'에 대한 설명으로 알맞지 않은 것은?

① '뉴뉴'와 '완'은 서로를 의식하고 있다.
② '뉴뉴'는 능숙하게 수영하고 싶어 한다.
③ '완'은 '뉴뉴'에게 잘 보이려 노력하고 있다.
④ '완'은 '뉴뉴'가 물속에 들어오는 것을 걱정하고 있다.
⑤ '완'은 '뉴뉴'와 어울리며 더 이상 외로움을 느끼고 있지 않다.

03 '뉴뉴'와 친해지고 싶은 '완'의 마음이 드러난 행동을 (나)에서 찾아 한 문장으로 쓰시오.

조건
① 완전한 문장 형태로 쓸 것

04 ㉠의 기능으로 알맞은 것은?

① 배경을 묘사하여 '완'의 심리 상태를 드러낸다.
② 사물을 의인화하여 '뉴뉴'의 수영 실력을 표현한다.
③ 비유적 표현으로 '뉴뉴'가 곧 강을 건널 것임을 암시한다.
④ 계절의 변화에 따라 '완'의 처지가 달라지고 있음을 보여 준다.
⑤ 시간의 흐름에 따라 '뉴뉴'와 '완'의 갈등이 심화되고 있음을 드러낸다.

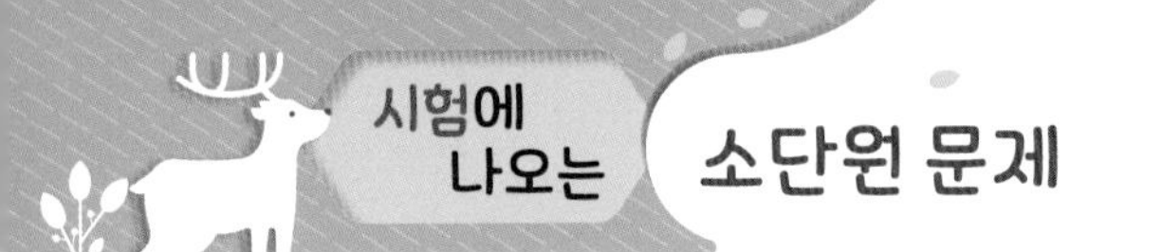

시험에 나오는 소단원 문제

• 정답과 해설 18쪽

05~08 다음 글을 읽고, 물음에 답하시오.

(가) 완은 그래도 계속 앞쪽만 바라보고 있었다. 그는 무언가 결단을 내린 듯했다.

"무섭다니까……." / "무섭긴 뭐가 무서워!"

㉠갑자기 완이 뉴뉴를 꼭 끌어안더니 뉴뉴의 손에 들린 호리병박을 낚아챘다. 뉴뉴는 날카로운 비명을 지르며 물속으로 가라앉았다. / 공포에 떨며 두 손으로 물을 움켜쥐면서 뉴뉴는 완을 향해 소리쳤다.

"호리병박! 호리병박!" / 하지만 완은 미소 지으며 뉴뉴에게서 멀어져 가기만 했다.

(나) 완이 뉴뉴를 강가로 끌어올렸다. / 호리병박을 손에서 놓자, 뉴뉴는 극도의 공포가 극도의 원망으로 바뀌는 걸 느꼈다. 뉴뉴는 완을 향해 소리 질렀다.

"사기꾼! 넌 거짓말쟁이 사기꾼이야." / 말을 마친 뉴뉴는 엄마 품으로 뛰어들며 온몸을 떨면서 엉엉 울었다.

"뉴뉴, 괜찮아. 뉴뉴! 무서워할 것 없어!"

엄마는 뉴뉴를 다독이며 이렇게 말했다.

완은 고개를 떨군 채 그저 서 있는 수밖에 없었다.

(다) "그런데 아버지께서는 강 한가운데까지 나를 데리고 가서는, 갑자기 나무 대야를 뒤집어 버리셨어. 물에 빠진 나는 허우적대면서 몇 번이나 물을 삼켰지. 물 위로 머리를 내밀고는 소리를 질러 대며 난리 법석을 부렸어. 순식간에 사람들이 모여들었지. 하지만 아버지께서는 나를 냉정하게 쳐다보고만 계셨단다. 애당초 나를 꺼내 줄 생각이 없었던 게야. 나는 두 번이나 물속으로 가라앉았다 올라왔지. 물을 너무 많이 마셔서 배가 부를 정도였단다. 그러고는 몸이 다시 물속으로 가라앉더구나. 이젠 더 이상 희망이 없구나 하고 생각했었지. 그런데 그때 이상한 일이 일어났지 뭐니. 갑자기 몸이 가벼워지더니 뒤뜰 물웅덩이에서처럼 헤엄을 칠 수 있게 된 거야."

(라) 뉴뉴는 모든 것을 잊고 물속으로 뛰어들어 헤엄쳐 나아갔다. 그녀는 가라앉지 않았을 뿐만 아니라 헤엄도 아주 잘 쳤다. 그녀의 수영 실력은 이미 강을 건널 수 있을 정도였던 것이다.

그녀는 처음으로 맞은편 초가집에 가 보았다. 하지만 그 집의 대문은 단단한 자물쇠로 채워져 있었다.

(마) 개학하기 전날 황혼 녘, 뉴뉴는 갈대숲에 걸려 있던 빨간 호리병박을 풀어 주었다. 그리고 빨간 호리병박은 반짝반짝 빛을 내면서 그렇게 황혼 속으로 떠내려갔다.

05 이 글에서 알 수 있는 내용으로 알맞은 것은?

① '완'은 '뉴뉴'를 놀리려고 호리병박을 뺏었다.
② '뉴뉴'가 자신의 어린 시절 이야기를 하였다.
③ '뉴뉴의 엄마'는 '뉴뉴'를 물에서 건져 내었다.
④ '완'은 '뉴뉴'의 수영 실력이 미숙하다고 믿었다.
⑤ '뉴뉴'는 호리병박 없이 수영하기를 두려워했다.

학습 활동 응용

06 이 글에 드러나는 '뉴뉴'의 변화를 〈보기〉에서 모두 골라 묶은 것은?

보기
ㄱ. '완'과의 추억을 떠나보내며 성장하였다.
ㄴ. 강을 건널 정도로 수영을 잘하게 되었다.
ㄷ. 호리병박을 뺏은 '완'의 진심을 알게 되었다.
ㄹ. 같은 실수를 반복하여 저지르지 않게 되었다.

① ㄱ, ㄴ ② ㄱ, ㄷ ③ ㄴ, ㄹ
④ ㄱ, ㄴ, ㄷ ⑤ ㄴ, ㄷ, ㄹ

학습 활동 응용

07 이 글에 대한 감상으로 적절하지 않은 것은?

① 무언가에 의존하려고만 하면 앞으로 나아갈 수 없음을 보여 주는군.
② 희망을 잃지 않고 끝까지 버티면 도움의 손길을 받을 수 있음을 알게 되었어.
③ 내가 좋아하는 사람에게 '사기꾼'이라는 말을 들으면 정말 가슴 아플 것 같아.
④ 어른들이 가끔 엄하게 대하는 것은 우리가 홀로 설 수 있도록 돕기 위해서가 아닐까?
⑤ 친구가 용돈을 가져갔다고 오해했다가 결국 친구를 잃었던 기억이 떠올라 공감이 되었어.

08 ㉠과 유사한 의미를 담고 있는 행동을 (다)에서 찾아 4어절로 쓰시오.

소단원 개념 길잡이

• 정답과 해설 19쪽

수필이란

글쓴이가 일상 속에서 경험을 통해 얻은 생각이나 느낌을 형식에 얽매이지 않고 자유롭게 쓴 글을 말한다.

수필의 특징

개성적	글쓴이의 가치관, 정서, 말투 등의 독특한 개성이 드러남.
주관적, 고백적	글쓴이의 개인적인 생각이나 느낌을 솔직하게 표현함.
비전문적	전문적인 작가가 아니더라도 누구나 쉽게 쓸 수 있음.
신변잡기적	글쓴이의 주변에서 일어나는 여러 가지 일들을 글의 소재로 삼을 수 있음.
자유로운 형식	일정한 형식적 제약 없이 자유롭게 쓸 수 있음.

수필의 종류

	경수필	중수필
뜻	글쓴이가 일상생활에서 얻는 느낌이나 생각 등을 자유롭게 쓴 수필	글쓴이가 사회적, 시사적 문제에 대한 자신의 생각을 논리적으로 쓴 수필
특징	• 비교적 가볍고 일상적인 소재를 다룸. • 친근하고 가벼운 느낌을 줌. • 글쓴이의 감정과 정서가 중심이 됨. • 1인칭 '나'가 잘 드러남.	• 사회적 문제나 무거운 내용을 다룸. • 무겁고 딱딱한 느낌을 줌. • 글쓴이의 의견을 논리적으로 제시함. • 1인칭 '나'가 잘 드러나지 않음.
종류	편지, 일기, 감상문, 기행문 등	칼럼, 평론 등

경험을 바탕으로 감동이나 즐거움을 주는 글을 쓰는 방법

• 자신이 깨달음을 얻었거나 감동을 느꼈던 가치 있는 경험을 선정한다.
• 자신의 경험이나 생각을 구체적이고 솔직하게 표현한다.
• 다른 사람들이 자신의 경험과 생각에 공감할 수 있도록 올바른 가치관을 담는다.

경험을 담은 글 쓰기의 가치

• 의미 있는 경험을 오래 기억할 수 있다.
• 독자에게 감동이나 즐거움을 줄 수 있다.
• 경험을 글로 정리하면서 새로운 사실을 발견하고 자신을 되돌아볼 수 있다.

간단 체크 개념 문제

1 수필에 대한 설명이 맞으면 ○표, 틀리면 ×표 하시오.

(1) 수필은 일상 속 경험을 통해 얻은 생각이나 느낌을 자유롭게 쓴 글이다. ( )
(2) 수필은 주로 자연 현상을 소재로 삼는다. ( )
(3) 수필은 누구나 쉽게 쓸 수 있다. ( )

2 경수필에 대한 설명으로 적절한 것은?

① 무거운 느낌을 주는 글이다.
② 사회적 문제에 대해 쓴 글이다.
③ 하위 갈래로는 칼럼, 평론 등이 있다.
④ 글쓴이의 의견이 논리적으로 제시된 글이다.
⑤ 1인칭 '나'가 등장하여 일상적 이야기를 자유롭게 서술한다.

3 다음 빈칸에 들어갈 알맞은 말을 쓰시오.

> 경험을 바탕으로 감동이나 즐거움을 주는 글을 쓸 때에는 자신이 깨달음을 얻었거나 감동을 느꼈던 ☐☐ 있는 경험을 소재로 삼을 수 있다.

교과서 183~193쪽

(2) 경험을 바탕으로 글 쓰기

학습 목표 자신의 삶과 경험을 바탕으로 독자에게 감동이나 즐거움을 주는 글을 쓸 수 있다.

이해
❶ 「엄마의 눈물」을 읽고 글쓴이의 경험 파악하기
❷ 「엄마의 눈물」에서 감동적인 부분 찾아보기
❸ 경험을 담은 글 쓰기의 가치 이해하기

학습 포인트
❶ 「엄마의 눈물」의 의미 및 기능　❷ 경험을 담아 글을 쓰는 것의 가치
❸ 경험을 바탕으로 글을 쓰는 방법

엄마의 눈물

장영희

가 유학을 마치고 돌아온 지 십여 년이 지났지만, 그때 가져온 짐 보따리가 차일피일 미루다 보니 그대로 다락방에 방치되어 있었다.
(차일피일: 이날 저 날 하고 자꾸 기한을 미루는 모양)

어제는 불가피하게 미국 대학에서 썼던 자료들을 꺼내야 할 일이 있어 십 년 묵은 짐을 정리하는데, 다락 한구석에 '영희 짐'이라고 커다랗게 매직펜으로 쓰인 상자가 눈에 띄었다.

내가 유학 간 사이에 이 집으로 이사를 오면서 어머니가 내가 쓰던 물건들을 정리해 놓아둔 상자였다. 고등학교 때나 대학 때 친구들과 주고받았던 편지, 공책, 시험지 등 태곳적 물건들 가운데 아주 낡은 와이셔츠 갑 하나가 끼여 있었다.
(태곳적: 아득한 옛적)

열어 보니 신기하게도 초등학생 때의 물건들이 담겨 있었다. 어렴풋이 생각나는 것이, 어렸을 때 '생명'보다 더 아낀다고 생각했던 보물 상자였다. 동생들과 싸워 가면서 모았던 예쁜 구슬, 이런저런 상장들, 내가 좋아했던 만화가들의 만화를 흉내 내 그린 그림들, 그리고 맨 바닥에는 '3학년 7반 47번 장영희'라고 쓰인 일기장이 있었다.

나 호기심에 일기장을 대충 훑어보았다. 초등학교 3학년생이 썼다고 믿어지지 않을 만큼 꽤 세련된 필체로(오히려 지금 나는 악필로 소문나 있다.) '동생 태어난 날-앗, 또 딸이다!', '○○○ 초콜릿 전쟁', '이 세상에서 제일 미운 애' 등 재미있는 제목들이 눈에 띄었다.

나는 짐 푸는 것을 잠깐 접어 두고 본격적으로 일기를 읽어 나가기 시작했다. 삼십여 년이라는 세월이 무색할 정도로 작고 어둡던 다락방이 갑자기 열 살짜리 소녀의 꿈과 희망으로 환해지는 것 같았다.

일기는 매번 '이제는 동생과 사이좋게 놀아야지.', '다음번엔 벼락공부를 하지 말아야지.' 등 '해야지.'라는 결의로 끝나고 있었다. '결의'는 곧 '실행'이라고 생각하는 순진무구함이 재미있어 계속 일기를 넘기는데, ㉠문득 12월 15일 자의 「엄마의 눈물」이라는 제목이 눈에 들어왔다.
(결의: 뜻을 정하여 굳게 마음을 먹음. 또는 그런 마음)

간단 체크 활동 문제

01 이 글에서 알 수 있는 내용으로 알맞지 않은 것은?
① '나'는 유학을 마치고 가져온 짐을 방치하였다.
② '나'는 자료를 쓸 일이 생겨 오래된 짐을 정리하였다.
③ '나'는 유학을 가기 전에 쓰던 물건들을 정리해 두었다.
④ '나'는 다락방에서 초등학생 때의 물건들을 발견하였다.
⑤ '나'는 상자 속에서 어렸을 때 썼던 일기장을 발견하였다.

02 이 글의 성격으로 알맞지 않은 것은?
① 경험적　② 고백적
③ 논리적　④ 회고적
⑤ 주관적

03 ㉠의 역할로 알맞지 않은 것은?
① 독자의 관심을 유발한다.
② 일기를 쓴 구체적인 날짜를 알려 준다.
③ '엄마'와 관련된 내용이 이어질 것임을 짐작하게 한다.
④ 자신이 쓴 일기를 다시 읽는 글쓴이의 심리를 드러낸다.
⑤ 앞에서 나열한 가벼운 일기 내용과 대조되는 제목으로 이야기의 분위기를 바꾼다.

다 제목: ㉡엄마의 눈물

오늘 아침에도 엄마가 연탄재 부수는 소리에 잠이 깼다. 살짝 문을 열어 보니 밤새 눈이 왔고 엄마가 연탄재를 양동이에 담고 계셨다. 올해는 눈이 많이 와서 우리 집 연탄재가 남아나지 않겠다. 학교 갈 때 보니 엄마가 학교까지 몇 번이나 왔다 갔다 하면서 깔아 놓은 연탄재 때문에 흰 눈 위에 갈색 선이 그어져 있었다. 그 위로 걸으니 별로 미끄럽지 않았다. 하지만 올 때는 내리막길인데다 눈이 얼어붙는 바람에 너무 미끄러워 엄마가 나를 업고 와야 했다. 내가 너무 무거웠는지 집에 닿았을 때 엄마는 숨을 헐떡거리고 이마에는 땀이 송송 나 있었다. 추운 겨울에 땀 흘리는 사람! 바로 우리 엄마다. 그런데 나는 문득 엄마의 이마에 흐르는 그 땀이 눈물같이 보인다고 생각했다. 나를 업고 오면서 너무 힘들어서 우셨을까? 아니면 또 '나 죽으면 넌 어떡하니.' 생각하면서 우셨을까? 엄마 20년만 기다려요. 소아마비는 누워서 떡 먹기로 고치는 훌륭한 의사 되어 내가 엄마 업어 줄게요.

라 일기를 보면서 입에는 미소가, 눈에는 눈물이 돌았다. 꿈을 이루는 데 '누워서 떡 먹기'라는 표현을 쓰는 열 살짜리 어린아이의 세상에 대한 믿음이 재미있어 웃음이 났고, 학교에 가기 위해 모녀가 매일매일 싸워야 했던 그 용맹스러운 투쟁이 새삼 생각나 눈물이 났다.

투쟁: 어떤 대상을 이기거나 극복하기 위한 싸움

돌이켜 보면 학창 시절, 내게 '학교에 간다.'라는 말은 문자 그대로 '간다'의 문제였다. 우리 집은 항상 내가 다니는 학교 근처로 이사를 하였기 때문에 학교까지는 고작 이, 삼백 미터 정도의 거리였지만, 그것도 내게는 버거운 거리였다. 게다가 비나 눈이라도 오는 날에는 학교에 가는 일이 그야말로 필사적인 투쟁이었다.

아침마다 우리 여섯 형제는 제각각 하루의 시작을 위해 대전쟁을 치렀는데, 어머니는 항상 내 차지였다. 다리 혈액 순환이 잘되라고 두꺼운 솜을 넣어 직접 지으신 바지를 아랫목에 넣어 따뜻하게 데워 입히시는 일에서 시작하여 세수, 아침 식사, 그리고 보조기를 신기시는 일까지, 그야말로 완전 무장을 하고 나서 우리 모녀는 또 '학교 가기' 전투를 개시하는 것이었다.

아랫목: 온돌방에서 아궁이 가까운 쪽의 방바닥

간단 체크 활동 문제

04 글쓴이의 어린 시절에 대한 설명으로 알맞지 않은 것은?

① 소아마비로 거동이 불편했다.
② 훌륭한 의사가 되는 것이 꿈이었다.
③ 항상 학교에서 가까운 집에 살았다.
④ 눈이 오는 날에는 '어머니'에게 업혀 다니기도 했다.
⑤ 학교에 다니는 것을 싫어해서 '어머니'와 매일 싸웠다.

05 어른이 된 글쓴이가 (다)를 읽고 느꼈을 감정으로 가장 적절한 것은?

① 유쾌함 ② 좌절감
③ 우월감 ④ 애틋함
⑤ 지겨움

06 ㉡이 의미하는 바를 (다)에서 찾아 5어절로 쓰시오.

초등학교 3학년 때까지 어머니는 나를 업어서 데려다주셨지만, 그것으로 끝나는 게 아니었다. 화장실에 데려가기 위해 두 시간에 한 번씩 학교에 오셔야 했다.

그때 일종의 신경성 유뇨증 같은 것이 있었는지, 어머니가 오셨을 땐 가고 싶지 않던 화장실도 어머니가 일단 가시기만 하면 갑자기 급해지는 것이었다. 그 때문에 어머니는 항상 노심초사, 틈만 나면 학교로 뛰어오시곤 했다.

노심초사: 몹시 마음을 쓰며 애를 태움

마 [A] 어머니와 내가 함께 걸을 때면 아이들이 쫓아다니며 놀리거나 내 걸음을 흉내 내곤 하였다. 지금 생각하면 신기하게도 초등학교에 들어갈 즈음에는 철이 없어서였는지 아니면 그 반대였는지, 적어도 겉으로는 그 놀림을 무시할 수 있었다. 오히려 일부러 보조기 구둣발 소리를 크게 내며 앞만 보고 걷곤 했다.

그러나 어머니는 쉽사리 익숙해지지 못하셨다. 아이들이 따라올 때마다 마치 뒤에서 누가 총이라도 겨누고 있는 듯, 잔뜩 긴장한 채 머리를 꼿꼿이 쳐들고 걸으시다가 어느 순간 홱 돌아서서 날카롭게 "그만두지 못해! 얘가 너한테 밥을 달라던, 옷을 달라던!" 하고 말씀하시곤 하셨다.

바 언제나 조신하고 말 없는 어머니였지만, 기동력 없는 딸이 이 세상에 발붙일 수 있는 자리를 마련하기 위해서는 목숨 바쳐 싸워야 한다고 생각한 억척스러운 전사였다. 눈이 오면 눈 위에 연탄재를 깔고, 비가 오면 한 손으로는 딸을 받쳐 업고 다른 한 손으로는 우산을 든 채 딸의 길과 방패가 되는 어머니의 하루하루는 슬프고 힘겨운 싸움의 연속이었다.

억척스러운: 어떤 어려움에도 굽히지 아니하고 몹시 모질고 끈덕지게 일을 해 나가는 태도가 있는

그뿐인가, 걸핏하면 했던 수술과 수술 후 두세 달씩 이어졌던 병원 생활, 상급 학교에 갈 때마다 장애가 있다고 하여 입학시험을 보는 것조차 허락하지 않던 학교들……. 나 잘할 수 있다고, 제발 한 자리 끼워 달라고 애원해도 자꾸 벼랑 끝으로 밀어내는 세상에 그래도 악착같이 매달릴 수 있었던 것은 어머니 때문이었다.

어머니는 내 앞에서 한 번도 눈물을 흘리신 적이 없었고, 그것은 이 세상의 슬픔은 눈물로 정복될 수 없다는 말 없는 가르침이었지만, 가슴속으로 흐르던 '엄마의 눈물'은 열 살짜리 딸조차도 놓칠 수 없었다.

사 『신은 모든 곳에 있을 수 없기에 어머니를 만들었다』

어디선가 본 책의 제목이다. 오늘도 어디에선가 걷지 못하거나 보지 못하는 자식을 업고 눈물 같은 땀을 흘리며 끝없이 층계를 올라가는 어머니, "나 죽으면 어떡하지."하며 깊이 한숨짓는 어머니, '정상'이 아닌 자식의 손을 잡고 다른 사람들의 눈총을 따갑게 느끼며 머리를 꼿꼿이 쳐들고 걷는 어머니, 이 용감하고 인내심 많고 씩씩하고 하느님 같은 어머니들의 외로운 투쟁에 사랑과 응원을 보내며 보잘것없는 이 글을 나의 어머니와 그들에게 바친다.

간단 체크 활동 문제

07 글쓴이가 이 글을 쓴 이유로 가장 알맞은 것은?

① 어린 시절의 추억을 잊지 않기 위해
② 어머니를 기쁘게 하는 방법을 가르쳐 주기 위해
③ 돌아가신 '어머니'에 대한 그리움을 표현하기 위해
④ '어머니'의 사랑을 깨닫지 못했던 과거를 반성하기 위해
⑤ 자식을 위해 헌신하는 세상의 어머니들에게 감사하기 위해

08 [A]를 통해 알 수 있는 글쓴이의 성격으로 알맞은 것은?

① 당당함 ② 소심함
③ 성실함 ④ 냉정함
⑤ 너그러움

09 '어머니'의 강인함을 비유적으로 표현한 구절을 (바)에서 찾아 2어절로 쓰시오.

1 이 글의 글쓴이가 일기를 보고 떠올린 경험과 이를 통해 느낀 점을 정리해 보자.

글쓴이가 떠올린 경험	글쓴이가 느낀 점
• 어머니와 함께 힘겹게 등교했던 일 • 답 ☐☐☐ 때문에 어머니가 학교에 자주 오셨던 일 • 답 아이들이 놀릴 때마다 어머니가 그 아이들을 혼내셨던 일 • 답 힘들었던 ☐☐ 생활과 매번 어려웠던 상급 학교 진학 문제	• 답 어려운 세상에서도 꿋꿋하게 살아올 수 있었던 것은 어머니 때문이었음. • 답 어머니의 ☐☐에 사랑과 응원을 보냄.

2 이 글에서 자신이 감동을 느낀 부분을 찾고 그 까닭을 써 보자.

예시 답〉〉

감동을 느낀 부분	그 까닭
비가 오면 한 손으로 글쓴이를 받쳐 업고 다른 한 손으로는 우산을 든 채 걸어가는 어머니의 모습에서 감동을 느꼈다.	비가 많이 쏟아지는 날에 어머니께서 비를 맞는 것도 아랑곳하지 않고 다리를 다친 나를 안아서 차에 태워 주셨던 기억이 떠올랐기 때문이다.

3 이 글의 글쓴이처럼 자신의 경험을 글로 쓰면 어떤 점이 좋을지 말해 보자.

예시 답〉〉 ☐☐을 오래 기억할 수 있다. / 글로 정리하면서 새로운 사실을 발견하고 자신을 되돌아볼 수 있다.

학습콕

❶ 「엄마의 눈물」의 의미 및 기능
- 일기 제목으로 독자의 관심을 끌고, 제목과 관련된 내용이 이어질 것임을 짐작하게 해 줌.
- 어린 글쓴이를 업고 오면서 엄마가 흘린 이마의 ☐을 보고 글쓴이가 떠올린 것으로, 어머니의 희생과 사랑을 의미함.

❷ 경험을 담아 글을 쓰는 것의 가치
- 경험을 오래 ☐☐할 수 있다.
- 글로 정리하면서 새로운 사실을 발견하고 자신을 되돌아볼 수 있다.

❸ 경험을 바탕으로 글을 쓰는 방법
- 자신이 깨달음을 얻었거나 ☐☐을 느꼈던 가치 있는 경험을 선정한다.
- 자신의 경험이나 생각을 구체적이고 솔직하게 표현한다.
- 다른 사람들이 자신의 경험과 생각에 공감할 수 있도록 올바른 가치관을 담는다.

간단 체크 활동 문제

중요

10 이 글의 글쓴이가 어린 시절의 일기를 보고 느낀 점으로 가장 적절한 것은?

① 순수했던 어린 시절로 다시 돌아가고 싶어.
② 온갖 시련을 이겨 낸 것은 '어머니' 덕분이야.
③ 육아에 대한 부담을 '어머니'만 떠안은 것 같아.
④ 힘들었던 일들은 빨리 잊어야 새로 시작할 수 있어.
⑤ 노력만으로 불가능한 것에 도전한다는 것은 어리석어.

11 이 글을 읽은 독자의 반응으로 적절하지 않은 것은?

① 딸을 놀리는 아이들을 혼내셨던 '어머니'의 모습이 떠올라 마음 아팠어.
② 몸이 불편함에도 미국 유학까지 다녀온 글쓴이가 대단하다고 생각해.
③ 등교하는 것이 누군가에게는 힘겨운 일일 수도 있다는 사실을 깨달았어.
④ 딸에게 나약한 모습을 보여 주지 않으려 한 '어머니'의 모습에 감동을 느꼈어.
⑤ 비를 맞으며 글쓴이를 안아서 차에 태워 주신 '어머니'의 모습에 감명을 받았어.

12 〈보기〉의 빈칸에 들어갈 알맞은 말을 쓰시오.

보기
경험을 바탕으로 글을 쓰면 글쓴이는 자신의 경험을 글로 정리하면서 새로운 ( ) 을/를 발견할 수 있고, 독자는 그 글을 읽으며 ( )(이)나 감동을 얻을 수 있다.

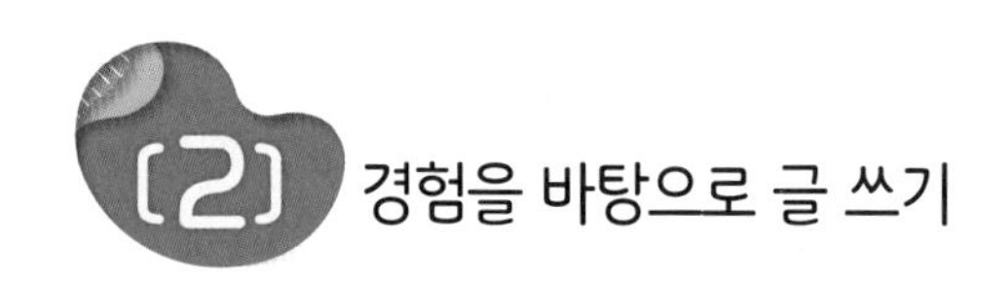

(2) 경험을 바탕으로 글 쓰기

❶ 자신의 가치 있는 경험을 바탕으로 독자에게 즐거움과 감동을 주는 글 쓰기

자신의 경험을 바탕으로 독자에게 감동과 즐거움을 주는 글을 써 보자.

1 다음 질문에 답하면서 자신의 삶에서 가치 있는 경험을 떠올려 보자.

- 자신에게 큰 영향을 준 사건은 무엇인가?
  - 예시 답 》 승주네 집에 갔다가 폐지를 주우시는 할아버지를 도와드린 일
- 자신에게 가장 소중한 물건은 무엇이고, 그 까닭은 무엇인가?
  - 예시 답 》 아빠께 생일 선물로 받은 운동화. 아빠와의 추억이 담겨 있기 때문이다.
- 과거로 되돌아갈 수 있다면 언제로 가고 싶고, 그 까닭은 무엇인가?
  - 예시 답 》 지난여름 가족들과 여행을 갔던 때. 지금까지의 여행 중 가장 즐거웠기 때문이다.
- 지금까지 살아오면서 가장 기억에 남는 사람은 누구이며, 그 까닭은 무엇인가?
  - 예시 답 》 국어 선생님. 내 이야기를 누구보다 진지하게 들어주셨기 때문이다.
- 기타: 예시 답 》 '겨울' 하면 떠오르는 추억은 무엇인가?
  - 예시 답 》 친구들과 함께 연탄 나르기 봉사 활동을 했던 일

2 1에서 떠올린 경험 중 하나를 선택하여 다음과 같이 정리해 보자.

예시 답 》

경험한 때와 장소	지난 토요일, 승주네 집
경험의 주요 내용	승주네 집에 갔다가 승주와 함께 폐지를 주우시는 할아버지를 도와드렸고, 승주에게 할아버지에 대한 이야기를 들었음.
경험을 통해 느낀 점	할아버지를 도와드리는 승주가 자랑스러웠고, 남을 돕는 기쁨을 알게 됨.

3 2에서 정리한 내용을 바탕으로 자신이 쓰려고 하는 글의 개요를 작성해 보자.

예시 답 》

제목	폐지를 모으는 친구
처음	지난 토요일 승주네 집에 영화를 보러 감.
가운데	• 승주를 도와 폐지를 나름. • 승주에게 폐지를 주우시는 할아버지에 대한 이야기를 들음. • 할아버지를 도와드리는 승주가 자랑스럽고, 나 자신이 부끄러워짐.
끝	• 남을 돕는 기쁨을 알게 되었음. • 할아버지를 도와드리기 위해 폐지를 모으고 있음.

간단 체크 활동 문제

13 경험을 바탕으로 글을 쓰는 과정으로 옳지 않은 것은?

① 가치 있는 경험 떠올리기
↓
② 객관적인 사실 정리하기
↓
③ 글의 개요 작성하기
↓
④ 개요를 바탕으로 표현하기
↓
⑤ 쓴 글을 읽어 보며 고쳐쓰기

14 다음 중 가치 있는 경험을 떠올리는 방법으로 알맞지 않은 것은?

① 과거에 썼던 일기장을 찾아 읽어 본다.
② 특정한 계절과 관련된 추억을 떠올려 본다.
③ 가장 소중한 물건을 찾아 그 까닭을 정리해 본다.
④ 자신이 가장 닮고 싶은 사람을 찾아 그 이유를 생각해 본다.
⑤ 사진첩을 보며 다른 사람과 나누고 싶은 기억을 떠올려 본다.

• 정답과 해설 19쪽

3단계 표현하기

4 3을 바탕으로 독자에게 감동과 즐거움을 주는 글을 써 보자.

예시 답 〉〉 생략

지식 사전

경험을 바탕으로 글을 쓸 때 고려해야 할 점

- 자신의 경험을 솔직하게, 자신만의 개성이 드러나도록 표현해야 함.
- 글을 다 쓴 후에 주제에 어긋나는 내용이 없는지 살펴보고, 자연스럽지 못한 표현을 찾아 고쳐 써야 함.

4단계 발표하고 평가하기

5 완성된 글을 발표해 보고, 다음 기준에 따라 친구들의 글을 평가해 보자.

예시 답 〉〉

평가 기준		
• 감동이나 즐거움을 주는 경험이 잘 드러나 있는가?	예 ☑	아니요 ☐
• 자신의 경험이나 생각을 솔직하게 표현하였는가?	예 ☑	아니요 ☐
• 글쓴이의 경험과 생각에 공감할 수 있는가?	예 ☑	아니요 ☐

6 친구들이 발표한 글 중 감동이나 즐거움을 느낀 글을 고르고, 그 까닭을 써 보자.

예시 답 〉〉 생략

간단 체크 활동 문제

15 경험을 바탕으로 글을 쓸 때, 고려할 사항으로 적절하지 <u>않은</u> 것은?

① 자신의 경험을 솔직하게 표현한다.
② 자신만의 개성이 드러나도록 표현한다.
③ 주제에 어긋나는 내용은 없는지 꼼꼼하게 읽는다.
④ 다 쓴 글을 읽으면서 자연스럽지 못한 표현을 고친다.
⑤ 독자에게 유익한 공공의 정보를 제공할 수 있는지 생각한다.

활동 마당

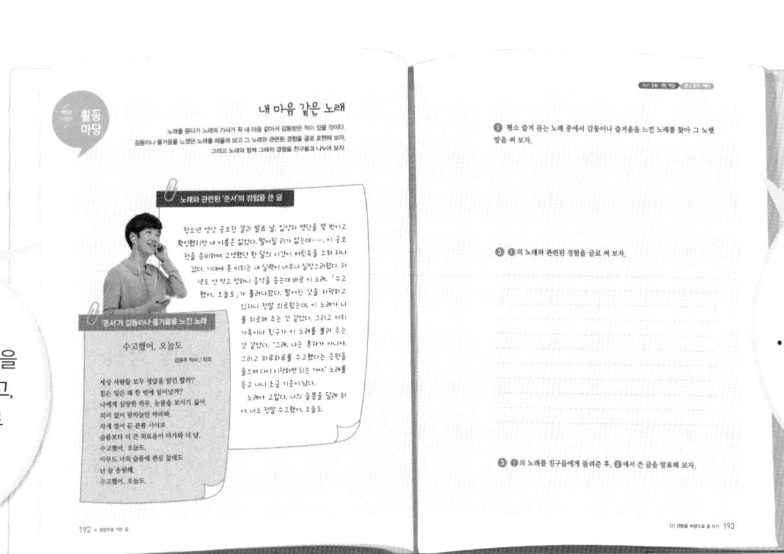

내 마음 같은 노래

노래를 듣다가 노래의 가사가 꼭 내 마음 같아서 감동받은 적이 있을 것이다. 감동이나 즐거움을 느꼈던 노래를 떠올려 보고 그 노래와 관련된 경험을 글로 표현해 보자. 그리고 노래와 함께 그때의 경험을 친구들과 나누어 보자.

노래와 관련된 '준서'의 경험을 쓴 글

청소년 영상 공모전 결과 발표 날. 입상자 명단을 몇 번이고 확인했지만 내 이름은 없었다. 떨어질 리가 없는데……. 이 공모전을 준비하며 고생했던 한 달의 시간이 머릿속을 스쳐 지나갔다. 기대에 못 미치는 내 실력이 너무나 실망스러웠다. 저녁도 안 먹고 멍하니 음악을 듣는데 바로 이 노래, 「수고했어, 오늘도」가 흘러나왔다. 떨어진 것을 자책하고 있자니 정말 외로웠는데, 이 노래가 나를 위로해 주는 것 같았다. 그리고 마치 가족이나 친구가 이 노래를 불러 주는 것 같았다. '그래, 나는 혼자가 아니야. 그리고 하루하루를 수고했다는 응원을 들으며 다시 시작하면 되는 거야.' 노래를 듣고 나니 조금 기운이 났다.

노래야 고맙다. 나의 슬픔을 달래 줘서. 너도 정말 수고했어, 오늘도.

'준서'가 감동이나 즐거움을 느낀 노래

수고했어, 오늘도

김윤주 작사 / 작곡

세상 사람들 모두 정답을 알긴 할까?
힘든 일은 왜 한 번에 일어날까?
나에게 실망한 하루, 눈물을 보이기 싫어,
의미 없이 밤하늘만 바라봐.
작게 열어 둔 문틈 사이로
슬픔보다 더 큰 외로움이 다가와 더 날,
수고했어, 오늘도.
아무도 너의 슬픔에 관심 없대도
난 늘 응원해,
수고했어, 오늘도.

192 4. 성장으로 가는 길

❶ 평소 즐겨 듣는 노래 중에서 감동이나 즐거움을 느낀 노래를 찾아 그 노랫말을 써 보자.

❷ ❶의 노래와 관련된 경험을 글로 써 보자.

❸ ❶의 노래를 친구들에게 들려준 후, ❷에서 쓴 글을 발표해 보자.

(2) 경험을 바탕으로 글 쓰기 193

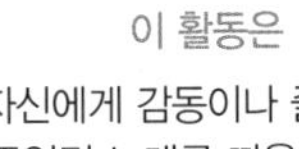

이 활동은

자신에게 감동이나 즐거움을 주었던 노래를 떠올려 보고, 그와 관련된 경험을 글로 표현해 보는 활동입니다.

시험에는

- 노래에서 감동을 주는 내용을 찾는 문제
- 노래와 관련된 경험이 담긴 글을 쓰는 방법을 묻는 문제

등이 출제될 수 있습니다.

• 정답과 해설 19쪽

갈래	수필, 경수필	성격	회고적, 경험적, 고백적
제재	어린 시절의 일기와 그 시절 어머니에 대한 기억	주제	어머니의 희생과 사랑에 대한 감사
특징	• 어린 시절의 경험이 구체적으로 묘사됨. • 자신이 겪었던 차별과 불편이 진솔하게 담김.		

「엄마의 눈물」의 글쓴이가 떠올린 경험과 느낀 점

글쓴이가 떠올린 경험		글쓴이가 느낀 점
• '어머니'와 함께 힘겹게 ❶□□했던 일 • 화장실 때문에 '어머니'가 학교에 자주 오셨던 일 • 아이들이 놀릴 때마다 '어머니'가 그 아이들을 혼내셨던 일 • 힘들었던 병원 생활과 매번 어려웠던 상급 학교 진학 문제	→	• 어려운 세상에서도 꿋꿋하게 살아올 수 있었던 것은 '어머니' 때문이었음. • '어머니'의 희생에 ❷□□과 응원을 보냄.

경험을 바탕으로 글을 쓰는 방법과 경험을 글로 쓰는 것의 가치

경험을 바탕으로 글을 쓰는 방법	• 자신이 ❸□□□을 얻었거나 감동을 느꼈던 가치 있는 경험을 선정한다. • 자신의 경험이나 생각을 구체적이고 솔직하게 표현한다. • 다른 사람들이 자신의 경험과 생각에 ❹□□할 수 있도록 올바른 가치관을 담는다.
↓	
경험을 글로 쓰는 것의 가치	• 의미 있는 경험을 오래 기억할 수 있다. • 글로 정리하면서 새로운 사실을 발견하고 자신을 되돌아볼 수 있다.

경험을 바탕으로 글을 쓰는 과정

내용 생성하기	• 사진첩이나 일기 등을 활용하여 경험 떠올리기 • 다른 사람과 나누고 싶은 의미 있는 경험 선정하기 • 경험의 주요 내용과 경험을 통해 느낀 점 정리하기
↓	
내용 조직하기	• '처음 – 가운데 – 끝'의 구성 단계에 맞게 글의 ❺□□ 작성하기
↓	
표현하기	• 자신의 경험과 생각을 솔직하게 표현하기 • 자신만의 ❻□□이 드러나도록 표현하기
↓	
❼□□□□	• 다시 한번 꼼꼼하게 읽어 보면서 주제에 어긋나는 내용은 없는지 살펴보기 • 소리 내어 읽어 보면서 자연스럽지 못한 표현을 찾아 고치기
↓	
발표하고 평가하기	• 감동이나 즐거움을 주는 경험이 잘 드러나 있는지 살펴보기 • 자신의 경험이나 생각을 솔직하게 표현하였는지 판단하기 • 글쓴이의 경험과 생각에 공감할 수 있는지 생각해 보기

시험에 나오는 소단원 문제

• 정답과 해설 20쪽

01~04 다음 글을 읽고, 물음에 답하시오.

가 제목: 엄마의 눈물

오늘 아침에도 엄마가 연탄재 부수는 소리에 잠이 깼다. 살짝 문을 열어 보니 밤새 눈이 왔고 엄마가 연탄재를 양동이에 담고 계셨다. 올해는 눈이 많이 와서 우리 집 연탄재가 남아나지 않겠다. 학교 갈 때 보니 엄마가 학교까지 몇 번이나 왔다 갔다 하면서 깔아 놓은 연탄재 때문에 흰 눈 위에 갈색 선이 그어져 있었다. 그 위로 걸으니 별로 미끄럽지 않았다. 하지만 올 때는 내리막길인 데다 눈이 얼어붙는 바람에 너무 미끄러워 엄마가 나를 업고 와야 했다. 내가 너무 무거웠는지 집에 닿았을 때 엄마는 숨을 헐떡거리고 이마에는 땀이 송송 나 있었다. 추운 겨울에 땀 흘리는 사람! 바로 우리 엄마다. 그런데 나는 문득 엄마의 이마에 흐르는 그 땀이 눈물같이 보인다고 생각했다.

나 언제나 조신하고 말 없는 어머니였지만, 기동력 없는 딸이 이 세상에 발붙일 수 있는 자리를 마련하기 위해서는 목숨 바쳐 싸워야 한다고 생각한 억척스러운 전사였다. 눈이 오면 눈 위에 연탄재를 깔고, 비가 오면 한 손으로는 딸을 받쳐 업고 다른 한 손으로는 우산을 든 채 딸의 길과 방패가 되는 어머니의 하루하루는 슬프고 힘겨운 싸움의 연속이었다.

그뿐인가, 걸핏하면 했던 수술과 수술 후 두세 달씩 이어졌던 병원 생활, 상급 학교에 갈 때마다 장애가 있다고 하여 입학시험을 보는 것조차 허락하지 않던 학교들……. 나 잘할 수 있다고, 제발 한 자리 끼워 달라고 애원해도 자꾸 벼랑 끝으로 밀어내는 세상에 그래도 악착같이 매달릴 수 있었던 것은 어머니 때문이었다.

다 오늘도 어디에선가 걷지 못하거나 보지 못하는 자식을 업고 눈물 같은 땀을 흘리며 끝없이 층계를 올라가는 어머니, "나 죽으면 어떡하지." 하며 깊이 한숨짓는 어머니, '정상'이 아닌 자식의 손을 잡고 다른 사람들의 눈총을 따갑게 느끼며 머리를 꼿꼿이 쳐들고 걷는 어머니, 이 용감하고 인내심 많고 씩씩하고 하느님 같은 어머니들의 외로운 투쟁에 사랑과 응원을 보내며 보잘것없는 이 글을 나의 어머니와 그들에게 바친다.

학습 활동 응용

01 이 글을 통해 알 수 있는 글쓴이의 경험으로 알맞지 않은 것은?

① 장애로 상급 학교 진학에 어려움을 겪었다.
② 편견으로 자신을 밀어내는 세상에 매달렸다.
③ 포기하려 할 때마다 '어머니'에게 위로받았다.
④ 잦은 수술과 입원으로 병원에 있는 시간이 많았다.
⑤ 눈이 오면 '어머니'가 연탄재로 깔아 준 갈색 선을 따라 학교를 다녔다.

서술형 학습 활동 응용

02 <보기>를 글쓴이가 이 글을 쓰면서 한 활동이라고 할 때, ㄱ~ㄹ을 글쓰기 과정에 맞게 순서대로 쓰시오.

보기
ㄱ. 일기장을 보며 가치 있는 경험을 발견하였다.
ㄴ. 글을 다시 읽고 어색한 문장을 확인하여 수정하였다.
ㄷ. 개성이 드러나도록 경험과 생각을 솔직하게 표현하였다.
ㄹ. 개요를 작성하면서 글을 어떻게 구성할 것인지 결정하였다.

03 이 글에 대한 감상으로 적절하지 않은 것은?

① 하느님처럼 자식의 모든 것을 감싸는 '어머니'의 사랑에 감동을 느꼈어.
② 글쓴이의 '어머니'를 보며 아플 때마다 나를 간호해 주는 엄마가 떠올랐어.
③ 철이 없던 어린 시절의 글쓴이처럼 어머니를 이해하지 못했던 지난날을 뉘우치게 되었어.
④ '어머니'의 땀이 눈물같이 보인다는 표현이 어머니의 희생을 상징적으로 드러내는 것 같아.
⑤ 장애가 있는 자식이 주눅 들지 않길 바라며 당당하게 걷는 어머니들의 모습을 상상할 수 있었어.

04 (나)에 나타난 '어머니'의 모습으로 적절한 것은?

① 과묵하고 신중함. ② 다정하고 친근함.
③ 유능하고 지적임. ④ 강인하고 헌신적임.
⑤ 마음 여리고 순수함.

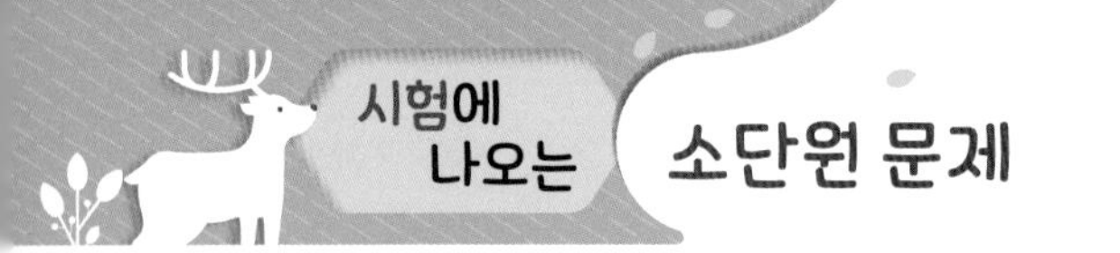

• 정답과 해설 20쪽

05~06 다음을 읽고, 물음에 답하시오.

제목	폐지를 모으는 친구
처음	지난 토요일 '승주'네 집에 영화를 보러 감.
가운데	• '승주'를 도와 폐지를 나름. • '승주'에게 폐지를 주우시는 할아버지에 대한 이야기를 들음. • 할아버지를 도와드리는 '승주'가 자랑스럽고, 엄마의 심부름조차 귀찮아하는 '나' 자신이 부끄러워짐.
끝	• 남을 돕는 기쁨을 알게 되었음. • '나'도 할아버지를 도와드리기 위해 폐지를 모으고 있음.

05 이 개요를 바탕으로 글을 쓴다고 할 때, 글쓴이가 글을 쓰는 목적으로 가장 적절한 것은?

① 친구인 '승주'와의 친밀감을 드러내기 위해
② 폐지 줍는 할아버지의 궁핍한 생활을 알리기 위해
③ 폐지 줍는 할아버지를 돕는 일을 모두 함께하기 위해
④ 엄마의 심부름을 귀찮아했던 자신의 행동을 반성하기 위해
⑤ 폐지 줍는 할아버지를 돕는 '승주'를 보고 깨달은 점을 다른 사람들과 공유하기 위해

학습 활동 응용

06 다음을 글쓴이가 내용을 생성하는 과정에서 정리한 표라고 할 때, 이 개요와 내용이 다른 것은?

경험한 때와 장소	지난 토요일, '승주'네 집 ············ ①
경험의 주요 내용	• 폐지를 주우시는 할아버지에 관한 영화를 봄. ············ ② • '승주'와 함께 폐지를 주우시는 할아버지를 도와드림. ············ ③
경험을 통해 느낀 점	• 할아버지를 도와드리는 '승주'가 자랑스러웠음. ············ ④ • 남을 돕는 기쁨을 알게 됨. ············ ⑤

학습 활동 응용

07 경험을 글로 쓰는 것의 가치로 거리가 먼 것은?

① 경험을 오래 기억할 수 있다.
② 글을 쓰면서 자신을 되돌아볼 수 있다.
③ 경험에서 얻은 깨달음을 깊이 새길 수 있다.
④ 글로 정리하면서 새로운 사실을 발견할 수 있다.
⑤ 사회 현상의 문제점과 개선 방향을 찾을 수 있다.

08 경험이 담긴 글을 읽는 방법으로 적절하지 않은 것은?

① 글쓴이의 요구 사항을 파악한다.
② 글쓴이의 경험과 생각을 정리한다.
③ 글쓴이가 전달하고자 하는 깨달음을 파악한다.
④ 글쓴이의 경험에 대한 자신의 느낌을 정리한다.
⑤ 글쓴이의 입장이었다면 어떻게 행동했을지 생각한다.

학습 활동 응용

09 <보기>와 같은 질문을 통해 공통적으로 찾고자 하는 내용으로 가장 알맞은 것은?

보기
• 자신에게 큰 영향을 준 사건은 무엇인가?
• 과거로 되돌아갈 수 있다면 언제로 가고 싶고, 그 까닭은 무엇인가?
• 지금까지 살아오면서 가장 기억에 남는 사람은 누구이며, 그 까닭은 무엇인가?

① 지난 하루에 대한 성찰
② 미래에 대한 포부와 계획
③ 자신의 삶에서 가치 있는 경험
④ 과거에 저지른 잘못에 대한 반성
⑤ 자신에게 소중한 사람과 그 이유

10 경험을 담은 글을 쓸 때 유의할 점으로 알맞지 않은 것은?

① 올바른 가치관을 담고 있는지 점검한다.
② 다른 사람들이 공감할 수 있는 생각을 담는다.
③ 자신의 경험을 구체적이고 솔직하게 표현한다.
④ 감동이나 즐거움을 줄 수 있는 경험을 선정한다.
⑤ 독자들이 흥미를 느낄 만한 특별한 경험만 다룬다.

어휘력 키우기

교과서 194~195쪽

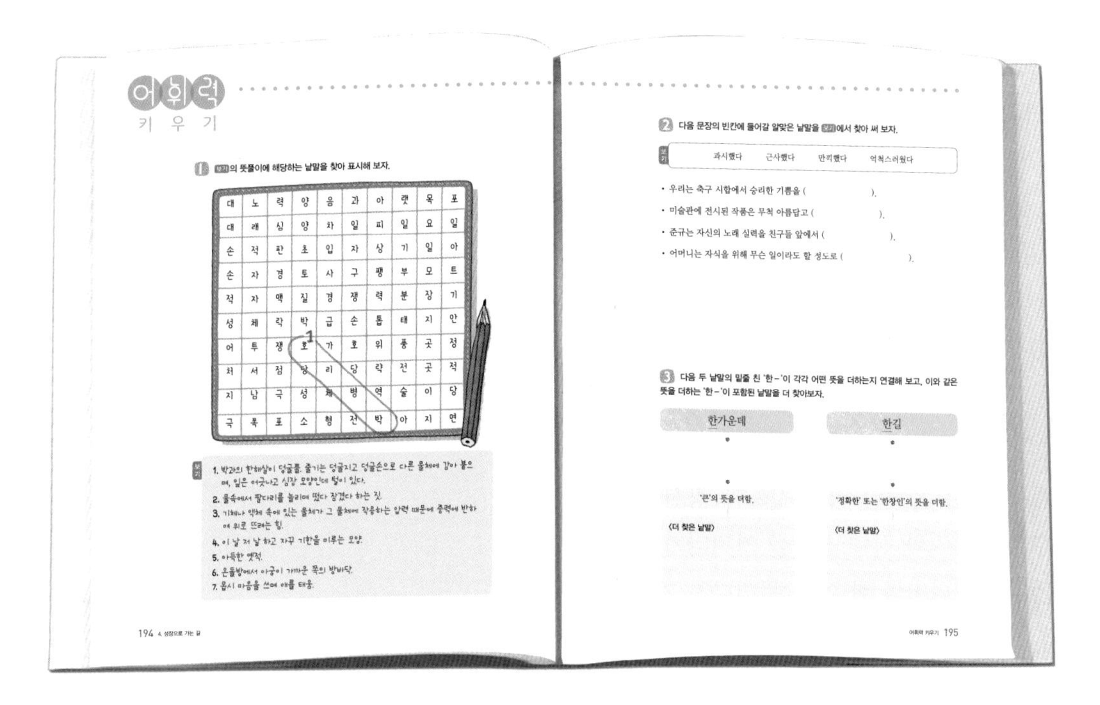
어휘력 키우기

1 보기의 뜻풀이에 해당하는 낱말을 찾아 표시해 보자.

대	노	력	양	음	과	아	랫	목	표
대	래	심	양	차	일	피	일	요	일
손	적	판	초	입	자	상	기	일	아
손	자	경	토	사	구	팽	부	모	트
적	자	맥	질	경	쟁	력	분	장	기
성	체	락	박	급	손	톱	태	지	안
어	투	쟁	호	가	호	위	풍	곳	정
처	서	점	당	리	당	략	전	곳	적
지	남	극	성	체	병	역	술	이	당
극	쪽	표	소	형	전	박	아	지	면

보기
1. 박과의 한해살이 덩굴풀. 줄기는 덩굴지고 덩굴손으로 다른 물체에 감아 붙으며, 잎은 어긋나고 심장 모양인데 털이 있다.
2. 물속에서 팔다리를 놀리며 떴다 잠겼다 하는 짓.
3. 기체나 액체 속에 있는 물체가 그 물체에 작용하는 압력 때문에 중력에 반하여 위로 뜨려는 힘.
4. 이 날 저 날 하고 자꾸 기한을 미루는 모양.
5. 아득한 옛적.
6. 온돌방에서 아궁이 가까운 쪽의 방바닥.
7. 몹시 마음을 쓰며 애를 태움.

194 4. 성장으로 가는 길

2 다음 문장의 빈칸에 들어갈 알맞은 낱말을 보기에서 찾아 써 보자.

보기: 과시했다 근사했다 만끽했다 억척스러웠다

- 우리는 축구 시합에서 승리한 기쁨을 (   ).
- 미술관에 전시된 작품은 무척 아름답고 (   ).
- 준규는 자신의 노래 실력을 친구들 앞에서 (   ).
- 어머니는 자식을 위해 무슨 일이라도 할 정도로 (   ).

3 다음 두 낱말의 밑줄 친 '한-'이 각각 어떤 뜻을 더하는지 연결해 보고, 이와 같은 뜻을 더하는 '한-'이 포함된 낱말을 더 찾아보자.

한가운데 · 한길

'큰'의 뜻을 더함. · '정확한' 또는 '한창인'의 뜻을 더함.

〈더 찾은 낱말〉 〈더 찾은 낱말〉

어휘력 키우기 195

1.

대	노	력	양	음	과	아	랫	목	표
대	래	심	양	차	일	피	일	요	일
손	적	판	초	입	자	상	기	일	아
손	자	경	토	사	구	팽	부	모	트
적	자	맥	질	경	쟁	력	분	장	기
성	체	락	박	급	손	톱	태	지	안
어	투	쟁	호	가	호	위	풍	곳	정
처	서	점	당	리	당	략	전	곳	적
지	남	극	성	체	병	역	술	이	당
극	쪽	표	소	형	전	박	아	지	면

(1 호박, 2 자맥질, 3 부력, 4 차일피일, 5 태곳적, 6 아랫목, 7 노심초사)

2.

- 우리는 축구 시합에서 승리한 기쁨을 (만끽했다).
- 미술관에 전시된 작품은 무척 아름답고 (근사했다).
- 준규는 자신의 노래 실력을 친구들 앞에서 (과시했다).
- 어머니는 자식을 위해 무슨 일이라도 할 정도로 (억척스러웠다).

3.

한가운데	한길
'정확한' 또는 '한창인'의 뜻을 더함.	'큰'의 뜻을 더함.
한겨울, 한밤중, 한복판	한걱정, 한시름

확인 문제

1 낱말의 뜻풀이가 바르지 않은 것은?

① 과시하다: 자랑하여 보이다.
② 근사하다: 그럴 듯하게 괜찮다.
③ 만끽하다: 욕망을 마음껏 충족하다.
④ 노심초사하다: 몹시 두려워 벌벌 떨며 조심하다.
⑤ 자맥질하다: 물속에서 팔다리를 놀리며 떴다 잠겼다 하다.

2 다음 중 '한가운데'의 '한-'과 같은 뜻이 포함된 낱말이 아닌 것은?

① 한낮 ② 한시름 ③ 한밤중
④ 한복판 ⑤ 한겨울

시험에 나오는 대단원 문제

01~05 다음 글을 읽고, 물음에 답하시오.

(가) 물은 두 아이 사이의 낯섦과 거리감을 모두 녹여 버렸다. 두 아이는 갈대 수풀 사이에서 우렁이를 잡기도 하고, 얕은 물가를 뛰어다니고 엎어지기도 하며 놀았다. 한번은 깊은 물속까지 들어가 얼굴만 내밀고 마주 서 있어 보기도 했다. 두 아이에겐 ⓐ그 순간이 가장 멋진 시간이었다. ㉠강물은 이상하게도 고요했다. 두 아이는 한참 동안 서로의 눈동자를 바라보며 말없이 서 있었다.

(나) 어느 날 두 아이는 온종일 집을 짓느라 정신이 없었다. 아이들은 나뭇가지와 갈대 줄기를 가져다가 연못 옆에 집을 지었다. 풀 더미를 한 아름 뜯어다가 자리를 깔았다. 뉴뉴는 갈대 줄기로 집 옆에 닭장을 지어 놓기도 했다. 두 사람은 진흙을 빚어, 부뚜막과 솥을 만들고 여러 가지 그릇과 접시도 만들었다. 그리고 갖가지 들풀을 뜯어다가 냠냠 맛있게 밥을 해 먹는 놀이도 했다.

㉡얼마나 시간이 흘렀을까. 해는 어느새 강 너머로 넘어가고 있었다.

(다) 갑자기 완이 뉴뉴를 꼭 끌어안더니 뉴뉴의 손에 들린 호리병박을 낚아챘다. 뉴뉴는 날카로운 비명을 지르며 물속으로 가라앉았다. / 공포에 떨며 두 손으로 물을 움켜쥐면서 뉴뉴는 완을 향해 소리쳤다.

"호리병박! 호리병박!" / 하지만 ㉢완은 미소 지으며 뉴뉴에게서 멀어져 가기만 했다.

(라) 뉴뉴는 호리병박을 꼭 끌어안은 채 울음을 터뜨렸다. / 완이 뉴뉴를 강가로 끌어올렸다.

호리병박을 손에서 놓자, 뉴뉴는 극도의 공포가 극도의 원망으로 바뀌는 걸 느꼈다. 뉴뉴는 완을 향해 소리 질렀다. / "사기꾼! 넌 거짓말쟁이 사기꾼이야."

말을 마친 뉴뉴는 엄마 품으로 뛰어들며 온몸을 떨면서 엉엉 울었다.

(마) 뉴뉴는 엄마와 함께 집으로 돌아갔다. 다른 사람들도 하나둘 강가를 떠났다. / 완 혼자만이 마지막까지 강가에 서 있었다. 그의 머리카락에서 방울방울 물방울이 떨어졌다. 그 물방울은 가냘픈 그의 몸뚱이를 타고 강물 속으로 흘러들어 갔다. ㉣그의 옆에선 빨간 호리병박만이 둥둥 떠다니고 있었다.

(바) 며칠 뒤 황혼 녘, 강 한가운데 있는 작은 섬에서 불길이 솟구쳤다. ㉤검푸른 연기가 공중으로 날아오르더니 이내 물 위를 뒤덮고는 천천히 흩어져 무(無)로 돌아갔다. / 완이 그들의 '집'을 불살라 버린 것이다.

01 이 글에 대한 설명으로 옳지 않은 것은?

① 농촌을 배경으로 향토감을 자아내고 있다.
② 사춘기 아이들의 우정과 아픔을 다루고 있다.
③ 중국에서 실제로 일어난 사건을 소개하고 있다.
④ 서정적인 문체로 인물의 심리를 묘사하고 있다.
⑤ 시간의 흐름에 따라 인물의 관계가 변하고 있다.

02 (가)~(마)의 중심 내용으로 알맞지 않은 것은?

① (가): 물놀이를 하며 친밀해진 '뉴뉴'와 '완'
② (나): 작은 섬에서 즐겁게 지내는 '뉴뉴'와 '완'
③ (다): 강 속에서 재미있는 놀이를 하는 '뉴뉴'와 '완'
④ (라): 호리병박을 빼앗은 '완'을 원망하는 '뉴뉴'
⑤ (마): 강가에 홀로 남은 '완'

서술형

03 (나)를 참고하여 '뉴뉴'와 '완'의 추억이 깃든 장소를 (바)에서 찾아 쓰시오.

04 ㉠~㉤에 대한 설명으로 적절한 것은?

① ㉠: 불길한 사건이 일어날 것을 암시한다.
② ㉡: 서술자의 시점이 달라졌음이 드러난다.
③ ㉢: 인물의 성격을 직접적으로 설명한다.
④ ㉣: 인물의 처지를 주변 상황의 묘사로 드러낸다.
⑤ ㉤: 자연재해의 위험성을 상징적으로 나타낸다.

05 ⓐ가 의미하는 바로 가장 알맞은 것은?

① '뉴뉴'가 처음으로 물에 들어간 순간
② '뉴뉴'가 능숙하게 헤엄을 치게 된 순간
③ '뉴뉴'와 '완'이 마음의 문을 열게 된 순간
④ '뉴뉴'와 '완'이 서로의 얼굴을 처음 본 순간
⑤ '완'이 '뉴뉴'에게 수영하는 법을 가르쳐 준 순간

06~09 다음 글을 읽고, 물음에 답하시오.

가 "하지만 아버지께서는 나를 냉정하게 쳐다보고만 계셨단다. 애당초 나를 꺼내 줄 생각이 없었던 게야. 나는 두 번이나 물속으로 가라앉았다 올라왔지. 물을 너무 많이 마셔서 배가 부를 정도였단다. 그러고는 몸이 다시 물속으로 가라앉더구나. ㉠이젠 더 이상 희망이 없구나 하고 생각했었지. 그런데 그때 이상한 일이 일어났지 뭐니. 갑자기 몸이 가벼워지더니 뒤뜰 물웅덩이에서처럼 헤엄을 칠 수 있게 된 거야."

나 ㉡뉴뉴는 가만히 앉아 기다렸다. 하지만 강 건너에서는 인기척이라고는 전혀 없었다. / 태양이 서서히 저물어 갈 무렵, 뉴뉴의 눈은 뭔가를 간절히 찾고 있었다.

여름도 지나가고, 강 위로는 벌써 새파란 가을 하늘이 찾아들었다. 반쯤 마른 연잎 위에는 어디서 왔는지 ㉢청개구리 한 마리가 조용히 앉아 있었다. 마른 연잎은 강물을 따라 흘러 내려가고 있었다.

다 뉴뉴는 모든 것을 잊고 물속으로 뛰어들어 헤엄쳐 나아갔다. 그녀는 가라앉지 않았을 뿐만 아니라 헤엄도 아주 잘 쳤다. 그녀의 수영 실력은 이미 강을 건널 수 있을 정도였던 것이다.

그녀는 처음으로 맞은편 초가집에 가 보았다. ㉣하지만 그 집의 대문은 단단한 자물쇠로 채워져 있었다.

소를 치는 한 아이가 뉴뉴에게 말해 주었다. 완은 전학을 갔다고. 엄마를 따라 여기에서 300리나 떨어진 외갓집으로 이사를 갔다고.

개학하기 전날 황혼 녘, ㉤뉴뉴는 갈대숲에 걸려 있던 빨간 호리병박을 풀어 주었다. 그리고 빨산 호리병박은 반짝반짝 빛을 내면서 그렇게 황혼 속으로 떠내려갔다.

라 풀잎에도 상처가 있다
꽃잎에도 상처가 있다
너와 함께 걸었던 들길을 걸으면
들길에 앉아 저녁놀을 바라보면
상처 많은 풀잎들이 손을 흔든다
[A] 상처 많은 꽃잎들이
가장 향기롭다

06 (가)~(다)를 읽고 자신의 삶을 성찰한 내용으로 적절한 것은?

① 부모님의 질문에 말대답을 하다가 혼났다. 앞으로는 부모님께 말을 적게 해야겠다.
② 아끼던 물건을 친구가 빌려 가서 잃어버린 적이 있다. 앞으로는 친구를 잘 사귀어야겠다.
③ 친구가 실수로 나를 다치게 한 적이 있는데 화만 냈다. 이제라도 화해하고 친하게 지내야겠다.
④ 화분을 깼지만 본 사람이 없어 나도 모르는 척했다. 항상 주변 사람들을 살피며 행동해야겠다.
⑤ 동생이 말을 안 들어서 부모님 몰래 꿀밤을 준 적이 있다. 이제 무슨 일이든 동생을 무시해야겠다.

고난도 서술형

07 〈보기〉를 참고하여 (나)에서 '뉴뉴'가 찾고 있는 대상과 그 대상에게 할 말을 쓰시오.

보기

강 한가운데에서 '완'이 '뉴뉴'가 가지고 있던 호리병박을 빼앗자 '뉴뉴'는 물에 빠지게 되고 '완'을 원망한다. 그러나 이후 '뉴뉴'는 '외할머니'의 이야기를 듣고 '완'의 진심을 알게 된다.

조건

① '뉴뉴'가 깨달은 내용을 포함하여 두 문장으로 쓸 것
② '뉴뉴'의 말투로 쓸 것

08 (라)의 시어에 대한 설명으로 적절한 것은?

① '풀잎'은 힘없고 여린 존재를 가리킨다.
② '꽃잎'은 고고하고 지조가 높은 존재를 가리킨다.
③ '너'는 초월적 존재를 가리킨다.
④ '들길'은 희망이 사라진 세상을 가리킨다.
⑤ '저녁놀'은 화자의 과거를 가리킨다.

09 ㉠~㉤ 중, [A]와 가장 비슷한 의미를 담은 내용으로 알맞은 것은?

① ㉠ ② ㉡ ③ ㉢ ④ ㉣ ⑤ ㉤

10~14 다음 글을 읽고, 물음에 답하시오.

가 아침마다 우리 여섯 형제는 제각각 하루의 시작을 위해 대전쟁을 치렀는데, 어머니는 항상 내 차지였다. 다리 혈액 순환이 잘되라고 두꺼운 솜을 넣어 직접 지으신 바지를 아랫목에 넣어 따뜻하게 데워 입히시는 일에서 시작하여 세수, 아침 식사, 그리고 보조기를 신기시는 일까지, 그야말로 완전 무장을 하고 나서 우리 모녀는 또 '학교 가기' 전투를 개시하는 것이었다.

초등학교 3학년 때까지 어머니는 나를 업어서 데려다 주셨지만, 그것으로 끝나는 게 아니었다. 화장실에 데려가기 위해 두 시간에 한 번씩 학교에 오셔야 했다.

그때 일종의 신경성 유뇨증 같은 것이 있었는지, 어머니가 오셨을 땐 가고 싶지 않던 화장실도 어머니가 일단 가시기만 하면 갑자기 급해지는 것이었다. 그 때문에 어머니는 항상 (㉠), 틈만 나면 학교로 뛰어오시곤 했다.

나 어머니와 내가 함께 걸을 때면 아이들이 쫓아다니며 놀리거나 내 걸음을 흉내 내곤 하였다. 지금 생각하면 신기하게도 초등학교에 들어갈 즈음에는 철이 없어서였는지 아니면 그 반대였는지, 적어도 겉으로는 그 놀림을 무시할 수 있었다. 오히려 일부러 보조기 구둣발 소리를 크게 내며 앞만 보고 걷곤 했다. / 그러나 어머니는 쉽사리 익숙해지지 못하셨다. 아이들이 따라올 때마다 마치 뒤에서 누가 총이라도 겨누고 있는 듯, 잔뜩 긴장한 채 머리를 꼿꼿이 쳐들고 걸으시다가 어느 순간 홱 돌아서서 날카롭게 "그만두지 못해! 얘가 너한테 밥을 달라던, 옷을 달라던!" 하고 말씀하시곤 하셨다.

다 그뿐인가, 걸핏하면 했던 수술과 수술 후 두세 달씩 이어졌던 병원 생활, 상급 학교에 갈 때마다 장애가 있다고 하여 입학시험을 보는 것조차 허락하지 않던 학교들……. 나 잘할 수 있다고, 제발 한 자리 끼워 달라고 애원해도 자꾸 벼랑 끝으로 밀어내는 세상에 그래도 악착같이 매달릴 수 있었던 것은 어머니 때문이었다.

㉡<u>어머니는 내 앞에서 한 번도 눈물을 흘리신 적이 없었고</u>, 그것은 이 세상의 슬픔은 눈물로 정복될 수 없다는 말 없는 가르침이었지만, 가슴속으로 흐르던 '엄마의 눈물'은 열 살짜리 딸조차도 놓칠 수 없었다.

10 이와 같은 글의 글감을 선정하는 기준으로 적절하지 <u>않은</u> 것은?

① 자신을 되돌아보았던 경험
② 자신의 장점이 잘 드러나는 경험
③ 독자에게 깨달음을 줄 수 있는 경험
④ 일상에서 자신의 마음을 움직인 경험
⑤ 다른 사람과 공유하고 싶은 의미 있는 경험

11 이 글을 통해 알 수 있는 내용으로 알맞지 <u>않은</u> 것은?

① '나'는 '어머니'의 도움 없이 학교에 가는 것이 힘들었다.
② '어머니'는 '나'를 위해 두 시간에 한 번씩 학교에 오셔야 했다.
③ '어머니'는 '나'가 마음의 상처를 입지 않도록 보호해 주셨다.
④ '나'는 입학시험이 어려워서 상급 학교에 진학하는 것에 실패했다.
⑤ '나'는 '나'를 놀리는 친구들 앞에서 당당하고 적극적인 모습을 보였다.

12 글쓴이를 차별하고 냉대했던 세상을 비유적으로 나타낸 표현을 (다)에서 찾아 4어절로 쓰시오.

13 ㉠에 들어갈 한자 성어로 가장 적절한 것은?

① 오매불망(寤寐不忘) ② 노심초사(勞心焦思)
③ 설상가상(雪上加霜) ④ 차일피일(此日彼日)
⑤ 역지사지(易地思之)

14 ㉡의 이유로 가장 적절한 것은?

① 세상에 대한 분노가 커서
② 울어도 위로해 줄 사람이 없어서
③ 어린 딸이 자만하게 하고 싶지 않아서
④ 눈물이 세상에서 가장 가치 없다고 생각해서
⑤ 딸에게 나약한 모습을 보여 주지 않기 위해서

창의적 사고력을 키우는

창의·융합

교과서 198~199쪽

실타래를 던질 때에는 받을 사람의 이름을 부르고, 눈을 보면서 실타래를 던져 보세요. 그리고 친구에게 전하고 싶은 마음을 솔직하게 이야기해 보세요.

창의 융합 | 도덕 | 미술 |

마음을 담은 실타래 주고받기

지난 1년 동안 우리 반 친구들과 겪은 일을 떠올려 보고, 그동안 친구에게 하지 못했던 말을 실타래와 함께 전해 보자. 친구에게 고마웠던 마음, 미안했던 마음 등을 서로 표현해 보면서 한 학년을 잘 마무리해 보자.

198 4. 성장으로

1 지난 1년 구들과의 추억을 떠올려 보고, 친구들에게 하고 싶은 말을 생각해 보자.

2 다음 활동 방법을 로 '마음을 담은 실타래 주고받기'를 해 보자.

>> 활동 방법

① 털실이 충분히 감긴 실타래 하나 준비하고, 반 친구 모두가 동그랗게 둘러앉는다.

② 실타래를 가진 사람이 실 끝을 잡고, 말을 건네고 싶은 사람에게 실타래를 던진다. 말을 건네고 싶은 사람이 실타래를 받으면 그 사람에게 미안했던 일이나 고마웠던 일 등 마음에 두었던 말을 한다.

③ 실타래를 받은 사람은 실타래를 던진 사람의 말을 듣고 자신의 마음을 말한다.

④ 실타래를 들고 있는 사람부터 다시 ②와 ③을 반복한다. 모두가 실타래를 받을 때까지 활동을 이어 가고, 이때 잡은 실 끝은 활동이 끝날 때까지 계속 잡고 있는다.

⑤ 마지막으로 실타래를 받은 사람이 남은 실타래를 잘라 낸다.

⑥ 오두가 잡고 있는 실로 현재 모두의 마음을 표현하는 모양을 만든다.

⑦ 전지에 모양을 만든 실을 붙이고, 그 밑에 모양에 대한 간단한 설명을 적는다.

⑧ 전지를 예쁘게 꾸미고, 전지 위쪽에는 멋진 제목을 적는다.

⑨ 전지에 꾸민 내용을 교실에 전시한다.

3 활동을 모두 마친 후 느낀 점을 나누어 보자.

창의 융합 199

이 활동은

학급 친구들과 함께 실타래를 주고받으며 서로의 마음을 전하는 활동입니다. 또한 실 가닥을 이용하여 예술 작품을 만드는 활동을 통해 자신의 생각을 창의적으로 표현하는 능력을 기를 수 있습니다.

마지막으로 실타래를 받은 학생이 남은 실타래를 자르고, 그 실로 상징적인 모양을 만들어 보세요. 그 실을 전지에 붙이고, 멋진 제목을 붙여 보세요.

한끝 교과서편 1-2 수록 목록

대단원	소단원	교재 쪽수	제재명	저자	출처
2. 간추리는 재미, 만나는 즐거움	소단원 (1)	047	사계절의 땅 원천강 오늘이	지은이 모름	신동흔 옮김, 『살아 있는 우리 신화』(한겨레출판㈜, 2004), 113~122쪽
		055	마을 학교에서 '마을학교'로	이희수	『마을을 말하다』(서울시 마을 공동체 종합 지원 센터, 2015), 121~131쪽
		060	2번 자료 글	장성익	『내 이름은 공동체입니다』(도서출판 풀빛, 2015), 273~276쪽
		061	먹을거리 문제, 농장 시장으로 해결하자	류강선	『중앙일보』, 2011. 3. 24.
	소단원 (2)	075	질문의 유형	이창덕 외	『삶과 화법』(도서출판 박이정, 2000), 309쪽
		076	면담을 잘하기 위한 요령	김명수	『인터뷰 잘 만드는 사람』(중앙생활사, 2012), 62~63쪽
3. 생각을 나누는 삶	소단원 (1)	094	프린들 주세요	앤드루 클레먼츠	햇살과 나무꾼 옮김, 『프린들 주세요』(㈜사계절출판사, 2001), 57~72쪽
	창의·융합	119	1번 자료 글	조현태	『한국장애인신문』, 2016. 8. 30.
4. 성장으로 가는 길	소단원 (1)	123	빨간 호리병박	차오원쉬엔	양태은 옮김, 『바다소』(도서출판 다림, 2005), 9~43쪽
		140	풀잎에도 상처가 있다	정호승	『수선화에게』(비채, 2015)
	소단원 (2)	146	엄마의 눈물	장영희	『내 생에 단 한번』(㈜샘터사, 2000), 107~111쪽
		151	수고했어, 오늘도	김윤주 작사	옥상달빛 1집 『28』(매직스트로베리, 2011)

한끝

정답과 해설

교과서편
중등 국어 1·2

책 속의 가접 별책 (특허 제 0557442호)
'정답과 해설'은 본책에서 쉽게 분리할 수 있도록 제작되었으므로
유통 과정에서 분리될 수 있으나 파본이 아닌 정상제품입니다.

visang

정답과 해설

비상교육 교과서편(김진수 외)

중등 국어 1-2

본책

정답과 해설

1 비판적으로 듣고, 매체로 표현하고

(1) 타당성 판단하며 듣기

학습 활동 본문 008~012쪽

이해 비판, 문화, 정우
적용 자치회, 단합

학습콕 본문 008~012쪽

010쪽 타당성, 근거, 오류

간단 체크 활동 문제 본문 008~012쪽

008쪽 **01** ② **02** 청소년의 연예계 진출을 제한해야 한다.
009쪽 **03** ② **04** ㄴ, ㄷ
010쪽 **05** ⑤ **06** 준서
011쪽 **07** ① **08** ② **09** ⑤
012쪽 **10** 의형제·의자매 제도를 실시하겠습니다.

01 이 만화의 학생은 상대방의 말을 무조건 수용해 문제를 겪고 있다. 따라서 다른 사람의 주장이 담긴 말을 들을 때 비판적으로 듣는 태도가 필요하다.

02 이 토론에서는 청소년의 연예계 진출을 제한해야 할지, 제한하지 말아야 할지를 두고 찬성과 반대 양측이 논쟁을 하고 있다.

03 '정우, 준서'는 찬성 측이고, '소연, 영재, 지민'은 반대 측이다.

04 '수미'는 학습권 보장을 이유(ㄴ)로, '정우'는 인성이 쉽게 변할 수 있다는 이유(ㄷ)로 청소년의 연예계 진출 제한을 찬성하고 있다.

05 '소연'은 청소년의 연예계 진출 제한을 반대하는 주장을 펼치며 연예인이 청소년들에게 좋은 영향을 준다는 근거를 들고 있다. 그러나 이러한 근거는 주장과 관련이 없다. '소연'이 제시한 근거는 '청소년의 연예인 팬덤 현상의 긍정적 측면'과 관련된 내용이다.

06 '공부 잘하고 똑똑한 수미가 찬성한다'는 근거는 주장과 관계없는 다른 정보에 영향을 받은 것이다.

07 이 말하기는 연설로, 연설자는 네 가지 공약을 내세워 청중에게 자신을 학생회장으로 뽑아 달라고 말하고 있다. 따라서 이 말하기의 목적은 설득이다.

08 입후보자가 실행할 것을 약속하는 공약을 여러 사람이 함께 제시해야 하는 것은 아니며, 개인이 제시한 의견이라도 근거가 타당하면 문제되지 않는다.

09 ⑤는 학생 자치회 활성화의 효과로, 네 번째 공약에 대한 근거로 제시된 것이다.

10 다른 학년의 선후배들과 의형제·의자매 제도를 실시하는 것(주장)과, 같은 반 친구들의 단합이 잘되는 것(근거) 사이에는 연관성이 없다.

압축 파일 본문 013쪽

❶ 합리 ❷ 주장 ❸ 연관성 ❹ 반대 ❺ 찬성
❻ 정보 ❼ 건의함 ❽ 일반화 ❾ 실천

시험에 나오는 소단원 문제 본문 014~015쪽

01 ③ **02** ④ **03** ⑤ **04** ③ **05** ⑤ **06** (가)의 공약과 연예인의 말 모두 주장과 근거 사이에 연관성이 없으므로 타당하지 않다. **07** ⑤ **08** ①

01 토론에서 상대방이 내세운 의견의 타당성을 판단하고자 할 때 얼마나 다양한 매체를 이용했는가는 고려해야 할 요소가 아니다.

02 '준서'의 주장은 반에서 가장 공부를 잘하고 똑똑한 '수미'가 그렇게 생각한다는 근거, 즉 주장과 관계없는 정보에 영향을 받은 것이므로 타당하지 않다.

03 '정우'의 주장은 친구 한 명의 경우를 전체로 일반화해서 결론을 이끌어 낸 것이므로 타당하지 않다. ⑤ 역시 한 종류의 일본 과자를 전체로 확대해 모든 일본 과자는 달다고 성급하게 일반화한 것이다.

오답 풀이 ① '차갑지 않으면 뜨겁다'는 흑백 논리에 의한 오류가 나타난다.
② 주장과 근거 사이에 연관성이 없다.
③ 증명할 수 없거나 알 수 없음을 근거로 들어 거짓이라고 추론하는 오류가 나타난다.
④ 신발에 대한 전문성과는 거리가 먼 '연예인'이라는 권위에 호소해 자신의 말이 옳다고 주장하는 오류가 나타난다.

04 이 토론에서는 청소년에게도 직업 선택의 자유가 있다는 근거(ㄹ)와 청소년만의 문화를 주도적으로 만들어야 한다는 근거(ㄷ)를 들어 청소년의 연예계 진출 제한을 반대하고 있다.

05 학생 자치회가 형식적으로 한 학기에 한 번 열린다는 것은 알 수 있지만 학생들의 문제를 누가 결정하는지에 대해서는 말하지 않았다.

오답 풀이 ① (나)에서 학교 곳곳에 건의함이 없으므로 이를 설치하겠다는 공약을 내세우고 있다.
② (라)에 현재 학생 자치회가 한 학기에 한 번, 형식적으로 열리고 있다는 것이 언급되어 있다.
③ (다)의 첫 문장에서 아침 식사를 못 하고 오는 학생들이 있음을 알 수 있다.
④ (가)에서 요즘 학생들이 대부분 형제자매가 없거나 있더라도 한둘뿐임을 근거로 들어 의형제·의자매 제도의 실시를 주장하고 있다.

06 서술형 해외에서 촬영한 것과 영화의 재미는 관련성이 없다. 다른 학년 간의 의형제·의자매 제도 또한 같은 반 친구들의 단합과는 관련이 없다.

07 (다)에서는 아침 식사를 하면 좋은 점을 설명하고 있지만, (나)에서는 건의함을 설치했을 때의 장점을 설명하고 있지 않다.

오답 풀이 ① (나)에서는 누리소통망(SNS)를 통해 얻은 자료를 근거로 제시하고 있다. 학교 학생들이 바라는 점을 직접 대답한 것이므로 이 자료는 현장성이 높다고 할 수 있다.
② (다)에서는 실제로 있었던 사건을 다루는 영상 기록물인 다큐멘터리를 보고 알게 된 내용을 근거로 제시하고 있다.
③ 세 명의 학생들이 건의한 사례를 일반화하여 결론을 이끌어 내었으므로 그 의견이 학생 다수의 의견을 대표한다고 보기 어렵다.
④ 전교생에게 매일 아침 식사를 제공한다는 것은 학생 수준에서 실천할 수 없는 공약이다.

08 ㉠, ㉡은 근거, ㉢, ㉣, ㉤은 주장에 해당한다.

(2) 인터넷 매체로 표현하기

학습 활동 　본문 016~024쪽

이해 문장 부호, 띄어쓰기, 전자 우편, 그림말, 신조어
적용 배경 음악

학습콕 　본문 016~024쪽

022쪽 실시간, 수용자, 어법, 배려

간단 체크 활동 문제 　본문 016~024쪽

016쪽 **01** ④
017쪽 **02** ③
018쪽 **03** ①
019쪽 **04** ④ 　**05** 왕자 탄 백마
020쪽 **06** ③ 　**07** ④
021쪽 **08** ⑤ 　**09** ④ 　**10** 표정이나 감정 등을 전달할 수 있다.
022쪽 **11** ① 　**12** ②
023쪽 **13** ④ 　**14** ⑤
024쪽 **15** ③

01 인터넷 게시판은 게시판이 있는 누리집으로 찾아가 글을 읽어야 한다. 전자 주소로 정보를 전달해 주는 매체는 전자 우편에 해당한다.

02 '유진'은 자신과 함께 학생 가요제에 참가할 친구를 찾기 위해 실시간으로 온라인 대화를 했다. 또한 가요제에서 부를 노래와 관련 정보를 찾기 위해 인터넷을 검색하다 원하는 음원 및 영상 자료가 게시된 블로그를 찾았다.

03 이 만화의 문자 메시지는 핵심 내용을 항목별로 나누어(ㄴ), 짧게 제시하였다(ㄱ).

04 전자 우편은 공적, 사적 목적을 가리지 않고 사용할 수 있다.

05 '왕자 탄 백마'는 확인되지 않은 사실을 댓글에 달아 상대를 비방하고 있다.

06 인터넷 매체는 정보의 생산자와 수용자의 구분 없이 정보를 자유롭게 주고받을 수 있으며, 생산자가 수용자를 지정하지 않고 정보를 전달할 수도 있다.

07 문자 메시지는 내용을 신속하게 또는 간결하게 전할 때 주로 이용한다.

08 (나)는 전자 우편으로, 가요제 예선 통과 사실을 알리는 공적인 목적으로 보냈으므로 존댓말을 사용하고 있다.

09 〈보기〉는 온라인 대화에서 주로 사용하는 축약된 표현으로 내용을 빠르게 전달하기 위한 것이지 상대를 존중하기 위한 표현이 아니다.

10 직접 대면하지 않기 때문에 온라인 대화로는 볼 수 없는 표정, 몸짓 등을 그림말을 통해 전달한다.

11 인터넷 매체에 글을 쓸 때는 비속어를 사용하지 말고(ㄱ) 상대방을 비방하지 말아야 한다(ㄴ).

12 '왕자 탄 백마'는 근거를 대지 않고 자신의 추측만으로 상대방을 비방하는 댓글을 달았다.

오답 풀이 ① 이름, 학교, 주소, 생년월일 등과 같은 개인 정보는 나타나지 않는다.
③ 해당 매체에서 실명 대신 대화명을 사용하는 경우가 많으며, 댓글의 내용 또한 모두가 알아야 하는 진실과 관계없다.
④ 항상 상대방의 말에 공감할 필요는 없다. 그러나 의견이 다를 경우에는 상대방을 존중하면서 자신의 의견을 드러내야 한다.
⑤ 해당 매체에서 개인적인 의견을 얼마든지 올릴 수 있다.

13 산악자전거를 타고 산속을 누비는 사람들을 동영상으로 보여 주면 자전거 타기의 즐거움을 시각적으로 간접 체험할 수 있을 것이다.

14 다른 사람의 블로그 자료를 가져올 때에는 반드시 원저작자인 블로그 주인의 허락을 받아야 한다.

15 인터넷상에서 글을 쓸 때에는 상대를 존중하고 배려하는 태도를 갖추어야 한다.

압축 파일 　본문 025쪽

❶ 블로그 　❷ 순서 　❸ 생략 　❹ 컴퓨터 　❺ 그림말 　❻ 존중 　❼ 출처

시험에 나오는 소단원 문제 　본문 026쪽

01 ④ 　**02** ④ 　**03** '순대될라', '왕자 탄 백마', 상대를 배려하지 않고 말한다. 　**04** ②

01 인터넷 매체는 문자뿐만 아니라 다양한 형태의 자료를 활용할 수 있다.

02 인터넷 게시판에서도 댓글을 통해 작성자와 이용자가 의사소통할 수 있다.

03 서술형 '순대될라'는 비속어를 사용하며 상대를 비하하고, '왕자 탄 백마'는 확인되지 않은 사실로 상대를 비방한다.

04 (다)는 문자 메시지로 정보를 신속하고 간결하게 전달하기 위해 내용을 짧게 썼으며, 문장 부호를 생략하여 쓰기도 한다.

(3) 책 읽고 영상으로 표현하기

학습 활동

본문 027~036쪽

이해 기획안, 자막, 첫사랑, 글, 시나리오, 촬영, 효과음, 정보

학습콕

본문 027~036쪽

027쪽 시나리오, 편집, 자막

032쪽 역할 분담, 그림, 거리, 각도, 편집

간단 체크 활동 문제

본문 027~036쪽

쪽			
027쪽	01 ⑤	02 ①, ④	
028쪽	03 ④	04 ①	
029쪽	05 ②	06 ⑤	
030쪽	07 ④	08 ②	
031쪽	09 ②	10 ③	11 '민우'가 '여름'을 좋아하는 마음을 정리하였음을 효과적으로 드러낸다.
032쪽	12 ③	13 ⑤	
033쪽	14 ④	15 ②	
034쪽	16 ④	17 ③	18 ⑤
035쪽	19 ①	20 ①	
036쪽	21 ②		

01 계획한 내용을 바탕으로 기획안을 작성한다. 이후 시나리오를 바탕으로 이야기판을 작성하고, 이를 바탕으로 촬영을 한다.

02 영상 언어 중 시각적 요소에는 영상, 자막 등이 있다.

03 주제, 목적, 갈래, 시청 대상 등은 만들려고 하는 영상의 내용이나 형식에 영향을 많이 끼치는 것으로 영상 제작 계획 사항에 포함되어야 한다. 그러나 홍보 방법은 영상을 제작한 후에 정하는 것이 적절하다.

04 기획안을 작성할 때는 '계획하기' 단계에서 결정된 내용을 구체적으로 쓴다.

오답 풀이 ② 영상의 주제는 계획하기 단계에서 정한다.
③ 시나리오 작성하기 단계에서 연기자의 대사나 동작 등을 글로 구체화한다.
④ 편집하기 단계에서 촬영한 영상에 음악이나 자막 등을 추가하여 하나의 작품으로 완성한다.
⑤ 이야기판 작성하기 단계에서 장면을 세분화하여 그림으로 표현하고 대사, 음악, 효과음, 자막 등의 정보를 정리한다.

05 촬영 장소의 섭외, 의상과 소품 준비는 '미술' 담당자가 할 일이다.

06 분위기를 조성하기 위하여 대사나 동작의 배경으로 연주하는 음은 효과음이 아니라 음악(배경 음악)이다. 효과음은 장면의 실감을 더하기 위하여 넣는 소리이다.

07 'S# 5-1'에는 인물의 대사나 해설 등을 설명하고 있지 않다.

오답 풀이 ① '장면 그림'을 통해 교실 안 모습을 보여 주고 있다.
② '촬영 방법'을 통해 반 전체 분위기가 드러나게 촬영하라는 점을 알려 주고 있다.
③ '장면 내용'을 통해 선생님과 학생의 행동을 알려 주고 있다.
⑤ '대사, 음악, 효과음, 자막'을 통해 밝고 경쾌한 음악과 의자가 바닥을 긁는 효과음을 제시하고 있다.

08 이야기판을 참고하여 시나리오를 작성하는 것이 아니라, 시나리오를 바탕으로 이야기판을 만든다.

09 (나)는 촬영기와 대상의 거리를 아주 가깝게 하여 촬영하였는데(ㄷ), 이는 '여름'을 보자마자 반한 '민우'의 심리를 드러내려는 것이다(ㄱ).

10 (다)는 촬영기를 대상보다 높은 위치에 놓고 촬영한 장면인데, 이를 통해 대상을 실제보다 작아 보이게 할 수 있다.

11 '여름'을 좋아해서 뛰던 심장이 멈추어 버림으로써 그러한 마음도 끝났음을 표현할 수 있다.

12 각 장면을 효과적으로 드러낼 수 있는 촬영 방식으로 찍는 것이 중요한 것이지 촬영 방식을 달리하는 것 자체는 중요하지 않다.

13 영상의 흐름과 구성은 시나리오를 작성할 때 결정되므로 제시된 내용은 시나리오 부문의 평가 기준으로 볼 수 있다.

14 학생들의 모둠이라는 점을 고려할 때 사건이 복잡하거나 분량이 많은 작품은 영상으로 제작하기 어려워 선정하기에 적절하지 않다.

15 〈보기〉는 책을 읽고 궁금한 점을 적은 내용에 해당한다.

16 책을 쓴 작가의 수상 내역은 친구들과 나눌 만한 의미 있는 책 읽기 경험이 아니다.

17 책을 읽는 경험을 모둠 구성원과 함께 나누면서 소설의 내용을 다양한 시각에서 깊이 있게 이해할 수 있게 된다.

18 영상의 주제, 목적, 시청 대상은 기획안을 작성하기 전 모둠별로 영상을 제작할 계획을 세울 때 정하는 것이 적절하다.

19 갈래, 줄거리(주요 내용) 등은 시나리오가 아니라 주로 기획안에 쓴다.

20 이야기판은 시나리오보다 장면을 더 잘게 나누어 장면 그림, 장면 내용, 촬영 방법, 대사, 음악, 효과음, 자막 등을 설명하는데(ㄴ), 이를 통해 촬영 장면과 순서를 이해하는 데 도움을 준다(ㄱ).

21 자막은 관객이나 시청자가 읽을 수 있도록 화면에 비추는 글자로, 촬영 의도와 상황에 대한 구체적인 정보를 분명하게 전달할 수 있다.

압축 파일

본문 037쪽

❶ 청각적 ❷ 기획안 ❸ 이야기판 ❹ 자막 ❺ 심리 ❻ 높은 ❼ 낮은 ❽ 효과음

시험에 나오는 소단원 문제

본문 038쪽

01 ① **02** ④ **03** ③ **04** ③ **05** 각도

01 어떤 갈래로 표현할 것인지는 편집하기 단계가 아니라 계획하기 단계에서 정해야 한다.

02 편집은 촬영한 영상에 음악, 효과음, 자막 등을 적절하게 넣어 하나의 작품으로 잘 완성하였는가를 평가해야 한다.

03 (가)는 시나리오, (나)는 이야기판으로 (가)에 비해 (나)가 장면을 더 잘게 나누어 제시한다.

04 ㉠은 효과음에 대한 것이므로 E.가 들어가야 한다. ㉡에는 대상의 일부를 화면에 크게 보이도록 촬영한다는 클로즈업이 들어가는 것이 적절하다.

오답 풀이 ① 오버랩은 앞 화면에 뒤의 화면이 포개어지는 기법을 말한다.
② 페이드인은 화면이 차차 밝아지는 기법을 말한다.
④ M.(Music)은 음악을 나타낸다.

05 서술형 ⓐ는 촬영기를 대상보다 높은 위치에 놓고 촬영하여 인물의 주눅 든 모습을 보여 주고, ⓑ는 촬영기를 대상보다 낮은 위치에 놓고 촬영하여 인물의 위엄 있는 모습을 보여 준다.

어휘력 키우기

본문 039쪽

01 ① **02** ③

01 '출마'는 선거에 입후보하는 것으로 ①에 어울리는 단어는 '공약'이다.

02 '홈페이지'는 '누리집'으로 순화할 수 있다. '쪽지창'은 '메신저'의 순화어이다.

시험에 나오는 대단원 문제

본문 040~042쪽

01 ② **02** ② **03** ⑤ **04** (가)와 (바)는 모두 근거와 주장 간에 연관성이 없기 때문에 타당하지 않다. **05** ④ **06** ② **07** ④ **08** ② **09** ⑤ **10** ⑤ **11** ⑤ **12** ② **13** 〈보기〉는 편집하기 단계로, 자막을 넣으면 영상을 통해 전하려는 바와 상황에 대한 구체적인 정보를 시청자에게 분명하게 전달할 수 있다. **14** ③

01 (나)의 근거는 '청소년 시기에 연예인이 되면 인성이 쉽게 변할 수 있다.'이다. ②는 근거가 아니라 주장이다.

02 (나)에서 '정우'는 자신의 친구 한 명의 사례를 들어 청소년 시기에 연예인이 되면 인성이 변한다고 성급하게 결론을 이끌어 내고 있다.

03 나라의 예산에는 한계가 있으므로 〈보기〉는 실현 불가능한 내용이다. (사) 역시 중학생 수준에서 실천할 수 없는 공약이라는 문제가 있다.

04 서술형 (가)는 연예인이 청소년들에게 긍정적인 영향을 준다는 근거와 청소년의 연예계 진출 제한을 반대한다는 주장 사이에 관련이 없다. (바)는 의형제·의자매 제도 시행과, 같은 반 친구들의 단합이 잘되는 것 사이에 연관성이 없다.

05 인터넷 게시판에 게시한 글도 언제든지 수정할 수 있으며, 다양한 자료를 첨부하여 이용자들이 내려받게 할 수 있다.

06 인터넷 매체는 불특정 다수에게 노출되기 쉬워 개인 정보 및 사생활 보장에 취약한 경우가 많다.

07 누리소통망(SNS)이나 블로그 등의 인터넷 매체에는 객관적 사실뿐 아니라 주관적 느낌도 쓸 수 있다.

08 〈보기〉의 문자 메시지와 비교할 때 (다)의 전자 우편은 분량의 제한이 거의 없고 신속하게 내용을 전달할 때 주로 쓰는 매체가 아니므로 띄어쓰기 원칙을 지키고 있다.

09 어법에 맞지 않는 줄인 말이나 신조어, 그림말 등을 지나치게 많이 사용하면 이런 표현을 잘 모르는 사람들과의 의사소통에 문제가 생길 뿐 아니라 우리말이 훼손되는 현상이 일어날 수도 있다.

10 이야기판은 화면 상황과 구도를 나타낸 문서로, 주요 장면을 시각화하여 보여 줌으로써 앞으로 촬영할 영상을 미리 떠올릴 수 있게 해 준다.

11 대사는 영상 언어 중 시각적 요소가 아니라 청각적 요소에 해당한다.

12 ⓑ와 같이 촬영기와 대상을 가깝게 하여 촬영하면 인물의 표정이 자세하게 나타나므로 인물의 심리를 드러내는 데 효과적이다.

13 고난도 서술형 촬영한 영상에 자막을 추가하여 구체적인 정보를 제공할 수 있다.

평가 목표	편집 요소의 역할 이해하기
채점 기준	✔ 자막의 역할과 '편집하기'라는 단계를 모두 바르게 쓴 경우 [상] ✔ 자막의 역할에 대한 내용이 다소 미흡하지만, '편집하기'라는 단계를 바르게 쓴 경우 [중] ✔ 자막의 역할과 '편집하기'라는 단계 중 한 가지를 쓴 경우 [하]

14 책을 선정하여 함께 읽고 경험을 나눈 후, 그 내용을 바탕으로 계획하고 이를 구체화하여 기획안을 작성한다. 영상의 내용인 시나리오와 그에 따른 이야기판을 작성한 후, 이를 바탕으로 촬영하고 편집하여 영상을 완성한다.

2 간추리는 재미, 만나는 즐거움

(1) 요약하며 읽기

간단 체크 개념 문제 본문 046쪽

1 (1) ○ (2) × (3) ○ **2** 신화 **3** ③

1 (2) 요약하기의 규칙 중, '삭제'는 덜 중요하거나 반복되는 내용, 예로 든 내용을 지우는 것을 말한다.

2 신화는 설화의 한 갈래로, 고대인의 생각이나 관점이 담긴 신성한 이야기이다. 신화의 주인공은 신적 능력을 지닌 존재로 초월적이고 비범한 능력을 발휘한다.

3 설명하는 글의 처음 부분에서는 설명 대상을 제시하며 설명의 목적 및 동기를 밝히고, 독자의 관심을 유도한다.

제재 ❶ 이야기

학습콕 본문 047~052쪽

047쪽	부모님, 신성
050쪽	원천강, 사계절
051쪽	장상, 여의주, 우물가
052쪽	문제, 문제, 집, 오늘이, 선녀, 신성성

간단 체크 내용 문제 본문 047~052쪽

047쪽	**01** ⑤ **02** 나의 부모님은 어떤 분일까? 어디에 계실까? **03** ④
048쪽	**04** ② **05** ③ **06** 맨 윗가지
049쪽	**07** ⑤ **08** 하늘에서 벌을 받아 여기서 매일 글을 읽게 되었지요. **09** ⑤ **10** ②
050쪽	**11** ⑤ **12** ⓐ: 봄, ⓑ: 여름, ⓒ: 가을, ⓓ: 겨울 **13** ⑤
051쪽	**14** ④ **15** 윗가지에 핀 꽃을 처음 보는 사람에게 주면 가지마다 꽃이 핀다. **16** ⑤
052쪽	**17** ④ **18** ③

01 (가)에 '오늘이'를 만난 마을 사람들이 오늘(만난 그날)을 생일로 삼고 이름도 '오늘이'라고 부르기로 하였다는 내용이 제시되어 있다.

02 마을에 들어와 살게 된 '오늘이'는 마을 사람들과는 달리 자신은 가족이 없는 외톨이라는 것을 깨닫고, 자신의 부모님이 누구인지, 어디에 있는지 고민한다.

03 (나)의 내용으로 보아, 원천강은 신관과 선녀가 된, '오늘이'의 부모님이 계신 곳이자, 사람들이 쉽게 갈 수 없는 초월적이며 신성한 공간임을 짐작할 수 있다. 하지만 (나)에서 원천강이 이상적 공간이라는 근거는 나타나지 않는다.

04 (다)~(마)로 보아, 이 이야기는 시간의 흐름과 공간의 이동에 따라 사건이 진행되고 있음을 알 수 있다.

05 (다)에 나타난 '장상'은 '오늘이'에게 도움을 준 인물로 흰모래 마을 별층당에 앉아서 밤낮으로 글만 읽어야 하며, 집 밖으로 나갈 수 없는 자신의 처지에서 벗어나고 싶어 한다. 원천강에 가기 위해 연꽃 나무를 만나야 하는 인물은 '오늘이'이다.

06 (라)에서 연꽃 나무는 삼월이면 꽃이 피는데 언제나 '맨 윗가지'에만 꽃이 피고 다른 가지에는 피지 않는다고 자신의 처지를 설명하고 있다.

07 (바)에서 '오늘이'는 큰 뱀의 등에 타고 청수 바다로 스며들어 길고도 험한 여행을 한 끝에 어느 낯선 땅에 이르게 된다.

08 (바)에 나타난 '매일이'의 설명으로 보아, '매일이'는 하늘에서 벌을 받아 길가 외딴 별층당에서 매일 글을 읽게 되었음을 알 수 있다.

09 (사)에서 선녀들은 우물물을 다 퍼야 하늘로 돌아갈 수 있지만, 두레박에 큰 구멍이 뚫려서 아무리 애를 써도 물을 퍼낼 수가 없기 때문에 울고 있다.

10 [A]에서 '오늘이'는 지혜로움을 발휘하여 선녀들의 문제를 해결해 준다.

오답 풀이 ①, ③ 용감함이나 독립심은 드러나지 않는다.
④ '오늘이'의 나머지 문제 해결과는 달리 이 경우는 '오늘이'가 원천강으로 가던 길에 선녀들의 문제를 바로 해결해 준 경우이므로, 약속을 지킨 것에 해당하지 않는다.
⑤ '오늘이'는 선녀들의 문제를 해결하기 위해 지혜로움을 발휘한 것일 뿐, 칭찬을 바라고 한 행동은 아니다.

11 (아)에서 '오늘이'의 부모님은 옥황상제의 명령을 받아 원천강을 지키게 된 것임을 알 수 있다.

12 (자)의 내용으로 보아, 원천강에 있는 네 개의 문은 사계절을 상징한다고 볼 수 있다.

13 '오늘이'가 부탁받은 일이 많아 돌아가겠다고 한 것과 부모님이 문제 해결의 답을 알려 주고 있는 것을 통해, 이후 '오늘이'가 오는 길에 부탁받은 문제들을 해결하러 돌아갈 것임을 짐작할 수 있다.

14 큰 뱀은 여의주 두 개를 뱉어서 '오늘이'에게 주고 나머지 하나만 입에 물자, 용이 되어 하늘로 날아오를 수 있었다.

오답 풀이 ① '오늘이'는 원천강에서 부모님을 만나고 다시 집으로 돌아가는 길에 가장 먼저 별층당에서 글을 읽고 있는 '매일이'를 만난다.
② '매일이'는 하늘에서 벌을 받아 외딴 별층당에서 매일 글만 읽고 있고 있는데, 언제나 이 신세를 면할지 궁금해한다. 이에 '오늘이'는 자신과 함께 가면 소원이 이루어질 것이라며 '매일이'를 데려간다.
③ '오늘이'는 원천강에 가기 위해 큰 뱀의 도움을 받아 청수 바다를 건넜는데, 다시 집으로 돌아가기 위해서는 다시 바다를 건너야 한다. 그래서 큰 뱀에게 자신과 '매일이'를 등에 태우고 바다를 건네주면 용이 될 수 있는 방법을 알려 주겠다고 한 것이다.
⑤ '오늘이'가 원천강으로 갈 때 가장 처음 만난 대상이 매일 글만 읽어야 하는 '장상'이었다. '매일이'도 하늘에서 벌을 받아 매일 글만 읽어야 하는 신세였는데, '오늘이'는 같은 처지인 '장상'과 '매일이'에게 부부의 연을 맺게 하여 두 사람의 문제를 동시에 해결해 준다.

15 (카)에서 연꽃 나무는 '오늘이'가 일러 준 대로, 윗가지의 꽃을 꺾어서 '오늘이'에게 준 이후, 가지마다 꽃을 피우게 된다.

16 '오늘이'는 원천강으로 가는 길에 울고 있는 선녀들을 만났으며, 그 자리에서 댕댕이덩굴로 구멍을 막고 송진을 녹여서 틈을 막아 두레박에 생긴 문제를 해결해 주었다. 그 이후에 '오늘이'는 선녀들에게 원천강으로 가는 길을 물었고, 도움을 받은 선녀들이 '오늘이'를 원천강으로 데려다준다.

17 '오늘이'는 옥황상제의 부름으로 하늘나라 선녀가 되어, 원천강을 돌보며 사계절의 소식을 세상에 전하는 일을 맡게 된다.

18 이 이야기의 결말에서 '오늘이'는 선녀가 되어 원천강을 돌보며 사계절의 소식을 세상에 전하는 일을 맡게 된다. 이는 '오늘이'가 부모님을 찾아가는 여행길은 곧 '오늘이'가 신성성을 획득하고 신적 존재가 되기 위한 필연적 과정이었음을 알 수 있다.

오답 풀이 ① 이 이야기에서 신과 인간 사이의 갈등은 제시되어 있지 않다.
② 신화가 한 민족의 범위에서 전승되며 민족 구성원들에게 자긍심을 준다는 특징이 있지만, 이 이야기는 국가의 기원을 다룬 신화가 아니므로 민족의 자긍심을 반영한 것과는 거리가 멀다.
④, ⑤ 이 이야기는 '오늘이'가 부모님을 찾아 여행을 떠나서 돌아오는 과정을 그리고 있을 뿐 세상의 혼란이나 인간들이 겪는 문제 상황은 제시되어 있지 않다.

간단 체크 어휘 문제

본문 047~052쪽

- 048쪽 (1) × (2) ○
- 050쪽 (1) 동정심 (2) 무성하다

학습 활동

본문 053~054쪽

이해 우물가, 부부, 용, 약속, 해결, 배려

간단 체크 활동 문제

본문 053~054쪽

- 053쪽 **01** ②, ④ **02** ④
- 054쪽 **03** ⑤ **04** ④

01 이 이야기의 특성을 고려할 때, 시간의 흐름과 공간(장소)의 이동을 중심으로 요약하거나, 주인공이 문제를 부탁받고 문제를 해결하는 구조에 따라 요약하는 것이 적절하다.

02 '매일이'가 알고 싶은 것은 하늘에서 받은 벌 때문에 매일 글을 읽는 신세에서 어떻게 하면 벗어날 수 있는가 하는 것이지, 결혼에 대한 것은 아니다.

03 〈보기〉에 제시된 과제는 이 이야기의 핵심 내용과 주제를 고려하여 글 전체를 압축적으로 요약하는 활동이다. 따라서 '오늘이'가 부모님을 찾아가는 과정과 이야기의 결말을 모두 다룬 ⑤가 가장 적절하다.

04 〈보기〉에는 끝까지 약속을 지키고자 하는 '오늘이'의 의지가 나타난다.

제재 ❷ 설명하는 글

학습콕 본문 055~057쪽

- 055쪽 마을학교, 관심, 공동체
- 056쪽 마을, 학교, 삶
- 057쪽 하나, 주인, 우산

간단 체크 내용 문제

본문 055~057쪽

- 055쪽 **01** ⑤ **02** ③ **03** 마을 주민들이 활동하는 공간
- 056쪽 **04** ④ **05** ⑤ **06** '마을학교'는 마을과 학교가 하나가 되는 것을 추구한다.
- 057쪽 **07** 마을학교 **08** ① **09** '마을학교'의 필요성을 강조하기 위해서이다.

01 (가)의 마지막 문장에서 요즘 사람들이 '마을'에 관심을 기울이는 이유가 제시되고 있다. '우리'가 아닌 '나', '협동'이 아닌 '경쟁'이 최우선의 가치가 된 현대인들은 콩 한 쪽도 이웃과 나누어 먹고, 네 일 내 일 할 것 없이 서로 도우며 살던 옛 공동체의 모습을 그리워하며 '마을'에 관심을 두게 된 것이다.

02 (다)에서 마을 주민이 '마을학교'의 주체이자 학습의 원천이 된다고 설명하고 있다.

03 (라)에서 주민 센터나 학교뿐만 아니라 마을에 있는 찻집, 도서관, 식당, 놀이터 등 마을 주민들이 활동하는 모든 공간이 '마을학교'가 될 수 있다고 하였다.

04 (마)의 중심 내용은 "'마을학교'는 마을 주민들이 서로 협력하고 소통하면서 삶의 질 향상을 목적으로 활동하는 것이다.'이다. 즉, (마)에서는 '마을학교'의 운영(활동) 목적이 마을 주민들의 삶의 질 향상에 있음을 설명하고 있다.

05 사회적 기업은 취약 계층에게 사회 서비스 또는 일자리를 제공하거나 지역 사회에 공헌함으로써 지역 주민의 삶의 질을 높이는 등의 사회적 목적을 추구하는 기업을 뜻한다. 이와 관련된 내용은 (바)에 제시되지 않았다.

06 (사)에서는 '마을학교'가 추구하는 방향이 중심 문장이라고 할 수 있다. 이에 해당하는 것은 "'마을학교'는 마을과 학교가 하나가 되는 것을 추구한다.'이다.

07 (아)에서는 '마을학교'의 역할을 우산에 비유하고 있다. '비'가 삶에서 오는 문제와 어려움을 의미한다면, '우산'은 이와 같은 문제와 어려움을 막아 주는 '마을학교'를 가리킨다.

08 제시된 내용은 (자)의 중심 내용이라고 할 수 있는 마지막 문장을 '선택'하고, 덜 중요한 부분을 '삭제'하여 요약한 것이다.

09 (자)에서 글쓴이가 코메니우스의 말을 인용한 까닭은 개인이나 크고 작은 사회가 모두 인류를 위한 학교라는 점을 부각함으로써, '마을학교'의 필요성을 강조하기 위한 것이다.

간단 체크 어휘 문제

본문 055~057쪽

056쪽 (1) 유대 (2) 운영 (3) 매개

학습 활동

본문 058~062쪽

이해 마을 주민, 학교, 가치
적용 본론, 결론

간단 체크 활동 문제

본문 058~062쪽

058쪽 **01** ③ **02** 마을 사람들의 행복한 삶을 위한 활동
059쪽 **03** ④ **04** ②
060쪽 **05** ② **06** ㉠: 요약 목적, ㉡: 요약 분량 **07** 청소년들이 서로 교류하고 소통하는 자유로운 공동체이다.
061쪽 **08** ④ **09** ②, ④
062쪽 **10** ③ **11** 농장 시장

01 제시된 내용은 (라)의 중심 내용이라고 할 수 있는 마지막 문장을 '선택'해서 요약하고, 마지막 문장 중에서 구체적인 예에 해당하는 부분은 '삭제'한 것이다.

02 ⓐ~ⓕ에 해당하는 항목들은 '마을학교'에서 시행하는 구체적인 활동들이자, 모두 마을 사람들의 행복한 삶을 위한 활동이다. 따라서 ⓐ~ⓕ를 '마을 사람들의 행복한 삶을 위한 활동'으로 일반화할 수 있다.

03 1-(1) 활동은 이 글에 제시된 각 문단의 중심 내용을 요약하는 것이다.

04 이 글의 처음에서는 최근 사람들이 '마을'과 '마을학교'에 관심을 기울이는 까닭이 드러나며, 가운데 1에서는 '마을학교'의 개념이, 가운데 2에서는 '마을학교'가 추구하는 방향과 그 역할이 제시되어 있다. 마지막으로 끝에서는 '마을학교'에 대한 글쓴이의 기대가 드러난다.

05 설명하는 글은 설명하는 대상에 대한 정보를 중심으로 요약하거나(ㄷ), '처음-가운데-끝'의 구성 단계별로 요약하는 것이(ㄱ) 적절하다.

오답 풀이 ㄴ은 주장하는 글을 요약하는 방법이고, ㄹ은 이야기를 요약하는 방법이다.

06 ㉠은 요약의 목적에 해당하는 내용이고, ㉡은 요약할 내용의 구체적인 분량에 해당하는 내용이다.

07 제시된 글에서는 부산에 있는 '○○○ 서원'이 단순한 서점이 아니라, 청소년들이 서로 교류하고 소통하는 자유로운 공동체임을 설명하고 있다.

08 이 글에서는 농민 노천 시장의 문제점을 극복할 수 있는 대안으로 '농장 시장'을 제시하고 있다. ④는 (가)에서 제시된 농민 노천 시장에 대한 설명이다.

오답 풀이 ① 이 글은 독자를 설득하는 것을 목적으로 하는 주장하는 글이다.
②, ③ (나)~(라)는 본론 부분으로, '농장 시장을 활성화하자.'는 주장에 대한 근거를 제시한 문단들이다. 이 부분에서는 농촌의 일손 부족 문제 해결, 믿을 수 있는 먹을거리 제공, 유통 단계 축소로 얻는 경제적 이익에 대한 내용을 제시하고 있다.
⑤ 서론 부분인 (가)에서 농민 노천 시장에 대한 문제를 제기하고, 본론 부분인 (나)~(라)에서 농장 시장의 장점을 내세우고 있다.

09 농장 시장을 운영함으로써 (나)에서는 농촌의 부족한 일손 문제를 해결할 수 있고, (다)에서는 소비자가 믿을 수 있는 먹을거리를 제공할 수 있고, (라)에서는 유통 단계를 줄여 생산자와 소비자에게 경제적 이익을 줄 수 있다고 하였다.

10 주장하는 글을 요약할 때는 주장과 근거로 나누어 요약하거나, '서론-본론-결론'이라는 글의 구성 단계에 따라 요약하는 것이 바람직하다. 덧붙여 설명하는 내용이나 예로 든 내용은 삭제하는 것이 적절하다.

11 ㉠을 포함한 문장은 (마)의 중심 내용이고, ㉡을 포함한 문장은 이 글 전체의 주장에 해당한다. (마)의 중심 내용은 농장 시장 확대의 필요성에 대한 글쓴이의 주장이고, 이 글 전체의 주장은 '농촌 경제를 살리고, 먹을거리 문제도 해결하기 위해 농장 시장을 활성화하자.'이다. 따라서 ㉠과 ㉡에는 공통적으로 '농장 시장'이 들어가야 한다.

압축 파일

본문 063쪽

❶ 해결 ❷ 사계절 ❸ 윗가지 ❹ 용 ❺ 선녀들
❻ 주체 ❼ 활동

시험에 나오는 소단원 문제

본문 064~065쪽

01 ④ **02** ③ **03** ② **04** 여의주, 연꽃 **05** ②
06 ② **07** ④ **08** 농장 시장은 농촌의 부족한 일손 문제를 해결할 수 있다.

01 이 글은 설화의 한 갈래인 신화로, 신관과 선녀의 딸인 '오늘이'라는 인물이 위기와 어려움을 극복하고 선녀가 되는 과정을 담고 있다. ④는 설화의 한 갈래인 민담의 특징에 해당한다.

02 (나)와 (다)는 부모님을 찾기 위해 홀로 원천강으로 떠나는 '오늘이'의 행동이 나타나 있다. 이를 통해 용감하고 독립심이 강한 '오늘이'의 면모를 확인할 수 있다.

03 (다)에서는 '장상'이 자신이 처한 상황에서 벗어날 방법을 '오늘이'에게 알아봐 달라고 부탁하고 있으며, (라)에서는 '오늘이'가 '장상'의 부탁을 해결해 주고 있다. 따라서 (다)와 (라)는 내용 전개상 문제와 문제 해결의 구조로 엮여 있음을 알 수 있다.

04 서술형 '오늘이'가 큰 뱀에게서 받은 여의주와 연꽃 나무에게서 받은 연꽃은, 선녀가 된 '오늘이'의 신성성을 드러내는 소재이다.

05 (가)~(라)는 '마을학교'의 개념과 역할에 대해 설명하는 글이고, (마)는 농장 시장 확대의 필요성을 주장하는 글이다. 따라서 (가)~(라)는 정보 전달을 목적으로 쓴 글이며, (마)는 설득을 목적으로 쓴 글임을 알 수 있다.

06 (다)에서 '마을학교'가 일반적인 학교 시설의 틀에서 벗어나며, 마을 주민들이 활동하는 모든 공간이 '마을학교'일 수 있음을 설명하고 있다.

07 (다)의 중심 내용은 마지막 문장에 있으므로, 이 문장을 '선택'하고 구체적인 예에 해당하는 부분은 '삭제'하는 방법으로 요약할 수 있다. 따라서 구체적인 예를 추가할 필요는 없다.

오답 풀이 ① 하나의 문단을 한 문장으로 요약할 때에는 먼저 중심 문장이 있는지, 있다면 어느 부분인지 찾아야 한다.
② (다)에서 마지막 문장이 문단의 중심 내용을 담고 있다.
③ (다)의 마지막 문장에 중심 내용이 나타나 있으므로, 이 문장을 '선택'해서 요약한다.
⑤ (다)를 요약하면 '마을 주민들이 활동하는 공간이면 모두 '마을학교'가 될 수 있다.'가 된다.

08 서술형 (마)는 글 전체에서 '근거 1'에 해당하는 부분으로, 농장 시장을 통해 농촌의 부족한 일손 문제를 해결할 수 있음을 근거로 제시하고 있다.

(2) 질문을 준비하여 면담하기

간단 체크 개념 문제

본문 066쪽

1 (1) × (2) ○ (3) × 2 대상, 목적 3 ⑤

1 (1) 면담은 특정 대상을 직접 만나서 이야기나 의견을 나누는 것을 말한다.
(3) 면담의 질문을 작성하기 전에, 먼저 면담 대상을 정해야 한다.

2 면담 대상이 누구인지에 따라 면담 내용이 달라질 수 있으므로, 면담 대상을 정할 때에는 면담의 목적이나 주제에 적합한 인물을 섭외해야 한다.

3 ⑤는 면담 준비 단계가 아니라, 면담을 진행하는 중에 하는 행동이다.

학습 활동

본문 067~077쪽

이해 평가, 상담, 정보, 허락, 직업, 식재료, 체력

학습콕

본문 067~077쪽

068쪽 의견, 정보
074쪽 대상, 질문

간단 체크 활동 문제

본문 067~077쪽

067쪽 01 ③ 02 정보 수집
068쪽 03 학교 신문에 마을 신문을 소개하기 위해서이다.
04 ⑤ 05 ④
069쪽 06 ①, ③ 07 요리 예술사 08 ③
070쪽 09 대상, 날짜 10 ④
071쪽 11 ③ 12 ③
072쪽 13 ④ 14 ④
073쪽 15 ③ 16 ④
074쪽 17 ④ 18 ②
075쪽 19 '커피 전문가'라는 직업을 알아보기 위해서 20 ③
076쪽 21 ③ 22 ⑤ 23 ②
077쪽 24 ⑤

01 면담의 목적은 정보 수집, 상담, 평가, 설득 등으로 다양하지만, 친교를 맺거나 나누기 위해 면담을 하지는 않는다.

02 제시된 상황에서는 '민수'가 만화가를 직접 면담하며 만화에 대한 질문을 하고 있으므로, 이 면담이 정보 수집을 목적으로 한 것임을 알 수 있다.

03 (가)에서 '지민'은 마을 신문 편집장님을 면담해서 학교 신문에 소개하면 어떨지 묻고 있다. 즉, '지민'은 마을 신문에 대한 정보를 학교 신문에 소개할 목적에서 면담을 하려는 것이다.

04 (가)에서는 '지민'이 마을 신문 편집장님을, (나)에서는 '준서'가 지호 어머니를 면담하고자 한다. 그러므로 (가)와 (나)의 면담 대상(피면담자)은 각각 마을 신문 편집장과 지호 어머니이다.

05 '지민'은 학교 신문에 마을 신문을 소개하고자 하므로 ㄱ, ㄷ과 같은 질문을 준비할 수 있고, '준서'는 자신의 고민을 상담하고자 하므로 ㄴ, ㄹ과 같은 질문을 준비할 수 있다. 이처럼 면담의 목적에 따라 질문할 내용이 달라진다.

06 이 대화에서 '정우'와 친구들은 면담의 목적(요리 예술사에 대한 정보 수집)과 대상(요리 예술사)을 정하고, 면담 대상을 섭외할 방법(전자 우편 이용)에 대해 말하면서 면담 전에 준비해야 할 사항들(질문 정리, 역할 나누기)을 계획하고 있다. 면담 시기나 올바른 면담 태도 관련 내용은 나타나지 않는다.

07 이 대화에서 '정우'와 친구들은 요리 예술사라는 직업에 대해 알아보기 위해 요리 예술사에게 허락을 받고 그와 면담하려는 계획을 세운다.

08 면담한 내용을 목적에 맞게 정리하는 것은 실제 면담을 완료한 후에 해야 하는 일이다.

09 '정우'가 전자 우편을 보낸 이유는 면담 대상자인 요리 예술사 선생님과의 면담이 가능한지 여부를 확인하고, 구체적인 면담 일정을 잡기 위해서이다.

10 이 면담의 목적은 요리 예술사라는 직업에 대한 정보를 얻기 위한 것이다. '요리 예술사들이 주로 갖는 취미는 무엇인가요?'라는 질문은 이 면담의 목적에 맞지 않는 질문이다.

11 이 면담에서 요리 예술사가 되기 위해서 관련 학원이나 대학의 전공 학과에서 전문적으로 배울 수도 있다고 언급하고 있지만, 그것이 반드시 대학에서 요리를 전공해야 한다는 의미는 아니다.

오답 풀이 ① '요리 예술사가 되려면 어떻게 해야 하나요?'라는 질문에 요리 예술사가 되기 위해 음식이나 식재료에 대한 공부를 하면 도움이 많이 된다고 답하고 있다.
②, ⑤ 요리 예술사는 주로 어떤 영역에서 활동하는지를 묻는 질문에 요리 예술사는 음식과 관련된 모든 분야에서 활동할 수 있다고 하며, 요즘은 행사 음식 기획이나 새로운 식단 개발 등 여러 방면에서도 활동한다고 답하고 있다.
④ '요리 예술사는 주로 어떤 일을 하나요?'라는 질문에 요리 예술사는 요리를 예술로 승화하는 요리의 예술가라고 하며, 요리를 아름답게 표현해서 상품 가치를 높이는 일을 한다고 답하고 있다.

12 ㉢은 '요리 예술사는 주로 어떤 일을 하나요?'라는 질문에 대한 대답을 들은 뒤에 추가적인 대답을 요청하는 것이므로, 부차적 질문의 성격을 지닌다고 볼 수 있다.

오답 풀이 ① ㉠은 면담 대상에게 허락을 구하는 것에 해당하다.
②, ④, ⑤ ㉡, ㉣, ㉤은 질문자가 일차적으로 묻고자 했던 핵심적 내용을 담은 질문이다.

13 이 면담에서 요리 예술사는 음식 모양새를 꾸미는 것에만 치중하기보다는 먼저 음식이나 식재료의 특성을 잘 알아야 한다고 말하고 있다.

14 [A]에서 '나라'와 '정우'는 면담 대상에게 예의를 갖추어 감사 인사를 전하며 면담을 마무리하고 있다.

15 '요리 예술사가 즐겨 찾는 음식점'은 이 면담의 목적에 맞지 않는 주제로, '나라'와 '정우'는 이에 대해 묻지 않았다.

16 '정우'의 질문에 대해 요리 예술사는 '한곳에서 꾸준히 배우고 일한다면 언젠가 그 일을 즐길 수 있을 때가 올' 것이라고 조언하고 있다.

오답 풀이 ① 요리 예술사는 음식과 관련된 일을 하고 싶다면 적어도 편식하지 말아야 한다고 답하고 있다.
② 요리 예술사는 육체적으로 많은 에너지가 필요하며 오랜 시간을 투자해야 하므로 기초 체력을 쌓아 둘 필요가 있다고 답하고 있다.
③ 요리 예술사는 음식 관련 전시회, 도서, 자료 등에서 보고 배운 것들을 자기 것으로 소화할 수 있도록 꾸준히 공부하는 자세가 필요하다고 답하고 있다.
⑤ 요리 예술사는 여러 음식을 접해 보면서 식재료 고유의 맛과 요리 방법 등을 알아 가는 것이 중요하다고 답하고 있다.

17 면담을 하다가 궁금한 점이 생기면 질문지에 없던 질문이라도 추가 질문을 해서 면담 효과를 높이는 것이 좋다.

18 ㄱ은 동아리 회원 지원자를 평가하기 위한 면담에 해당하고, ㄹ은 학교 상담 선생님과 상담하기 위한 면담에 해당한다.

오답 풀이 ㄴ은 제빵사라는 직업에 대한 정보 수집을 목적으로 하는 면담이고, ㄷ은 방학에 가족 여행을 가자는 설득을 목적으로 하는 면담이다.

19 전자 우편의 내용으로 보아, 학생이 커피 전문점 사장님을 면담하려는 목적이 '커피 전문가'라는 직업에 대해 알아보려는 것임을 알 수 있다.

20 면담의 질문은 면담의 목적과 면담 대상에 맞게 준비해야 한다. '커피 전문가'가 되기 전의 꿈을 묻는 질문은 이 면담을 하려는 목적과 직접적인 연관성이 없으며, 면담 대상에 대한 예의에도 어긋날 수 있다.

21 면담 계획서 작성은 면담 전에 준비 사항을 계획하는 활동이며, '면담 답변 정리'는 면담이 끝난 후 정리하기 과정에서 진행한다. 면담 계획서에는 면담 목적, 면담 대상, 면담 일시 및 장소, 면담 준비물, 면담 질문 내용 등을 담을 수 있다.

22 실제 면담을 할 때에 면담 대상이 꺼리는 내용은 일단 피하고 넘어가는 것이 좋다. 면담 대상이 원하지 않는 질문을 무리해서 할 경우, 면담의 분위기가 망가져 면담 자체를 성공적으로 마치기가 어렵게 된다.

오답 풀이 ① 질문자는 면담에 들어가면서 겸손한 자세로 자기소개를 먼저 하고, 면담을 하는 까닭과 목적을 분명히 밝힐 필요가 있다.
② 질문자는 면담 진행 중에 면담 대상의 사소한 말과 행동에도 신경을 쓰며 면담 대상이 말하기 편한 분위기를 만들 필요가 있다.
③ 질문자는 면담을 준비하면서 면담의 목적과 면담 대상을 정하고, 면담의 주제에 대한 사전 정보를 수집해야 한다.
④ 질문자는 면담 대상과 눈을 맞추어 신뢰감을 주고, 질문 내용을 잘 이해할 수 있도록 분명하게 말해야 한다.

23 면담의 절차를 고려할 때, 면담을 진행한 이후에는 면담한 내용을 목적에 맞게 정리해야 한다.

24 면담을 준비할 때 면담 목적에 맞게 질문지를 작성하여 면담 대상에게 보내면 면담을 알차게 진행할 수 있다. 면담을 할 때에 면담 대상의 답변 내용이 충분하지 않을 경우에 추가적인 질문을 할 수는 있지만, 예상치 못한 질문을 하는 것은 예의에 어긋나는 행동이다.

압축 파일

본문 078쪽

❶ 이야기 ❷ 질문 ❸ 목적 ❹ 대상 ❺ 정보
❻ 능력 ❼ 경청

시험에 나오는 소단원 문제

본문 079~080쪽

01 ① **02** 준서, 상담 **03** ④ **04** ③ **05** ③ **06** ②
07 ① **08** ④ **09** ⓐ: 면담의 목적을 밝힘, ⓑ: 감사 인사를 함

01 〈보기〉는 용돈을 정기적으로 받고 싶어 하는 딸과 아빠의 면담 상황이므로, 면담의 목적은 딸이 아빠를 설득하는 데 있다.

02 서술형 (나)는 '준서'가 자신의 고민을 상담하기 전의 상황을 담고 있다. 이 내용을 통해 〈보기〉는 '준서'의 고민을 상담하기 위한 면담에서 할 수 있는 질문임을 알 수 있다.

03 (나)에서 '준서'가 '지민'에게 자신의 고민을 말하자, '지민'이 '준서'에게 '지호 어머님'께 상담을 해 보라고 권유하고 있다. ㉣은 '준서'가 면담을 시작하는 부분이 아니라, '지민'에게 자신의 고민을 말하는 부분이다.

04 면담을 하면서 녹음을 하고 사진을 찍는 것은 실제 면담을 진행하는 중에 해야 하는 일이다.

05 면담을 하기 전에 전자 우편을 보내는 것은 면담 대상을 섭외하기 위해서이다. 또한 면담의 목적을 밝히고 준비된 질문을 미리 전달하며, 면담 장소와 시간을 문의한다.

06 면담 전에 면담 대상이나 면담 주제에 대해 사전 조사를 하다 보면, 자칫 면담 대상에 대한 선입견이나 편견이 생길 수 있다. 하지만 이와 같은 생각으로 면담을 진행하면 면담 결과를 망칠 수도 있으므로 유의해야 한다.

07 이 대화는 요리 예술사를 면담한 내용으로, 요리 예술사라는 직업에 대한 정보 수집이 목적이다.

오답 풀이 ②, ④ (가)에서 '정우'가 이 면담에서 요리 예술사를 대상으로 '요리 예술사란 어떤 직업인가?'에 대한 정보를 얻고 싶다고 밝히고 있다.
③ (가)는 면담의 시작, (나)~(다)는 면담의 진행, (라)는 면담 마무리에 해당하는 내용인데, 이를 통해 이 대화가 실제 면담 과정을 따르고 있다는 것을 알 수 있다.
⑤ 이와 같은 면담을 통해 요리 예술사에 대한 많은 정보를 얻어 이 직업에 대해 간접적으로 경험할 수 있다.

08 이 면담은 요리 예술사라는 직업에 대한 정보를 수집하기 위한 면담인데, ④는 이러한 면담의 목적에서 벗어난 질문이다.

09 서술형 (가)는 면담의 시작 부분으로, 간단한 인사와 자기소개를 하며 면담의 목적을 밝힌다. (나)~(다)는 질문과 대답을 하며 본격적으로 면담이 진행되는 부분이다. (라)는 면담의 마무리 부분으로, 면담 대상에게 감사 인사를 한다.

어휘력 키우기

본문 081쪽

01 ②

01 '움'은 '풀이나 나무에 새로 돋아 나오는 싹'을 의미한다. ②의 문장에서는 새싹이나 잎이 아닌, 꽃이 활짝 핀 것을 표현하고 있으므로 '움'을 사용하는 것이 적절하지 않다.

시험에 나오는 대단원 문제

본문 082~084쪽

01 ④ **02** ④ **03** ⑤ **04** 초월적 공간이자 신성한 공간이다. **05** ② **06** 재구성, (가)에는 뚜렷한 중심 문장이 없으므로, 문단의 내용을 재구성해서 중심 문장을 새로 만들어야 하기 때문이다. **07** ④ **08** ② **09** ④ **10** ④ **11** ⑤

01 이 이야기에서 '오늘이'가 어떤 일을 상상하고 있지는 않으므로 상상한 일과 실제로 겪은 일을 구분할 필요가 없다.

오답 풀이 ① 이야기와 같은 서사 문학은 인물, 배경, 사건을 중심으로 요약하는 것이 바람직하다.
②, ⑤ 이 이야기는 시간의 흐름과 공간의 이동에 따라 사건이 전개되고 있으므로, 이에 따라 요약하는 것이 바람직하다.
③ 이 이야기에는 문제와 문제 해결의 구조가 나타나므로, 이에 따라 요약하는 것이 바람직하다.

02 (마)의 내용을 통해 '오늘이'는 부모님의 일과 관계없이 옥황상제의 부름을 받아 원천강을 지키고 사계절의 소식을 전하는 선녀가 되었다는 것을 알 수 있다.

오답 풀이 ① (가), (나)의 내용을 통해 '오늘이'가 부모님을 찾아 원천강으로 떠난 것을 알 수 있다.
② (다)의 내용을 통해 '오늘이'가 지혜를 발휘해서 선녀들의 문제를 해결해 주고 있음을 알 수 있다.
③ (라)의 내용을 통해 '오늘이'가 '장상'에게 '매일이'와 부부의 연을 맺으면 된다고 알려 줌으로써 '장상'의 문제를 해결해 주고 있음을 알 수 있다.
⑤ (나)의 내용을 통해 '장상'이 '오늘이'가 원천강으로 갈 수 있도록 도움을 주고 있음을 알 수 있다.

03 (마)의 결말 부분에서 '오늘이'는 옥황상제의 부름을 받아 하늘나라의 선녀, 즉 신적 존재가 된다. 따라서 이를 영웅 설화(신화) 구조 중 '위대한 업적 달성'에 해당한다고 볼 수 있다.

04 서술형 (가)에서 원천강은 신관과 선녀가 지키는 곳이며, 사람이 갈 수 없는 멀고 먼 곳으로 제시되어 있다. 이로 보아, 원천강은 현실을 벗어난 초월적이고 신성한 공간임을 짐작할 수 있다.

05 (가)~(나)는 설명하는 글이므로 설명 대상에 대한 정보를 중심으로 요약할 수 있고, (다)~(마)는 주장하는 글이므로 주장과 근거를 중심으로 요약할 수 있다.

06 고난도 서술형 (가)는 최근에 사람들이 마을에 관심을 기울이게 된 까닭을 설명하는 부분이다. 하지만 (가)에서는 뚜렷한 중심 문장이 나타나지 않으므로, 내용을 재구성하여 요약하는 것이 적절하다.

평가 목표	요약 규칙의 적용 이해하기
채점 기준	✔ 적절한 규칙을 찾고, 이유까지 모두 쓴 경우 [상] ✔ 적절한 규칙은 찾지 못했으나, 이유를 쓴 경우 [중] ✔ 적절한 규칙은 찾았으나, 이유를 쓰지 못한 경우 [하]

07 (마)에서 글쓴이는 어려운 농촌 경제를 살리고, 먹을거리 문제를 해결하기 위해 농장 시장을 확대해야 한다고 주장하고 있다. 어려운 농촌 경제는 생산자와 관련된 내용이고 먹을거리 문제는 소비자에게 관련된 내용이므로, 농장 시장을 활성화하는 것은 생산자와 소비자 모두에게 이로운 방법이다.

08 (나)에서 ㉡의 '마을학교 활동'은 ㉠, ㉢, ㉣, ㉤과 같은 여러 가지 구체적인 활동들을 포괄하는 개념이다.

09 (가)에서 '준서'는 '지민'에게 고민이 생겼다고 말하고, '지민'은 '준서'에게 청소년 상담을 받아 보라고 말하고 있다. 이를 통해 '준서'의 면담 목적이 고민 상담임을 알 수 있다.

10 (나)에서는 학생들이 자신들의 면담 목적에 맞게 면담 대상을 정한 것이지, 면담 대상이 아직 면담을 허락한 것은 아니다. 따라서 전자 우편을 보내는 우선적인 목적은 면담 요청에 있다.

11 '정우'는 요리 예술사가 하는 일에 대한 답변을 들은 후, 더 구체적으로 알고 싶은 내용에 대해 ㉤을 통해 보충 질문을 하고 있다. 따라서 답변이 만족스럽지 못해서 화제를 돌렸다는 판단은 적절하지 않다.

3 생각을 나누는 삶

(1) 언어의 본질

간단 체크 개념 문제

본문 088쪽

1 의사소통　2 (1) × (2) × (3) ○　3 ①

1 언어는 형식적 요소인 말소리나 문자에 내용적 요소인 의미가 결합되어 생각이나 마음을 전달하는 대표적인 의사소통의 수단이다.

2 (1) 언어의 말소리와 의미 사이에는 필연적인 관계가 없다(언어의 자의성). (2) 한정된 낱말로 새로운 문장을 무한대로 만들어 사용할 수 있다는 언어의 특성은 창조성이다.

3 언어의 말소리와 의미의 관계는 자의적이므로 같은 뜻을 나타내는 말이라도 나라마다 다르게 표현된다.

학습콕

본문 089~092쪽

089쪽 필연적, 말소리　090쪽 약속
091쪽 변함, 즈믄, 어리석다　092쪽 새로운, 바람

간단 체크 내용 문제

본문 089~092쪽

089쪽 01 언어의 자의성　02 ④
090쪽 03 ①　04 ③
091쪽 05 언어의 역사성　06 ②
092쪽 07 ⑤　08 ⓐ: 새로운 문장, ⓑ: 창조성

01 동일한 대상인 '집'을 나라마다 다르게 표현하는 이유는 언어의 말소리와 의미 사이에 필연성이 없기 때문이며, 이와 관련 있는 언어의 특성은 '자의성'이다.

02 언어의 내용이란 뜻을, 형식이란 말소리를 의미한다. 말소리와 뜻이 필연적으로 연결된 관계라면 다양한 대상은 각각 다른 말소리로 표현될 것이다. 다양한 대상을 하나의 말소리로 표현할 수 있다는 것은 언어의 말소리와 뜻 사이에 필연적인 관계가 없다는 것을 보여 준다.

오답 풀이 ①, ③, ⑤ 말소리와 뜻의 관계가 필연적이라면 뜻과 말소리는 일대일로 대응할 것이므로 모든 나라, 모든 지역에서 같은 말을 사용하게 될 것이다.
② 동의어는 뜻이 같은 낱말들을 일컫는데, 말소리와 뜻의 관계가 필연적이라면 뜻이 같으면서 말소리가 다른 낱말이 존재할 수 없다.

03 언어는 그 언어를 사용하는 사람들 사이의 약속이므로 '민지'처럼 단어를 마음대로 바꾸어 사용하면 다른 사람과의 의사소통에 문제가 생기게 된다.

04 언어는 한 사회를 구성하는 사람들 사이의 사회적 약속이기 때문에 어느 한 개인이 마음대로 바꾸어 사용할 수 없는데, 이를 언어의 사회성이라고 한다.

05 〈보기〉는 시간의 흐름에 따라 다른 말로 대체되어 더 이상 쓰이지 않는 말의 예를 보여 준다. 이와 같이 언어가 시간의 흐름에 따라 변한다는 언어의 특성을 '역사성'이라고 한다.

06 언어의 역사성은 언어가 시간의 흐름에 따라 끊임없이 변한다는 특성을 뜻한다.

오답 풀이 ① 언어의 규칙성에 대한 설명이다.
③ 언어의 자의성에 대한 설명이다.
④ 언어의 분절성에 대한 설명이다.
⑤ 언어의 창조성에 대한 설명이다.

07 '희망'이라는 낱말을 활용해 새로운 문장을 끊임없이 만들 수 있다는 것은 언어의 창조성을 보여 주는 예이다.

08 서로 다른 문장에 쓰인 단어를 조합하여 새로운 문장을 만드는 것은 새로운 낱말이나 문장을 끊임없이 만들어 사용할 수 있다는 언어의 창조성을 보여 주는 예이다.

학습 활동

본문 093~096쪽

이해 사회성, 같은, 창조
적용 역사성, 창조, 약속

간단 체크 활동 문제

본문 093~096쪽

093쪽 01 ②　02 ①
094쪽 03 자의성　04 ③
095쪽 05 ③　06 ③
096쪽 07 ⑤

01 언어는 그 언어를 사용하는 사회 구성원 간의 약속으로 개인이 마음대로 바꿀 수 없다. 그러나 언어는 시간이 지남에 따라 변한다는 역사성을 지닌다.

02 뜻이 서로 다르지만 소리가 같은 동음이의어가 존재한다는 것은 언어의 자의성을 보여 준다. 동일한 그림을 본 여러 사람이 각기 다른 문장을 만들어 내는 것은 언어의 창조성과 관련 있다.

03 '닉'이 '펜'을 '프린들'이라는 이름으로 바꾸어 부를 수 있는 것은 언어의 말소리와 뜻 사이에는 필연성이 없기 때문이다.

04 '자넷'과 '아주머니'가 '닉'의 말을 제대로 이해하지 못한 이유는 '닉'이 같은 언어를 사용하는 사람들 사이의 사회적 약속을 어기고 '펜'을 '프린들'로 마음대로 바꾸어 불렀기 때문이다.

05 '닉'은 '프린들'이 무엇을 의미하는지 알지 못했던 '아주머니'가 자신의 계획대로 '프린들'을 '펜'으로 인식하게 되자 기뻐했다.

06 '닉'은 '그레인저 선생님'께 언어는 시간의 흐름에 따라 변한다는 언어의 역사성을 근거로 '펜'을 '프린들'로 바꾸어 부르는 일이 문제없음을 말하고 있다.

07 '닉'은 언어의 역사성 즉, 시간의 흐름에 따라 변하기도 한다는 점을 잘 알고 '펜'을 '프린들'로 바꾸어 부르려 한다.

오답 풀이 ① '닉'이 새로운 단어를 만든 것은 언어의 창조성을 잘 보여 준다.
② '닉'은 언어의 자의성을 이해하고 '펜'이 반드시 [펜]으로 불려야 할 이유가 없음을 알기 때문에 '펜'을 다른 이름으로 부르려고 했다.
③ '닉'은 언어가 사회적 약속이라는 점을 무시하고 '프린들'로 인해 생길 수 있는 문제에 대해서도 심각하게 생각하고 있지 않다.
④ 학교 친구끼리는 사회적 약속이 이루어져 괜찮겠지만 그 외의 사람들은 '프린들'이라는 말을 알아들을 수 없어 문제가 생길 수 있다.

08 '닉'이 ㉠처럼 행동할 수 있었던 이유는 언어의 역사성(①, ⑤), 자의성(②), 창조성(③)과 관련 있다고 볼 수 있다. ④는 언어의 개념이다.

09 '닉'은 '피나'도 단어의 의미와 관계없이 붙인 이름이라는 점(언어의 자의성)을 들어 자신이 '펜'에 '프린들'이라는 이름을 붙인 이유를 설명하고 있다.

압축 파일 본문 097쪽

❶ 자의성 ❷ 의사소통 ❸ 어리다 ❹ 창조성 ❺ 필연성 ❻ 펜 ❼ 역사성

한끝의 한 곳 본문 098쪽

start 역사성 ❸ × ❻ 사회성 ❾ ○ ⓬ 창조성 ⓯ ○ ⓰ 자의성

시험에 나오는 소단원 문제 본문 099~100쪽

01 ② **02** ① **03** (나) **04** ④ **05** ③ **06** 그 말을 알아듣고 볼펜 쪽으로 손을 뻗으며 색을 물어봄 **07** ⑤ **08** ④ **09** ①

01 언어가 시간의 흐름에 따라 변한다는 것은 역사성, 인간이 상황에 맞게 새로운 낱말과 문장을 만들 수 있다는 것은 창조성, 언어는 사회적 약속이므로 함부로 바꾸기 어렵다는 것은 사회성, 언어의 말소리와 뜻이 필연적 관계가 아니라는 것은 자의성에 대한 설명이다.

02 단어나 문장을 만들 때 일정한 법칙을 따르는 것은 언어의 규칙성과 관련이 있다.

03 서술형 〈보기〉는 같은 낱말을 활용하여 다양한 문장을 만들 수 있음을 보여 준다. 이는 언어의 창조성과 관련이 있으며 (나)에서 이를 설명하고 있다.

04 '인공위성'은 새로 생긴 사물을 가리키기 위해 만들어진 말로 언어의 역사성 또는 창조성을 보여 주는 사례로 볼 수 있다.

05 '어리다'는 '어리석다'라는 뜻에서 오늘날 '나이가 적다'라는 뜻으로 의미가 변한 말로 언어의 역사성을 보여 준다.

06 서술형 처음 '닉'이 찾아와 '펜'을 '프린들'이라 부르자 '아주머니'는 그 말을 이해하지 못했다. 그러나 '닉'의 부탁을 받은 친구들이 계속 '펜'을 '프린들'이라 부르자 '아주머니'도 '펜'을 '프린들'로 인식하게 되었다.

07 '닉'은 사회적으로 약속된 낱말을 몇몇 친구들과 함께 마음대로 바꾸려 했으므로 언어의 사회성을 근거로 비판할 수 있다.

(2) 문제 해결을 위한 토의

간단 체크 개념 문제 본문 101쪽

1 토의 **2** ④ **3** (1) ○ (2) ○ (3) ×

1 공통의 문제를 해결하기 위해 여러 사람이 의견을 나누는 말하기는 토의이다.

2 토의 과정과 결과를 정리하고 토의 과정을 평가하는 단계는 토의 내용 정리하기이다.

3 (3) 사회자가 아니라 토의자가 자신이 제시한 의견의 장단점을 파악하여 다른 토의자나 청중의 질의에 대비해야 한다.

학습 활동 본문 102~111쪽

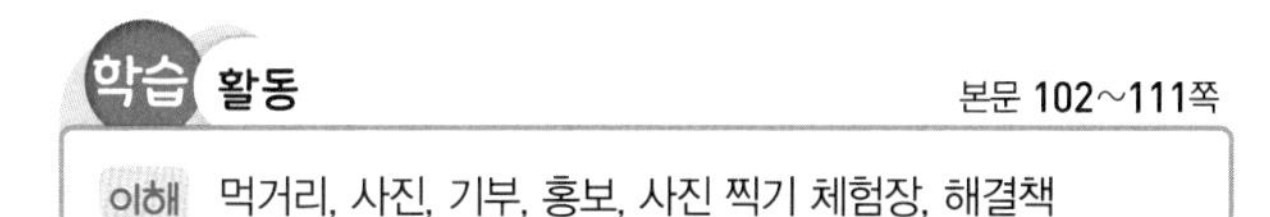

이해 먹거리, 사진, 기부, 홍보, 사진 찍기 체험장, 해결책

학습콕 본문 102~111쪽

109쪽 종합, 논제, 경청

간단 체크 활동 문제 본문 102~111쪽

102쪽	**01** ① **02** ③
103쪽	**03** 의견 교환, 진행 **04** ② **05** ⑤
104쪽	**06** 유미, 슬기 **07** ① **08** ⑤
105쪽	**09** ③ **10** 벼룩시장, 지민
106쪽	**11** ② **12** ⑤
107쪽	**13** ④ **14** ③
108쪽	**15** ① **16** ⑤
109쪽	**17** 토의자 제안 **18** ①, ⑤
110쪽	**19** ㄱ, ㄷ **20** ⑤
111쪽	**21** ②

01 (가)는 패널 토의의 절차 중 첫 번째 순서인 '토의 논제와 토의자 소개' 단계에 해당한다.

02 '정우'는 먹거리 가게를 제안하는 근거로 '재미있고 추억에 남을 것', '배가 불러야 행사를 즐길 수 있음', '맛이 좋은 음식을 판다면 수익도 많이 낼 수 있을 것'을 들었다. 그러나 친구들이 먹거리에 관심이 많다고 언급하지는 않았다.

03 (마)~(사)에서 사회자는 토의자 간 의견 교환이라는 토의의 절차에 따라 토의를 진행하고, 토의자 간의 의견 조정을 유도하고 있다.

04 '지민'은 벼룩시장에 대한 친구들의 흥미를 높일 대책으로 친구들이 좋아할 만한 물건들을 사진으로 찍어 홍보물을 만들고, 경품 추첨 행사를 진행하는 방법을 마련하였다.

05 '정우'의 질문에 '나라'는 '네, 좋은 지적입니다.'라며 '정우'의 의견을 수용하는 발언을 한 후 문제점에 대한 대책을 제시하고 있다.

06 (자)에서 '유미'와 '슬기'는 각각 짜증 섞인 말투와 빈정거리는 어투로 '정우'의 제안에 이의를 제기하고 있다. 이와 같은 태도는 원활한 토의에 방해가 되며 다른 사람의 감정을 상하게 할 수 있다.

07 (아)에서 '민재'는 '나라'에게 벼룩시장 행사 후 남는 물건을 처리할 방법을 질문하고 있다.

오답 풀이 ② (자)에서 '다혜'는 '정우'에게 먹거리 가게를 운영할 때 휴대용 가스레인지와 같은 취사도구를 사용하면 위험하지 않을지 질문하고 있다.
③ (차)에서 '수아'는 '나라'에게 사진 찍기 체험장에 대해 '대훈'의 아버지께 공주 드레스 외에 대여 가능한 옷이 있는지 질문하고 있다.
④ (차)에서 '대훈'은 '수아'의 질의에 관련하여 의상과 소품을 깨끗이만 사용한다면 만화나 영화 주인공들의 의상뿐만 아니라 특수 분장 재료 등을 다양하게 대여할 수 있다고 답변하고 있다.
⑤ (카)에서 '하은'은 사진 찍기 체험장을 운영하자는 '나라'의 제안을 따르겠다고 밝히고 있다.

08 토의에 참가하는 청중은 토의자들의 의견을 경청해야 하며, 문제 해결을 위해 필요할 경우 적극적으로 질문하고 의견을 제시해야 한다.

09 토의 마무리 단계에서는 토의자와 청중의 의견을 종합하여 합의된 토의 결과를 정리하고, 토의를 마무리한다.

10 '지민'은 환경을 보호할 수 있고, 절약 정신을 일깨워 줄 수 있다는 근거를 들며 벼룩시장을 운영하자고 제안하였다.

11 친구들과 선생님께 기부받을 계획인 것은 '벼룩시장'에서 판매할 물건이다. 음식 재료를 기부받는다는 내용은 언급되지 않았다.

12 '사진 찍기 체험장'과 관련하여 제기된 질문은 남학생들의 저조한 참여율로 인한 정상적인 운영 여부와 독특한 의상과 소품을 마련할 계획에 대한 것이다.

13 ㉢은 '대훈'이 아니라 사진 찍기 체험장을 운영하자고 제안한 토의자 '나라'에게 하는 청중의 질문이다.

14 토의자는 논제에 대한 의견을 제시하고, 자신의 의견에 대한 질문에 대비해야 한다. 논제에 대한 논의는 토의를 시작하기 전 논제 선정 단계에서 이루어져야 한다.

15 토의의 목적은 문제의 심각성을 인식하는 것이 아니라 여러 사람과 협동하여 문제를 해결하는 것이다.

16 '슬기'의 말은 다른 사람의 감정을 상하게 하고, 합리적인 해결 방안을 이끌어 내는 데 방해가 된다. 따라서 협력적으로 소통할 수 있도록 공손하고 예의 바른 태도를 지녀야 한다고 조언하는 것이 적절하다.

17 패널 토의에서 토의 논제와 토의자를 소개한 다음 단계는 토의자들이 논제에 대해 타당한 근거를 들어 의견을 제안하는 토의자 제안 단계이다.

18 토의의 논제는 다양한 생각이나 의견을 나눌 수 있는 문제여야 하며 의문문의 형태로 진술되어야 한다. 그러나 ①은 의견이 찬성과 반대로 나뉘는 문제이고, ⑤는 의문문의 형태로 진술되지 않았으므로 토의의 논제로 적절하지 않다.

19 토의 내용을 마련할 때는 논제에 관한 자료를 찾아보면서 자신의 의견과 그 근거를 정리해야 한다.

오답 풀이 ㄴ은 토의하기 단계에서 유의할 점이며, ㄹ은 논제 정하기 단계에서 유의할 점이다.

20 토의는 여러 사람이 의견을 모아 최선의 해결책을 이끌어 내는 의사소통 과정이므로, 자신의 의견을 고집하는 것은 올바른 태도가 아니다.

21 〈보기〉의 토의 주제는 학술적인 내용이며 전문가들의 의견을 듣고 싶다고 하였으므로 이 경우에는 학술적인 문제를 주제로 전문가들이 의견을 발표하고 참석자들의 질문에 답하는 심포지엄이 적절하다.

압축 파일 본문 112쪽

❶ 해결 방안 ❷ 근거 ❸ 질문 ❹ 패널 ❺ 벼룩시장 ❻ 토의자 ❼ 흥미 ❽ 청중

시험에 나오는 소단원 문제

본문 113~114쪽

01 ⑤ **02** 토의 논제를 제시하고 토의자를 소개한다. **03** ⑤ **04** ④ **05** ④ **06** ⑤ **07** 우리 반은 축제 장터에서 사진 찍기 체험장을 운영하기로 하였습니다. **08** ②

01 토의는 개인의 문제가 아니라 집단 구성원 모두가 관심을 가지고 있는 문제를 해결하기 위한 의사소통 과정이다.

02 서술형 (가)에서 사회자는 토의에서 다룰 문제인 논제('축제 장터에서 무엇을 운영할까?')와 각 의견을 대표하는 토의자('지민', '정우', '나라')를 소개하고 있다.

03 '나라'는 평소에 입기 힘든 옷이나 특이한 소품을 준비해서 사진을 찍을 수 있는 사진 찍기 체험장을 운영하자고 제안하였다. 친구들은 소품을 활용하여 자신만의 특별한 사진을 찍을 수 있는 것이지 그 소품을 가지는 것이 아니다.

04 ㉠은 다른 사람의 의견을 능동적으로 수용하는 말이다. 그러나 다음에 자신의 의견을 분명하게 전달하고 있으므로 자신의 의견을 양보하는 발언이라는 설명은 적절하지 않다.

05 (라)는 패널 토의의 절차 중에서 토의 논제와 토의자들의 의견에 대해 청중이 질문하고 이에 대해 토의자가 대답하는 '청중과의 질의응답' 단계에 해당한다.

오답 풀이 ①, ② (가)와 (나)는 토의자 간 의견 교환 단계에 해당한다.
③ (다)는 사회자가 청중과의 질의응답을 유도하고 있는 것이다.
⑤ (마)는 토의 마무리 단계에 해당한다.

06 (라)의 '유미'와 '슬기'는 다른 사람의 감정을 상하게 하는 말을 하여 합리적인 해결 방안을 이끌어 내는 데 방해가 되고 있다. 따라서 토의에 참여할 때 예의를 갖추어 발언하도록 유의해야 한다.

07 서술형 (마)를 통해 우리 반은 축제 장터에서 사진 찍기 체험장을 운영하기로 결정한 것을 알 수 있다.

08 '지민'은 사용하지는 않지만 쓸 만한 물건들을 친구들과 선생님들로부터 기부받을 것이라고 하였다. 문제집이나 장난감은 그 예시로 든 물건들이며, 상점에 홍보한다는 계획은 말하지 않았다.

어휘력 키우기

본문 115쪽

01 ① 02 ④

01 '새로운 의견을 생각하여 냄. 또는 그 의견'을 뜻하는 낱말은 '창의'이며, '창조'는 '전에 없던 것을 처음으로 만듦.'이라는 뜻의 낱말이다.

02 '그림자'는 하나의 낱말인 반면, '싸전(쌀+전)', '장맛비(장마+비)', '등굣길(등교+길)', '촛불(초+불)'은 두 낱말이 합쳐지면서 형태가 변화한 낱말이다.

시험에 나오는 대단원 문제

본문 116~118쪽

01 ① 02 ⑤ 03 ① 04 ③ 05 사람들은 이미 알고 있는 낱말들을 활용하여 새로운 문장을 끊임없이 만들 수 있다. 06 ⑤ 07 축제 장터에서 무엇을 운영할까? 08 ④ 09 ① 10 ④ 11 ④ 12 ③ 13 ⑤ 14 ㉠은 다른 사람의 의견을 수용하는 말로, 토의 참여자들이 협력적으로 소통할 수 있게 해 주어 최선의 해결책을 이끌어 내는 데 도움을 준다.

01 '손'과 같이 뜻은 다르지만 소리가 같은 낱말이 있는 이유는 언어의 말소리와 뜻 사이에 필연적인 관계가 없기 때문이며, 이를 언어의 자의성이라고 한다.

02 <보기>는 새로운 사물이나 개념이 나타남에 따라 새말이 만들어진다는 설명으로, 이와 관련된 낱말은 '와이파이'이다. '놈'은 뜻이 변한 말, '미르'와 '슈룹'은 각각 '용'과 '우산'으로 대체되어 현재 쓰이지 않는 말이며, '나무'는 소리가 변한 말에 해당한다.

03 제시된 대화에서 학생은 '학교'를 '책상'이라고 자기 마음대로 바꾸어 말하였기 때문에 어머니가 그 말을 이해하지 못하였다. 이는 언어의 사회성과 관련된 내용이다.

04 '선생님'은 '펜'이라는 낱말이 어떻게 변화해 왔는지를 설명하고 있을 뿐, '펜'이라는 낱말의 말소리와 뜻이 필연적으로 결합하였다고 주장한 것은 아니다.

05 서술형 '아이', '잔다'라는 두 단어로 무수히 많은 문장을 만들 수 있음을 보여 준다. 이는 언어의 창조성을 잘 보여 주는 예이다.

06 토의의 목적은 여러 사람과 협동하여 문제를 해결하는 것이다. 따라서 자신의 의견만 고수하기보다는 다른 사람의 의견을 능동적으로 수용하며 합의점을 찾는 것이 중요하다.

07 서술형 (가)에서 사회자는 토의의 주제, 즉 논제가 '축제 장터에서 무엇을 운영할까?'임을 소개하고 있다.

08 (라)에서 '나라'는 친구들이 다른 가게에 비해 벼룩시장에 흥미를 느끼지 못할 것이라고 생각하여 그에 대한 대책이 있는지 질문하고 있다.

오답 풀이 ① (가)에서 사회자는 논제를 제시하고 토의자를 소개하며 토의를 시작하고 있다.
② (나)에서 '지민'은 벼룩시장의 운영을 제안하며 판매할 물건들을 준비하는 데 많은 돈이 들지 않을 것이라는 근거를 들고 있다.
③ (다)에서 '정우'는 먹거리 가게의 운영을 제안하며 직접 음식을 만들어 팔기 때문에 재미있고 추억에 남을 것이라는 근거를 들고 있다.
⑤ (마)에서 '정우'는 음식 재료비를 마련할 대책으로 우선은 학급비를 사용하고, 모자랄 경우 돈을 조금씩 보태는 방안까지 고려하여 말하고 있다.

09 토의자들은 (나), (다)에서 근거를 들어 논제에 대한 의견을 제시하고(ㄱ), (라), (마)에서 다른 토의자들의 제안에 질문을 하며 서로 의견을 교환하고 있다(ㄴ).

10 ㉣에서 친구들의 흥미를 높일 대책에 대해 설명하고 있지만, 이 방법이 검증된 것인지는 알 수 없다.

11 '수아'는 사진 찍기 체험장을 운영할 경우 공주 드레스 이외의 다른 옷을 빌릴 수 있는지 질문하고 있다.

12 '하은'은 친구들과 재미있는 사진을 찍는다면 추억을 오랫동안 기억할 수 있을 것 같다며 사진 찍기 체험장을 제안한 '나라'의 의견에 동의하고 있다.

13 (라)는 토의 내용을 요약하고 정리하는 토의 마무리 단계이다.

14 고난도 서술형 ㉠은 다른 토의 참여자들의 의견을 수용하는 말로, 이와 같은 말은 서로 다른 의견을 지닌 토의 참여자들이 협력적으로 소통할 수 있게 해 준다.

평가 목표	토의 참여 시 협력적인 태도의 효과 이해하기
채점 기준	✔ 협력적인 토의 참여 태도의 효과를 <조건>에 맞게 쓴 경우 [상] ✔ 협력적인 토의 참여 태도의 효과만 쓴 경우 [중] ✔ 협력적인 토의 참여 태도의 효과를 <조건>에 맞게 쓰지 못한 경우 [하]

4 성장으로 가는 길

(1) 문학 작품을 통한 삶의 성찰

간단 체크 개념 문제

본문 122쪽

1 ⑤ 2 성장 3 (1) ○ (2) × (3) ○

1 전지적 작가 시점은 서술자가 인물의 심리와 내면 상태를 구체적으로 서술하기 때문에 독자의 상상력이 제한될 수 있다.

2 성장 소설은 한 인물이 성장하면서 겪게 되는 갈등과 성숙, 깨달음의 과정을 담고 있다.

3 (2) 문학 작품을 읽으며 삶을 성찰하고 작가의 가치관을 그대로 내면화하는 것이 아니라 자신의 가치관을 바르게 지니는 것이 중요하다.

학습콕

본문 123~136쪽

125쪽	무관심, 경이로움, 관심
127쪽	마름 열매
131쪽	뉴뉴, 백양나무
134쪽	호리병박, 죄책감, 집
136쪽	외할머니, 아버지

간단 체크 내용 문제

본문 123~136쪽

123쪽	01 ③ 02 실수로 물에 빠졌을 때를 대비하기 위해서
124쪽	03 ④ 04 ④
125쪽	05 ② 06 미소 띤 얼굴 하나 07 ⑤
126쪽	08 ④ 09 강 한가운데 작은 섬 10 ④
127쪽	11 ① 12 사기꾼 13 ⑤
128쪽	14 뉴뉴는 강의 유혹을 떨칠 수가 없었다. 15 ③
129쪽	16 책임감 17 ② 18 ④
130쪽	19 ⑤ 20 ①
131쪽	21 ③ 22 ④ 23 '완'과 더 놀고 싶기 때문이다.
132쪽	24 ② 25 ⑤ 26 네가 겁을 먹어서 못할 뿐이지.
133쪽	27 ① 28 공포, 원망 29 ⑤
134쪽	30 ③ 31 ②
135쪽	32 ③ 33 오해 34 ②
136쪽	35 ① 36 ⑤

01 (가)에서 '뉴뉴'는 '완'의 아버지가 유명한 사기꾼이라는 사실 외에는 '완'에 대해 아는 것이 거의 없다고 하였다.

02 이 고장의 아이들은 실수로 물에 빠졌을 때를 대비하기 위해서 빨간 호리병박을 손에 쥐고 헤엄을 친다.

03 '뉴뉴'는 '완'이 수영하는 모습을 보고 알지 못할 어떤 경이로움에 사로잡혔다.

04 '뉴뉴'가 자신에게 주의를 기울이고 있다고 생각한 '완'은 '뉴뉴'에게 잘 보이기 위해서 앞으로 헤엄쳐 오다 휙 하고 물속으로 곤두박질쳐 들어가며 자신의 수영 실력을 과시하고 있다.

오답 풀이 ① '완'은 물고기를 잡지 않고 수영하는 것 자체를 즐기고 있다.
②, ⑤ '뉴뉴'의 관심을 더욱 끌기 위해서 하는 행동이다.
③ '뉴뉴'와 '완'은 서로 관심이 있지만 아직 말을 나눈 사이가 아니기 때문에 '완'이 '뉴뉴'에게 수영을 가르칠 정도로 친하지 않다.

05 '뉴뉴'는 잠수를 하다 갑자기 사라진 '완'이 잘못되었을까 봐 걱정되어서 급하게 '엄마'를 불렀다.

06 '완'은 '뉴뉴'가 자신을 걱정하여 '엄마'를 부르는 것을 알아채고 미소를 띠며 연잎 사이로 불쑥 모습을 드러냈다.

07 '완'을 걱정하던 '뉴뉴'는 갑자기 '완'이 나타나자 자신을 놀라게 하려고 '완'이 장난을 친 거라고 생각했을 것이다.

08 '완'은 '뉴뉴'가 강가로 나오기를 기다렸지만 '뉴뉴'가 계속해서 강가로 나오지 않자 기대를 하지 않게 되었다. '뉴뉴'와 '완'은 강에서 놀자는 약속을 하지 않았으며, '완'이 '뉴뉴'를 원망하지도 않았다.

09 '완'은 '뉴뉴'를 만나기 전에 강 한가운데에 있는 작은 섬에서 혼자 하루 종일 시간을 보냈다.

10 며칠 동안 '뉴뉴'가 강가에 나오지 않자 이제 '완'도 '뉴뉴'가 강가에 나오리라고는 기대하지 않게 되었기 때문에 곧장 작은 섬으로 향했다.

11 '완'은 '뉴뉴'와 친해지고 싶어서 마름 열매를 따서 '뉴뉴'에게 주었다.

오답 풀이 ② '완'은 '뉴뉴'에게 마름 열매를 주기 위해 두 손을 내밀었다.
③ '완'의 깡마른 체구를 묘사하고 있지만, 이에 대해 '뉴뉴'가 부러움을 느끼고 있지는 않다.
④ '뉴뉴'는 뒤돌아 가는 '완'의 등을 바라보며 꼼짝 않고 서 있기만 하였다.
⑤ '완'은 마름 열매를 잘 따지 못하는 '뉴뉴'를 위해 자신이 직접 마름 열매를 모아서 '뉴뉴'에게 가져다주었다.

12 '뉴뉴'는 '엄마'에게 '완'의 아버지가 정말로 사기꾼인지 물어보고 있다.

13 '뉴뉴'가 마름 열매를 받쳐 들자 '완'은 '뉴뉴'가 자신의 마음을 알아주었다고 생각하며 감격스러워한다. 그러나 '완'이 홀가분함을 느꼈다고 보기는 어렵다.

14 '강의 유혹을 떨칠 수가 없었다.'는 표현을 통해 서술자가 강의 매력에 매료된 '뉴뉴'의 심리를 직접적으로 서술하고 있다.

15 [A]에서는 자연을 묘사하여 아름답고 평화로운 분위기를 조성하고 있으며, 이를 통해 '완'과 '뉴뉴'의 순수한 사랑과 우정을 돋보이게 한다.

16 '뉴뉴'가 물에 들어오자 '완'은 '뉴뉴'를 보호해야겠다는 책임감 같은 것을 느꼈다.

17 '완'의 도움으로 '뉴뉴'가 물에 들어가게 되고, 함께 물놀이를 하면서 둘은 더욱 가까워졌다.

18 ㉠은 '뉴뉴'와 함께 물놀이를 하면서 '완'이 더 이상 외로움을 느끼지 않게 되었음을 표현한 것이다.

19 (더)에서 '완'은 잠시 동안 '뉴뉴'의 존재를 잊은 듯이 나무들과 신나게 놀고 있다. 따라서 이를 '뉴뉴'에게 감추려 했다고 보기는 어렵다.

오답 풀이 ① '완'은 섬에서 노는 게 재미있냐는 '뉴뉴'의 물음에 그렇다고 하였다.
②, ③ '뉴뉴'가 하루가 다르게 대담해져서 강 한가운데 있는 작은 섬에 가고 싶을 정도가 되었다.
④ '뉴뉴'는 '완'에게 매일 여기 와서 뭘 하냐고 물으며 '완'이 작은 섬에서 무엇을 하는지 궁금해하였다.

20 학교에서 자신과 놀아 주는 친구가 없는 '완'은 작은 섬에 있는 백양나무들을 친구로 삼아 지냈다.

21 (머)에서 '뉴뉴'와 '완'은 작은 섬에서 함께 집을 짓고 놀며 우정을 쌓아 가고 있다.

22 '완'의 눈빛이 멍해지면서 우울한 빛을 보이는 것으로 보아, '뉴뉴'가 말한 것처럼 '완'이 학교 친구들과 잘 어울리지 못한다는 것을 알 수 있다.

23 '뉴뉴'는 '완'과 더 놀고 싶어서 '엄마'가 부르는 소리를 듣고도 대답을 하지 않았다.

24 (버)에서는 배경 설명을 통해 뜨거운 여름이 가고 서늘한 가을이 오고 있음을 감각적으로 묘사하고 있다.

25 '뉴뉴'는 강 한가운데에 이르자 자신이 강 양쪽에서 멀리 떨어져 있다는 생각이 들어 두려워지기 시작했다.

오답 풀이 ①, ④ '뉴뉴'는 자신을 꼭 잡고 있겠다는 '완'의 말을 믿고 강을 건너기로 한다.
② '무슨 음모를 감추고 있는 듯했다.'라는 내용에서 '완'이 어떤 계획을 꾸몄음을 짐작할 수 있다.
③ '완'은 '뉴뉴'에게 호리병박을 안고 강 건너까지 가 보자고 하였다.

26 '완'은 '뉴뉴'가 겁을 먹어서 호리병박 없이 수영을 하지 못한다고 생각한다.

27 '뉴뉴'는 물에 빠져 죽을 뻔한 공포를 느꼈기 때문에 '완'이 진심을 알지 못한 채 '완'에게 원망을 드러낸다. 이를 통해 두 인물의 갈등이 시작되었음을 알 수 있다.

28 '뉴뉴'는 물에 빠져 죽었을지도 모른다는 극도의 공포감이 자신을 물에 빠뜨린 '완'에 대한 극도의 원망으로 바뀌는 것을 느꼈다.

29 '완'은 호리병박 없이도 충분히 수영을 잘할 수 있다는 사실을 '뉴뉴' 스스로 깨닫게 하기 위해서 '뉴뉴'의 손에 들린 호리병박을 낚아챘다.

30 [A]에서는 사람들이 떠나고 혼자 강가에 우두커니 남아 있는 '완'의 모습과 호리병박을 묘사하여 '완'의 외로움과 서글픔을 나타낸다.

31 '완'이 집을 불태워 버리는 것은 '뉴뉴'와 멀어진 절망감과(ㄷ) 사람들의 차가운 시선을 감내해야 하는 자신의 처지에 대한 서글픔 때문이다(ㄱ).

32 '외할머니'의 아버지는 자신의 딸이 두려움을 극복하고 스스로 헤엄을 칠 수 있다는 것을 깨닫게 하기 위해 강 한가운데에서 나무 대야를 뒤집었다.

33 '뉴뉴'는 '외할머니'의 어린 시절 이야기를 듣고 자신이 '완'을 오해했음을 깨닫는다.

34 '완'이 강 한가운데에서 '뉴뉴'의 호리병박을 빼앗아 물에 빠뜨린 것과 같이, '외할머니'의 아버지는 강 한가운데에서 나무 대야를 뒤집어 '외할머니'를 물에 빠뜨렸다.

35 '뉴뉴'는 '완'을 오해한 사실을 깨닫고 '완'에게 사과하기 위해 강에서 '완'을 기다리고 있었을 것이다.

36 '뉴뉴'가 빨간 호리병박을 풀어 주는 것은 '완'과의 추억을 떠나보내는 것이다. '뉴뉴'는 '완'을 오해한 일에 대해 미안함을 가지고 있었지, 억울함을 느끼지는 않았다.

오답 풀이 ①, ③ '빨간 호리병박'은 수영할 때 일종의 튜브와 같은 역할을 한다. 따라서 이것을 떠나보낸다는 것은 그만큼 수영 실력이 향상되었고, 그만큼 마음도 성장하였음을 상징적으로 드러낸다.
②, ④ '완'이 다시 돌아오지 않을 것을 예감한 '뉴뉴'는 주인을 잃은 '빨간 호리병박'을 풀어 준 것이며, 이러한 행동을 통해 '완'과의 추억을 떠나보낸 것으로 이해할 수 있다.

간단 체크 어휘 문제

본문 123~136쪽

123쪽	(1) 가장 (2) 자맥질 (3) 봉선
124쪽	(1) × (2) ○ (3) × (4) ○
128쪽	(1) ㉠ (2) ㉣ (3) ㉢ (4) ㉡
130쪽	(1) 대담하다 (2) 흥건하다
134쪽	(1) 솟구쳤다 (2) 요동쳤다

학습 활동

본문 138~141쪽

이해 물놀이, 외할머니, 수영, 사과, 강, 오해
적용 꽃잎, 향기롭다, 성장

간단 체크 활동 문제

본문 138~141쪽

138쪽	**01** ⑤ **02** 호리병박
139쪽	**03** ⑤ **04** ③
140쪽	**05** ⑤ **06** 풀잎, 꽃잎 **07** ⑤
141쪽	**08** ⑤

01 '뉴뉴'는 '완'에게 사과하기 위해 강가에 가서 '완'을 기다렸지만, '완'이 이미 멀리 이사 갔다는 사실을 알고는 빨간 호리병박을 풀어 준다.

02 호리병박은 이 고장 아이들이 위험에 대비하여 헤엄칠 때 손에 쥐고 있는 것인데 '뉴뉴'와 '완'의 추억이 담긴 소재이기도 하다.

03 '완'은 '뉴뉴'에게서 원망의 말을 들은 이후, '뉴뉴'와 함께 만든 집을 불살라 버렸다.

오답 풀이 ① '완'은 '뉴뉴'의 수영 실력이 좋아졌다는 것을 알고 있었기 때문에 이를 '뉴뉴' 스스로 깨닫게 하려고 호리병박을 빼앗은 것이다.
② '뉴뉴'는 자신의 수영 실력을 몰랐기 때문에 '완'의 의도를 나쁘게만 생각하였다.
③ '완'은 하나밖에 없는 친구인 '뉴뉴'가 자신의 마음을 몰라주자 서운함을 느꼈을 것이다.
④ '뉴뉴'는 '외할머니'의 어린 시절 이야기를 듣고 '완'의 진심을 깨달아 '완'에게 사과하려고 그의 집에 찾아갔다.

04 이 소설의 결말 부분에서 '뉴뉴'가 빨간 호리병박을 강가에 풀어 준다. 이는 '뉴뉴'가 빨간 호리병박이 필요 없을 정도로 수영 실력이 늘었음을 뜻하는 동시에, '뉴뉴'가 '완'과의 추억을 떠나보내며 '뉴뉴'의 마음 또한 한층 더 성장하였음을 뜻한다.

05 「풀잎에도 상처가 있다」는 자연물을 의인화하여 상처를 극복한 내면의 아름다움을 노래한 작품이다. 그러나 이 시에는 시간의 흐름에 따른 대상의 변화 과정이 드러나지 않는다.

06 '풀잎'과 '꽃잎'은 작고 여린 존재를 의미하며, 사람이라면 가난하고 힘든 사람, 아픔을 지닌 사람을 가리킨다.

07 「빨간 호리병박」에서 '완'은 '뉴뉴'의 사과를 받지 못한 채 외갓집으로 이사를 갔다.

08 <보기>의 인물들은 가족, 친구로 인해 아픔과 좌절을 겪고 있다. 이 시에서는 상처를 극복해 낼 때 비로소 성장할 수 있음을 노래하고 있으므로, 자신을 되돌아보며 노력하면 한층 성장할 수 있다는 충고를 할 수 있다.

압축 파일 본문 142쪽

❶ 물놀이 ❷ 수영 ❸ 추억 ❹ 원망 ❺ 사기꾼 ❻ 성장

시험에 나오는 소단원 문제 본문 143~144쪽

01 ④ **02** ④ **03** 완은 뉴뉴를 향해 마름 열매가 든 두 손을 내밀었다. **04** ① **05** ⑤ **06** ④ **07** ② **08** 나무 대야를 뒤집어 버리셨어.

01 우리는 문학 작품에 등장하는 인물의 삶을 통해 자신의 삶을 돌아볼 수 있다. 그러나 주인공의 행동을 따라 한다고 해서 같은 깨달음을 얻을 수 있는 것은 아니다.

02 '완'은 강물에 들어가는 것을 두려워하는 '뉴뉴'를 안심시키려고 노력하며 '뉴뉴'가 강물에 들어오도록 물세례를 퍼붓고 있다.

오답 풀이 ① (가)에서 '뉴뉴'는 '완'과 빨간 호리병박을 쳐다보고 있었고, '완'은 '뉴뉴'가 자신을 본다는 사실을 알고 자신의 수영 실력을 과시하곤 했다.
② (라)에서 '뉴뉴'가 강에서 자유롭게 수영하고 싶어 함을 알 수 있다.
③ '완'은 '뉴뉴'에게 마름 열매를 가져다주고, 수영도 가르쳐 주었다. 이를 통해 '뉴뉴'에게 잘 보이려고 노력함을 알 수 있다.
⑤ (라)에서 '완'이 '뉴뉴'와 놀면서 마음이 환하게 밝아졌다고 하였고, 강도 더 이상 외롭지 않다고 하였다.

03 서술형 '완'은 '뉴뉴'와 친해지고 싶어서 '뉴뉴'에게 마름 열매를 따서 가져다주었다.

04 ㉠은 '뉴뉴'와 '완'이 함께하는 시간 동안 밝고 눈부시게 빛나는 주변의 풍경을 묘사한 것이다. 이를 통해 '뉴뉴'와 어울리면서 외로움을 떨쳐 낸 '완'의 심리가 드러난다.

05 '뉴뉴'는 '완'이 호리병박을 빼앗자 물속으로 가라앉았다. 그리고 공포에 떨며 소리를 지르고 있다. 이를 통해 '뉴뉴'가 호리병박 없이 수영하는 것을 두려워했음을 알 수 있다.

오답 풀이 ①, ④ '완'은 '뉴뉴'가 두려움을 극복하고 수영하길 바라며 호리병박 없이 수영할 수 있다는 것을 깨닫게 하기 위해 호리병박을 뺏은 것이다.
② 이 소설은 주인공이 자신의 이야기를 하는 것이 아니라, 소설 밖 서술자가 등장인물의 행동뿐 아니라 심리까지 꿰뚫어 서술하고 있다.
③ '뉴뉴'의 '엄마'가 '뉴뉴'를 건져 낸 것이 아니라 '완'이 '뉴뉴'를 강가로 끌어올린 것이다.

06 '뉴뉴'는 외할머니의 이야기를 들으며 '완'의 진심을 깨닫게 되고(ㄷ), '완'에게 사과하기 위해 강을 건너 수영해서 '완'의 집으로 간다(ㄴ). 그리고 '완'이 돌아오지 않을 것이란 걸 직감한 '뉴뉴'는 개학 전날 '빨간 호리병박'을 풀어 주며 성장한 모습을 보이고 있다(ㄱ).

07 (다)는 '뉴뉴'의 외할머니의 이야기이다. 외할머니는 희망을 잃지 않고 끝까지 버티다 도움을 받은 게 아니라 자신의 수영 실력을 깨닫게 된 것이다.

오답 풀이 ① 호리병박이나 나무 대야에 기대지 않고도 수영을 할 수 있어야 한다는 것에서 깨달을 수 있는 내용이다.
③ '완'이 '뉴뉴'에게서 '사기꾼'이라는 말을 들었을 때의 감정에 공감하는 내용이다.
④ '외할머니'의 아버지가 물에 빠져 허우적거리는 '외할머니'를 쳐다보고만 있었다는 것에서 생각할 수 있는 내용이다.
⑤ '완'에게 사과하고 싶어 하는 '뉴뉴'의 마음을 알고 떠올린 기억으로 볼 수 있다.

08 서술형 '완'이 호리병박 없이도 충분히 수영을 잘할 수 있다는 사실을 '뉴뉴' 스스로 깨닫게 하기 위해서 '뉴뉴'에게서 호리병박을 빼앗은 것처럼, '외할머니'의 아버지도 '외할머니'가 수영을 할 수 있다는 사실을 깨닫게 하려고 나무 대야를 뒤집은 것이다.

경험을 바탕으로 글 쓰기

간단 체크 개념 문제 본문 145쪽

1 (1) ○ (2) × (3) ○ **2** ⑤ **3** 가치(의미)

1 (2) 자연 현상뿐만 아니라 글쓴이의 주변에서 일어나는 모든 일이 수필의 소재가 될 수 있다.

2 글쓴이가 일상생활에서 얻는 느낌이나 생각을 자유롭게 쓰며 1인칭 '나'가 잘 드러나는 수필을 경수필이라고 한다.

3 경험을 바탕으로 감동이나 즐거움을 주는 글을 쓸 때에는 자신이 깨달음을 얻었거나 감동을 느꼈던 가치 있는 경험을 선정하는 것이 좋다.

학습 활동 본문 146~151쪽

이해 화장실, 병원, 희생, 경험

학습콕 본문 146~151쪽

149쪽 땀, 기억, 감동

간단 체크 활동 문제 본문 146~151쪽

146쪽	**01** ③	**02** ③	**03** ④
147쪽	**04** ⑤	**05** ④	**06** 엄마의 이마에 흐르는 그 땀
148쪽	**07** ⑤	**08** ①	**09** 억척스러운 전사
149쪽	**10** ②	**11** ⑤	**12** 사실, 즐거움
150쪽	**13** ②	**14** ④	
151쪽	**15** ⑤		

01 글쓴이가 유학 간 사이에 글쓴이의 '어머니'가 글쓴이가 쓰던 물건을 정리해 놓았다.

02 이 글은 글쓴이가 어린 시절의 경험을 떠올리며 자신의 생각과 느낌을 고백적으로 서술한 수필이다.

03 ㉠은 일기의 제목과 구체적인 날짜를 제시함으로써 독자의 관심을 끄는 한편, 뒤에 '엄마'와 관련된 내용이 이어질 것임을 짐작하게 한다. 하지만 일기의 날짜와 제목만으로 글쓴이의 심리를 파악하기는 어렵다.

04 (라)에 제시된 '학교에 가기 위해 모녀가 매일매일 싸워야 했던 그 용맹스러운 투쟁'은 글쓴이와 '어머니'가 싸웠다는 것이 아니라, 글쓴이와 어머니가 학교에 가는 일이 매우 고되고 힘들었음을 표현한 것이다.

오답 풀이 ①, ② '소아마비는 누워서 떡 먹기로 고치는 훌륭한 의사가 되어'라는 부분에서 글쓴이가 소아마비로 거동이 불편했고, 훌륭한 의사가 되는 것이 꿈이었음을 알 수 있다.
③ (라)의 '우리 집은 항상 내가 다니는 학교 근처로 이사를 하였기 때문에'에서 드러나는 내용이다.
④ (다)의 일기의 내용에서 눈이 얼어붙는 바람에 '어머니'가 글쓴이를 업고 다녀야 했던 때도 있었음을 알 수 있다.

05 (라)에서 글쓴이는 일기를 보면서 '입에는 미소가, 눈에는 눈물이 돌았다'고 하였다. 이는 과거에 힘들게 학교를 다녔던 자신과 '어머니'에 대해 애틋한 감정을 느낀 것이라고 할 수 있다.

06 일기의 제목인 「엄마의 눈물」은 글쓴이를 업고 다니느라 추운 겨울에도 땀을 흘리는 '어머니'의 모습을 뜻하는 것이다.

07 이 글의 끝 부분에서 밝힌 대로 글쓴이는 자식을 위해 희생하신 자신의 '어머니'와 세상의 어머니들에게 사랑과 응원을 보내기 위해 이 글을 쓴 것이다.

08 친구들의 놀림을 무시하고 일부러 보조기 구둣발 소리를 크게 내며 걷는 모습에서 당당하고 긍정적인 글쓴이의 성격을 짐작할 수 있다.

09 장애가 있는 딸을 위해 헌신하신 '어머니'의 강인한 모습을 '억척스러운 전사'라고 표현하였다.

10 글쓴이는 어린 시절 자신을 위해 헌신하신 '어머니'의 모습을 떠올리며, 어려운 세상에서도 꿋꿋하게 살아올 수 있었던 것은 '어머니' 때문이었음을 깨닫는다.

11 이 글에서는 글쓴이의 '어머니'가 비를 맞으며 글쓴이를 안아 차에 태워 주었다는 내용이 나와 있지 않다.

오답 풀이 ① 몸이 불편한 글쓴이가 상처를 받을까 봐, 어린 글쓴이를 놀리는 아이들을 혼내는 '어머니'의 마음을 생각해 보면 나타날 수 있는 반응이다.
② 장애로 인한 차별 때문에 상급 학교 진학에도 어려움을 겪은 글쓴이가 유학도 다녀왔다는 사실을 생각해 보면 나타날 수 있는 반응이다.
③ 글쓴이가 겨울 등굣길에서 겪었던 일들을 통해 몸이 불편한 사람에게는 등교하는 것도 어려운 일이라는 것을 알 수 있다.
④ '어머니'께서 글쓴이에게 한 번도 눈물을 보이지 않은 것은 글쓴이가 약해지지 않게 하려는 것이었다는 점에서 나타날 수 있는 반응이다.

12 글쓴이는 자신의 경험을 글로 정리하면서 새로운 발견할 수 있고, 독자는 그러한 글을 읽으며 즐거움이나 감동을 얻을 수 있다.

13 경험을 바탕으로 쓴 글에는 경험한 때와 장소, 경험의 주요 내용, 경험을 통해 느낀 점 등이 드러난다. 따라서 객관적·주관적인 내용을 모두 포함하여 개요를 작성해야 한다.

14 자신이 닮고 싶은 사람을 떠올리는 것은 과거에 자신이 했던 경험을 찾는 방법이라고 보기 어렵다.

15 경험을 바탕으로 쓴 글은 독자에게 감동과 즐거움을 주는 글이지, 독자에게 유익한 정보를 제공하기 위해 쓴 글이 아니다.

압축 파일 본문 152쪽

❶ 등교 ❷ 사랑 ❸ 깨달음 ❹ 공감 ❺ 개요
❻ 개성 ❼ 고쳐쓰기

시험에 나오는 소단원 문제

본문 153~154쪽

01 ③ **02** ㄱ-ㄹ-ㄷ-ㄴ **03** ③ **04** ④ **05** ⑤
06 ② **07** ⑤ **08** ① **09** ③ **10** ⑤

01 이 글에는 글쓴이가 포기하려 하는 모습이 나타나 있지 않다. 글쓴이를 차별하고 벼랑 끝으로 밀어내는 세상이지만 '어머니' 덕분에 악착같이 노력해서 그러한 세상에 매달릴 수 있었다고 하였다.

오답 풀이 ① (나)에서 상급학교에서는 글쓴이가 장애가 있다고 하여 입학시험을 보는 것조차 허락하지 않았다고 하였다.
② (나)에서 어머니 덕분에 벼랑 끝으로 밀어내는 세상에서 밀려나지 않고 악착같이 매달릴 수 있었다고 하였다.
④ (나)에서 걸핏하면 수술을 하고 수술 후 두세 달씩 병원 생활을 했다고 하였다.
⑤ (가)에서 '어머니'가 깔아 놓은 연탄재 때문에 흰 눈 위에 갈색 선이 그어져 있었고 글쓴이가 그 위로 걸어서 미끄러지지 않고 학교에 다녔음이 드러난다.

02 서술형 이 글은 글쓴이의 경험에 대해 쓴 글이다. 따라서 글쓴이는 가치 있는 경험을 발견한 단계(ㄱ)-개요를 작성하여 내용을 조직한 단계(ㄹ)-경험을 표현한 단계(ㄷ)-글을 고쳐 쓴 단계(ㄴ)를 거쳐 한 편의 글을 완성했을 것이다.

03 어린 시절 글쓴이가 쓴 일기의 내용 중 엄마의 땀이 눈물로 보였다는 표현으로 보아, 어린 글쓴이가 철이 없어서 어머니를 이해하지 못했다기보다는 오히려 어머니의 힘겨움을 잘 이해했다고 볼 수 있다.

오답 풀이 ① (다)에서 하느님 같은 어머니가 자식을 위해 외로운 투쟁을 마다하지 않는다는 내용을 읽으며 나올 수 있는 감상이다.
② 글쓴이를 헌신적으로 보살피는 '어머니'의 모습에서 자신이 아플 때 자신을 돌보는 어머니를 떠올리며 나올 수 있는 감상이다.
④ (가)에서 '어머니'의 힘겨운 땀이 눈물처럼 보인다는 내용을 읽으며 나올 수 있는 감상이다.
⑤ (다)에서 '정상'이 아닌 자식의 손을 잡고 머리를 꼿꼿이 쳐들고 걷는 어머니를 독자가 상상해 보며 나올 수 있는 감상이다.

04 (나)를 통해 글쓴이의 '어머니'가 장애가 있는 딸을 위해 헌신적으로 희생하였음을 알 수 있으며, 딸을 위해 억척스러운 전사처럼 세상과 맞서 싸운 것을 보아 강인한 면모를 지니고 있음을 알 수 있다.

05 개요의 내용으로 보아, 글쓴이는 자신의 경험과 경험을 통해 얻은 깨달음을 글로 쓰고자 함을 알 수 있다. 이와 같은 글을 씀으로써 자신의 의미 있는 경험과 그로 인한 깨달음을 다른 사람들과 공유할 수 있다.

06 글쓴이는 폐지를 주우시는 할아버지에 관한 영화를 본 것이 아니라, '승주'를 도와 폐지를 나르면서 폐지를 주우시는 할아버지에 대한 이야기를 들은 것이다.

07 글쓴이의 경험과 글쓴이가 느낀 점을 쓴 글은 독자에게 감동과 즐거움을 줄 수 있을 뿐, 사회 현상의 문제점과 개선 방향을 찾는 것과는 거리가 멀다.

08 경험이 담긴 글에는 글쓴이의 경험과 그에 대한 깨달음이 드러난다. 따라서 그러한 글을 읽을 때에는 글쓴이의 경험과 깨달음에 대한 자신의 생각과 느낌을 정리해 보고, 글쓴이의 입장에서 자신이라면 어떻게 행동했을지 생각해 보며 읽도록 한다. 글쓴이의 요구 사항이 드러나는 글은 건의문과 같은 글이므로 경험이 담긴 글과는 거리가 멀다.

09 〈보기〉는 다른 사람과 나누고 싶은 가치 있는 경험들을 떠올릴 수 있는 질문들이다.

10 경험을 바탕으로 글을 쓸 때는 다른 사람들이 공감할 수 있는 가치 있는 경험, 올바른 가치관을 담고 있는 경험을 다루어야 독자들에게 즐거움과 감동을 줄 수 있다. 단순히 흥미를 위주로 특별한 경험만을 쓸 내용을 선정한다면 자신의 깨달음을 진솔하게 표현하는 것에 집중하기 힘들 수 있다.

어휘력 키우기

본문 155쪽

1 ④ **2** ②

1 '노심초사(勞心焦思)'는 '몹시 마음을 쓰며 애를 태움.'이라는 뜻을 지녔다. '몹시 두려워서 벌벌 떨며 조심함.'을 뜻하는 말은 '전전긍긍(戰戰兢兢)'이다.

2 '한가운데'의 '한-'은 '정확한' 또는 '한창인'의 뜻을 더하는 반면, '한시름'의 '한-'은 '큰'의 뜻을 더한다.

시험에 나오는 대단원 문제

본문 156~158쪽

01 ③ **02** ③ **03** 집 **04** ④ **05** ③ **06** ③
07 '완' / '완'이 너는 내가 '호리병박'이 없어도 수영을 할 수 있다는 것을 깨닫게 해 주려고 호리병박을 뺏은 거였구나. 너의 행동을 오해하고 너에게 원망만 해서 너무 미안해. **08** ① **09** ⑤
10 ② **11** ④ **12** 벼랑 끝으로 밀어내는 세상 **13** ②
14 ⑤

01 이 작품은 현실에서 일어날 수 있을 법한 내용을 글쓴이가 상상하여 꾸며 쓴 소설로, 배경이 중국의 한 마을로 설정되었을 뿐, 실제로 일어난 사건을 다루고 있는 것이 아니다.

오답 풀이 ① 이 작품은 중국의 어느 시골 강가를 배경으로 하고 있어 향토적 서정을 느낄 수 있다.
② '완'과 '뉴뉴'라는 사춘기 아이들이 서로 우정을 쌓고, 오해 때문에 아픔을 겪는 이야기를 그리고 있다.
④ 자연 배경이나 소재를 서정적인 문체로 묘사하여 인물의 심리를 간접적으로 드러내고 있다.
⑤ '완'과 '뉴뉴'가 수영을 계기로 친밀해졌다가 멀어지고 있다.

02 (다)에서는 '완'과 '뉴뉴'가 재미있는 놀이를 하는 내용이 아니라, '완'이 '뉴뉴'에게 수영하는 방법을 깨닫게 하기 위해 호리병박을 빼앗자 '뉴뉴'가 겁에 질려 물에 빠진 내용이 전개되고 있다.

03 서술형 (나)에서 '뉴뉴'와 '완'은 작은 섬에서 '집'을 지으며 즐거운 시간을 보내고 있다. 이를 통해 집은 '뉴뉴'와 '완'의 추억이 깃든 장소임을 알 수 있다.

04 ㉣은 하나밖에 없었던 친구인 '뉴뉴'와 멀어지고 난 후 혼자가 된 '완'의 모습을 호리병박만이 옆에 있다는 표현으로 나타낸 것이다.

오답 풀이 ① ㉠은 두 아이가 한참 동안 서로의 눈동자를 바라보며 한층 친밀해진 순간의 강의 모습을 나타내는 것으로, 두 아이가 서로에게 집중하여 강물이 상대적으로 고요하다고 느낀 것일 뿐, 불길한 사건을 암시하지 않는다.
② ㉡은 두 아이가 즐겁게 놀다 보니 어느새 해가 질 만큼 시간이 지났음을 보여 줄 뿐, 시점의 변화는 나타나지 않는다.
③ ㉢은 '완'이 '뉴뉴'에게 수영을 할 수 있다는 사실을 깨닫게 하기 위해 호리병박을 빼앗은 것으로, '뉴뉴'가 수영을 할 수 있을 것이라는 확신을 표정으로 보여 준다.
⑤ ㉤은 '완'이 강 한가운데 있는 작은 섬을 불태우는 것을 보여 주는 것으로, 자연재해와는 관련이 없다.

05 ⓐ는 '뉴뉴'와 '완'이 함께 물놀이를 하면서 한층 더 가까워져 서로 마음의 문을 연 순간을 의미한다.

06 (가)~(다)에는 '뉴뉴'가 '외할머니'의 이야기를 들으면서 '완'의 마음을 오해한 것을 깨닫고, 홀로 강가에 가서 빨간 호리병박을 풀어 주며, 내면이 성장하게 된 내용이 나타난다. 따라서 이 글을 읽은 후 친구가 잘못한 일로 화만 냈던 일을 떠올리며 이제라도 화해하고 친하게 지내겠다는 성장한 모습을 보이는 ③이 적절하다.

07 고난도 서술형 '뉴뉴'는 '완'을 오해하고 있었음을 깨닫고 사과를 하기 위해 강에 가서 '완'을 기다린다.

평가 목표	주인공이 성찰한 내용을 이해하기
채점 기준	✔ '뉴뉴'가 찾는 대상과 그에게 할 말을 〈조건〉에 맞게 쓴 경우 [상] ✔ '뉴뉴'가 찾는 대상과 그에게 할 말을 썼으나 〈조건〉에 맞게 쓰지 못한 경우 [중] ✔ '뉴뉴'가 찾는 대상을 찾았으나 그에게 할 말을 미흡하게 쓴 경우 [하]

08 이 시에서 '풀잎'과 '꽃잎'은 작고 여린 존재를 가리키며, 사람이라면 가난하고 힘없는 사람, 아픔을 지닌 사람이라고 할 수 있다.

오답 풀이 ② '꽃잎'은 '풀잎'과 마찬가지로 작고 여린 존재를 가리킨다.
③ '너'는 시적 화자와 함께 들길을 걸었던 대상을 가리킬 뿐, 초월적 존재로 볼 근거가 없다.
④ '들길'은 상처 많은 '풀잎'과 '꽃잎'이 존재하는 공간적 배경일 뿐, 희망이 사라진 세상으로 볼 근거가 없다.
⑤ '저녁놀'은 이 시의 시간적 배경으로, 화자의 과거로 볼 근거가 없다.

09 '상처 많은 꽃잎들이 / 가장 향기롭다'라는 시구는 상처를 극복한 내면의 아름다움을 의미한다. ㉤에서 '뉴뉴'가 빨간 호리병박을 떠나보내는 것은 '뉴뉴'의 수영 실력뿐만 아니라 '뉴뉴'의 마음도 성장하였음을 뜻하므로 [A]와 의미가 가장 유사하다.

10 자신의 장점이 드러나는 경험을 기준으로 글감을 선정하면 독자가 감동과 즐거움을 느끼기 어려울 수 있다.

11 (다)에 글쓴이에게 장애가 있다고 하여 입학시험을 보는 것조차 허락하지 않던 학교들 때문에 글쓴이가 상급 학교에 갈 때마다 어려움을 겪었다는 내용은 드러나 있지만, 입학시험이 어려워서 상급 학교에 진학하지 못했다는 내용은 드러나지 않는다.

오답 풀이 ① 아침마다 학교에 갈 때 '어머니'는 바지를 입히시는 일에서 시작하여 세수, 아침 식사, 그리고 보조기를 신기시는 일까지 '학교 가기' 전투를 벌여야 할 정도로 글쓴이는 '어머니'의 도움을 받아야만 학교에 갈 수 있었다.
② 글쓴이가 초등학교 3학년 때까지 '어머니'는 글쓴이를 화장실에 데려가기 위해 두 시간에 한 번씩 학교에 오셔야 했다.
③ '어머니'는 글쓴이가 마음에 상처를 입지 않도록 글쓴이를 놀리는 아이들을 혼내 주셨다.
⑤ 글쓴이가 자신을 쫓아다니며 놀리거나 걸음을 흉내 내는 아이들을 무시했었다는 것에서 글쓴이의 당당하고 긍정적인 면모를 알 수 있다.

12 서술형 장애인에 대한 편견으로 글쓴이에게 온갖 차별과 시련을 주었던 세상을 '벼랑 끝으로 밀어내는 세상'이라고 표현하고 있다.

13 화장실에 자주 가야 하는 글쓴이를 위해 '어머니'가 틈만 나면 학교로 뛰어오시는 상황이므로, ㉠에는 '몹시 마음을 쓰며 애를 태움.'이라는 뜻을 지닌 '노심초사(勞心焦思)'가 들어가는 것이 적절하다.

오답 풀이 ① 오매불망(寤寐不忘): 자나 깨나 잊지 못함을 이르는 말이다.
③ 설상가상(雪上加霜): 눈 위에 서리가 덮인다는 뜻으로, 난처한 일이나 불행한 일이 잇따라 일어남을 이르는 말이다.
④ 차일피일(此日彼日): 이날 저 날 하고 자꾸 기한을 미루는 모양을 이르는 말이다.
⑤ 역지사지(易地思之): 처지를 바꾸어서 생각하여 봄을 이르는 말이다.

14 (다)에서 '어머니'는 어린 딸에게 자신의 나약한 모습을 보여 주지 않으려고 글쓴이 앞에서 한 번도 눈물을 흘리지 않으셨다는 점이 제시되어 있다.

시험 대비 문제집

정답과 해설

1 비판적으로 듣고, 매체로 표현하고

(1) 타당성 판단하며 듣기

간단 복습 문제 본문 03쪽

쪽지 시험 **01** 비판적으로 **02** 학습을 받을 **03** 건의함 **04** ㉠ **05** ㉢ **06** ㉡ **07** ㉡ **08** ㉣ **09** ㉢ **10** ㉠ **11** ○ **12** ×

어휘 시험 **01** 침해 **02** 판단 **03** 토론 **04** 연관성 **05** 역량 **06** 타당성 **07** ㉡ **08** ㉠

01 다른 사람의 주장이 담긴 말을 내용의 타당성을 판단하지 않고 그대로 믿고 수용하면 곤란한 상황에 처할 수 있다.

07 똑똑한 수미의 의견을 좇아 찬성한다는 주장은, 주장과는 관계없는 '수미가 똑똑하다'라는 다른 정보에 영향을 받은 의견이므로 타당하지 않다.

08 청소년 시기에 연예인이 되어 연락이 두절된 친구의 사례를 근거로 들어 청소년 시기에 연예인이 되면 인성이 쉽게 변할 수 있다고 성급한 결론을 내리고 있으므로 타당하지 않다.

11 학생 자치회를 활성화하면 보다 많은 학생들이 의견을 낼 수 있고, 그에 따라 많은 학생이 공감할 수 있는 해결 방안이 나올 가능성이 커진다고 볼 수 있다.

---

02 '판단'은 '사물을 인식하여 논리나 기준 등에 따라 판정을 내림.'을 의미하고, '판독'은 '어려운 문장이나 암호, 고문서 따위를 뜻을 헤아리며 읽음.'을 의미한다. 제시된 문장은 다른 사람의 주장에 대해 어떤 판정을 내린다는 의미이므로 '판단'이 들어가는 것이 적절하다.

04 제시된 문장은 학문과 실천이 뗄 수 없는 어떤 관계적 성질을 가지고 있다는 뜻이므로 '사물이나 현상이 일정한 관계를 맺는 특성이나 성질'을 의미하는 '연관성'이 들어가는 것이 적절하다.

05 '역량'은 '어떤 일을 해낼 수 있는 힘'을 의미한다. 제시된 문장은 그가 가진 힘을 모두 발휘했다는 뜻이므로 '역량'이 들어가는 것이 적절하다.

예상 적중 소단원 평가 본문 04~05쪽

01 ① **02** ⑤ **03** 주장과 근거 사이에 연관성이 없다. **04** ④ **05** ② **06** ⑤ **07** ② **08** 학생 수준에서 실천할 수 없는 공약이기 때문에 타당하지 않다.

01 이와 같은 말하기는 토론이다. 토론은 입장이나 의견이 다른 문제에 대해 찬성과 반대로 나뉘어 자신의 주장을 내세워 상대를 설득하는 의사소통 과정이다.

02 (마)에서 '준서'는 '수미'와 친해서가 아니라 '수미'가 공부를 잘하고 똑똑하기 때문에 '수미'의 의견도 옳을 것이라고 말하고 있다.

오답 풀이 ① (가)의 '수미'는 최근 신문 기사의 통계 수치를 활용하여 청소년이 연예인이 되면 학습권을 침해당할 수 있다는 근거를 바탕으로 청소년의 연예계 진출 제한을 찬성한다.
② (나)의 '소연'은 텔레비전의 한 프로그램을 언급하며 연예인이 청소년들에게 긍정적인 영향을 미칠 수 있다는 근거를 바탕으로 청소년의 연예계 진출 제한을 반대한다.
③ (다)의 '정우'는 연예인이 된 친구의 사례를 바탕으로 청소년의 연예계 진출 제한을 찬성한다.
④ (라)의 '영재'는 누구나 직업을 선택할 권리가 있듯이 청소년에게도 직업 선택의 자유가 있어야 한다는 근거를 바탕으로 청소년의 연예계 진출 제한을 반대한다.

03 **서술형** (나)에서 연예인이 청소년들에게 긍정적 영향을 미친다는 근거와 청소년의 연예계 진출 제한 반대라는 주장 사이에는 연관성이 없다. 〈보기〉 역시 주장과 근거 사이에 연관성이 없다.

04 '정우'는 친구 한 명의 사례를 전체 청소년 연예인에게 나타나는 문제로 성급하게 일반화하고 있다.

05 연설에서 주장한 내용이 타당성을 얻으려면 주장이 실천 가능해야 하고(ㄱ), 주장과 근거에 연관성이 있어야 하며(ㄷ), 주장을 이끌어 내는 과정에서 오류가 없어야 한다(ㄹ).

06 이 연설에서 누리소통망(SNS)으로 학생들의 의견을 받겠다는 주장은 언급되지 않았다. 다만 누리소통망(SNS)으로 받은 학생들의 의견을 공약으로 내세웠을 뿐이다.

07 의형제·의자매 제도가 다른 학교에서 성공했는지는 이 연설에서 알 수 없다.

08 **서술형** 아침 식사를 못 하고 오는 학생들을 위해 매일 아침 식사를 제공하겠다는 공약은 학생 수준에서 실천하기 어렵다.

고득점 서술형 문제 본문 06~07쪽

1단계 **01** 설득 **02** (아) **03** 긍정적인 영향, 반대 **04** 청소년이 연예계에 진출하는 것을 제한해야 한다. **05** 건의함을 설치

2단계 **06** ⓐ: 그대로 믿고 따랐기 / ⓑ: 내용의 타당성을 판단하며 비판적인 태도 **07** 주장: 청소년의 연예계 진출을 제한해야 한다. 다른 정보: 수미가 공부를 잘하고 똑똑하다. **08** 반 친구들의 단합이 잘되어 즐거운 학교생활이 가능할 것이라는 근거를 들어 의형제·의자매 제도를 실시하겠다는 공약을 내세운다. 이는 공약과 근거 사이에 연관성이 없기 때문에 타당하지 않다.

3단계 **09** (다), (바)는 모두 적은 사례를 일반화하여 성급하게 결론을 이끌어 내고 있기 때문에 타당하지 않다. **10** (사), (사)와 〈보기〉의 주장 모두 타당하지 않다. 그 이유는 학생회장의 수준에서 실천할 수 없는 공약이기 때문이다.

1단계

01 (나)~(라)는 논제에 대해 찬성과 반대로 나뉘어 자신의 주장을 내세워 상대를 설득하는 토론이고, (마)~(아)는 여러 사람 앞에서 자기의 주의나 주장 또는 의견을 진술하는 연설이다. 토론과 연설은 모두 상대를 설득하기 위한 말하기이다.

02 어떤 집단의 문제는 그 집단에 속한 사람들이 함께 고민해야 많은 사람이 공감할 수 있는 해결 방안이 나올 가능성이 높기 때문에 학생 자치회를 활성화하겠다는 연설자의 공약은 합리적이다.

03 '소연'은 연예인이 청소년들에게 긍정적 영향을 미칠 수 있으므로 청소년의 연예계 진출을 제한해서는 안 된다는 주장을 하고 있다.

04 (다)에서는 청소년 시기에 연예인이 되면 인성이 쉽게 변할 수 있다는 점을 근거로 들어 청소년이 연예계에 진출하는 것을 제한해야 한다고 주장한다.

05 (바)에서 누리소통망(SNS) 친구들이 건의함을 설치해 달라는 의견을 답으로 달았다는 것으로 보아, ⓐ에 들어갈 공약도 건의함 설치와 관련된 내용임을 알 수 있다.

2단계

06 (가)의 학생은 배우의 말을 그대로 믿고 영화를 봤지만 재미를 느끼지 못해 실망하였다. 이러한 문제를 겪지 않기 위해서는 다른 사람의 주장이 담긴 말을 들을 때 주장이 합리적인지, 믿을 수 있는지, 공정한지 등을 따져 보며 비판적으로 들어야 한다.

07 '청소년의 연예계 진출을 제한해야 한다'는 주장을 이끌어 내는 과정에서, 이와는 관계없는 '수미가 공부를 잘하고 똑똑하다'는 정보가 영향을 미쳤다.

08 '의형제·의자매 제도 실시'라는 주장과 같은 반 친구들의 단합이 잘되어 즐거운 학교생활이 가능할 것이라는 근거 사이에는 연관성이 없다.

3단계

09 (다)에서 '정우'는 자신의 친구 한 명의 사례만으로 성급하게 결론을 이끌어 내고 있으며, (바)에서 연설자는 누리소통망(SNS) 친구 세 명의 의견을 일반화하여 결론을 이끌어 내고 있다.

평가 목표	내용의 타당성 평가하기
채점 기준	✔ 일부 사례를 전체로 일반화하고 있기에 타당하지 않다는 내용을 〈조건〉에 맞게 서술하였을 경우 [20점] ✔ 평가 내용을 미흡하게 서술하였을 경우 [5점 감점] ✔ (다)와 (바)가 타당하지 않은 이유를 서술하지 못하였을 경우 [15점 감점] ✔ 띄어쓰기나 맞춤법이 잘못되었을 경우 [1점씩 감점]

10 (사)에서 학생들에게 매일 아침 식사를 제공하는 것과, 〈보기〉에서 좋아하는 과목만 골라 수업을 들을 수 있게 한다는 것 모두 학생회장이 지닌 권한에 비추어 볼 때 실천할 수 없는 공약이다.

평가 목표	연설의 타당성 평가하기
채점 기준	✔ (사)와 〈보기〉가 학생회장 수준에서 실현 가능하지 않기 때문에 타당하지 않다는 내용을 서술하였을 경우 [20점] ✔ 실현 가능하지 않다는 점을 서술하였으나 학생회장 수준이라는 내용을 쓰지 못하였을 경우 [10점 감점] ✔ (사)를 찾았으나 이유를 바르게 서술하지 못하였을 경우 [15점 감점] ✔ 띄어쓰기나 맞춤법이 잘못되었을 경우 [1점씩 감점]

(2) 인터넷 매체로 표현하기

간단 복습 문제 본문 09쪽

쪽지 시험 01 쌍방향 02 비대면 03 문자 메시지 04 그물망 05 ㉡ 06 ㉠ 07 ㉣ 08 ㉢ 09 ○ 10 × 11 × 12 ○

어휘 시험 01 첨부 02 출처 03 매체 04 블로그 05 저작권 06 ㉢ 07 ㉤ 08 ㉠ 09 ㉣ 10 ㉥ 11 ㉡

01 인터넷 매체는 생산자와 수용자가 서로 정보를 주고받을 수 있는, 쌍방향 의사소통이 가능하다.

05 서로 다른 장소에 있는 친구들이 실시간으로 대화할 때는 온라인 대화를 활용하는 것이 좋다.

06 블로그는 대체로 개인적인 관심사에 따라 자유롭게 칼럼, 일기, 취재 기사 따위를 올리는 웹사이트이다.

10 인터넷 매체에서 보통 대면하지 않고 글을 쓰는 경우가 많기 때문에 문자만으로는 자신의 감정이나 느낌을 전달하기 어렵다. 이때 그림말을 사용하여 표정이나 느낌을 알릴 수 있다.

예상 적중 소단원 평가 본문 10쪽

01 ⑤ 02 ② 03 ② 04 비속어 05 ④

01 (가)는 인터넷 게시판, (나)는 온라인 대화, (다)는 누리소통망(SNS)이다. (가)~(다)는 모두 인터넷 매체로 생산자와 수용자의 구분 없이 정보를 자유롭게 주고받을 수 있다.

오답 풀이 ① 인터넷 매체는 문자, 소리, 사진이나 그림, 동영상 등 혼합된 정보를 처리할 수 있다.
② 개인적 상황이나 공식적 상황의 구분 없이 상황과 목적에 맞게 적절하게 사용할 수 있다.
③ 인터넷 매체에 글을 쓸 때 일정한 형식을 지켜야 하는 것은 아니다.
④ 어법에 맞지 않는 줄인 말이나 신조어 등이 많이 쓰이고 있다.

02 온라인 대화에서는 줄인 말을 많이 사용하며, 이를 통해 내용을 빠르게 전달한다.

03 (다)는 누리소통망으로 사진, 음악, 동영상과 같은 매체를 게시할 수 있으며(ㄷ), 정보를 실시간으로 다수와 공유할 수 있다(ㄱ). 또한 정보의 파급력이 높아서 사회적 문제를 다룬 내용이 널리 퍼지면서 여론이 형성되기도 한다(ㄹ).

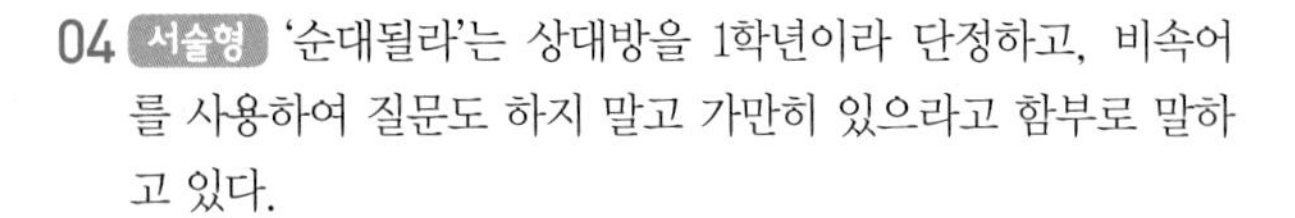

04 서술형 '순대될라'는 상대방을 1학년이라 단정하고, 비속어를 사용하여 질문도 하지 말고 가만히 있으라고 함부로 말하고 있다.

05 다수의 생각과 다른 의견이라도 다른 사람에게 피해를 주거나 불쾌감을 주는 것이 아니라면 자유롭게 표현할 수 있다.

고득점 서술형 문제

본문 11쪽

1단계 **01** 댓글, 출처 **02** 온라인 대화

2단계 **03** 인터넷 매체에 글을 쓸 때에는 상대방을 직접 대면하지 않고 문자를 중심으로 소통하기 때문에 표정이나 몸짓 등을 사용할 수 없어 그림말을 사용해 표정이나 감정을 전달한다. **04** 온라인 대화에서 외래어를 소리 나는 대로 표기하고, 줄인 말을 쓰며, 낱말의 초성자만을 사용해 표현하는데, 이는 내용을 빠르게 전달하기 위해서이다. **05** (가)는 내용을 짧게 쓰고, 문장 부호를 생략하거나 띄어쓰기 원칙을 지키지 않았다. 반면에 (나)는 대체로 내용을 자세하게 쓰고, 문장 부호를 모두 갖추거나 띄어쓰기 원칙을 지켰다.

3단계 **06** '왕자 탄 백마'는 확인되지 않은 사실로 상대를 비방하고 있다. 인터넷 매체에서 글을 쓸 때에는 확인되지 않은 사실을 올려서는 안 되며, 상대방을 배려하고 존중하며 글을 써야 한다.

1단계

01 인터넷 게시판이나 블로그의 게시물을 읽고 자신의 생각을 댓글로 표현함으로써 게시물을 쓴 사람과 의사소통할 수 있다. 다른 사람의 사진이나 그림, 음악, 동영상 등의 자료를 사용할 때에는 먼저 저작권자에게 허락을 받아야 하고 그 출처를 밝혀야 한다.

02 온라인 대화는 온라인에서 두 명 이상의 사용자가 실시간으로 나누는 대화로, 서로 떨어져 있는 사람들이 함께 의견을 나눌 때 사용하기에 적절하다.

2단계

03 〈보기〉는 그림말로, 사람의 표정이나 감정을 생생하게 드러내는 역할을 한다. 인터넷 매체에 글을 쓸 때는 문자로만 소통하기 때문에 감정을 표현하기 어렵다는 한계를 그림말 사용으로 극복할 수 있다.

04 '레알'은 외래어를 소리 나는 대로 표기한 말, '솔까말', '강추'는 어법에 맞지 않게 줄인 말, 'ㅇㅈ'은 낱말의 초성자만 표현한 말이다.

05 문자 메시지는 주로 휴대 전화를 이용하여 내용을 신속하게 보낼 때 사용하고, 전자 우편은 주로 컴퓨터를 이용하여 자세한 내용을 전할 때 쓰기 때문에 두 매체에서 글의 내용과 형식에 차이점이 생긴다.

3단계

06 〈보기〉에서 '왕자 탄 백마'는 자신의 추측만으로 댓글을 달아 상대를 비방하고 있다.

평가 목표	인터넷 매체에서의 올바른 글쓰기 태도 이해하기
채점 기준	✔ 댓글의 문제점과 올바른 글쓰기 태도 두 가지를 〈조건〉에 맞게 서술하였을 경우 [30점] ✔ 댓글의 문제점과 올바른 글쓰기 태도 두 가지를 서술하였으나 내용이 다소 미흡할 경우 [10점 감점] ✔ 댓글의 문제점이나 올바른 글쓰기 태도 두 가지 중 하나를 바르게 서술하지 못하였을 경우 [15점 감점] ✔ 띄어쓰기나 맞춤법이 잘못되었을 경우 [1점씩 감점]

(3) 책 읽고 영상으로 표현하기

간단 복습 문제

본문 13쪽

쪽지 시험 **01** ㉢ → ㉠ → ㉥ → ㉡ → ㉦ → ㉤ → ㉣ **02** 시각적, 청각적 **03** 미술 **04** ○ **05** × **06** ○ **07** ⓒ **08** ⓓ **09** ⓐ **10** ⓑ

어휘 시험 **01** 시나리오 **02** 클로즈업 **03** E. **04** 감독 **05** 장면 **06** 지문 **07** 촬영 **08** ㉢ **09** ㉠ **10** ㉡

02 자막은 눈으로 정보를 얻을 수 있는 시각적 요소에 해당하고, 효과음은 귀로 정보를 얻을 수 있는 청각적 요소에 해당한다.

05 촬영기와 대상의 거리를 가깝게 해야 대상을 크게 찍을 수 있어 심리 상태를 잘 드러낼 수 있다.

08 배경 음악을 통해 장면에 특별한 분위기를 형성하거나 인물의 심리를 암시할 수 있다.

---

01 이야기판은 시나리오를 토대로 하여 장면을 좀 더 세분화하고 주요 장면을 그림으로 그려 촬영 방법 및 편집 요소를 설명한다.

03 E.는 장면이 실감 나도록 넣는 효과음이고, NAR.(내레이션)은 화면 밖에서 장면에 대한 정보를 주는 해설이다.

06 지문은 해설과 대사를 뺀 나머지 부분의 글로, 인물의 동작, 표정, 심리, 말투 따위를 지시하거나 서술한다.

예상 적중 소단원 평가

본문 14쪽

01 ⑤ **02** 클로즈업, 대상의 상태나 심리를 강조해 드러내거나 세세하게 전달할 수 있다. **03** ⑤ **04** ② **05** ④

01 영상 제작은 '계획하기 → 기획안 작성하기 → 시나리오 작성하기 → 이야기판 작성하기 → 촬영하기 → 편집하기 → 평가하기'의 과정을 거친다.

02 서술형 장면 그림에 나타나듯 '민우'의 가슴을 화면에 크게 보이도록 촬영해 '민우'가 '여름'을 좋아하는 심리를 강조하고 화면에 비친 대상을 세세하게 전달한다.

03 ㉠ 배경 음악, ㉡ 효과음, ㉢ 대사, ㉣ 내레이션은 모두 청각적 요소이나, ㉤은 시각적 화면으로 시각적 요소에 해당한다.

04 ②는 ⓐ와 같이 촬영기와 대상의 거리가 멀 경우에 해당하는 설명이다. ⓑ는 촬영기와 대상의 거리를 아주 가깝게 하여 촬영한 것으로 인물의 심리를 드러낼 때 적절한 촬영 방법이다.

05 각자 감상한 내용과 표현하고 싶은 내용이 다를 수 있으므로 책의 내용을 빠짐없이 표현하지 않아도 된다. 의견을 모아 기획 의도를 정하고 표현 방식이나 내용을 책과 다르게 각색하는 것도 가능하다.

고득점 서술형 문제

본문 15쪽

1단계 **01** 시각적, 청각적 **02** 시나리오

2단계 **03** 이야기판 / 촬영 장면과 순서를 쉽게 파악할 수 있다. 촬영 및 편집의 방향을 공유할 수 있다. **04** ㉠은 활기찬 교실의 분위기를 효과적으로 전달하고, ㉡은 선생님이 교실에 들어오자 아이들이 각자 자리에 앉는 장면을 실감 나게 보여 준다. **05** 책 내용을 폭넓고 깊이 있게 이해할 수 있다. 생각의 다양성을 인정하는 태도를 기를 수 있다.

3단계 **06** 감독: 영상 제작 과정을 총괄하여 작품을 완성하였는가? / 시나리오: 영상의 흐름과 구성이 적절한가? / 촬영: 상황이 잘 드러나게 촬영하였는가? / 연기: 감정이 잘 드러나게 연기하였는가? / 미술: 내용과 어울리게 장소를 섭외하고 의상과 소품을 준비하였는가? / 편집: 음악, 효과음, 자막 등을 적절하게 사용하여 편집하였는가?

1단계

01 영상 언어는 크게 시각적 요소와 청각적 요소로 구성된다.

02 영상을 제작할 때 기획안을 작성한 이후에 시나리오를 작성해야 하는데, 이때 시나리오는 영화를 만들기 위해 쓴 각본을 말한다.

2단계

03 〈보기〉는 시나리오를 바탕으로 주요 장면을 더 잘게 나누어 순서대로 그림으로 표현하고, 시각적 요소 및 청각적 요소를 함께 작성한 이야기판이다.

04 ㉠은 교실 분위기를 형성하는 배경 음악이며, ㉡은 해당 장면을 실감 나게 보여 주는 효과음이다.

05 다른 사람과 책 읽기 경험을 나누면 책 내용을 깊이 있게 이해할 수 있으며, 다양한 생각과 감상을 공유할 수 있다.

3단계

06 완성된 영상에 대해 감독, 시나리오, 촬영, 연기, 미술, 편집 등의 부문을 평가할 수 있다.

평가 목표	영상 제작 평가하기
채점 기준	✔ 부문별로 영상을 평가하는 기준을 세 가지 이상 〈조건〉에 맞게 서술하였을 경우 [30점] ✔ 평가 기준 중 하나 이상을 바르게 서술하지 못하였을 경우 [10점씩 감점] ✔ 띄어쓰기나 맞춤법이 잘못되었을 경우 [1점씩 감점]

예상 적중 대단원 평가

본문 16~18쪽

01 ③ **02** ⑤ **03** ② **04** 하나의 사례만으로 성급하게 결론을 이끌어 내고 있기 때문에 타당하지 않다. **05** ③ **06** ④ **07** ① **08** ① **09** ⑤ **10** ② **11** ① **12** 가장 인상적인 부분은 어디이고, 그 까닭은 무엇인가? / 작가가 이 소설을 통해 전하고자 하는 바는 무엇인가? / 이 소설을 통해 알게 된 점과 느낀 점은 무엇인가? / 자신이 작가라면 이 소설에서 바꾸고 싶은 내용은 무엇이고, 어떻게 바꾸고 싶은가? 등

01 토론을 들을 때에는 자신의 생각과 다르더라도 주장과 근거를 파악하고 그 타당성을 판단해 수용할 수 있어야 한다.

02 청소년 문화를 주도적으로 만들기 위해 청소년이 연예계에 진출하는 것을 제한해서 안 된다는 (마)의 주장은 논리적으로 타당하다.

03 〈보기〉에서 '의형제·의자매 제도를 실시하겠다'는 주장과 '같은 반 친구들의 단합이 잘되어 재미있고 즐거운 학교생활이 가능하다'는 근거 사이에는 연관성이 없다. (나)도 '연예인은 청소년들에게 긍정적인 영향을 미친다'는 근거와 '청소년의 연예계 진출 제한 반대'라는 주장 사이에 관련성이 없다.

04 서술형 '정우'는 자신의 친구 한 명이 연예인이 된 이후 연락이 두절되었다는 사례만으로 청소년이 연예인이 되면 인성이 쉽게 변할 수 있다고 성급하게 결론을 내렸다.

05 인터넷 매체에서는 정보가 그물망처럼 연결되어 있어, 자신이 원하는 정보를 찾아 자유롭게 옮겨 다닐 수 있다.

06 (가)은 인터넷 게시판이고, (나)는 블로그이다. (가)는 학교 누리집의 게시판이므로 공적인 목적이 강하고, (나)는 개인이 운영하는 블로그이므로 개인적인 목적이 강하다고 볼 수 있다.

07 (다)는 문자 메시지이고, (라)는 전자 우편이다. (다)는 주로 휴대 전화를 이용하여 내용을 신속하게 보낼 때 사용하고, (라)는 주로 컴퓨터를 이용하여 자세한 내용을 보낼 때 사용한다.

08 '순대될라'는 상대에 대한 예의를 지키지 않고, 오히려 비속어를 사용하여 상대를 비하했다.

09 일정한 줄거리가 없거나 사실성을 강조하는 일부 영상은 시나리오 없이 이야기판만을 작성하여 촬영하기도 한다.

10 작품의 주제는 계획하기 단계에서 설정한다.

11 'NAR.(내레이션)'은 인물의 목소리를 통해 들려주게 되므로 청각적 요소에 해당한다.

12 고난도 서술형 책 읽기 경험 나누기 단계에서는 모둠 구성원들이 읽기 경험의 폭과 깊이를 확장할 수 있도록 다양한 질문을 나누고 답해 보는 것이 중요하다.

평가 목표	책 읽기 경험 나누기 단계 이해하기
채점 기준	✔ 책 읽기 경험 나누기 단계에서 나눌 질문 두 가지를 〈조건〉에 맞게 쓴 경우 [상] ✔ 책 읽기 경험 나누기 단계에서 나눌 질문 한 가지를 〈조건〉에 맞게 쓴 경우 [중] ✔ 책 읽기 경험 나누기 단계에서 나눌 질문을 〈조건〉에 맞게 쓰지 못한 경우 [하]

2 간추리는 재미, 만나는 즐거움

(1) 요약하며 읽기

간단 복습 문제 본문 20쪽

쪽지 시험 01 ㉢ 02 ㉠ 03 ㉡ 04 선택 05 삭제 06 일반화 07 재구성 08 ○ 09 × 10 × 11 ○ 12 ㉢ 13 ㉡ 14 ㉣ 15 ㉠
어휘 시험 01 축원 02 사정 03 사연 04 매개 05 유대 06 관계망

08 설화란 옛날부터 특정한 집단이나 민족 안에서 전해 내려오는 이야기로 신화, 전설, 민담 등이 있다.

09 이야기의 특성을 고려하여 주인공인 '오늘이'에게 일어나는 사건과 그 전개 과정을 중심으로 요약하는 것이 적절하다. 이때 사건이 시간의 흐름과 공간의 이동에 따라 전개되고 있으며, 문제와 문제 해결의 구조도 나타나 있으므로 이에 따라 요약할 수 있다.

10 이 이야기에서 '원천강'은 사람이 함부로 접근할 수 없는 초월적인 공간이자, 신관과 선녀가 지키고 있는 신성한 공간이다.

01 '축원'은 '희망하는 대로 이루어지기를 마음속으로 원함.'을 의미하고, '축하'는 '남의 좋은 일을 기뻐하고 즐거워한다는 뜻으로 인사함.'을 의미한다. 제시된 문장은 여러분의 가정에 행운이 깃들기를 바란다는 것이므로 '축원'이 들어가는 것이 적절하다.

03 '사연'은 '일의 앞뒤 사정과 까닭'을 의미하고, '우연'은 '아무런 인과 관계가 없이 뜻하지 아니하게 일어난 일'을 의미한다. 제시된 문장은 할머니께서 고향 노래를 즐겨 부르는 사정이나 까닭에 대한 것을 듣게 되었다는 것이므로 '사연'이 들어가는 것이 적절하다.

04 '매개'는 '유대'와 달리, A와 B 사이에서 그 둘의 관계를 맺어 주는 상황에서 주로 사용되는 낱말이다.

예상 적중 소단원 평가 본문 21~22쪽

01 ⑤ 02 ② 03 사계절 04 ② 05 ③ 06 ① 07 인용, '코메니우스'의 말을 인용하여 '마을학교'의 필요성을 강조한다. 08 ② 09 ④

01 이 이야기는 전체적으로 시간 흐름과 공간의 이동에 따라 사건이 전개되고 있으며, 문제와 문제 해결의 구조도 나타난다.

02 (나)의 마지막 부분에서 '매일이'는 하늘에서 벌을 받아 길가 외딴 별층당에서 매일 글을 읽어야 하는 신세가 되었음을 알 수 있다.

03 서술형 (다)의 내용으로 보아, 이 세상의 사계절이 원천강에 있는 네 개의 문에서 흘러나온다는 것을 알 수 있다. 첫 번째 문은 봄을, 두 번째 문은 여름을, 세 번째 문은 가을을, 네 번째 문은 겨울을 상징한다.

04 (라)에서 선녀가 된 '오늘이'가 들고 있는 여의주와 연꽃은 '오늘이'의 신성성을 세상에 드러내는 소재라고 짐작할 수 있다. '오늘이'의 욕망과는 관련이 없다.

오답 풀이 ①, ③ '오늘이'가 옥황상제의 부름으로 하늘나라 선녀가 되어 원천강을 돌보며 사계절의 소식을 세상에 전한다고 하였다.
④ (라)는 '오늘이'가 원천강에서 예전에 살던 마을로 돌아와서 한 일(백씨 부인을 만난 일)과 하늘나라 선녀가 된 일을 설명하고 있다.
⑤ 신비한 물건인 여의주와 연꽃을 지니게 되는 것으로 보아 '오늘이'의 여행이 신성성을 얻기 위한 과정이었음을 알 수 있다.

05 '오늘이'가 처음 만난 '장상'의 부탁을 꼭 들어주겠다고 하는 모습에서 '오늘이'의 상냥하고 친절한 면모가 나타난다.

06 (다)의 중심 내용은 마지막 문장이다. 제시된 내용은 이 문장을 '선택'해서 요약하되, 구체적인 예(주민 센터나 학교뿐만 아니라 마을에 있는 찻집, 도서관, 식당, 놀이터 등)에 해당하는 부분을 '삭제'한 것이다.

07 서술형 (마)에서는 '코메니우스'의 말을 인용하고 있다. 또한 이를 통해 세상이 곧 학교이고, 우리 자신이 또한 학교임을 설명하면서 '마을' 자체가 우리 삶에 있어서 중요한 '마을학교'라는 점과 '마을학교'의 필요성을 강조하고 있다.

08 (라)에서는 '마을학교'에서 행해지는 다양한 활동들에 대해서 설명하고 있다.

09 (다)에서 일반적인 학교에는 여러 교실과 시설이 필요하지만, '마을학교'는 일반적인 학교의 틀에서 벗어나 마을 주민이 활동하는 공간이면 모두 '마을학교'가 될 수 있다고 설명하고 있다.

오답 풀이 ① 이 글의 도입 부분으로, 의문을 제기하여 독자의 관심을 유발하고 있다.
②, ③ (나)에서 마을 주민은 '마을학교'를 이끌어 나가는 주체이자 학습의 원천이라고 하였는데, 이것은 마을 주민 자체가 '학교'일 수도 있다는 것을 의미한다.
⑤ (라)에는 '마을학교' 활동의 구체적인 예가 제시되는데, 공동육아도 이에 해당한다.

고득점 서술형 문제 본문 23~24쪽

1단계 01 용감하고 독립심이 강하다. 02 봄, 여름, 가을, 겨울 03 하늘나라 선녀 04 마을 주민 05 주민 스스로 마을을 움직이고 마을의 문제를 해결하는 마을 역량
2단계 06 원천강은 사람이 갈 수 없는 멀고 먼 곳으로, 초월적이고 신성한 공간이다. 07 '마을학교'는 마을과 학교가 하나가 되는 것을 추구한다. – 선택, 삭제 08 ⓐ는 '삶에서 오는 문제와

어려움'을, ⓑ는 이를 막아 주는 '마을학교'를 의미한다. 이와 같은 비유를 활용하면 '마을학교'의 역할을 효과적으로 설명할 수 있다.
3단계 **09** (가)~(다)는 이야기이면서 설화(신화)로 시간의 흐름과 공간의 이동을 중심으로 요약할 수 있는 반면, (라)~(마)는 설명하는 글로 설명 대상에 대한 정보를 중심으로 요약할 수 있다.
10 원천강으로 가는 길에서 '오늘이'가 다른 사람의 입장을 배려하며, 문제 상황에 지혜롭고 현명하게 대처한다는 것을 알 수 있다. '오늘이'가 마을로 돌아오는 길에서 약속을 끝까지 지키며 사소한 것도 소중하게 생각한다는 것을 알 수 있다.

1단계

01 (가)에서 '백씨 부인'이 원천강은 사람이 갈 수 없는 멀고 먼 곳이라고 하였지만 '오늘이'는 부모님을 찾아 홀로 낯선 길을 떠나겠다고 말하고 있다. 이를 통해 '오늘이'의 용감하면서도 독립심이 강한 성격을 알 수 있다.

02 '오늘이'가 원천강에 있는 첫 번째 문을 열었을 때 봄바람이 불고 봄꽃이 피어 있었으며, 두 번째 문을 열었을 때 뜨거운 햇살 속에 곡식과 채소가 무성했다. 세 번째 문을 열었을 때 너른 들판에 누런 벼가 물결치고 있었고, 네 번째 문을 열었을 때, 찬바람이 불고 흰 눈이 세상을 뒤덮었다. 이로 보아 원천강에 있는 네 개의 문은 각각 봄, 여름, 가을, 겨울을 상징한다.

03 이야기의 결말 부분인 (다)에서 '오늘이'는 옥황상제의 부름으로 하늘나라 선녀가 되어 원천강을 돌보며 사계절의 소식을 세상에 전하는 일을 맡게 된다. 이를 통해 '오늘이'가 신적 존재가 되었음을 알 수 있다.

04 (라)에서 마을 주민이 '마을학교'의 주체이자 학습의 원천이라고 설명하고 있다.

05 '마을력'이란 주민 스스로 마을의 주체가 되어 마을을 운영하면서 문제를 해결하는 '마을 역량'을 의미한다.

2단계

06 (가)에서 '백씨 부인'은 원천강은 사람이 살 수 없는 밀고 먼 곳이라고 말하고 있다. 또한 '오늘이'의 부모님이 신관과 선녀가 되어 원천강을 지키는 것으로 볼 때, 원천강은 인간 세상과는 다른 초월적이고 신성한 공간으로 볼 수 있다.

07 (마)의 중심 내용은 첫 번째 문장이다. 이 문장을 '선택'해서 요약하되, 덜 중요한 내용을 '삭제'하면 (마)의 내용을 요약할 수 있다.

08 (마)에서는 마을과 학교가 하나라는 점과 이와 같은 '마을학교'의 역할에 대해 설명하고 있다. 〈보기〉는 (마)의 내용을 바탕으로 독자가 보편적으로 공감할 수 있는 일상적 경험을 빗댄 비유적 표현을 사용하면서 '마을학교'가 우산처럼 '삶에서 오는 문제와 어려움'을 막아 주는 역할을 한다는 점을 효과적으로 설명하고 있다.

3단계

09 (가)~(다)는 이야기이면서 설화(신화)로, 주인공 '오늘이'의 여행담이 시간의 흐름과 공간의 이동에 따라 전개되므로, 이에 따라 내용을 요약하는 것이 적절하다. (라)~(마)는 '마을학교'에 대해 체계적으로 설명하는 글로, '마을학교'라는 설명 대상에 대한 정보를 중심으로 요약하는 것이 적절하다.

평가 목표	글의 특성을 고려한 요약 방법 이해하기
채점 기준	✔ (가)~(다)와 (라)~(마)의 갈래를 제시하면서, 제시된 형식에 맞게 요약 방법을 바르게 서술한 경우 [20점] ✔ (가)~(다)와 (라)~(마) 중, 하나의 갈래를 제시하면서, 제시된 형식에 맞게 요약 방법을 서술한 경우 [10점] ✔ (가)~(다)와 (라)~(마) 중, 하나의 갈래를 제시하였으나 제시된 형식에 맞지 않게 요약 방법을 서술한 경우 [5점] ✔ 띄어쓰기나 맞춤법이 잘못되었을 경우 [1점씩 감점]

10 〈보기〉는 '오늘이'가 원천강으로 가는 중에 있었던 일과 마을로 돌아오는 길에 있었던 일들을 요약한 것이다. '오늘이'는 원천강으로 가는 길에서 만난 대상의 사연을 듣고 그들의 부탁을 들어주려고 노력하고 있으며, 원천강에 머무르지 않고 부탁받은 일을 해결하기 위해 마을로 돌아온다.

평가 목표	인물의 행동에서 나타나는 삶의 태도 이해하기
채점 기준	✔ '오늘이'의 여정에서 알 수 있는 삶의 태도를 두 가지 이상 바르게 서술한 경우 [20점] ✔ '오늘이'의 여정에서 알 수 있는 삶의 태도를 한 가지만 서술한 경우 [10점] ✔ '오늘이'의 여정은 서술했으나, 삶의 태도를 서술하지 못한 경우 [5점] ✔ 띄어쓰기나 맞춤법이 잘못되었을 경우 [1점씩 감점]

(2) 질문을 준비하여 면담하기

간단 복습 문제 본문 26쪽

쪽지 시험 **01** 의견 **02** 목적 **03** 평가 **04** 설득 **05** 상담 **06** 정보 수집 **07** × **08** ○ **09** ○ **10** × **11** ㉡ **12** ㉠ **13** ㉢
어휘 시험 **01** 엉억 **02** 전공 **03** 계기 **04** 지루한 **05** 승화하며

01 면담은 일정한 목적을 이루기 위해 목적에 맞는 대상을 직접 만나서 이야기나 의견을 나누는 것이다. 협상은 이해관계가 얽힌 주체들이 만나 어떤 목적에 부합되는 최선의 결정을 얻기 위해 타협과 조정을 통해 대안을 마련하는 의사 결정 과정을 말한다.

07 면담의 일반적인 절차는 '면담 준비하기 → 면담 진행하기 → 면담 정리하기'의 순서로 진행된다.

10 면담을 준비할 때에 면담의 목적과 주제에 맞는 질문을 준비해야 하지만, 면담 진행 중에 궁금한 점이 생기면 추가로 질문을 할 수 있다.

04 '남루한'은 '옷 따위가 낡아 해지고 차림새가 너저분한'이라는 의미이고, '지루한'은 '시간이 오래 걸리거나 같은 상태가 오래 계속되어 따분하고 싫증이 나는'이라는 의미이다. 제시된 문장은 아이들이 하품을 하며 자리에서 일어나는 상황이므로 '지루한'이 들어가는 것이 적절하다.

05 '만족하며'는 '흡족하게 여기며'라는 의미이고, '승화하며'는 '어떤 현상이 더 높은 상태로 발전하며'라는 의미이다. 제시된 문장은 이별의 슬픔이라는 감정에 머무는 것이 아니라 이를 음악으로 이겨 낸다는 의미이므로 '승화하며'가 들어가는 것이 적절하다.

예상 적중 소단원 평가

본문 27쪽

01 ③ **02** 3번, 요리 예술사라는 직업을 알아보기 위한 면담의 목적에 맞지 않기 때문이다. **03** ④ **04** ⑤

01 면담을 할 때는 면담의 목적에 따라 그에 맞는 질문을 해야 한다. 면담 상황에 따라 질문의 내용이나 순서를 수정할 수는 있어도 면담의 목적을 수정할 수는 없다. 면담의 목적은 면담을 준비하는 과정에서 정한다.

02 서술형 (가)의 면담 요청 내용과 (나)의 실제 면담 내용으로 보아, ㉠의 면담 목적은 요리 예술사라는 직업에 대해 알아보기 위해서이다. 〈보기〉의 질문 중에서 3번은 면담의 목적과 관계없는 질문이다.

03 (나)에서 요리 예술사는 요리와 관련된 능력이 있어도 시장의 빠른 변화를 좇아가기 힘들기 때문에 꾸준히 노력하는 열정과 성실성이 필요하다고 말하고 있다. 따라서 시장의 변화를 좇기보다는 자신만의 개성을 지녀야 한다는 내용은 요리 예술사의 대답과는 거리가 있다.

04 ⓔ와 같이 면담 질문지를 미리 보내는 것은 면담에서 질문할 내용을 미리 전달하여 면담 대상이 답변을 준비할 수 있도록 함으로써, 면담의 효과를 높이려는 의도이다.

오답 풀이 ① 요리 예술사라는 직업에 대한 정보를 얻기 위해 면담을 하고 싶었다며 면담 목적을 밝히고 있다.
② 실제 면담에서 요리 예술사가 하는 일, 요리 예술사가 갖춰야 할 능력, 요리 예술사가 되기 위한 방법 등을 묻겠다는 것을 알 수 있다.
③ 면담을 허락해 준다면 친구들과 함께 찾아뵙고 궁금한 것들을 묻고 싶다고 말하고 있다.
④ 면담 대상이 편한 날짜와 시간이 언제인지를 물어 그때를 면담 일시로 잡을 것이라고 말하고 있다.

고득점 서술형 문제

본문 28~29쪽

1단계 **01** 마을 신문 편집장님 **02** 상담 **03** 전자 우편 보내기 **04** 인터넷이나 책에서보다 생생한 정보를 얻을 수 있기 때문이다. **05** 정보 수집
2단계 **06** 마을 신문 편집장님과의 면담을 통해 정보를 수집하여 마을 신문을 학교 신문에 소개하기 위해서이다. **07** 면담 대상에게 면담 허락을 받는다. / 면담할 질문을 정리한다. / 면담할 때의 역할을 나눈다. **08** 면담의 목적을 면담 대상에게 미리 알린다. / 녹음이나 촬영을 해야 할 때에는 미리 면담 대상에게 허락을 받는다.
3단계 **09** ㉠은 주안적 질문에, ㉡은 부차적 질문에 해당한다. '정우'는 ㉠의 물음에 대한 면담 대상의 답변을 듣고, 그와 관련하여 요리 예술사의 활동 영역에 대해 구체적으로 알고 싶어졌기 때문에 ㉡과 같은 질문을 한 것이다.

1단계

01 (가)의 학생들은 마을 신문 편집장님을 대상으로 면담을 하고자 한다.

02 (나)에서 '준서'는 '지민'에게 고민이 생겼다고 말했고, 이에 '지민'은 '준서'에게 청소년 상담을 해 볼 것을 권유하고 있다. 따라서 '준서'가 면담을 한다면 상담을 목적으로 지호 어머니와 면담할 것이다.

03 (다)에서 학생들은 면담 대상인 요리 예술사에게 면담 허락을 받기 위해 전자 우편을 보내기로 한다.

04 (다)에서 '학생 2'는 면담을 하면 인터넷이나 책에서보다 생생한 정보를 얻을 수 있을 것이라고 말하고 있다.

05 (라)의 '정우'는 요리 예술사에 대한 정보를 얻기 위한 목적으로 면담을 진행한다는 점을 밝히고 있다.

2단계

06 (가)의 '준서'와 '지민'은 자신들이 재미있게 본 마을 신문을 학교 신문을 통해 친구들에게 소개하기 위해서 마을 신문 편집장님을 면담하여 정보를 얻으려는 계획을 세우고 있다.

07 (다)는 면담의 준비 과정으로, 대화를 나누는 학생들은 면담을 하기 위한 계획을 세우고 있다. 이 학생들은 면담을 계획하면서 면담 전에 면담 요청하기, 면담 질문 준비하기, 면담 역할 나누기에 대한 내용을 준비하려고 한다.

08 (라)에서 '정우'는 요리 예술사에게 그 직업에 대한 정보를 얻기 위해 면담을 하는 것임을 알리고 있다. 또한 면담 내용을 녹음하고 중간에 사진도 찍으려 한다며 면담 대상에게 미리 양해를 구하고 있다.

3단계

09 '정우'는 '나라'가 한 주안적 질문에 대한 면담 대상의 답변을 들은 후, 요리 예술사의 활동 영역에 대해 좀 더 구체적으로 알고 싶어 부차적 질문을 한 것이다.

평가 목표	면담의 질문 유형 이해하기
채점 기준	✔ 질문 유형을 바르게 나누면서, 제시된 형식에 맞게 ㉡과 같은 질문을 한 이유를 서술한 경우 [30점] ✔ 질문 유형을 바르게 나누지 못한 경우 [10점 감점] ✔ 제시된 형식에 맞게 ㉡과 같은 질문을 한 이유를 서술하지 못한 경우 [10점 감점] ✔ 띄어쓰기나 맞춤법이 잘못되었을 경우 [1점씩 감점]

예상 적중 **대단원** 평가 본문 30~33쪽

01 ⑤ **02** ③ **03** 문제와 문제 해결 **04** ③ **05** ⑤ **06** ⑤ **07** 〈보기〉는 주장하는 글을 주장과 근거로 나누어 요약하고 있다. [A]에 들어갈 주장은 '농촌 경제를 살리고 먹을거리 문제도 해결하기 위해 농장 시장을 활성화하자.'이다. **08** ⑤ **09** ③ **10** ⓐ: 요리 예술사에 대한 정보를 얻기 위해서, ⓑ: 요리 예술사 **11** ④ **12** ④ **13** ② **14** ⑤ **15** ⑤

01 이 글의 갈래는 이야기이면서 설화(신화)에 해당한다. 이와 같은 글을 읽을 때에는 인물과 배경, 사건을 통해 줄거리를 파악하고, 신화라는 갈래의 특징적인 구조를 고려해야 한다. 글쓴이가 경험에서 얻은 교훈을 생각하며 읽어야 하는 글의 갈래는 수필이다.

02 '오늘이'는 연꽃 나무에게 맨 윗가지에 핀 꽃을 처음 보는 사람에게 주어야 한다고 알려 준 것이지, '오늘이' 자신에게 주어야 한다고 말한 것은 아니다.

03 서술형 이 이야기는 주인공인 '오늘이'가 여행 중에 만난 대상에게서 그들이 겪는 문제에 대한 부탁을 받고, 집으로 돌아가는 길에 이를 해결해 주는 과정으로 전개되고 있다. 이와 같은 전개 방식을 문제와 문제 해결의 구조라고 할 수 있다.

04 ㉠은 옥황상제의 부름을 받아 하늘나라 선녀가 된 '오늘이'가 맡은 일로, 신적 존재인 선녀가 된 '오늘이'가 인간 세상에 영향을 미치는 것이며, 초월적이고 신성한 능력을 발휘하는 일이기도 하다. 하지만 이것을 문지기가 되어 원천강을 지키는 일이라고 볼 수는 없다.

05 (가)는 '마을학교'의 개념을 알아보기 위한 측면 중에서 '마을학교'를 이끌어 가는 주체에 대해 설명하는 부분이다. 이 부분의 중심 내용은 "마을학교'를 이끌어 가는 주체는 마을 주민이다.'라고 할 수 있다.

오답 풀이 ① '마을학교'는 행정 관청이 아니라 마을 주민이 그들의 필요에 따라 만든다고 하였다.
② '마을학교'를 네 가지 측면으로 살펴봤을 때 얻을 수 있는 효과일 뿐 (가)의 중심 내용은 아니다.
③ '마을학교'를 바라보는 한 가지 관점을 언급한 것일 뿐, 주체가 마을 주민이라는 핵심 내용이 빠졌다.
④ '마을학교'를 이해하기 위한 방법을 제시한 것으로 (가)의 도입 문장일 뿐 핵심 내용이 아니다.

06 (나)에서 비유를 활용하여 '마을학교'가 삶에서 오는 문제와 어려움을 해결할 수 있음을 설명하고 있다. 즉 '비'는 '삶에서 오는 문제와 어려움'을 의미하고, 비를 막는 '우산'은 삶에서 오는 문제와 어려움을 막아 줄 수 있는 '마을학교'를 의미한다.

07 고난도 서술형 〈보기〉는 이 글을 주장과 근거로 나누어 요약한 것이다. 〈보기〉에 제시된 근거로 볼 때, 이 글의 주장은 이러한 여러 가지 이점이 있는 농장 시장을 활성화하자는 것이다.

평가 목표	글의 특성에 따른 요약 방법 파악하기
채점 기준	✔글의 갈래를 밝혀 요약 방법을 바르게 서술하고 글의 주장을 제시된 형식에 맞게 서술한 경우 [상] ✔글의 주장을 제시된 형식에 맞게 서술했으나, 글의 갈래를 밝혀 요약 방법을 서술하지 못한 경우 [중] ✔글의 갈래를 밝혀 요약 방법을 바르게 서술했으나, 글의 주장을 서술하지 못한 경우 [하]

08 면담은 일정한 목적을 이루기 위해 특정 대상을 직접 만나서 이야기나 의견을 나누는 과정으로, 특정 인물을 주제로 모인 사람들이 의견을 나누는 것과는 상관이 없다.

09 면담 전에 면담 대상에게 전자 우편을 보내는 것은 면담의 목적을 밝혀 면담 허락을 받고, 면담에서 질문할 내용을 전달하며, 면담 날짜와 시간, 장소 등을 정하기 위해서이다.

10 서술형 이 전자 우편에서 '정우'는 요리 예술사라는 직업이 어떤 직업인지 궁금하여 현재 요리 예술사로 활동하는 면담 대상에게 면담을 요청한다고 밝히고 있다.

11 휴일에 즐기는 취미와 관련된 질문은 '요리 예술사'라는 직업에 대해 알아보기 위한 목적에 어긋나므로 미리 보낸 질문지의 내용으로는 적절하지 않다.

12 실제 면담은 면담 계획서를 바탕으로 진행하지만, 효과적인 면담을 위해 필요에 따라 면담 질문이나 진행 방식 등을 조절할 수도 있다.

오답 풀이 ①, ② 면담 계획서를 작성하면 면담 전에 준비 사항을 점검하여 빠진 내용이 있는지 확인할 수 있다.
③ 면담 계획서의 항목으로 면담 목적, 면담 대상, 면담 일시 및 장소, 질문 내용 등이 포함될 수 있다.
⑤ 면담에서 질문할 내용을 적어 보면, 불필요한 질문을 삭제하거나 추가해야 할 질문을 떠올릴 수 있다.

13 (가)에서 '정우'가 면담 내용을 녹음하고 사진을 촬영하겠다고 밝히고 있지만, '정우'와 '나라'가 면담 내용을 모두 필기하고 있다는 내용은 파악할 수 없다.

오답 풀이 ① (가)에서 '정우'는 이 면담이 요리 예술사에 대한 정보를 얻기 위한 면담임을 밝히고 있다.
③ (가)에서 '나라'와 '정우'는 요리 예술사에게 먼저 자기소개를 하고 있다.
④ (마)에서 '나라'는 요리 예술사에게 감사 인사를 하며 예의를 갖추어 면담을 마무리하고 있다.
⑤ (가)에서 '정우'는 면담 내용을 녹음하고 중간에 사진을 찍겠다고 하며 면담 대상에게 양해를 구하고 있다.

14 면담의 절차를 고려할 때 면담을 진행한 후에는 면담하면서 기록하고 녹음한 내용을 바탕으로 면담한 내용을 목적에 맞게 정리해야 한다.

오답 풀이 ①, ②, ④는 면담을 준비하는 과정에서 할 수 있는 일이고, ③은 면담을 진행하는 과정에서 할 수 있는 일이다.

15 (다)에서는 요리 예술사 일을 하면서 힘든 점을 다루고 있고(ㄷ), (라)에서는 요리 예술사 일을 하면서 보람을 느낀 순간을 다루고 있다(ㄹ).

3 생각을 나누는 삶

(1) 언어의 본질

간단 복습 문제 본문 35쪽

쪽지 시험 **01** 없다 **02** 사회적 **03** 무제한적으로 **04** ○
05 ○ **06** × **07** ㉣ **08** ㉠ **09** ㉢ **10** ㉡
어휘 시험 **01** 자의적 **02** 창조적 **03** 필연적 **04** 묘사
05 누리꾼 **06** 본질 **07** ㉡ **08** ㉣ **09** ㉠ **10** ㉢

06 '그레인저 선생님'은 언어를 마음대로 바꾸면 의사소통에 어려움이 생기고 학교를 혼란에 빠뜨릴 수 있기 때문에 '닉'에게 계획을 그만두라고 말하였다.

04 감정을 언어로 서술한다는 의미이므로 '어떤 대상이나 사물, 현상 따위를 언어로 서술하거나 그림을 그려서 표현함.'의 의미인 '묘사'가 들어가는 것이 적절하다.

05 인터넷 신문 기사를 읽고 댓글을 다는 사람이므로 '사이버 공간에서 활동하는 사람'을 일컫는 '누리꾼'이 들어가는 것이 적절하다.

06 '물'이라는 본래의 성질은 바뀌지 않는다는 의미이므로 '본디부터 가지고 있는 사물 자체의 성질이나 모습'의 의미인 '본질'이 들어가는 것이 적절하다.

예상 적중 소단원 평가 본문 36~37쪽

01 ③ **02** ② **03** 언어의 창조성 **04** ⑤ **05** ④
06 ⑤ **07** ③ **08** 시간의 흐름에 따라 그 뜻이 변화한 말이다. **09** ①

01 제시된 대화에서 드러나는 언어의 본질은 언어의 자의성이다. 언어에서 말소리와 뜻은 필연적인 관계가 아니기 때문에 뜻이 같아도 말소리는 나라마다 다를 수 있다.

02 '인터넷, 인공위성'은 과학 기술의 발달로 새로 생긴 대상을 지칭하기 위해 생겨난 말이다. '놈, 영감'은 모두 뜻이 변한 말이며, '뫼, 가람'은 '산, 강'이 널리 쓰이면서 사라진 말이다.

03 서술형 배우지 않고도 새로운 문장을 만들어 시를 지을 수 있다는 것은 언어의 창조성을 보여 주는 예이다.

04 언어는 사회적 약속이므로 마음대로 낱말을 바꾸어 사용하면 다른 사람과 의사소통하는 데 문제가 생긴다.

05 ⓐ는 '학교'를 '책상'으로 마음대로 바꾸어 불러 의사소통에 문제가 생긴 장면으로, 언어의 사회성과 관련이 있다. ⓑ는 뜻이 서로 다르지만 소리가 같은 낱말이 존재하는 것을 보여 주는 예로, 언어의 자의성과 관련이 있다.

06 제시된 내용은 언어의 창조성의 개념이다. ⑤는 새로운 문장을 만드는 예이므로 제시된 내용을 뒷받침할 수 있다.

07 ㄱ은 새로 생긴 말이므로 언어의 역사성과, ㄴ은 문장을 만들었으므로 언어의 창조성과, ㄷ은 사회적 약속을 어긴 말을 제시하였으므로 언어의 사회성과, ㄹ은 말소리는 같지만 의미가 다른 말을 제시하였으므로 언어의 자의성과 관련된다.

08 서술형 ㉠은 언어가 시간의 흐름에 따라 변화한다는 언어의 역사성과 관련 있는 말이다. '어리다'(어리석다 → 나이가 적다)와 '어여쁘다'(불쌍하다 → 예쁘다)는 시간의 흐름에 따라 뜻이 변화한 말이라는 공통점을 지닌다.

09 제시된 대화에서 선생님은 '닉'처럼 개인이 마음대로 낱말을 바꾸게 되면 원활한 의사소통이 불가능해지고 결국 사회를 혼란에 빠뜨릴 수 있다고 생각하고 있다.

고득점 서술형 문제 본문 38쪽

1단계 **01** 사회성 **02** 언어의 자의성
2단계 **03** 언어의 역사성, 언어는 시간의 흐름에 따라 변한다. **04** '미정'은 언어의 사회성을 무시하고 자기 마음대로 낱말을 바꾸어 말하고 있다. '미정'이 계속해서 이렇게 말한다면 주변 사람들과의 의사소통에 문제가 생길 것이다.
3단계 **05** 제시된 문장은 모두 '부채'라는 낱말을 포함하지만 표현이 서로 다르다. 이는 각자 자신의 생각과 느낌을 담아 새로운 문장을 창조했기 때문이다. **06** ㄱ은 말소리가 변한 것이고, ㄴ은 뜻이 변한 것이다. ㄷ은 쓰이던 말이 사라진 것이고, ㄹ은 새로운 말이 생긴 것으로, 이는 모두 언어의 역사성과 관련된 예이다. ㄹ과 같이 새로운 사물이나 개념을 가리키는 새말이 만들어지는 것은 언어의 창조성과도 관련이 있다.

1단계

01 언어는 사회 전체에 널리 쓰이게 되면 개인이 함부로 바꾸거나 없애기 어려운데, 이를 언어의 사회성이라고 한다.

02 '은하수, 밀키 웨이, 갤럭시'처럼 같은 대상이라도 이를 표현하는 말이 다양하다는 것은 언어의 말소리와 뜻 사이에 필연적인 관계가 없다는 것(언어의 자의성)을 보여 준다.

2단계

03 제시된 내용에서는 '피나'가 '펜'으로 변했음을 설명하고 있다. 이는 언어가 시간의 흐름에 따라 변할 수 있음을 보여 주므로 언어의 역사성과 관련된다.

04 '미정'은 사회적으로 약속된 말인 '창문'을 쓰지 않고 자기 마음대로 '투명이'를 쓰고 있다. 이는 언어의 사회성을 고려하지 않은 행동이다.

3단계

05 제시된 문장들은 '부채'라는 낱말을 포함하고 있지만 표현이 모두 다르다. 이는 각자 새로운 문장을 창조해 내는 언어의 창조성 때문이다.

평가 목표	언어의 창조성 이해하기
채점 기준	✔ 문장이 서로 다른 까닭을 언어의 창조성과 연관 지어 〈조건〉에 맞게 서술한 경우 [25점] ✔ 문장이 서로 다른 까닭을 언어의 창조성과 연관 지었지만 제시된 문장의 공통점과 차이점을 쓰지 않은 경우 [15점] ✔ 띄어쓰기나 맞춤법이 잘못되었을 경우 [1점씩 감점]

06 언어의 생성, 소멸, 변화는 모두 언어의 역사성과 관련된다. 그중 생성은 언어의 창조성과 관련지어 이해할 수 있다.

평가 목표	언어의 역사성과 창조성 이해하기
채점 기준	✔ ㄱ~ㄹ을 모두 바르게 분류하고, 〈조건〉에 맞게 언어의 본질을 서술한 경우 [30점] ✔ ㄱ~ㄹ의 분류가 잘못된 경우 [5점씩 감점] ✔ 〈조건〉에 해당하는 언어의 본질을 서술하지 못한 경우 [5점씩 감점] ✔ 띄어쓰기나 맞춤법이 잘못되었을 경우 [1점씩 감점]

(2) 문제 해결을 위한 토의

간단 복습 문제

본문 40쪽

쪽지 시험 **01** × **02** ○ **03** ○ **04** ㄴ → ㄹ → ㄷ → ㄱ **05** 근거 **06** 질문 **07** 문제 해결 **08** 사회자, 종합

어휘 시험 **01** 질의 **02** 논제 **03** 청중 **04** 기부금 **05** 합리적으로 **06** 조정 **07** 경청 **08** 협력 **09** ㉡ **10** ㉢ **11** ㉠

01 토의는 공동의 문제에 대한 최선의 해결 방안을 찾기 위한 의사소통 과정이다. 찬반의 입장으로 나뉘어 상대방을 설득하는 의사소통 과정은 토론에 관한 설명이다.

04 토의는 일반적으로 '논제 정하기 → 토의 내용 마련하기 → 토의하기 → 토의 내용 정리하기' 순서로 진행된다.

04 '수익금'은 이익으로 들어오는 돈을 의미하고, '기부금'은 자선 사업이나 공공사업을 돕기 위하여 대가 없이 내놓은 돈을 의미한다. 제시된 문장은 동문들이 대가 없이 낸 돈으로 도서관을 지은 상황이므로 '기부금'이 들어가는 것이 적절하다.

예상 적중 소단원 평가

본문 41~42쪽

01 ① **02** ② **03** 네, 좋은 지적입니다. **04** ⑤ **05** ⑤ **06** ④ **07** ① **08** ④

01 (가)에서 사회자가 제시한 논제를 참고하면, 축제 장터에서 무엇을 운영할지 결정하기 위해 이 토의를 진행하고 있음을 알 수 있다.

02 (나)에서 토의자인 '지민'은 논제에 대해 벼룩시장을 운영하자고 근거를 들어 제안하고 있다.

03 '나라'는 '정우'의 질문을 듣고 자신이 제안한 의견의 문제점을 인정하고 있다.

04 (마)에서 '정우'와 '나라'의 발언으로 보아 여학생들의 참여율은 매우 높을 것으로 예상할 수 있으므로 여학생들의 참여율을 높일 계획에 대해 묻는 것은 적절하지 않다.

05 '정우'는 설문 조사 결과를 활용하여 '나라'에게 질문함으로써 타당성을 확보하고 있다.

06 '수아'는 논제에 어긋나는 질문을 하지 않았으며 오히려 문제를 해결하는 데 필요한 질문을 하였다.

07 사회자는 토의 절차에 따라 토의 참여자들의 의견을 정리할 뿐, 청중이 의견을 바꾸도록 유도하고 있지는 않다.

08 '슬기'는 다른 사람의 감정을 상하게 하는 발언을 하여 합리적인 해결 방안을 이끌어 내는 데 방해가 되고 있다.

고득점 서술형 문제

본문 43~44쪽

1단계 **01** 축제 장터에서 무엇을 운영할까? **02** 지민, 정우, 나라 **03** ⓐ: 사진 찍기 체험장, ⓑ: 요즘 청소년들은 자신만의 특별한 사진을 갖고 싶어 한다 **04** 토의자 간 의견 교환 **05** 축제 장터에서 사진 찍기 체험장을 운영하기로 하였다.

2단계 **06** (가): 논제와 토의자를 소개함, (라): 청중의 토의 참여를 이끌어 냄, (바): 토의 내용을 요약하고 정리함 **07** 다른 사람의 의견을 능동적으로 수용하고 있다. **08** 구체적인 자료를 바탕으로 문제점을 제기하여 질문의 타당성을 높이고 있다.

3단계 **09** '유미'는 (마)에서 다른 사람의 감정을 상하게 하는 말을 하여 합리적인 해결 방안을 이끌어 내는 데 방해가 되고 있다. 이에 반해 〈보기〉에서는 상대방의 감정을 고려하고 상대방을 존중하는 태도로 발언하고 있다. **10** 이 토의는 학급 전체가 참여하며, 설문 조사 결과인 세 가지 의견 중 한 가지를 정해야 하는 경우이다. 따라서 많은 사람이 참여해도 무방하고, 각 의견을 대표하는 패널끼리 토의를 한 후 청중이 참여하여 의견을 하나로 모으는 패널 토의가 적절하다.

1단계

01 (가)에서 사회자는 이 토의의 논제와 토의자를 소개하고 있다.

02 (가)에서 사회자는 이 토의의 패널을 소개하고 있다.

03 (나)에서 '나라'는 두 가지 근거를 들어 축제 장터에서 사진 찍기 체험장을 운영하자고 제안하였다.

04 (다)는 토의자들이 자유롭게 의견을 주고받는 토의자 간 의견 교환 단계이다.

05 (바)에서 사회자는 토의를 정리하며 '지금까지 토의한 결과, 우리 반은 축제 장터에서 사진 찍기 체험장을 운영하기로 하였습니다.'라고 언급하고 있다.

2단계

06 사회자는 (가)에서 토의 논제와 토의자를 소개하고 있다. 또한 (라)에서 일정한 토의의 절차에 따라 토의를 진행하고 있으며 청중의 토의 참여를 이끌어 내고 있다. 그리고 (바)에서 토의 내용을 요약하고 토의 결과를 정리하고 있다.

07 '나라'는 다른 사람이 자신과 다른 의견을 제안하자 이를 능동적으로 수용하며 자신의 의견을 제안하고 있다.

08 '정우'는 설문 조사 결과라는 구체적인 자료를 바탕으로 '나라'의 제안에 문제점을 제기하여 질문의 타당성을 높이고 있다.

3단계

09 '유미'는 토의 참여자들의 입장은 고려하지 않은 채 감정적인 말을 하여 합리적인 문제 해결에 방해가 된다. 반면 〈보기〉에서는 다른 사람을 배려하며 자신의 의견을 주장하고 있어 토의가 원활하게 진행될 수 있을 것이다.

평가 목표	토의에 참여하는 올바른 태도 이해하기
채점 기준	✔ 〈보기〉의 '유미'가 고려한 점을 〈조건〉에 맞게 쓴 경우 [20점] ✔ (마)에서 '유미'의 말하기 태도가 토의에 미치는 영향을 쓰지 않은 경우 [10점] ✔ 형식에 맞게 두 문장으로 쓰지 않은 경우 [5점 감점] ✔ 띄어쓰기나 맞춤법이 잘못되었을 경우 [1점씩 감점]

10 이 토의의 상황은 학급 전체가 참여하며, 설문 조사 결과인 벼룩시장, 먹거리 가게, 사진 찍기 체험장이라는 세 가지 의견 가운데 한 가지를 정해야 하는 경우이다. 패널 토의는 많은 사람의 의견을 수렴해야 하고 몇 가지 의견 중 하나로 결정해야 할 때 유용한 토의 유형이다.

평가 목표	토의 상황에 적합한 토의 유형 이해하기
채점 기준	✔ 이 토의가 패널 토의에 적합한 이유를 〈조건〉에 맞게 쓴 경우 [25점] ✔ 이 토의의 참여자 수와 (가)의 설문 조사 결과 중 하나만 〈조건〉에 맞게 쓴 경우 [13점] ✔ 두 문장으로 쓰지 않은 경우 [5점 감점] ✔ 띄어쓰기나 맞춤법이 잘못되었을 경우 [1점씩 감점]

예상 적중 대단원 평가

본문 45~47쪽

01 ①, ③ **02** ⑤ **03** 언어의 역사성 **04** ③ **05** ① **06** 언어의 자의성 **07** ⑤ **08** ④ **09** '정우'의 먹거리 가게, '나라'의 사진 찍기 체험장 **10** ③ **11** ⑤ **12** ⑤ **13** 청중은 문제 해결에 필요하다면 적극적으로 질문하고 의견을 제시해야 한다. **14** ⑤

01 언어의 말소리와 뜻의 관계는 필연적이지 않은데, 이를 언어의 자의성이라고 한다. 또한 언어는 언어를 사용하는 사람들 사이의 사회적 약속이므로 한 개인이 마음대로 바꿀 수 없는데 이를 언어의 사회성이라고 한다.

02 '부채'라는 같은 낱말을 활용하여 같은 대상을 묘사하더라도 사람마다 다양한 문장을 만들 수 있음을 알 수 있다. 이는 언어의 창조성을 보여 주는 사례이다.

03 서술형 지명의 변천은 언어가 시간의 흐름에 따라 변한다는 언어의 역사성을 보여 준다.

04 '닉'은 '펜'에 '프린들'이라는 새로운 이름을 붙이고, 이 낱말이 사회적으로 인정받게 하기 위해서 친구들에게 똑같은 상점에서 똑같은 아주머니에게 '프린들'을 달라고 하도록 계획을 세운 것이다.

05 빈칸에 들어갈 말은 새로운 대상이나 개념이 나타나 생긴 새말이다. '영감'은 의미가 변한 말에 해당하므로 빈칸에 들어갈 말로 적절하지 않다.

06 서술형 '은지'는 언어의 말소리와 뜻이 필연적인 관계가 없으므로 어떤 대상을 다른 이름으로 부를 수도 있다는 것을 이야기하고 있다.

07 토의는 공통의 문제에 대해 최선의 해결 방안을 이끌어 내는 것이 목적이기 때문에 문제 해결을 위해서 다른 사람의 의견을 능동적으로 수용하는 자세가 중요하지만 무조건 수용하는 태도는 옳지 않다.

08 '지민'은 (가)에서 준비 비용이 많이 들지 않고 환경 보호의 가치가 있으며, 친구들에게 절약 정신을 일깨워 줄 수 있다는 근거를 들어 벼룩시장을 운영하자고 제안하고 있다. 또한 '나라'는 (라)에서 '정우'에게 먹거리 장터의 음식 재료비를 마련할 계획에 대해 질문하고 있다.

09 서술형 '정우'는 축제는 우선 재미있어야 한다고 하며 학생들이 직접 음식을 만들어 팔기 때문에 먹거리 가게가 재미있을 것이라고 하였다. 또한 '나라'는 축제는 재미있어야 한다는 생각에 동의하며 사진 찍기 체험장을 제안하였다.

10 (라)는 토의자들이 자유롭게 의견을 주고받는 토의자 간 의견 교환 단계이다.

11 (마)에서 사회자는 토의 내용을 요약 및 정리하며 토의를 끝마치고 있다.

12 '하은'은 토의에 참여하여 의견을 교환하면서 사진 찍기 체험장에 동의하기로 결정한 것이지, 토의를 시작하기도 전에 의견을 결정한 것은 아니다.

13 고난도 서술형 이 토의의 청중인 '민재'와 '수아'는 토의자의 의견에 적극적으로 질문하고 있다.

평가 목표	토의 참여 시 청중의 역할 이해하기
채점 기준	✔ 토의에 참여하는 청중의 역할을 〈조건〉에 맞게 쓴 경우 [상] ✔ 토의에 참여하는 청중의 역할을 〈조건〉 중 하나만 맞게 쓴 경우 [중] ✔ 토의에 참여하는 청중의 역할을 〈조건〉에 맞게 쓰지 못한 경우 [하]

14 '지민'은 자신의 의견과 다른 의견을 능동적으로 수용하고 있다. 이러한 태도는 토의를 통해 최선의 해결 방안을 찾는 데 도움이 된다.

4 성장으로 가는 길

(1) 문학 작품을 통한 삶의 성찰

간단 복습 문제

본문 49쪽

쪽지 시험 **01** 성찰 **02** 성장 **03** 전지적 작가 **04** 상처 **05** × **06** ○ **07** × **08** × **09** ○ **10** ㉣ **11** ㉢ **12** ㉠ **13** ㉡
어휘 시험 **01** 부력 **02** 자맥질 **03** 맴 **04** ㉡ **05** ㉣ **06** ㉠ **07** ㉢

05 '완'은 '뉴뉴'와 친해지고 싶어서 '뉴뉴'에게 마름 열매를 건네주었다.

07 '뉴뉴'는 '완'에게 사과하고자 호리병박 없이 스스로 헤엄쳐 강을 건너 '완'의 집으로 갔지만 '완'은 이미 떠나고 없었다.

08 '뉴뉴'는 '완'이 떠났다는 소식을 듣고는 개학하기 전날 갈대숲에 걸려 있던 빨간 호리병박을 강물에 풀어 주었다.

예상 적중 소단원 평가

본문 50~51쪽

01 ② **02** 강도 더 이상 외롭지 않았다. **03** ⑤ **04** ⑤ **05** ① **06** ③ **07** ① **08** 완은 뉴뉴를 향해 마름 열매가 든 두 손을 내밀었다.

01 '뉴뉴'와 '완'은 서로에게 관심이 있지만 지켜보기만 할 뿐, 더 이상의 행동을 하지 않았다. 그러나 '뉴뉴'가 물에 들어간 이후 '완'이 '뉴뉴'에게 수영을 가르치고 함께 물놀이도 하면서 두 사람은 친밀해지고 있다.

02 서술형 (다)에서는 '뉴뉴'와 어울리면서 외로움을 떨쳐 낸 '완'의 모습이 드러난다. 이러한 '완'의 심리를 강을 의인화하여 드러내고 있다.

03 '뉴뉴'는 '완'이 나무들과 신나게 노는 모습을 보고 '완'이 학교 친구들과 어울리지 못한다고 짐작할 뿐, 내적으로 갈등하지는 않는다.

오답 풀이 ① 서술자는 '완'이 '뉴뉴'가 언젠가는 자신을 쳐다보리라는 사실을 알고 있다고 생각하는 것을 직접 설명하고 있다.
② '뉴뉴'가 물 한가운데, 강 건너, 넓은 강물 속을 자유자재로 헤엄쳐 다니고 싶어 한다며 '뉴뉴'가 가고 싶은 공간을 점층적으로 표현하고 있다.
③ 평화롭고 밝은 자연 풍경이 즐거운 시간을 함께 보내는 '완'과 '뉴뉴'의 심리와 조화를 이루고 있다.
④ '완'이 학교에서 친구들에게 괴롭힘을 당하고 있음을 알게 해 주는 장면이다.

04 '뉴뉴'는 강물에 들어가기 전에 '엄마'를 의식하는데, 이는 '완'의 아버지가 사기꾼이라고 알고 있는 '엄마'가 자신이 '완'을 따라 강물에 들어가는 것을 달가워하지 않을 것이라고 생각하였기 때문이라고 할 수 있다.

05 (가)에서 '뉴뉴'는 '완'이 자신에게 건네는 마름 열매를 받을지 말지 망설이고 있다. (나)에서는 호리병박을 빼앗은 '완'을 원망하고 있다. (다)에서는 '완'을 오해한 것에 대해 미안해하고 있다.

06 (다)에서는 '뉴뉴'가 자신의 오해로 소중한 친구인 '완'을 잃은 후 호리병박을 풀어 주는데, 이를 통해 '뉴뉴'의 마음도 성장하였음을 알 수 있다. (라)는 상처를 극복한 내면의 아름다움을 표현하고 있다. 따라서 두 작품에 공통적으로 붙일 수 있는 제목으로는 '상처와 성장'이 가장 적절하다.

07 '완'은 '뉴뉴'와 친해지고 싶어서 '뉴뉴'에게 마름 열매를 따 주었다.

08 서술형 ㉡은 상처 많은 이들이 서로에게 보내는 위로와 격려를 의미한다. '완'은 아버지가 사기꾼이라는 이유로 사람들에게 손가락질을 받고 친구도 없이 외롭게 지낼 수밖에 없는 처지에 놓여 있지만, 상처 많은 풀잎들이 손을 흔들 듯이 '뉴뉴'에게 마름 열매를 건네주며 먼저 다가간다.

고득점 서술형 문제

본문 52~53쪽

1단계 **01** (외할머니의) 아버지 **02** 두려움(무서움) **03** 뉴뉴의 손에 들린 호리병박을 낚아챘다. **04** 헤엄도 아주 잘 쳤다. **05** '뉴뉴'가 물에 빠짐.
2단계 **06** ㄱ: 전지적 작가 시점 / ㄴ: 상황에 따라 변화하는 등장인물의 심리를 생생하게(구체적으로) 전달할 수 있다. **07** '뉴뉴'는 '완'이 자신을 속인 것이 아니라 자신이 수영을 잘할 수 있다는 것을 일깨우기 위해 호리병박을 빼앗은 것이었음을 깨닫는다. **08** '풀잎', '꽃잎'은 작고 여린 존재를 의미하는데, 이 글의 '완', '뉴뉴'를 가리킨다고 볼 수 있다.
3단계 **09** '뉴뉴'가 빨간 호리병박이 필요 없을 정도로 수영 실력이 향상되었음을 뜻하며, '뉴뉴'가 '완'과의 추억을 떠나보내는 것을 뜻하기도 한다. **10** 소중한 친구를 잃은 '뉴뉴'의 아픈 경험을 통해 작가는 미숙한 상태에 있던 '뉴뉴'가 깨달음을 얻고 성숙하는 과정을 그려 낸 것이다.

1단계

01 '완'이 강 한가운데에서 '뉴뉴'의 손에 들린 빨간 호리병박을 빼앗은 것처럼, '외할머니'의 아버지는 강 한가운데에서 '외할머니'가 앉아 있던 나무 대야를 뒤집어 버리셨다.

02 '뉴뉴'는 강 한가운데에 이르자 두려움을 느끼고, '완'이 호리병박을 빼앗자 더 큰 공포와 두려움에 빠지게 된다.

03 '완'은 '뉴뉴'가 스스로 수영할 실력이 있음을 깨닫게 하기 위해 강 한가운데에 이르자 '뉴뉴'가 쥐고 있던 호리병박을 뺏었다.

04 ㉡은 '뉴뉴'의 '외할머니'가 헤엄을 칠 수 있게 된 것을 의미한다. 따라서 (라)에서 '뉴뉴'가 헤엄을 아주 잘 치게 된 것과 유사하다고 볼 수 있다.

05 ⓐ는 '뉴뉴'가 수영을 할 수 있다는 사실을 깨닫게 하기 위한 계획이 있음을 짐작하게 하는 모습이고, ⓑ는 '완'의 예상과 달리 '뉴뉴'가 물에 빠지게 되자 '완'이 자신을 원망하는 '뉴뉴'에게서 미안함과 서운함을 느끼고 있는 모습이다.

2단계

06 이 글의 서술자는 작품 밖에 있는 누군가로, 사건의 전개뿐만 아니라 '뉴뉴'와 '완'의 심리까지 자세히 알고 있다. 따라서 이 글에서 등장인물이 처한 상황에 따라 달라지는 등장인물의 심리를 구체적으로 전달할 수 있다.

07 '뉴뉴'는 자신의 경험과 비슷한 '외할머니'의 경험담을 듣고 '완'이 호리병박을 빼앗은 것이 자신을 속이기 위한 것이 아니라, 자신이 호리병박 없이도 충분히 수영할 수 있음을 일깨우기 위한 것이었음을 깨닫는다.

08 〈보기〉의 '풀잎'과 '꽃잎'은 작고 여린 존재로, 살아가면서 아픔과 고통을 겪는다. '완'은 '뉴뉴'의 오해로 상처를 입었고, '뉴뉴'는 자신의 오해로 소중한 친구인 '완'을 잃었으므로 두 사람을 '풀잎'과 '꽃잎'으로 볼 수 있다.

3단계

09 먼저 호리병박을 수영할 때 사용하는 물건이라는 관점에서 보면, 빨간 호리병박을 풀어 주는 행위는 호리병박이 필요 없을 만큼 '뉴뉴'의 수영 실력이 향상되었음을 뜻한다고 볼 수 있다. 또한 빨간 호리병박을 '뉴뉴'와 '완'의 추억이 담겨 있는 물건이라는 관점에서 보면, 호리병박을 풀어 강으로 떠내려가게 한 행위는 '완'과의 추억을 떠나보내는 것을 뜻한다고 볼 수 있다.

평가 목표	작품의 결말에 담긴 뜻 파악하기
채점 기준	✔ '뉴뉴'가 빨간 호리병박을 풀어 준 행동의 의미 두 가지를 〈조건〉에 맞게 쓴 경우 [20점] ✔ '뉴뉴'가 빨간 호리병박을 풀어 준 행동의 의미를 한 가지만 쓴 경우 [10점] ✔ 한 문장으로 쓰지 않은 경우 [5점 감점] ✔ 띄어쓰기나 맞춤법이 잘못되었을 경우 [1점씩 감점]

10 '뉴뉴'는 한 순간의 오해로 소중한 친구 '완'에게 마음의 상처를 주게 된다. 그러나 이러한 아픈 경험을 통해 깨달음을 얻고 내면적으로 성장하게 된다. 작가는 이러한 '뉴뉴'의 모습을 통해 사춘기 소녀인 '뉴뉴'가 미숙함을 딛고 성장하는 과정을 그려 냈다.

평가 목표	작가의 궁극적인 집필 의도(주제) 파악하기
채점 기준	✔ 작가가 말하고자 하는 바를 〈조건〉에 맞게 쓴 경우 [20점] ✔ '뉴뉴'의 경험이 드러나지 않거나 〈보기〉의 두 단어를 포함하지 않은 경우 [10점] ✔ 〈보기〉의 두 단어 중 하나만 포함한 경우 [5점 감점] ✔ 띄어쓰기나 맞춤법이 잘못되었을 경우 [1점씩 감점]

(2) 경험을 바탕으로 글 쓰기

간단 복습 문제

본문 55쪽

쪽지 시험 **01** 수필 **02** 사실 **03** 기억 **04** ○ **05** × **06** ○ **07** × **08** ○ **09** × **10** ㉣ **11** ㉡ **12** ㉠ **13** ㉢

어휘 시험 **01** 태곳적 **02** 용맹스럽다 **03** 억척스럽다 **04** ㉡ **05** ㉠

05 글쓴이는 소아마비를 앓고 있어 다리가 불편하였기 때문에 혼자 학교에 갈 수 없어 '어머니'의 도움을 받아야 했다.

07 글쓴이의 '어머니'는 글쓴이를 화장실에 데려가기 위해 두 시간에 한 번씩 학교에 오셔야 했다.

09 글쓴이는 자식을 위해 희생하는 세상의 모든 어머니들에게 사랑과 응원을 보내기 위해 이 글을 썼다.

11 글의 개요란 본격적으로 글을 쓰기 전에 글의 내용을 어떻게 구성할 것인지를 결정한 결과를 표로 일목요연하게 정리한 것을 말한다.

예상 적중 소단원 평가

본문 56~57쪽

01 ③ **02** ① **03** ③ **04** 『신은 모든 곳에 있을 수 없기에 어머니를 만들었다』 **05** ③ **06** ② **07** ① **08** ② **09** ⑤

01 (다)에서 글쓴이는 세상에 발붙일 자리를 마련하기 위해 슬프고 힘겨운 싸움을 하셔야 했던 '어머니'의 모습을 떠올리고 있다. 가족의 생계를 유지하기 위해 노력하셨다는 내용은 드러나지 않는다.

02 글쓴이는 아이들이 쫓아다니면서 놀리거나 걸음을 흉내 내도 그 놀림을 무시했다고 하였다. 따라서 친구들의 놀림에 글쓴이가 위축되었다는 설명은 적절하지 않다.

오답 풀이 ② 부모님이 몸이 불편한 자신을 도와주셨던 기억이므로 글쓴이의 경험과 비슷한 경험을 떠올린 경우이다.
③ 글쓴이가 세상에서 자리를 잡고 잘 살아가고 있다는 (라)의 내용을 보고 독자도 용기를 얻었다는 감상이다.
④ 힘든 어린 시절을 보낸 글쓴이의 경험에 공감을 느낀 독자의 반응이라고 할 수 있다.
⑤ 이 글에서 글쓴이가 강조하고 있는 어머니의 헌신과 희생을 독자도 깨닫게 되었다는 감상이다.

03 경험을 바탕으로 글을 쓸 때는 자신이 깨달음을 얻었거나 감동을 느꼈던 가치 있는 경험을 글감으로 선정해야 하며, 다른 사람들이 자신의 경험과 생각에 공감할 수 있도록 올바른 가치관을 담아야 한다. 반복되는 일상을 담은 경험보다 의미 있는 경험을 바탕으로 글을 쓸 때 독자에게 감동과 즐거움을 줄 수 있다.

04 서술형 (마)의 첫 부분에서 글쓴이는 자식에 대한 '어머니'의 사랑과 희생의 위대함을 효과적으로 드러내기 위해 『신은 모든 곳에 있을 수 없기에 어머니를 만들었다』라는 책 제목을 인용하였다.

05 '어머니'는 어린 시절의 글쓴이가 마음의 상처를 입지 않도록 보호하기 위해서 글쓴이를 놀리는 아이들을 혼내 주셨다.

06 경험을 글로 쓴다고 해서 경험을 각색한 새로운 이야기가 쉽게 만들어지는 것은 아니다. 경험을 담아 글을 쓰면 경험을 오래 기억할 수 있고, 경험을 글로 정리하면서 새로운 사실을 발견하고 자신을 돌아볼 수 있다. 그리고 독자들에게는 감동과 즐거움을 줄 수 있다.

07 〈보기〉는 친구 '승주'와 함께 폐지를 주우시는 할아버지를 도와드리고, '승주'에게 할아버지에 대한 이야기를 들었던 경험을 정리한 것이다. 이 경험을 통해 할아버지를 도와드리는 '승주'에 대한 자랑스러움, 남을 돕는 기쁨 등을 느낄 수 있었을 것이다.

08 자신의 경험을 바탕으로 글을 쓸 때에는 먼저 가치 있는 경험을 떠올리고 그중 하나를 선택하여 구체화한다. 그리고 이를 바탕으로 개요를 작성한 후에 경험이 잘 드러나도록 글로 표현한다. 또한 글이 완성된 후에는 이를 발표하고 상호 평가할 수 있다.

09 '처음－가운데－끝'의 구성 단계에 맞게 배열하는 것은 일반적으로 글로 표현하기 전에 내용을 조직하는 단계에서 한다.

고득점 서술형 문제

본문 58~59쪽

1단계 **01** 일기 **02** 상급 학교에 갈 때마다 장애가 있다고 하여 입학시험을 보는 것조차 허락하지 않던 학교들 **03** 소아마비 **04** 외로운 투쟁 **05** 땀

2단계 **06** 몸이 불편한 자신을 벼랑 끝으로 밀어내는 세상에 매달려 꿋꿋하게 살아올 수 있었던 것은 '어머니' 때문이었으며, 나의 '어머니'를 비롯한 어머니들의 희생에 사랑과 응원을 보내고 싶다. **07** 글쓴이에게 나약한 모습을 보여 주시지 않기 위함이다. **08** 경험을 오래 기억할 수 있으며, 경험을 글로 정리하면서 새로운 사실을 발견하고 자신을 되돌아볼 수 있다.

3단계 **09** '승주'와 함께 폐지를 주우시는 할아버지를 도와드렸고, 남을 돕는 기쁨을 알게 되었다. / '승주'에게 폐지를 주우시는 할아버지에 대한 이야기를 들었고, 할아버지를 도와드리는 '승주'가 자랑스러웠다.

1단계

01 글쓴이는 어린 시절에 쓴 일기를 보며 과거를 떠올리고 있다.

02 글쓴이에게 장애가 있다고 하여 상급 학교에 갈 때마다 입학시험을 보는 것조차 학교들이 허락하지 않았다는 내용을 통해 장애인이라는 이유로 차별을 받았다는 사실을 알 수 있다.

03 (나)에서 글쓴이가 소아마비를 고치는 의사가 되고 싶다고 하는 내용으로 보아, 글쓴이는 소아마비를 앓고 있기 때문에 다리가 불편하여 '어머니'의 등에 업혀 학교에 다녔음을 짐작할 수 있다.

04 ㉡은 딸을 위해 헌신하는 '어머니'의 모습이다. (마)에서는 어머니들이 자식을 위해 희생하는 모습을 '외로운 투쟁'이라고 표현하였다.

05 글쓴이는 자신을 업고 다니느라 추운 겨울에도 땀을 흘리는 '어머니'의 모습을 보면서, '어머니'의 이마에 흐르는 땀이 눈물같이 보인다고 생각했다.

2단계

06 글쓴이는 어린 시절에 쓴 일기를 읽고 딸을 위해 헌신하신 '어머니' 덕분에 온갖 어려움을 이겨 낼 수 있었으며, 자신의 '어머니'를 비롯하여 자식을 위해 희생하는 모든 어머니들에게 사랑과 응원을 보내고 싶다고 느꼈다.

07 '어머니'는 어린 딸에게 자신의 나약한 모습을 보여 주지 않기 위해 글쓴이 앞에서 한 번도 눈물을 보인 적이 없었다.

08 경험을 담아 글을 쓰면 경험을 오래 기억할 수 있고, 글로 정리하면서 새로운 사실을 발견하고 자신을 돌아볼 수 있다.

3단계

09 글쓴이는 '승주'네 집으로 갔다가 '승주'와 함께 폐지를 주우시는 할아버지를 도와드렸고, '승주'에게 그 할아버지에 대한 이야기를 들었다. 이러한 경험을 통해 할아버지를 도와드리는 '승주'가 자랑스러웠고 남을 돕는 기쁨을 알게 되었다.

평가 목표	경험을 담은 글을 읽고 글쓴이의 경험과 느낀 점 파악하기
채점 기준	✔ 글쓴이의 경험과 느낀 점을 모두 〈조건〉에 맞게 쓴 경우 [30점] ✔ 글쓴이의 경험과 느낀 점 중 한 가지만 쓴 경우 [15점] ✔ '승주'나 '할아버지' 중 한 사람에 대해서만 언급한 경우 [5점 감점] ✔ 띄어쓰기나 맞춤법이 잘못되었을 경우 [1점씩 감점]

예상 적중 대단원 평가

본문 60~63쪽

01 ④ **02** ⑤ **03** '뉴뉴'가 물에 들어감. **04** ③ **05** ④ **06** ② **07** ③ **08** '완'이 일부러 자신을 구해 주지 않는다고 생각했기 때문이다. **09** ㄱ: '아버지', ㄴ: 호리병박 **10** ④ **11** ③ **12** ③ **13** ⑤ **14** ③ **15** 감동과 즐거움을 느낄 수 있다. **16** ⑤

01 이 글은 소설이다. 소설은 현실에 있음 직한 일을(ㄱ) 작가가 상상하여 꾸며 쓴 이야기로(ㄷ), 서술자의 위치와 관점에 따라 서술 방식이 달라지는 글이다(ㄴ).

오답 풀이 ㄹ. 깨달음과 교훈을 직접적으로 전달하는 글은 주로 수필에 해당한다.

02 '뉴뉴'가 물에 들어온 후에 '완'은 헤엄을 치지 않는데, 이는 물놀이에 흥미를 느끼지 못하기 때문이 아니라 '뉴뉴'를 보호해야 한다는 책임감을 느꼈기 때문이다.

오답 풀이 ① (가)에서 '완'의 아버지가 근방 100여 리에서 아주 유명한 사기꾼이라고 하였다.
②, ③ (다)에서 '완'은 백양나무를 마치 친구인 것처럼 이름으로 부르고, 신나게 놀고 있다.
④ (나)에서 '뉴뉴'가 물에 들어오자 완'은 책임감을 느껴 헤엄을 치지 않고 '뉴뉴'를 보호하는 데만 신경을 썼다.

03 서술형 (가)에서 '뉴뉴'는 '완'에게 관심이 있지만 이를 표현하지 못한다. 그러나 '뉴뉴'가 물에 들어간 후 '뉴뉴'와 '완'은 급격하게 가까워진다.

04 '뉴뉴'는 물장구를 치는 '완'을 향해 계속 눈길이 가면서도 '완'에게 관심이 없는 체하려고 '완'을 보고도 못 본 척한다.

05 (가)에서 '뉴뉴'는 자신이 혼자서 수영을 할 수 없다고 생각하고, '완'에게 내년 여름에도 수영을 가르쳐 줄 것을 부탁하였다. 따라서 '뉴뉴'가 여름이 끝나기 전에 수영을 잘하고 싶어 했다는 내용은 적절하지 않다.

오답 풀이 ① (가)에서 '뉴뉴'는 '엄마'의 만류에도 아랑곳하지 않고 강에 넋을 빼앗긴 듯 강가로 가서 놀았다.
② (가)에서 강가에서 놀지 말라는 '엄마'의 말은 '뉴뉴'가 '완'과 친하게 지내고 있음을 눈치챘기 때문에 한 말이다.
③ (나)에서 '완'이 '뉴뉴'에게서 호리병박을 빼앗은 이유는 '뉴뉴'가 수영을 할 수 있다고 믿기 때문이다.
⑤ (라)에서 '뉴뉴'와 '엄마'가 집으로 돌아간 뒤 마을 사람들도 강가를 떠났고, '완'은 혼자 남겨졌다.

06 '뉴뉴'는 자신의 수영 실력을 믿지 못하고, 이 때문에 자신이 빨간 호리병박 없이는 수영을 할 수 없다고 생각한다. 그런데 '완'이 강 한가운데에서 빨간 호리병박을 빼앗아 물에 빠지게 되자 '뉴뉴'는 '완'을 원망하게 된다.

07 '완'은 빨간 호리병박을 빼앗으면 '뉴뉴'가 스스로 수영을 할 것이라고 생각했기 때문에 그 기대감에 '뉴뉴'가 소리치는데도 웃으면서 멀어져 간 것이다.

오답 풀이 ① '엄마'는 '뉴뉴'에게 강가에 가지 말라고 완고하게 말하는데, 이를 통해 '엄마'가 '뉴뉴'와 '완'의 관계를 눈치챘다는 것을 짐작할 수 있다.
② 풍경을 감각적으로 묘사하여 여름에서 가을로 계절이 바뀌는 것을 나타내고 있다.
④ '뉴뉴'는 '완'이 일부러 자신을 물에 빠뜨리고 구해 주지 않는다고 생각했기 때문에 그를 원망한 것이다. 이에 '뉴뉴' 스스로 수영할 것이라고 생각했던 '완'은 당혹감을 느낄 수밖에 없었을 것이다.
⑤ 빨간 호리병박만 둥둥 떠다니는 모습을 보여 줌으로써 사람들이 떠나고 혼자 강가에 우두커니 남아 있는 '완'의 외로움과 서글픔을 간접적으로 나타내고 있다.

08 고난도 서술형 '뉴뉴'는 '완'이 자신을 물에 빠뜨린 것도 모자라, 자신이 물에 빠져 고통스러워하는데도 일부러 자신을 구해 주지 않는다고 생각했기 때문에 '완'을 원망의 눈초리로 쳐다보았다.

평가 목표	인물의 행동에 담긴 의미 파악하기
채점 기준	✔ 인물의 행동에 담긴 의미를 〈조건〉에 맞게 쓴 경우 [상] ✔ 인물의 행동에 담긴 의미가 부족한 경우 [중] ✔ 인물의 행동에 담긴 의미를 〈조건〉에 맞게 쓰지 않은 경우 [하]

09 서술형 (가)에서 '뉴뉴'는 자신에게서 호리병박을 빼앗은 '완'을 원망하며 소리를 질렀다. (나)의 '나(외할머니)' 역시 아버지께서 나무 대야를 뒤집어 버리시자 소리를 질러 대며 난리법석을 부렸다. 그러나 '뉴뉴'는 '완'으로 인해, '나(외할머니)'는 아버지로 인해 수영 실력을 깨닫게 되었다.

10 '뉴뉴'는 '외할머니'의 이야기를 듣고 '완'을 오해하고 있었다는 것을 깨닫는다. 또한 자신은 이미 수영을 잘할 수 있게 되었음을 알고 (다)에서 호리병박 없이 헤엄을 친다.

11 (라)는 자연물을 의인화하여 상처를 극복한 내면의 아름다움과 성장을 형상화한 시이다. 따라서 바람직한 삶의 태도를 보여 준다고는 볼 수 있지만, 독자를 설득하고 있다고 보기는 어렵다.

오답 풀이 ① '풀잎'이 손을 흔든다며 사람인 것처럼 표현하여 주제를 드러내고 있다.
② '~에도 상처가 있다', '상처 많은 풀잎들이' 등이 반복되어 운율을 형성하고 있다.
④ '-다'로 끝나는 시행이 대부분이며 이를 반복적으로 사용하여 통일감을 주고 있다.
⑤ '손을 흔든다'라는 시구를 상처받은 이들에게 보내는 위로와 격려라고 해석할 수 있다.

12 이 글에서는 '완'이 '뉴뉴'를 용서해 주었다는 내용이 드러나지 않는다.

13 이 글은 몸이 불편한 글쓴이에게 헌신을 마다하지 않던 '어머니'의 희생과 사랑에 대한 감사를 표현한 글이다. 따라서 이 글을 쓰기 위해 글쓴이가 떠올렸을 생각은 가장 고마운 사람에 대한 것이었음을 짐작할 수 있다.

14 (다)에서 '어머니'는 아이들이 글쓴이를 놀리는 것에 익숙해지지 못하셨다고 하였으므로 '어머니'가 글쓴이를 놀리는 아이들을 무시했다는 설명은 적절하지 않다.

15 서술형 이 글은 글쓴이가 자신의 경험을 진솔하게 담아낸 수필이다. 이와 같은 글을 읽는 독자들은 감동과 즐거움을 느낄 수 있다.

16 (라)를 통해 글쓴이는 어린 시절 장애가 있어 몸이 불편했음을 알 수 있다. 따라서 ㉠은 집에서 학교까지의 거리는 가까웠지만, 그 거리를 다니는 것도 버거울 만큼 글쓴이의 몸이 불편했다는 것을 의미한다.

실전에 강한 모의고사 1회 본문 65~72쪽

01 ③ 02 ③ 03 '정우'는 자신이 겪은 하나의 사례만을 근거로 들어 청소년 시기에 연예인이 되면 인성이 쉽게 변할 수 있다고 성급하게 결론을 내렸기 때문이야 04 ④ 05 학생회장 후보로서 공약을 밝히는 연설 06 ② 07 ④ 08 ③ 09 ④ 10 ⑤ 11 ④ 12 ④ 13 ⑤ 14 ① 15 ③ 16 ⑤ 17 하늘나라 선녀가 되어 원천강을 돌보며 사계절의 소식을 세상에 전하는 일을 맡게 되었다. 18 ② 19 ④ 20 ④ 21 ① 22 ④ 23 ② 24 마을 주민들이 활동하는 공간이면 25 ④ 26 ② 27 ⑤ 28 ③ 29 ② 30 ②

01 주장이 담긴 말의 타당성을 판단할 때는 상대방의 주장을 비판적인 태도로 들으면서 주장이 합리적인지, 공정한지 등을 따져 보아야 하는데, 이때 주장과 근거의 관계에 주목하는 것이 적절하다. 주장을 하는 상대보다는 그 사람이 주장한 내용의 타당성을 비판적, 객관적인 태도로 판단해야 한다.

02 '수미', '정우', '준서'는 '청소년의 연예계 진출을 제한해야 한다.'는 주장에 찬성한다. 따라서 청소년의 연예계 진출을 제한하자는 입장이다.

03 고난도 서술형 이 토론에서 '정우'는 연예인이 된 친구와의 사이에서 자신이 직접 겪은 특수한 사례만을 근거로 들어 성급하게 결론을 이끌어 내고 있다.

평가 목표	주장이 담긴 말의 타당성 판단하기
채점 기준	✔ 주장의 타당성을 판단하여 〈조건〉에 맞게 서술한 경우 [상] ✔ 주장의 타당성을 서술하였으나 그 내용이 미흡한 경우 [중] ✔ 주장의 타당성을 〈조건〉에 맞게 서술하지 않은 경우 [하]

04 (가)에서 자신을 '낙타'에 빗대어 학생회장으로서 추구할 자세를 밝히고 있지만, 이것이 구체적으로 실천할 공약은 아니다.

05 서술형 (가)를 통해 이 말하기는 학생회장 후보인 연설자가 자신의 공약을 밝히는 연설임을 알 수 있다.

06 아침 식사가 건강에 좋은 것과는 별개로, ㉠의 공약은 학생 수준에서 실천할 수 없기 때문에 타당하지 않다.

07 (마)에서 학생 자치회를 활성화하면 자신들의 문제를 자신들의 대표인 학생 자치회에서 논의할 수 있으므로 많은 학생이 공감할 수 있는 해결 방안이 나올 것이라고 주장하고 있다.

오답 풀이 ①~③ 의형제·의자매 제도를 실시하겠다는 공약에 대한 근거이다.
⑤ 학교 곳곳에 건의함을 설치하겠다는 공약에 대한 근거이다.

08 인터넷 매체는 정보의 생산자와 수용자의 구분 없이 정보를 자유롭게 주고받을 수 있는 것으로, 내용이 여러 사람에게 공유될 수도 있고 때에 따라 비밀스러운 내용을 전할 때 사용될 수도 있다.

09 (나)는 문자 메시지, (다)는 전자 우편에 해당한다. (나)에서는 '꼭참석바람'과 같이 띄어쓰기 원칙을 지키지 않았으며, (다)에서는 띄어쓰기 원칙을 지켜 썼다.

오답 풀이 ① (나)에서는 존댓말을 사용하지 않았고, (다)에서는 '자치회입니다.', '축하합니다.' 등과 같이 존댓말을 사용하였다.
② (나)에서는 일시, 장소 등으로 항목을 나누어 표시하였지만, (다)에서는 항목을 나누지 않고 줄글 형식으로 내용을 썼다.
③ (나)에서는 '꼭참석바람' 뒤에 마침표를 찍지 않는 등 문장 부호를 생략하였지만, (다)에서는 마침표, 물음표, 느낌표 등을 사용하였다.
⑤ (나)는 우리가 늘 들고 다니는 휴대 전화를 이용하는 것이기 때문에 내용을 신속하게 전하거나 간결하게 요약하여 전할 때 주로 이용한다. 반면에 (다)는 대체로 컴퓨터를 이용하여 쓰기 때문에 자세한 내용을 전할 때 주로 사용한다.

10 ⓐ와 ⓑ는 그림말로, 직접 대면하지 않고 문자를 중심으로 소통하기 때문에 표정이나 몸짓 등을 활용하여 감정을 전달할 수 없는 온라인 대화의 한계를 극복할 수 있다.

오답 풀이 ① 어법에 맞지 않는 줄인 말을 사용할 때 내용을 빠르게 전달하는 효과가 있다.
② 낱말의 초성자만을 사용하여 표현한 것은 'ㅇㅈ', 'ㅋㅋ'이다.
③, ④ 줄인 말이나 신조어에 해당하는 것은 '뭥미', '레알', '솔까말', '강추', '더럽' 등이다.

11 인터넷에 글을 쓸 때는 내용을 명확하고 간결하게 써야 한다. 필요에 내용을 강조하여 쓸 수 있으나, 같은 문장을 반복하여 쓰는 것은 적절한 글쓰기 태도가 아니다.

12 (가)는 학교 영상제에 출품하기 위한 영상을 제작하는 과정 중, 계획하기 단계에 해당하는 대화이다. 학생 2의 말을 통해 제작하려는 영상은 단편 영화임을 알 수 있다.

13 (나)는 시나리오, (다)는 이야기판이다. 이야기판에는 주요 장면이 그림으로 표현되고, 대사, 음악, 효과음, 자막 등의 정보를 함께 정리해 둔다. 그러나 이야기판을 만드는 단계에서 실제 자막이나 음악, 효과음 등을 미리 만들어 두지는 않는다.

오답 풀이 ① (나)에서는 교실 안 장면이 S# 5 하나로 구성되어 있는 반면에, (다)에서는 S# 5-2, S# 5-3, S# 5-4 등으로 더 잘게 나누어 제시되고 있음을 알 수 있다.
② (나)에는 장면에 대한 내용이 글로만 표시되어 있는 반면에, (다)에는 장면을 구체적으로 표현한 그림이 추가되었음을 알 수 있다.
③ (나)에서는 대사와 지문, 장면 표시, 효과음 등이 줄글로 표시되어 있는 반면에, (다)에서는 '장면 내용, 촬영 방법', '대사, 음악, 효과음, 자막'을 통해 내용이 구체적으로 제시되고 있음을 알 수 있다.
④ (다)는 영상 제작에 참여하는 사람들이 촬영이나 편집의 방향을 공유하게 해 효율적으로 작업할 수 있게 한다.

14 클로즈업 숏은 대상의 일부를 화면에 크게 보이도록 촬영하는 기법으로, (라)에서는 인물의 현재 심리를 잘 보여 주기 위해 쓰이고 있다.

오답 풀이 ② 촬영기를 대상보다 낮은 위치에 놓고 촬영하면 인물의 위엄 있는 모습을 효과적으로 표현할 수 있다.
③ 촬영기와 대상의 거리를 멀게 하여 촬영하면 여러 인물들의 행동을 동시에 보여 줄 수 있다.
④ 촬영기를 대상보다 높은 위치에 놓고 촬영하면 주눅 들고 위축된 인물의 모습을 효과적으로 표현할 수 있다.
⑤ 촬영기를 대상에서 멀게 하여 전체 경치가 보이도록 촬영하면 배경 장면을 효과적으로 보여 줄 수 있다.

15 촬영에 들어가기 전에는 시나리오를 바탕으로 각 장면의 내용과 촬영 방법, 장면 그림, 편집 요소 등이 구체적으로 제시된 이야기판을 작성하고, 이를 토대로 촬영 순서와 촬영 방향 등을 고려하며 촬영한다.

16 이 글의 갈래는 이야기 중에서도 설화에 해당한다. 이야기와 같은 글은 인물, 사건, 배경을 중심으로 요약하는 것이 적절하다.

오답 풀이 ① 설명하는 글을 요약하는 방법에 해당한다.
② 주장하는 글을 요약하는 방법에 해당한다.
③ 면담문과 같은 글을 요약하는 방법에 해당한다.
④ 경험을 바탕으로 쓴 수필과 같은 글을 요약하는 방법에 해당한다.

17 서술형 (라)의 결말에서 성인이 된 '오늘이'는 옥황상제의 부름으로 하늘나라의 선녀가 되었고, 원천강을 돌보고 사계절의 소식을 세상에 전하는 일을 맡게 되었다.

18 원천강은 사람이 쉽게 갈 수 없는 멀고 먼 곳에 있는 신성하고 초월적인 공간이며, 사계절의 근원이 되는 공간이다.

오답 풀이 ㄴ. 원천강은 신관과 선녀들이 지키는 곳이지만, 신관과 선녀가 되기 위해서 꼭 가야만 하는 곳이라는 설명은 이 글에 나와 있지 않다.
ㄹ. '오늘이'는 적막한 들에서 태어나 학이 날개로 덮어 주고 먹을 것을 가져다주어 살 수 있었다.

19 '오늘이'가 '백씨 부인'에게 여의주를 준 행동의 의미는 자신을 친손주처럼 돌보아 준 '백씨 부인'에게 고마움의 표시를 한 것이다. 여의주를 하나만 물면 용이 되어 하늘로 올라가는 것은 뱀이다.

20 '오늘이'가 원천강을 찾아 떠난 이유는 태어나서 한 번도 만나지 못한 부모님이 보고 싶었기 때문이다. '오늘이'가 결국 하늘나라 선녀가 된 것으로 보아 '오늘이'의 여행을 신성성을 획득하기 위한 필연적 과정으로 해석할 수도 있지만, '오늘이'가 원천강을 찾아 떠난 근본적인 이유가 선녀가 되기 위한 것은 아니다.

오답 풀이 ① (나)에서 첫 번째 문은 봄, 두 번째 문은 여름, 세 번째 문은 가을, 네 번째 문은 겨울을 상징한다.
② (마)에서 연꽃 나무는 '오늘이'가 윗가지에 핀 꽃을 처음 보는 사람에게 주면 가지마다 꽃이 핀다고 말한 것을 듣고 얼른 윗가지에 핀 꽃을 꺾어서 '오늘이'에게 주었다.
③ (라)에서 '오늘이'는 큰 뱀에게 왜 용이 못 되는지 알아 왔다고 말하면서 바다를 건너게 해 주면 알려 준다고 얘기한다. 그리하여 '오늘이'는 큰 뱀의 등에 타고 수만 리 물길을 건너 청수 바다를 건넌다.
⑤ (다)에서 '오늘이'는 부모님께 원천강에 오면서 부탁받은 일들을 이야기한다. 그러자 부모님은 하나씩 답을 해 주고서 '오늘이'를 문밖까지 배웅해 주었다.

21 '오늘이'는 원천강을 떠나기 전에 부모님으로부터 문제 해결 방법에 대한 도움을 얻게 되고, 집으로 돌아가는 길에 자신이 부탁받은 일들을 모두 해결해 준다. 그러나 '오늘이'가 하늘나라 선녀들을 만나 두레박의 구멍을 막아 준 것은 원천강으로 갈 때의 일로, 부모님이 해결책을 알려 준 것이 아니라 '오늘이'가 지혜를 발휘해서 문제를 해결해 준 것이다.

22 큰 뱀은 여의주를 많이 물고 있어서 용이 되지 못했다. 그러므로 '지나친 것은 미치지 못한 것과 같다.'는 뜻을 지닌 '과유불급'과 뜻이 통한다.

오답 풀이 ① 아전인수(我田引水): 자기 논에 물 대기라는 뜻으로, 자기에게만 이롭게 되도록 생각하거나 행동함을 이르는 말이다.
② 조족지혈(鳥足之血): 새 발의 피라는 뜻으로, 매우 적은 분량을 비유적으로 이르는 말이다.
③ 대기만성(大器晩成): 큰 그릇을 만드는 데는 시간이 오래 걸린다는 뜻으로, 크게 될 사람은 늦게 이루어짐을 이르는 말이다.
⑤ 일장일단(一長一短): 일면의 장점과 다른 일면의 단점을 통틀어 이르는 말이다.

23 (가)는 '마을학교'는 마을 주민이 그들의 필요에 따라 만드는 것이고, '마을학교'에서는 마을 주민 누구나 가르치고 배울 수 있으며, 배울 내용 역시 마을 주민이 주체적으로 결정한다는 내용으로, 이를 요약하면 ''마을학교'를 이끌어 가는 주체는 마을 주민이다.'라고 할 수 있다.

24 서술형 (나)를 한 문장으로 요약하면 '마을 주민들이 활동하는 공간이면 모두 '마을학교'가 될 수 있다.'가 된다.

25 (다)를 요약할 때는 마지막 문장이 중심 문장이므로 이 문장을 선택하고 나머지 문장은 모두 삭제하는 것이 적절하다.

26 '비'는 삶에서 오는 어려움과 문제를, '큰 우산'은 이와 같은 문제와 어려움을 막아 주는 '마을학교'를 의미한다.

27 (가)에서 '지민'은 마을 신문 편집장님을 면담해서 학교 신문에 소개할 생각을 하고 있다. 따라서 이 면담의 목적은 '정보 수집'에 해당한다.

28 학생들이 면담 대상에게 미리 전자 우편을 보낼 때는 면담에 대한 정보와 면담 요청을 하는 내용이 포함되어야 한다. 질문에 대한 답변은 면담을 하면서 듣는 것으로, 면담 전에 답변을 미리 받아 두어야 하는 이유는 없다.

29 (다)는 면담 진행하기 과정에 대한 내용이다. 면담에 참여한 학생들은 요리 예술사와의 면담이 끝난 후 면담한 내용을 목적에 맞게 정리할 것이다.

오답 풀이 ① (다)에서 학생들의 질문에 대답하고 있는 사람은 요리 예술사로, 면담 대상에 해당한다.
③ '정우'의 '저희가 면담 내용을 녹음하고 중간에 사진도 찍으려고 하는데, 괜찮으신지요?'라는 말을 통해 면담 대상에게 미리 양해를 구하고 있음을 알 수 있다.
④ 학생들이 면담 대상에게 먼저 양해를 구하거나 감사 표현을 하는 것으로 보아, 면담 대상을 존중하고 배려하는 태도로 면담에 임하고 있음을 알 수 있다.
⑤ '정우'의 '저는 전자 우편으로 인사드렸던 이정우입니다.', '전자 우편으로 말씀드렸듯이 ~'라는 말을 통해 면담 전에 필요한 사항들을 전자 우편으로 보냈음을 알 수 있다.

30 이 면담의 목적은 요리 예술사라는 직업에 대한 정보를 수집하는 것이다. 그러나 제시된 질문은 이 면담의 목적에 부합하지 않는다.

실전에 강한 모의고사 2회 본문 73~79쪽

01 ⑤ **02** 창조성 **03** ① **04** ① **05** 언어는 사회적 약속이므로 한 개인이 마음대로 바꿀 수 없다. 그런데 '닉'이 사회적 약속을 위반하여 '펜'을 '프린들'이라고 마음대로 바꿔 불렀기 때문에 의사소통에 문제가 생긴 것이다. **06** ② **07** ③ **08** ③ **09** ② **10** ③ **11** ③ **12** ② **13** 사진 찍기 체험장을 운영하기 **14** ③ **15** ① **16** 마름 열매 **17** ⑤ **18** ① **19** ② **20** ③ **21** '뉴뉴'가 스스로 헤엄쳐 나오기를 바랐기 때문에 **22** ⑤ **23** ④ **24** ② **25** 보조기 **26** ② **27** ③ **28** ② **29** 뒤에서 누가 총이라도 겨누고 있는 듯 **30** ④

01 (나)는 언어의 역사성에 대한 설명이다. ⑤의 '스마트폰'은 (나)의 마지막 문장인 '새로운 사물이나 개념이 나타나면 그에 맞는 새말이 만들어지기도 한다.'의 예로, 언어의 역사성과 관련이 있다.

오답 풀이 ① '올갱이'와 '다슬기'는 같은 뜻을 나타내지만 말소리가 다르게 나타나는 말로, 언어의 자의성을 보여 주는 예이다.
② '장미꽃을 예쁘게 피었어요.'는 어법에 어긋나는 문장이며, '장미꽃이 예쁘게 피었어요.'라고 해야 올바른 표현이다. 이처럼 모든 언어에는 각각 특정한 규칙이 있으며 이를 어기면 문장이나 표현이 어색해지는 특성을 언어의 규칙성이라고 한다.
③ 딸을 '지수(智秀)'라고 부르기로 한 것은 자의적이지만 그렇게 부르자고 사회적으로 정해지고 나면 그 약속을 지켜야 한다.
④ 재미난 이야기를 해 달라는 상황에 맞게 여러 문장을 만들어 이야기를 하는 것은 언어의 창조성을 보여 주는 예이다.

02 서술형 새로운 말을 만들거나 이미 알고 있는 낱말을 바탕으로 상황에 맞게 문장을 무한히 만들어 사용할 수 있는 언어의 특성을 창조성이라고 한다.

03 ⓐ는 언어의 말소리와 뜻의 관계가 필연적이지 않기 때문에 같은 뜻을 나타내는 말이라도 다르게 표현되는 예이다. 이는 언어의 자의성과 관련이 있다.

04 ⓑ는 다른 말로 바뀌어 지금은 쓰이지 않는 말의 예이다. '뫼' 역시 '산'으로 대체되어 현재 쓰이지 않는 말에 해당한다.

05 고난도 서술형 〈보기〉에 나타난 언어의 본질은 사회성이다. 언어는 그 언어를 사용하는 사람들 사이에서 정한 약속이므로 이를 어길 경우 다른 사람과 의사소통을 하는 데 문제가 생기게 된다.

평가 목표	언어의 사회성 이해하기
채점 기준	✓ 언어의 사회성에 대한 설명을 〈조건〉에 맞게 서술한 경우 [상] ✓ 언어의 사회성에 대한 설명을 서술하였으나, '의사소통'이라는 낱말을 포함하지 않은 경우 [중] ✓ 언어의 사회성에 대한 설명을 〈조건〉에 맞게 서술하지 않은 경우 [하]

06 토의는 공통의 문제에 대한 최선의 해결책을 찾기 위해 의견을 모으는 담화이다. ②는 찬성과 반대의 입장으로 분명하게 나뉠 수 있는 주제이므로 토의가 아니라 토론에 적합한 논제라고 할 수 있다.

07 '유미'의 말에서 김밥이나 샌드위치가 요즘 학생들에게 인기가 없음을 알 수 있다. 그러나 토스트에 대한 평가는 하지 않았으므로 인기가 있는지 없는지 알 수 없다.

오답 풀이 ① (가)에서 사회자가 토의 논제와 토의자를 소개하였다.
② (마)에서 '정우'가 부탄가스 사용은 학교에서 금지하고 있다고 언급하였다.
④ (나)에서 '나라'가 요즘 청소년들이 자신만의 특별한 사진을 갖고 싶어 한다는 신문 기사를 읽은 적이 있다고 하였다.
⑤ (다)에서 '정우'가 여학생들과 달리 남학생들은 사진 찍기 체험장에 관심이 적다는 설문 조사 결과를 보았다고 하였다.

08 사회자는 (가)에서 논제를 제시하고 (라)에서 청중의 참여를 유도하고 있다.

오답 풀이 ① 청중의 역할에 해당한다.
②, ④ 토의자의 역할에 해당한다.
⑤ 토의는 사회자가 결과를 판정하는 담화가 아니다. 사회자는 토의 참여자들의 의견 조정을 유도하고 토의 결과를 발표할 뿐이며, 최선의 해결 방안을 도출해 내는 것은 토의 참여자의 역할이다.

09 '나라'는 '둘 다 좋은 의견이라고 생각합니다.'와 같이 상대방을 존중하는 태도를 보인 반면, '유미'는 '정말 어이가 없습니다.'와 같이 상대를 존중하지 않는 태도를 보였다.

10 적극적으로 토의 참여자 간의 의견 교환을 유도하는 것은 사회자의 역할이다. 따라서 ③은 토의자가 아니라 사회자에 대한 평가 기준으로 적절하다.

11 (다)는 청중과의 질의응답 단계로, '대훈'은 사진 찍기 체험장을 운영하자고 제안한 토의자가 아니다. 토의자인 '나라'는 청중 '수아'에게서 대여 가능한 옷이 있는지 질문을 받자 그와 관련하여 청중인 '대훈'에게 부가 설명을 요구하고 있다.

12 이 토의의 유형은 패널 토의로, 토의자 간의 의견 교환은 토의 논제와 토의자 소개, 토의자 제안이 끝난 후, 이를 바탕으로 토의자들이 자유롭게 생각을 주고받는 단계이다. 이 토의의 토의자는 '지민', '정우', '나라'이므로 ⓐ에 해당하는 단계는 (나)이다.

13 서술형 '많은 친구가 사진 찍기 체험장을 희망한다면 저도 그 의견을 기쁘게 받아들이겠습니다.'라는 '정우'의 말에서 알 수 있듯이 이 토의에서 참여자들이 합의한 결과는 '축제 장터에서 사진 찍기 체험장을 운영하자'는 것이다.

14 이 글은 시간의 흐름에 따라 사건이 전개되는 순행적 구성을 취한다.

오답 풀이 ① 이 글은 1960년대 중국의 한 시골 마을을 배경으로 하고 있다.
② 이 글은 현실에 있음 직한 일을 작가가 상상력을 바탕으로 꾸며 쓴 소설이다.
④ 이 글은 전지적 작가 시점으로, 작품 밖에 있는 서술자가 마치 신과 같이 사건의 이면과 등장인물의 심리를 모두 전달한다.
⑤ 이 글의 주제는 소년과 소녀의 맑고 순수한 우정과 사랑, 아픈 경험을 통한 소녀의 깨달음과 성장이다.

15 (가)는 이 글의 발단 부분으로 작품의 배경을 서정적이고 감각적으로 묘사해 독자들을 작품 속의 세계로 자연스럽게 이끌고 있다.

16 서술형 (나)에서 '완'은 '뉴뉴'에게 마름 열매를 따 주면서 '뉴뉴'와 가까워지고 싶은 마음을 드러낸다.

17 (라)에서는 '완'이 백양나무들을 우리 반 친구들이라고 가리키며 '뉴뉴'에게 소개하는 모습이 드러난다. 나무들을 친구 삼아 노는 '완'의 모습으로 보아, '완'이 학교 친구들과 잘 어울리지 못한다는 것을 짐작할 수 있다.

18 ㉠은 '완'과 '뉴뉴'가 마주 보고 있는 것이 아니라 큰 강을 사이에 두고 '뉴뉴'의 집과 '완'의 집이 서로 마주 보며 위치해 있다는 것을 표현한 것이다.

오답 풀이 ② ㉡은 마름 열매를 자신의 발아래 내려놓고 강으로 걸어가는 '완'을 바라보는 '뉴뉴'의 모습으로, '뉴뉴'는 '완'이 준 마름 열매를 받을지 말지 망설이고 있다.
③ ㉢은 '완'을 따라 '뉴뉴'가 물에 들어간 이후 서로의 눈동자를 바라보고 있는 모습으로, '완'과 '뉴뉴'는 서로에 대한 마음의 문을 열고 친밀감을 느끼고 있다.
④ ㉣은 아무것도 없는 작은 섬에서 자신의 반 친구들과 논다는 '완'의 말을 이해하지 못하여 당황해하는 '뉴뉴'의 모습이다.
⑤ ㉤은 아직 호리병박 없이 수영을 하지 못하는 '뉴뉴'에게 사실은 '뉴뉴'가 두려움 때문에 수영을 하지 못한다는 것을 말하는 '완'의 모습으로, '완'은 '뉴뉴'가 스스로 헤엄칠 수 있다고 확신하고 있다.

19 이 글은 '뉴뉴'가 '완'의 진심을 깨닫고 빨간 호리병박을 풀어 주는 모습을 통해 주인공이 갈등을 해결하며 정신적으로 한층 더 성장하는 모습을 그리고 있는데, 이 때문에 이 소설을 성장 소설이라고 할 수 있다.

오답 풀이 ① 이 글에는 '완'이 스스로 심리적 상처를 회복하는 과정이 드러나 있지 않다.
③ '완'과 '뉴뉴'가 편견 없이 친구가 된 것은 맞지만, 이때의 '완'과 '뉴뉴'는 순수한 우정을 나누는 관계로 볼 수 있다. 이후 '뉴뉴'가 물에 빠짐으로써 '완'과 갈등을 겪고, 그로 인해 깨달음을 얻는 과정을 통해 내면적 성숙을 겪게 되는 것이다.
④ '완'은 '뉴뉴'에 의해 상처를 받고 살던 마을을 떠나는데, 이를 자신의 잘못된 행동을 책임진 행동이라고 할 수는 없다.
⑤ '완'과 '뉴뉴'는 친구가 되었다가 이별을 경험하게 되는데 다시 만날 것을 기약한 상황은 아니다. 따라서 만남과 헤어짐은 언제나 연결되어 있다는 인생의 진리를 전달하고 있지는 않다.

20 (가)에서는 "무섭다니까……."라는 말을 통해 '뉴뉴'가 두려움을 느끼고 있음을 알 수 있다. (나)에서는 물에 빠진 자신을 건져 주지 않는 '완'에 대한 '뉴뉴'의 원망과 공포를 엿볼 수 있다. (다)에서는 '완'에게 소리 지르는 모습을 통해 원망의 감정을 엿볼 수 있다.

21 서술형 '완'은 '뉴뉴'가 호리병박 없이도 수영을 할 수 있을 것이라고 생각했기 때문에 호리병박을 빼앗고 '뉴뉴'를 건져 주지 않았다.

22 '외할머니'의 아버지가 '외할머니'를 물에 빠뜨린 일을 계기로 수영을 더 잘하게 되었다는 '외할머니'의 이야기는 '완'에 의해 물에 빠지게 된 '뉴뉴'의 경험과 유사하다. 따라서 '외할머니'의 이야기를 들은 '뉴뉴'는 자신이 '완'을 오해했음을 깨닫게 된다.

23 경험을 바탕으로 글을 쓸 때는 글쓴이의 경험을 알지 못하는 독자를 고려해 체험한 내용을 구체적으로 쓰는 것이 좋다.

24 글쓴이는 이 글을 쓸 때 '어머니'께서 느낀 점이 아니라 자신이 경험을 통해 느낀 점을 정리했을 것이다.

25 서술형 이 글의 글쓴이는 장애를 지니고 있다. 이러한 글쓴이의 처지를 짐작하게 하는 소재는 (다)에 제시된 '보조기'이다.

26 (나)의 일기를 보면 '엄마의 눈물'은 곧 '엄마'의 이마에 흐르는 땀방울이다. 몸이 불편한 글쓴이를 업고 숨을 헐떡거리며 집으로 오면서 땀을 흘리는 '어머니'의 모습은 자식을 위한 헌신을 의미한다.

27 글쓴이는 어린 시절 몸이 불편하여 학교에 갈 때마다 '어머니'의 도움을 받아야 했는데, 이는 글쓴이와 '어머니' 모두에게 고달픈 일이었다.

오답 풀이 ① (다)에서 걸핏하면 수술을 하고 두세 달씩 병원 생활을 했다는 내용을 통해 자주 병원에서 수술을 받았음을 알 수 있다.
② (나)에서 글쓴이는 자신을 쫓아다니며 놀리거나 걸음을 흉내 내는 아이들을 무시하였다고 했다.
④ (다)에서 글쓴이는 자신의 '어머니'가 조신하고 말이 없었지만, 장애가 있는 딸을 위해서라면 목숨 바쳐 싸워야 한다고 여긴 억척스러운 전사였다고 했다.
⑤ (가)에서 글쓴이의 '어머니'는 글쓴이를 화장실에 데려가기 위해 두 시간에 한 번씩 학교에 오셔야 했다고 했다.

28 글쓴이는 소아마비 때문에 겪었던 불편과 차별을 회상하며 희생과 사랑으로 자신을 꿋꿋하게 길러 준 '어머니'에게 감사와 사랑의 마음을 전하고 있다. 따라서 부모님의 희생적 사랑을 당연하게 여기는 '승찬'에게 이 글을 읽어 볼 것을 권할 수 있다.

29 서술형 '어머니'는 어린 시절 글쓴이가 아이들의 놀림을 받는 것으로 인해 마음의 상처를 받지 않도록 보호하기 위해 신경을 곤두세우며 그 아이들을 혼내 주셨다. 이러한 '어머니'의 모습을 '뒤에서 누가 총이라도 겨누고 있는 듯'이라는 비유적 표현을 사용하여 나타내었다.

30 ⓐ와 ⓑ는 자신과 다르다는 이유로, 장애가 있다는 이유로 글쓴이를 차별하고 있다. 이와 관련해 교훈을 얻기에 적합한 광고 문구는 ④이다.

오답 풀이 ① 환경 파괴에 대한 경각심을 일깨워 주는 광고 문구이다.
② 독서의 중요성을 강조하는 광고 문구이다.
③ 계급을 무기 삼아 권력을 행사하는 것을 지양하자는 광고 문구이다.
⑤ 부모님에 대한 효를 실천하자는 광고 문구이다.

온라인강의 **무료체험권**이 들어 있습니다.

soobok
1 등 을 디 자 인 하 다

visang

발행일 2018년 5월 1일
펴낸날 2018년 5월 1일
펴낸곳 (주)비상교육
펴낸이 양태회
신고번호 제 2002-000048호
출판사업총괄 최대찬
개발총괄 김희정
개발책임 구세나
디자인책임 김재훈
영업책임 이지웅
마케팅책임 김동남
품질책임 석진안
대표전화 1544-0554
주소 서울특별시 구로구 디지털로33길 48
대륭포스트타워 7차 20층

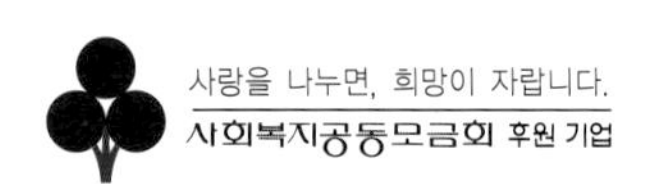
사랑을 나누면, 희망이 자랍니다.
사회복지공동모금회 후원 기업

온라인강의 **무료체험권**이 들어 있습니다.

visang

• 끝까지 최선을 다하는 비상

발간 이후에 발견되는 오류는 비상교육 누리집을 통해 알려 드려요.
본 교재의 정답과 해설은 비상교육 누리집을 통해 내려받으실 수 있어요.
파본은 구입하신 곳에서 교환해 드려요.

http://book.visang.com/

• 믿음직한 비상

교육기업대상 5년 연속 수상
초중고 교과서 부문 1위

2016 국가브랜드대상 3년 연속 수상
교과서 부문 1위
중고등교재 부문 1위

중고등교재부문 1위

한국산업의 브랜드파워 1위

발행일 2018년 5월 1일 **펴낸날** 2018년 5월 1일
펴낸곳 (주)비상교육 **펴낸이** 양태회 **신고번호** 제 2002-000048호
출판사업총괄 최대찬 **개발총괄** 김희정
개발책임 구세나 **디자인책임** 김재훈 **영업책임** 이지웅
마케팅책임 김동남 **품질책임** 석진안
대표전화 1544-0554
주소 서울특별시 구로구 디지털로33길 48 대륭포스트타워 7차 20층

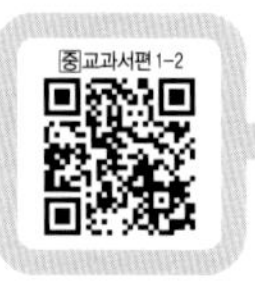

설문에 참여하고, 선물도 받고! 여러분의 소중한 의견이 교재에 반영됩니다.

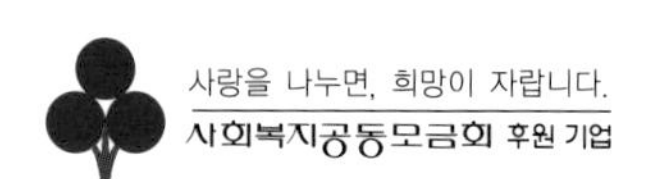

품질혁신코드 VS01QI20_3

시험 대비 문제집

개발 김우림, 김보현
저자 박예진, 신수환, 이양직, 고은정
디자인 유지인, 최윤석, 김영현

교과서편

중등 국어 1·2

시험 대비 자료

만점 마무리

간단 복습 문제
소단원 평가
서술형 문제
대단원 평가
모의고사

visang

시험 대비 문제집

비상교육 교과서편(김진수 외)

중등 국어 1-2

만점 마무리 (1) 타당성 판단하며 듣기

◆ 활동 의도

만화를 통해 내용의 타당성을 판단하며 듣는 태도의 중요성을 이해하도록 하였다. 또한 토론 및 연설과 같은 실제 담화 상황을 바탕으로 내용의 타당성을 판단하며 듣는 방법을 익히고, 주장이 담긴 말의 타당성을 평가해 보도록 하였다.

◆ 활동 목표

- 주장이 담긴 말을 들을 때 필요한 태도 이해하기
- 토론을 듣고 내용의 타당성을 판단하며 듣는 방법 이해하기
- 연설을 듣고 내용의 타당성 판단하기

◆ 활동 요약

주장이 담긴 말을 들을 때 필요한 태도 이해하기
다른 사람의 말을 그대로 따랐다가 낭패를 본 상황을 그린 만화를 보고 비판적 듣기의 필요성을 이해함.

⬇

토론을 듣고 내용의 타당성을 판단하며 듣는 방법 이해하기
토론을 들으며 주장과 근거를 구분하고, 주장이 담긴 말의 타당성을 판단하는 방법을 이해함.

⬇

연설을 듣고 내용의 타당성 판단하기
연설의 공약에 담긴 주장과 근거를 구분하고, 그 내용의 타당성을 평가함.

◇ 주장이 담긴 말을 들을 때의 바람직한 태도

바람직한 듣기 태도	상대의 말을 무조건적으로 수용하지 말고, 내용의 타당성을 판단하며 비판적으로 들어야 함.

⬇

내용의 타당성을 판단하는 방법	• 근거와 주장 간에 연관성이 있는지 판단한다. • 근거로부터 주장을 이끌어 내는 과정에 오류는 없는지 판단한다. • 주장을 이끌어 내는 과정에 영향을 미치는 다른 정보는 없는지 판단한다.

◇ '청소년의 연예계 진출 제한'에 대한 토론의 타당성 판단

	찬성 측		반대 측	
주장	청소년의 연예계 진출을 제한해야 한다.		청소년의 연예계 진출을 제한하지 말아야 한다.	
근거 및 타당성 판단	수미	청소년이 연예인이 되면 학습받을 권리를 침해당할 수 있다. → 타당함.	소연	연예인이 청소년들에게 긍정적인 영향을 미칠 수 있다. → 근거와 주장 사이에 연관성이 없으므로 타당하지 않음.
	정우	청소년 시기에 연예인이 되면 인성이 쉽게 변할 수 있다. → 성급한 일반화의 오류이므로 타당하지 않음.	영재	누구에게나 직업 선택의 자유가 있듯이 청소년에게도 직업 선택의 자유가 있어야 한다. → 타당함.
	준서	공부를 잘하고 똑똑한 수미가 청소년의 연예계 진출을 제한해야 한다고 했다. → 근거에서 주장을 이끌어 내는 과정에서 주장과 관계없는 다른 정보에 영향을 받았으므로 타당하지 않음.	지민	청소년들이 연예계로 활발하게 진출하여 청소년 문화를 주도적으로 만들어야 한다. → 타당함.

◇ '학생회장 선거' 연설의 타당성 판단

주장(공약)	근거		타당성 판단
의형제·의자매 제도 실시	반 친구들의 단합이 잘되어 즐거운 학교생활이 가능할 것이다.	➡	주장과 근거 사이에 연관성이 없으므로 타당하지 않음.
학교에 건의함 설치	누리소통망(SNS)을 통해 물었더니 3명의 학생이 건의함을 설치해 달라고 답했다.	➡	적은 사례를 일반화하여 결론을 이끌어 내었으므로 타당하지 않음.
매일 아침 식사 제공	아침 식사는 뇌의 기능을 활발하게 하고 질병 예방에도 도움이 된다.	➡	학생 수준에서 실천할 수 없는 것이므로 타당하지 않음.
학생 자치회 활성화	많은 학생이 공감할 수 있는 해결 방안이 나올 수 있다.	➡	집단의 문제는 그 집단 구성원이 함께 고민해야 공감할 수 있는 해결 방안이 나올 가능성이 높으므로 타당함.

간단 복습 문제

(1) 타당성 판단하며 듣기

• 정답과 해설 22쪽

쪽지 시험

[01~03] 다음 문장에 들어갈 알맞은 낱말을 (　　)에서 골라 ○표 하시오.

01 다른 사람의 주장이 담긴 말은 (비판적으로 / 무조건적으로) 수용하며 들어야 한다.

02 '청소년의 연예계 진출 제한'에 대한 토론에서 '수미'는 청소년으로서 (학습을 받을 / 직업을 선택할) 권리를 이유로 찬성 의견을 제시하였다.

03 '학생회장 선거' 연설에서 연설자는 누리소통망(SNS)에서 받은 의견을 근거로 학교에 (건의함 / 폭력 신고함)을 설치하겠다는 공약을 내세웠다.

[04~06] 다음 문장의 빈칸에 들어갈 알맞은 낱말의 기호를 〈보기〉에서 골라 쓰시오.

보기

㉠ 연관성　㉡ 오류　㉢ 정보

04 주장이 담긴 말의 타당성을 판단하기 위해 근거와 주장 간에 (　　　)이/가 있는지 살펴보아야 한다.

05 주장을 이끌어 내는 과정에 영향을 미치는 다른 (　　　)이/가 없는지 판단할 수 있어야 한다.

06 근거로부터 주장을 이끌어 내는 과정에 (　　　)이/가 없는지는 타당성을 판단하는 기준이 된다.

[07~10] '청소년의 연예계 진출 제한'에 대한 토론에 나타난 의견과 그 평가를 바르게 연결하시오.

07 공부를 잘하고 똑똑한 수미가 찬성을 주장하므로 찬성함. •

08 청소년 시기에 연예인이 되면 인성이 쉽게 변하므로 반대함. •

09 연예인이 청소년에게 긍정적 영향을 미칠 수 있으므로 반대함. •

10 청소년들이 연예계로 진출하여 청소년 문화를 주도적으로 만들어야 하므로 반대함. •

• ㉠ 논리적으로 타당함.

• ㉡ 주장과 관계없는 다른 정보가 개입함.

• ㉢ 근거와 주장 사이의 연관성이 떨어짐.

• ㉣ 일부 사례로 성급하게 결론을 이끌어 냄.

[11~12] '학생회장 선거' 연설에 대한 다음 설명이 맞으면 ○표, 틀리면 ×표 하시오.

11 많은 학생이 공감할 수 있는 해결 방안이 나올 수 있으므로 학생 자치회를 활성화하겠다는 의견은 타당하다. (　　)

12 반 친구들의 단합이 잘되어 즐거운 학교생활이 가능하므로 의형제·의자매 제도를 실시하겠다는 의견은 타당하다. (　　)

어휘 시험

[01~03] 다음 문장에 들어갈 알맞은 낱말을 (　　)에서 골라 ○표 하시오.

01 그는 사생활 (침략 / 침해)을/를 이유로 가족 공개를 거부했다.

02 다른 사람의 주장을 들으며 그 의견의 합리성, 공정성 등을 (판단 / 판독)해야 한다.

03 지각생에게 벌금을 걷을 것인가를 두고 학급에서 찬반 (토론 / 토의)이/가 시작되었다.

[04~06] 다음 문장의 빈칸에 들어갈 알맞은 낱말을 〈보기〉에서 골라 쓰시오.

보기

역량, 타당성, 연관성

04 학문과 실천은 서로 뗄 수 없는 (　　　)이 있다.

05 그는 자신의 모든 (　　　)을 발휘하여 그 일을 해냈다.

06 그가 제출한 증거 자료를 보니 그의 말에 (　　　)이 있음을 인정할 수밖에 없다.

[07~08] 다음 낱말과 그 뜻풀이를 바르게 연결하시오.

07 연설 •

08 출마 •

• ㉠ 선거에 입후보함.

• ㉡ 여러 사람 앞에서 자기의 주의나 주장 또는 의견을 진술함.

(1) 타당성 판단하며 듣기

01~04 다음을 읽고, 물음에 답하시오.

가 수미: 청소년기는 많은 것을 배우면서 잠재적 역량을 발견하고 계발하는 시기라고 합니다. 그래서 우리나라에서는 청소년의 학습권을 보장하고 있습니다. 하지만 최근 신문 기사에서 청소년 연예인의 80%가 방송 일 때문에 학교 수업에 빠진 적이 있다는 정부 발표를 보았습니다. 많은 청소년 연예인이 학습권을 침해당하고 있는 것입니다. 저는 청소년 연예인들의 학습권을 보장하기 위해서라도 청소년의 연예계 진출을 제한해야 한다고 생각합니다.

나 소연: 최근 텔레비전의 한 프로그램에서 잠시 방황하던 한 중학생이 자신이 좋아하는 가수의 노래에 감동을 받아 예전처럼 성실한 학생이 되었다는 내용을 보았습니다. 이렇게 연예인은 청소년들에게 긍정적인 영향을 미칠 수 있으므로 저는 청소년의 연예계 진출을 제한해서는 안 된다고 생각합니다.

다 정우: 얼마 전, 연예인이 된 친구에게 안부 전화를 했습니다. 하지만 그 친구는 전화를 받지 않았습니다. 그래서 바로 문자 메시지를 남겼는데도 연락이 없었습니다. 연예인이 되기 전에는 항상 저를 먼저 챙겨 주는 좋은 친구였는데, 연예인이 되었다고 저를 무시하더군요. 이렇게 청소년 시기에 연예인이 되면 인성이 쉽게 변할 수 있기 때문에 저는 청소년이 연예계에 진출하는 것을 제한해야 한다고 생각합니다.

라 영재: 저는 청소년의 연예계 진출을 허용해야 한다고 생각합니다. 지난달에 진로와 관련된 여러 강연을 들었는데, 모든 강연자께서 한결같이 누구에게나 직업 선택의 자유가 있다고 말씀하셨습니다. 저 역시 같은 생각입니다. 따라서 청소년에게도 직업 선택의 자유가 있어야 한다고 생각합니다. 연예인이 되길 바라는 청소년들은 어느 때든 상관없이 자신의 꿈을 실현할 수 있어야 한다고 생각합니다.

마 준서: 저는 청소년의 연예계 진출을 제한해야 한다고 생각합니다. 왜냐하면 우리 반에서 가장 공부를 잘하고 똑똑한 수미가 청소년의 연예계 진출을 제한해야 한다고 했기 때문입니다.

01 이와 같은 말하기의 특징으로 적절한 것은?

① 찬성과 반대 의견을 교환하며 상대를 설득한다.
② 일정한 규칙 없이 주제에 대해 자유롭게 이야기한다.
③ 개선이 필요한 문제의 해결을 특정 대상에게 건의한다.
④ 논제와 관련하여 전문적 지식이 있는 사람만 참여한다.
⑤ 공통의 관심사에 대해 협력적으로 해결 방안을 찾는다.

02 다음 논제를 고려할 때, (가)~(마)에 대한 설명으로 알맞지 <u>않은</u> 것은?

> 청소년의 연예계 진출을 제한해야 한다.

① (가): 통계 수치를 근거로 찬성한다.
② (나): TV에서 소개한 사례를 바탕으로 반대한다.
③ (다): 청소년이 연예인이 될 경우 일어날 수 있는 변화를 이유로 찬성한다.
④ (라): 보편적 권리의 실현을 이유로 반대한다.
⑤ (마): 개인적으로 친분이 두터운 사람의 의견에 따라 찬성한다.

서술형

03 (나)와 〈보기〉의 타당성을 평가할 때, 공통적인 문제점을 한 문장으로 쓰시오.

> 보기
> 학교 폭력은 상처만 남기게 됩니다. 그러므로 사소한 학교 규칙도 지켜야 합니다.

04 (다)의 '정우'에게 해 줄 조언으로 알맞은 것은?

① 주장과 근거 사이에 아무런 관련이 없어요.
② 사실이 아닌 내용을 근거로 삼으면 안 돼요.
③ 주제와 관계없이 상대방을 인신공격하는 것은 옳지 않아요.
④ 하나의 사례만으로 성급하게 결론을 이끌어 내서는 안 돼요.
⑤ 주장을 이끌어 내는 과정에 주장과 관련 없는 정보가 영향을 미쳐서는 안 돼요.

05~08 다음을 읽고, 물음에 답하시오.

가 여러분! 여러분은 낙타라고 하면 어떤 말이 가장 먼저 떠오르십니까? 저는 '섬김'이라는 말이 가장 먼저 떠오릅니다. 자기 몸 하나도 가누기 힘든 사막에서 주인을 태우고 목적지로 묵묵히 향하는 낙타. 이러한 낙타의 모습에서 우리는 섬김의 자세를 배울 수 있습니다. 만약 저를 학생회장으로 뽑아 주신다면 낙타와 같은 섬김의 자세로 다음 네 가지 공약을 반드시 실천하겠습니다.

나 첫째, 의형제·의자매 제도를 실시하겠습니다. 요즘 학생들은 대부분 형제자매가 없거나 있더라도 한두 명뿐입니다. 그래서 다른 학년의 선후배들과 의형제, 의자매를 맺어 서로 돕고 지낼 수 있도록 의형제·의자매 제도를 실시하겠습니다. 이 제도가 시행된다면 같은 반 친구들의 단합이 잘되어 재미있고 즐거운 학교생활이 가능할 것입니다.

다 둘째, 학교 곳곳에 건의함을 설치하겠습니다. 최근 제 누리소통망(SNS) 친구들에게 우리 학교 학생회에 바라는 점을 물었더니, 무려 세 명의 학생이 건의함을 설치해 달라고 답하였습니다. 따라서 제가 만약 학생회장이 된다면 여러 학생의 소중한 의견에 따라 학교 곳곳에 건의함을 설치하겠습니다.

라 셋째, 아침 식사를 못 하고 오는 학생들을 위해 제가 매일 아침 식사를 제공하겠습니다. 얼마 전 아침 식사에 관한 다큐멘터리를 보았는데, 아침 식사는 뇌의 기능을 활발하게 하고 질병 예방에도 도움이 된다고 합니다.

마 마지막으로 학생 자치회를 활성화하겠습니다. 현재 학생 자치회는 한 학기에 한 번, 형식적으로 열리고 있습니다. 하지만 제가 학생회장이 된다면 학생 자치회를 매달 정기적으로 개최하여, 각 학급 회의에서 올라온 안건들을 논의하겠습니다. 학생 자치회가 활성화된다면 우리의 문제를 우리의 대표인 학생 자치회에서 논의할 수 있으므로 많은 학생이 공감할 수 있는 해결 방안이 나올 것이라고 확신합니다.

05 이와 같은 말하기를 들을 때, 타당성을 판단하는 기준을 〈보기〉에서 모두 골라 바르게 묶은 것은?

보기
ㄱ. 현실에서 실현 가능한 내용인가?
ㄴ. 주장하는 내용이 얼마나 참신한가?
ㄷ. 주장과 근거 사이에 연관성이 있는가?
ㄹ. 주장을 이끌어 내는 과정에 오류는 없는가?
ㅁ. 주장에 영향을 미치는 다른 정보는 충분히 많은가?

① ㄱ, ㄴ, ㄹ
② ㄱ, ㄷ, ㄹ
③ ㄴ, ㄷ, ㄹ
④ ㄴ, ㄹ, ㅁ
⑤ ㄷ, ㄹ, ㅁ

06 이 연설에서 주장한 내용으로 알맞지 않은 것은?

① 학생 자치회를 활성화하겠다.
② 학교 곳곳에 건의함을 설치하겠다.
③ 의형제·의자매 제도를 실시하겠다.
④ 학생들을 위해 매일 아침 식사를 제공하겠다.
⑤ 누리소통망(SNS)으로 학생들의 의견을 받겠다.

07 (가)~(마)에 대한 설명으로 알맞지 않은 것은?

① (가): 낙타 이야기를 통해 듣는 이의 흥미를 유발한다.
② (나): 다른 학교에서 성공한 제도를 주장으로 내세운다.
③ (다): 일부 학생의 의견을 바탕으로 하고 있다.
④ (라): 아침 식사의 장점을 근거로 들고 있다.
⑤ (마): 현재 시행되고 있는 제도를 개선하는 공약을 내세운다.

서술형

08 (라)에서 제시한 공약의 타당성을 평가하여 쓰시오.

조건
① '~ 때문에 타당하다/타당하지 않다.' 형식으로 쓸 것

고득점 서술형 문제

01~10 다음을 읽고, 물음에 답하시오.

가

나 소연: 최근 텔레비전의 한 프로그램에서 잠시 방황하던 한 중학생이 자신이 좋아하는 가수의 노래에 감동을 받아 예전처럼 성실한 학생이 되었다는 내용을 보았습니다. 이렇게 연예인은 청소년들에게 긍정적인 영향을 미칠 수 있으므로 저는 청소년의 연예계 진출을 제한해서는 안 된다고 생각합니다.

다 정우: 얼마 전, 연예인이 된 친구에게 안부 전화를 했습니다. 하지만 그 친구는 전화를 받지 않았습니다. 그래서 바로 문자 메시지를 남겼는데도 연락이 없었습니다. 연예인이 되기 전에는 항상 저를 먼저 챙겨 주는 좋은 친구였는데, 연예인이 되었다고 저를 무시하더군요. 이렇게 청소년 시기에 연예인이 되면 인성이 쉽게 변할 수 있기 때문에 저는 청소년이 연예계에 진출하는 것을 제한해야 한다고 생각합니다.

라 준서: 저는 청소년의 연예계 진출을 제한해야 한다고 생각합니다. 왜냐하면 우리 반에서 가장 공부를 잘하고 똑똑한 수미가 청소년의 연예계 진출을 제한해야 한다고 했기 때문입니다.

마 첫째, 의형제·의자매 제도를 실시하겠습니다. 요즘 학생들은 대부분 형제자매가 없거나 있더라도 한두 명뿐입니다. 그래서 다른 학년의 선후배들과 의형제, 의자매를 맺어 서로 돕고 지낼 수 있도록 의형제·의자매 제도를 실시하겠습니다. 이 제도가 시행된다면 같은 반 친구들의 단합이 잘되어 재미있고 즐거운 학교생활이 가능할 것입니다.

바 둘째, 학교 곳곳에 (ⓐ   )하겠습니다. 최근 제 누리소통망(SNS) 친구들에게 우리 학교 학생회에 바라는 점을 물었더니, 무려 세 명의 학생이 건의함을 설치해 달라고 답하였습니다.

사 셋째, 아침 식사를 못 하고 오는 학생들을 위해 제가 매일 아침 식사를 제공하겠습니다. 얼마 전 아침 식사에 관한 다큐멘터리를 보았는데, 아침 식사는 뇌의 기능을 활발하게 하고 질병 예방에도 도움이 된다고 합니다.

아 제가 학생회장이 된다면 학생 자치회를 매달 정기적으로 개최하여, 각 학급 회의에서 올라온 안건들을 논의하겠습니다. 학생 자치회가 활성화된다면 우리의 문제를 우리의 대표인 학생 자치회에서 논의할 수 있으므로 많은 학생이 공감할 수 있는 해결 방안이 나올 것이라고 확신합니다.

1단계 단답식 서술형 문제

01 (나)~(라)와 (마)~(아)의 공통된 말하기의 목적을 2음절로 쓰시오. [5점]

02 (나)~(아) 중, 내용이 타당한 문단을 모두 찾아 쓰시오. [5점]

03 (나)를 읽고, 다음 빈칸에 들어갈 알맞은 말을 순서대로 쓰시오. [5점]

> '소연'은 연예인이 청소년들에게 □□□□ □□을/를 미칠 수 있다는 근거를 들어 청소년의 연예계 진출 제한을 □□한다.

04 (다)에 나타난 주장을 찾아 한 문장으로 쓰시오. [5점]

05 ⓐ에 들어갈 내용을 2어절로 찾아 쓰시오. [5점]

2단계 기본형 서술형 문제

06 다음은 (가)의 만화 내용을 정리한 것이다. ⓐ와 ⓑ에 들어갈 알맞은 말을 쓰시오. [10점]

(가)의 학생은 자신이 믿었던 배우의 말과는 달리 영화가 재미없어서 실망하였다. 이는 다른 사람의 주장이 담긴 말을 (ⓐ) 때문이다. 따라서 다른 사람의 주장이 담긴 말을 들을 때에는 (ⓑ)로 들어야 한다.

조건 ① ⓐ에는 학생이 보인 듣기 태도의 문제점을, ⓑ에는 주장이 담긴 말을 들을 때의 올바른 태도를 쓸 것

07 (라)의 타당성을 다음과 같이 판단할 때, 밑줄 친 부분에 해당하는 내용을 각각 찾아 쓰시오. [10점]

(라)는 근거에서 <u>주장</u>을 이끌어 내는 과정에서 주장과 관계없는 <u>다른 정보</u>에 영향을 받았기 때문에 타당하지 않다.

08 (마)에 나타난 공약과 그 근거를 찾아 쓴 후, 타당성을 평가하시오. [15점]

조건 ① '~는 근거를 들어 ~는 공약을 내세운다. 이는 ~ 때문에 ~ 타당하다/타당하지 않다.' 형식의 두 문장으로 쓸 것

3단계 고난도 서술형 문제

09 (다)와 (바)의 타당성을 판단하여 쓰시오. [20점]

조건 ① (다), (바)의 공통적인 평가 내용을 쓸 것

10 내용의 타당성을 기준으로 (마)~(아) 중에서 〈보기〉의 주장과 같은 문제점이 나타나는 문단을 찾고, 그렇게 생각한 이유를 쓰시오. [20점]

보기

제가 학생회장이 된다면 학생들이 좋아하는 과목만 골라 배우고 싫어하는 과목은 배우지 않아도 되도록 선택제 수업을 실시하겠습니다. 좋아하는 과목만 배우게 되면 학습 능률도 올라가고 수업 시간도 더 즐거워질 것이기 때문입니다.

조건 ① 이유는 두 화자의 신분을 고려하여 쓸 것

만점 마무리 (2) 인터넷 매체로 표현하기

♦ 활동 의도
만화를 통해 다양한 인터넷 매체의 특성과 인터넷 매체에서의 글쓰기 방식을 파악하도록 하였다. 또한 인터넷 매체에 글을 쓸 때의 올바른 글쓰기 태도를 기를 수 있도록 하였다.

♦ 활동 목표
- 인터넷 매체의 특성과 그에 따른 글쓰기 방식의 차이 이해하기
- 인터넷 매체에서의 올바른 글쓰기 태도 이해하기

♦ 활동 요약

인터넷 매체의 특성과 그에 따른 글쓰기 방식의 차이 이해하기
'유진'이 학생 가요제에 참가하는 과정을 통해 인터넷 매체의 특성을 파악하고, 매체에 따른 글의 내용 및 형식의 차이를 이해함.

↓

인터넷 매체에서의 올바른 글쓰기 태도 이해하기
온라인 대화에 나타난 글쓰기 방식과 이러한 글쓰기 방식을 사용하는 이유를 파악하고, 인터넷 매체에서의 올바른 글쓰기 태도를 이해함.

◇ 인터넷 매체의 종류와 특성

종류	인터넷 게시판, 온라인 대화, 블로그, 전자 우편, 누리소통망(SNS) 등
특징	• 정보를 거의 실시간으로 전달할 수 있음. • 시간과 장소의 제약 없이 대화를 나눌 수 있음. • 문자, 소리, 사진이나 그림, 동영상 등의 혼합된 정보를 처리할 수 있음. • 정보의 생산자와 수용자의 구분 없이 정보를 자유롭게 주고받을 수 있음. • 정보가 그물망처럼 연결되어 있어서 순서에 상관없이 자신이 원하는 정보를 찾아 자유롭게 옮겨 다닐 수 있음.

◇ '유진'이 받은 문자 메시지와 전자 우편의 특징 및 장점

	문자 메시지	전자 우편
특징	• 내용을 짧게 씀. • 항목을 나누어 표시함. • 문장 부호를 생략함. • 띄어쓰기 원칙을 지키지 않음. • 존댓말을 사용하지 않음. • 휴대 전화를 이용함.	• 내용을 길게 씀. • 줄글 형식으로 씀. • 문장 부호를 대체로 갖춤. • 띄어쓰기 원칙을 지킴. • 존댓말을 사용함. • 주로 컴퓨터를 이용함.
장점	• 내용을 신속하게 전할 수 있음. • 내용을 간결하게 요약하여 전할 수 있음.	• 자세한 내용을 전할 수 있음.

◇ 인터넷 매체의 글쓰기 방식과 그로 인해 생길 수 있는 문제

	특징	사용 이유
글쓰기 방식	어법에 맞지 않는 줄인 말이나 신조어 사용 예 홈피, 솔까말, 강추, 꿀잼, 더럽, 뭥미	내용을 빠르게 전달하기 위해 말을 축약하거나 생략하기도 하고, 대화의 재미를 높이기 위해 신조어를 사용하기도 함.
	외래어를 소리 나는 대로 표기 예 레알	
	낱말의 초성자만을 사용한 표현 예 ㅇㅈ, ㅋㅋ	
	그림말 사용 예 ㅠㅠ, ^^, (¯▽¯)v	표정이나 감정 등을 전달하기 위함.
문제	지나치게 많이 사용하면 해당 말을 모르는 사람과 대화가 힘들어질 것이고, 언어 파괴 현상이 심해져서 아름다운 우리말을 훼손할 수 있음.	

◇ 인터넷 매체에서의 올바른 글쓰기 태도

- 상대를 배려하고 존중하는 언어 표현을 씀.
- 인터넷 예절을 지켜 글을 쓰거나 상대방과 의사소통함.
- 확인되지 않은 정보나 사실에 어긋난 정보를 올리지 않음.
- 다른 사람의 자료를 가져올 때에는 저작권자의 허락을 받고 출처를 밝힘.
- 어법에 맞지 않는 줄인 말이나 신조어, 그림말을 지나치게 많이 사용하지 않음.

간단 복습 문제 (2) 인터넷 매체로 표현하기

• 정답과 해설 23쪽

쪽지 시험

[01~04] 다음 문장에 들어갈 알맞은 낱말을 (　　)에서 골라 ○표 하시오.

01 인터넷 매체는 정보가 (일방향 / 쌍방향)으로 생산되고 수용된다는 특징이 있다.

02 서로 다른 공간에 있더라도 온라인 대화를 통해 (비대면 / 대면) 상태에서 의사소통을 할 수 있다.

03 내용을 간략하게 정리해 신속하게 보내고 싶을 때에는 (문자 메시지 / 전자 우편)을/를 이용하는 것이 좋다.

04 인터넷 매체에서는 정보가 (수직망 / 그물망)처럼 되어 있어 자신이 원하는 정보를 자유롭게 찾아 옮겨 다닐 수 있다.

[05~08] 다음 각 상황에서 이용하기에 알맞은 매체의 기호를 〈보기〉에서 골라 쓰시오.

보기
㉠ 블로그　㉡ 온라인 대화
㉢ 전자 우편　㉣ 누리소통망(SNS)

05 전학 가는 친구에게 줄 선물을 고르기 위해 반 친구들과 의논할 때 (　　)

06 요리에 취미가 있는 학생이 매주 자신이 한 요리의 사진과 요리법을 정리해 올릴 때 (　　)

07 학교 가요제 공연 동영상을 올려 이에 관심이 있는 많은 사람과 실시간으로 공유할 때 (　　)

08 모둠원들에게 모둠 과제를 수행하기 위한 일정을 자세하게 알리고 관련 자료를 첨부하여 보낼 때 (　　)

[09~12] 다음 설명이 맞으면 ○표, 틀리면 ×표 하시오.

09 다른 사람의 자료를 가져올 때에는 반드시 저작권자의 허락을 받아야 한다. (　　)

10 인터넷 매체에서 사용하는 줄인 말은 표정이나 느낌을 전달하기에 효과적이다. (　　)

11 인터넷 게시판에 익명으로 글을 쓸 때에는 떠도는 소문이나 자신의 생각 등을 자유롭게 써도 된다. (　　)

12 인터넷 매체의 특성에 따라 문장 부호 사용, 맞춤법과 띄어쓰기 원칙 준수 등을 하기 어려울 수 있다. (　　)

어휘 시험

[01~05] 다음 설명에 해당하는 낱말을 〈보기〉에서 골라 쓰시오.

보기
매체, 출처, 첨부,
블로그, 저작권

01 안건이나 문서 따위를 덧붙임. (　　)

02 사물이나 말 따위가 생기거나 나온 근거 (　　)

03 어떤 작용을 한쪽에서 다른 쪽으로 전달하는 물체 또는 그런 수단 (　　)

04 자신의 관심사에 따라 자유롭게 칼럼, 일기, 취재 기사 따위를 올리는 웹 사이트 (　　)

05 문학, 예술, 학술에 속하는 창작물에 대하여 저작자나 그 권리 승계인이 행사하는 배타적·독점적 권리 (　　)

[06~11] 다음 낱말과 그 순화어를 바르게 연결하시오.

낱말		순화어
06 메신저 •		• ㉠ 누리집
07 이메일 •		• ㉡ 연결
08 홈페이지 •		• ㉢ 쪽지창
09 이모티콘 •		• ㉣ 그림말
10 리플 •		• ㉤ 전자 우편
11 링크 •		• ㉥ 댓글

예상 적중 소단원 평가 (2) 인터넷 매체로 표현하기

• 정답과 해설 23쪽

01~04 다음을 읽고, 물음에 답하시오.

(가)

공지 사항 　　　　　　　　　　　　　　　　　> 게시판 > 공지 사항

제목: 행복 중학교 학생 가요제 참가 신청 안내

작성자 학생 자치회 　작성일 20○○년 ○○월 ○○일 　조회 수 457 　첨부 학생 가요제 참가 신청서.HWP

행복 중학교 학생 여러분, 안녕하세요? 여러분이 기다리던 학생 가요제가 곧 시작됩니다. 끼와 재능이 많은 행복인들의 적극적인 참여 부탁드립니다.

- 접수: 참가 신청서와 노래하는 모습이 담긴 영상을
  20○○년 ○○월 ○○일까지
  전자 우편 happiness123@ms.kr로 보내 주세요.
- 예선 결과 발표: 예선을 통과한 참가자에게 개별 연락드립니다.

번지의 제왕: 예선 결과 발표는 어떻게 하시나요?
↳ 작성자: 죄송합니다. 그 내용이 빠졌군요. 방금 게시판 내용을 수정했습니다.
백살 공주: 학생 가요제라니, 엄청 재미있겠네요. 기대됩니다. ^^
미녀와 가수: 몇 개 조가 예선을 통과하나요? 그리고 1학년도 나갈 수 있나요?
↳ 백살 공주: 작년에는 10개 조가 나왔어요.
↳ ㉠순대될라: 1학년은 강 찌그러져 있어라. 근데 웬 미녀? 꼭 못생긴 것들이 저럼. ㅋ

(나)

(다)

6:02
오늘 울학교 가요제 대박! 특히 우리반 친구들 공연이 최고였음♥♥
좋아요
댓글 달기
공유하기
내가 쟤들보다 더 잘했는데 왜 예선 탈락이지? 재들은 심사위원과 친해서 예선 통과한 게 분명해.
수고했어. 친구들아!

01 (가)~(다)의 공통점으로 알맞은 것은?

① 혼합된 정보를 처리하기 어려운 매체이다.
② 공식적인 상황에서 이용해야 하는 매체이다.
③ 일정한 형식에 따라 글을 써야 하는 매체이다.
④ 일반적으로 어법에 맞는 표현만 쓰는 매체이다.
⑤ 정보나 의견이 쌍방향적으로 전달되는 매체이다.

02 (나)를 통해 알 수 있는 온라인 대화의 글쓰기 방식으로 알맞지 <u>않은</u> 것은?

① 외래어를 소리 나는 대로 표기한다.
② 주로 긴 문장을 써 의사를 전달한다.
③ 그림말로 감정이나 표정을 드러낸다.
④ 낱말의 초성자만으로 의미를 표현한다.
⑤ 신조어를 사용해 대화의 재미를 높인다.

03 (다)와 같은 매체의 특징을 〈보기〉에서 모두 골라 바르게 묶은 것은?

보기

ㄱ. 정보를 실시간으로 공유할 수 있다.
ㄴ. 개인의 사생활을 안전하게 보호할 수 있다.
ㄷ. 사진, 음악, 동영상 등도 함께 올릴 수 있다.
ㄹ. 사회 문제에 대한 사람들의 반응을 이끌어 낼 수 있다.
ㅁ. 실명을 사용해야 자유롭게 게시물을 올리고 공유할 수 있다.

① ㄱ, ㄴ, ㄷ　② ㄱ, ㄷ, ㄹ　③ ㄱ, ㄷ, ㅁ
④ ㄴ, ㄷ, ㄹ　⑤ ㄷ, ㄹ, ㅁ

서술형

04 ㉠의 말하기 태도의 문제점이 다음과 같을 때, 빈칸에 들어갈 알맞은 말을 쓰시오.

'순대될라'는 상대에 대한 예의를 지키지 않고, (　　　　)을/를 사용하여 상대를 비하하고 있다.

05 인터넷 매체를 사용할 때 지켜야 할 예절로 적절하지 <u>않은</u> 것은?

① 아무 사진이나 함부로 올리지 않는다.
② 검증되지 않은 정보를 게시하지 않는다.
③ 다른 사람의 신상 정보를 유포하지 않는다.
④ 다수의 생각과 다른 의견을 표현하지 않는다.
⑤ 원하지 않는 사람에게 전자 우편이나 쪽지를 보내지 않는다.

고득점 서술형 문제

(2) 인터넷 매체로 표현하기

1단계 단답식 서술형 문제

01 다음 빈칸에 들어갈 알맞은 말을 각각 쓰시오. [10점]

> 인터넷 게시판이나 블로그에 글을 게시한 후 ☐☐을/를 통해 다른 사람과 의사소통을 할 수 있다. 다른 사람의 저작물을 가져올 때에는 저작권자의 허락을 받고, 글에 ☐☐을/를 밝혀야 한다.

02 다음과 같은 상황에서 이용하기에 가장 적절한 인터넷 매체를 〈보기〉에서 찾아 쓰시오. [10점]

> 주말에 함께 볼 영화를 고르기 위해 초등학교 동창 친구들과 실시간으로 의견을 나눠야 할 때

보기

> 블로그, 전자 우편, 문자 메시지, 온라인 대화

2단계 기본형 서술형 문제

03 〈보기〉의 표현을 사용하는 이유를 인터넷 매체의 특성과 관련지어 서술하시오. [15점]

보기

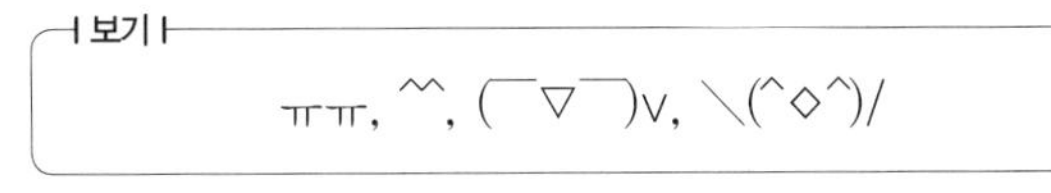

> ㅠㅠ, ^^, (￣▽￣)v, ＼(^◇^)/

> **조건** ① 〈보기〉가 어떤 표현인지 밝힐 것

04 〈보기〉의 밑줄 친 표현의 특징과, 온라인 대화에서 이와 같은 표현을 사용하는 이유를 쓰시오. [15점]

보기

> 유진: 뭥미? 레알없어? ㅠㅠ 시간있으니까 연습해서 같이 나가자. 선착순 한명!
>
> 윤희: 솔까말 우리반에서 유진이만큼 노래 잘하는 애는 상호잖아. ㅇㅈ? 상호 강추~^^

05 다음 (가)와 (나) 매체의 형식상 차이점을 세 가지 이상 쓰시오. [20점]

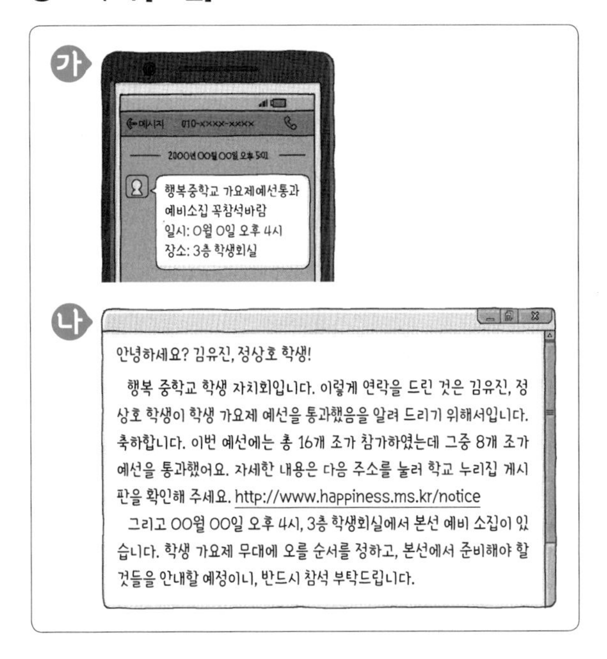

안녕하세요? 김유진, 정상호 학생!

행복 중학교 학생 자치회입니다. 이렇게 연락을 드린 것은 김유진, 정상호 학생이 학생 가요제 예선을 통과했음을 알려 드리기 위해서입니다. 축하합니다. 이번 예선에는 총 16개 조가 참가하였는데 그중 8개 조가 예선을 통과했어요. 자세한 내용은 다음 주소를 눌러 학교 누리집 게시판을 확인해 주세요. http://www.happiness.ms.kr/notice

그리고 00월 00일 오후 4시, 3층 학생회실에서 본선 예비 소집이 있습니다. 학생 가요제 무대에 오를 순서를 정하고, 본선에서 준비해야 할 것들을 안내할 예정이니, 반드시 참석 부탁드립니다.

3단계 고난도 서술형 문제

06 〈보기〉에서 '왕자 탄 백마'가 남긴 댓글의 문제점과 인터넷 매체에서의 올바른 글쓰기 태도를 서술하시오. [30점]

보기

6:02
오즈의 압소사
10분 전
오늘 울학교 가요제 대박! 특히 우리반 친구들 공연이 최고였음♥♥
좋아요
댓글 달기
공유하기
왕자 탄 백마
8분 전
내가 재늘보다 더 잘했는데 왜 예선 탈락이지!? 재들은 심사위원과 친해서 예선 통과한 게 분명해.
내일은 요리왕
6분 전
수고했어. 친구들아!

> **조건** ① 댓글의 문제점을 한 문장으로 쓸 것
> ② 문제점을 바탕으로 인터넷 매체에서의 올바른 글쓰기 태도 두 가지를 쓸 것

만점 마무리 (3) 책 읽고 영상으로 표현하기

♦ 활동 의도

'나라네 모둠'의 영상 제작 과정을 살펴보고 단계별 영상 제작 방법을 이해하도록 하였다. 또한, 모둠별로 소설을 감상하고 그 내용을 영상으로 표현해 보도록 하였다.

♦ 활동 목표

- 영상 제작 과정과 단계별 영상 제작 방법 이해하기
- 모둠별로 함께 책을 읽고 경험을 나누며, 책의 내용을 영상으로 표현하기

♦ 활동 요약

영상 제작 과정과 단계별 영상 제작 방법 이해하기

영상 제작 과정이 담긴 영상을 보면서 영상 제작 과정의 흐름을 파악하고, '나라네 모둠'의 영상 제작 활동을 통해 단계별 영상 제작 방법을 이해함.

↓

모둠별로 함께 책을 읽고 경험을 나누며, 책의 내용을 영상으로 표현하기

모둠 구성원이 함께 책을 선정하여 읽고, 각자 감상한 내용을 모둠 구성원과 나눔. 이후 영상 제작 과정에 따라 책 내용을 실제 영상으로 제작함.

◇ 영상 제작 과정의 단계별 제작 방법

단계	제작 방법
계획하기	주제, 목적, 갈래, 시청 대상 등을 정함.
기획안 작성하기	제목, 기획 의도, 상영 시간, 주요 내용, 역할 분담, 제작 일정 등을 정리함.
시나리오 작성하기	대사, 지문, 장면 표시, 해설 등으로 작성함.
이야기판 작성하기	주요 장면을 더 잘게 나누어 그림으로 그리고, 장면 내용, 촬영 방법, 대사, 음악, 효과음, 자막 등을 작성함.
촬영하기	찍을 장면의 내용과 의도 등을 고려하고 적절한 촬영 방법을 활용해 촬영함.
편집하기	촬영한 영상에 음악, 효과음, 자막 등을 추가해 작품을 완성함.
감상 및 평가하기	완성된 영상을 감상한 후 느낀 점을 말해 보고 감독, 시나리오, 촬영, 연기, 미술, 편집 등 각 부문을 평가함.

◇ 영상 언어의 구성 요소

시각적 요소	시각 이미지	촬영기로 촬영한 영상으로 촬영기와 대상의 거리, 촬영기의 각도 등을 조절하여 표현함. 예 가까운 거리에서 '민우'의 표정을 촬영하여 '여름'에게 반한 심리를 드러냄, 촬영기를 '민우'보다 높이 두고 찍어 선생님께 혼나는 '민우'의 주눅 든 모습을 효과적으로 드러냄.
	자막	화면에 나타내는 글자로, 영상을 통해 전하려는 바와 상황에 대한 구체적인 정보를 분명히 전달하는 효과가 있음. 예 '일주일 후'라는 자막으로 시간이 흘렀다는 정보를 분명하게 전달함.
청각적 요소	대사	연기자가 하는 말로, 시청자에게 정보를 전달함.
	효과음	장면의 실감 나게 보여 주기 위해 넣는 소리로, 상황을 효과적으로 전달함. 예 '민우'의 빨라진 심장 소리로 좋아하는 감정을 실감 나게 보여 줌.
	음악	인물의 심리를 드러내거나 장면의 분위기를 형성하는 역할을 함. 예 밝고 경쾌한 음악으로 활기찬 반 분위기를, 잔잔하고 슬픈 음악으로 좋아하는 '여름'을 멀리할 수밖에 없는 '민우'의 슬픈 심리를 효과적으로 전달함.

◇ 모둠별로 책을 읽고 영상으로 제작하기

함께 읽고 싶은 책 선정하기	모둠원과 책을 읽으며 일지 쓰기	책 읽기 경험 나누기	책의 내용을 영상으로 표현하기
각자 도서관 방문, 주변 인물의 추천, 인터넷 검색 등을 통해 책을 고른 후 함께 읽을 책을 선정함.	인상적인 부분이나 책을 읽으며 한 생각과 느낌 등을 일지에 쓰면서 책 내용을 이해함.	모둠 구성원들이 각자 쓴 일지를 바탕으로 책 읽기 경험을 나눔.	단계별 영상 제작 방법을 고려하여 책 내용을 바탕으로 영상을 제작함.

간단 복습 문제 (3) 책 읽고 영상으로 표현하기

• 정답과 해설 24쪽

쪽지 시험

01 영상 제작 과정에 맞게 〈보기〉를 순서대로 나열하시오.

보기
㉠ 기획안 작성하기 ㉡ 이야기판 작성하기
㉢ 계획하기 ㉣ 감상하고 평가하기 ㉤ 편집하기
㉥ 시나리오 작성하기 ㉦ 촬영하기

(→ → → → → →)

[02~03] 다음 문장에 들어갈 알맞은 낱말을 ( )에서 골라 ○표 하시오.

02 자막은 (시각적 / 청각적) 요소에, 효과음은 (시각적 / 청각적) 요소에 해당한다.

03 영상 제작 시 촬영 장소를 미리 섭외하거나 소품을 준비하는 일은 (촬영 / 미술) 담당자의 역할이다.

[04~06] 다음 설명이 맞으면 ○표, 틀리면 ×표 하시오.

04 계획하기 단계에서는 제작하려는 영상의 주제, 목적, 시청 대상, 갈래 등을 정한다. ( )

05 촬영기와 대상의 거리를 멀게 하면 대상의 심리 상태를 생생히 드러낼 수 있다. ( )

06 촬영기를 대상보다 낮은 위치에 놓고 촬영하면 대상의 위엄 있는 모습을 드러내기에 적절하다. ( )

[07~10] 다음 문장의 빈칸에 들어갈 알맞은 낱말의 기호를 〈보기〉에서 골라 쓰시오.

보기
ⓐ 자막 ⓑ 경험 ⓒ 기획안 ⓓ 배경 음악

07 제작할 영상의 갈래, 제목, 역할 분담, 제작 일정 등은 ( )에 들어갈 항목이다.

08 ( )은 인물의 심리를 드러내거나 장면의 분위기를 형성하는 역할을 한다.

09 ( )을 사용하면 영상을 통해 전하려는 바와 상황에 대한 구체적인 정보를 분명하게 전달할 수 있다.

10 모둠원끼리 책을 읽으며 주제, 느낀 점, 인상적인 부분 등 책을 읽은 ( )을 나누어 보면 작품에 대한 이해의 폭을 넓힐 수 있다.

어휘 시험

[01~03] 다음 문장에 들어갈 알맞은 낱말을 ( )에서 골라 ○표 하시오.

01 영화를 만들기 위하여 쓴 각본을 (시나리오 / 이야기판)(이)라고 한다.

02 대상의 일부를 화면에 크게 보이도록 촬영하는 방법을 (웨이스트 / 클로즈업) 숏이라 한다.

03 효과음을 뜻하는 시나리오 용어는 (NAR. / E.)이다.

[04~07] 다음 문장의 빈칸에 들어갈 알맞은 낱말을 〈보기〉에서 골라 쓰시오.

보기
장면, 감독, 촬영, 지문

04 지금은 내로라하는 그 영화배우도 대사를 잊어버려 ( )에게 호되게 혼나던 시절이 있었다.

05 비 내리는 길에 우산을 쓰고 걸어가는 연인의 모습을 그려 낸 ( )이 풋풋한 느낌을 주었다.

06 연기자들은 대본에 제시된 ( )의 내용이 이해가 되지 않는다며 구체적인 설명을 요청했다.

07 역사적 사건을 다룬 영화는 당시의 상황을 재현하기 어려워 ( ) 기간이 몇 년 걸리는 경우도 있다.

[08~10] 다음 낱말과 그 뜻풀이를 바르게 연결하시오.

08 자막 •   • ㉠ 영화 필름이나 녹음 테이프, 문서 따위를 하나의 작품으로 완성하는 일

09 편집 •   • ㉡ 재료를 가지고 기능과 내용을 가진 새로운 물건이나 예술 작품을 만듦.

10 제작 •   • ㉢ 영화나 텔레비전 따위에서, 관객이나 시청자가 읽을 수 있도록 화면에 비추는 글자

예상 적중 소단원 평가 (3) 책 읽고 영상으로 표현하기

• 정답과 해설 24쪽

01~04 다음을 읽고, 물음에 답하시오.

(가)

번호, 장면 그림	장면 내용, 촬영 방법	대사, 음악, 효과음, 자막
S#5-1	<교실 안> 선생님이 들어오시자 아이들이 조용해짐. 반 전체 분위기가 드러나게 촬영함.	㉠밝고 경쾌한 음악 ㉡의자가 바닥을 긁는 소리
S#5-2	선생님이 자리 배치 방법을 설명함. 선생님의 상반신을 촬영함.	㉢선생님: 자리 배치는 어떻게 하든 불만이 많으니…….
S#5-3	민우가 여름이와 짝이 되자 기뻐함. 민우가 책상에 앉아 있는 모습을 촬영함.	㉣NAR.: 그렇게 나와 여름이는 짝이 되었다.
S#5-4	민우의 심장이 뛰기 시작함. 민우의 가슴을 (　[A]　)함.	심장이 빠르게 뛰는 소리 ㉤민우의 가슴이 뛰는 모습을 하트 모양으로 표현함.

(나)

01 영상을 제작하는 과정에서 (가)를 작성하기 전에 해야 할 일을 순서대로 바르게 나열한 것은?

① 촬영하기, 편집하기, 평가하기
② 기획안 작성하기, 편집하기, 평가하기
③ 계획하기, 기획안 작성하기, 평가하기
④ 계획하기, 시나리오 작성하기, 편집하기
⑤ 계획하기, 기획안 작성하기, 시나리오 작성하기

서술형

02 [A]에 들어갈 촬영 기법을 쓰고, 그 효과를 한 문장으로 쓰시오.

03 ㉠~㉤ 중, 영상 언어의 구성 요소로서의 성격이 나머지와 다른 하나는?

① ㉠　② ㉡　③ ㉢　④ ㉣　⑤ ㉤

04 ⓐ~ⓓ에 대한 설명으로 알맞지 않은 것은?

① ⓐ는 촬영기와 대상의 거리를 멀게 하여 촬영하였다.
② ⓑ와 같은 촬영 방법은 주로 대상이 처한 상황과 큰 움직임을 동시에 전달할 때 사용한다.
③ ⓒ는 촬영기를 대상보다 높은 위치에 놓고 촬영하였다.
④ ⓓ는 대상의 위엄 있는 모습을 표현할 때 효과적인 촬영 방법이다.
⑤ ⓐ~ⓓ는 찍을 장면과 내용, 의도 등에 따른 적절한 촬영 방법이 다름을 보여 준다.

05 모둠을 이루어 한 권의 책을 읽고 영상을 제작하는 단계에 대한 설명으로 적절하지 않은 것은?

단계	설명
책 선정하기	도서관 방문하기, 주변 인물에게 추천받기 등을 통해 읽을 책 후보를 고른다. …… ①
책 읽기	책 내용을 깊이 이해하기 위해 일지를 작성하며 읽는다. …… ②
책 읽기 경험 나누기	모둠원 각자의 읽기 경험을 말함으로써 영상의 소재를 풍부하게 마련한다. …… ③
영상 제작 계획하기	각자 읽은 책 내용을 빠짐없이 표현할 수 있는 기획안을 작성한다. …… ④
영상 제작하기	시나리오와 이야기판을 쓰고 이를 바탕으로 영상을 촬영하고 편집한다. …… ⑤

고득점 서술형 문제

(3) 책 읽고 영상으로 표현하기

1단계 단답식 서술형 문제

01 다음 빈칸에 들어갈 알맞은 말을 각각 쓰시오. [10점]

> 영상 언어는 촬영기의 거리와 각도, 자막 등의 ☐☐☐ 요소와 배경 음악이나 효과음 등의 ☐☐☐ 요소로 구성된다.

02 다음 빈칸에 공통적으로 들어갈 알맞은 말을 쓰시오. [10점]

> 영상 제작 시 기획안을 작성한 뒤에 ☐☐☐☐을/를 작성해야 한다. ☐☐☐☐은/는 영화를 만들기 위해 쓴 각본으로 대사, 지문, 장면 표시, 해설 등으로 구성된다.

2단계 기본형 서술형 문제

03~04 〈보기〉를 읽고, 물음에 답하시오.

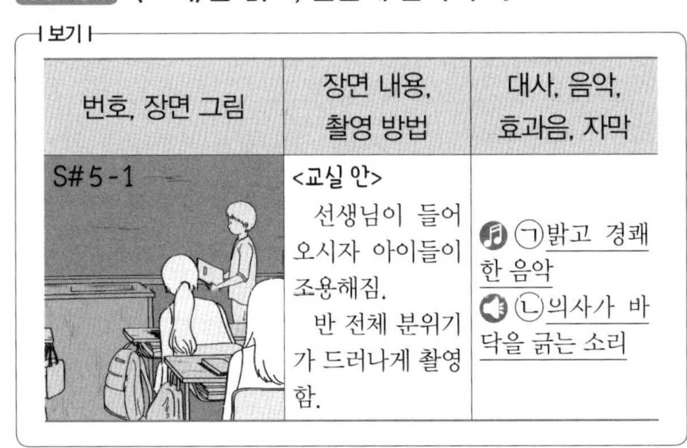

보기		
번호, 장면 그림	장면 내용, 촬영 방법	대사, 음악, 효과음, 자막
S#5-1	<교실 안> 선생님이 들어오시자 아이들이 조용해짐. 반 전체 분위기가 드러나게 촬영함.	㉠밝고 경쾌한 음악 ㉡의사가 바닥을 긁는 소리

03 〈보기〉의 명칭과, 그 필요성 두 가지를 쓰시오. [15점]

> 조건 ① 영상 제작 과정에서의 필요성을 쓸 것

04 ㉠과 ㉡의 사용 효과를 각각 서술하시오. [20점]

> 조건 ① 해당 장면과 관련지어 구체적인 효과를 쓸 것

05 모둠을 이루어 책을 읽고 그 경험을 나누는 과정에서 얻을 수 있는 의의 두 가지를 쓰시오. [15점]

> 조건 ① 책 내용 이해 측면과 태도 측면을 한 가지씩 쓸 것

3단계 고난도 서술형 문제

06 완성된 영상을 평가하는 기준을 세 가지 이상 서술하시오. [30점]

> 조건 ① 평가 부문을 구분하여 쓸 것
> ② 평가 기준을 의문형으로 쓸 것

01~04 다음을 읽고, 물음에 답하시오.

(가) 사회자: 오늘은 '청소년의 연예계 진출을 제한해야 한다.'라는 논제로 토론해 보겠습니다. 먼저, 청소년의 연예계 진출을 제한해야 한다는 찬성 측 의견부터 들어보겠습니다.

(나) 소연: 최근 텔레비전의 한 프로그램에서 잠시 방황하던 한 중학생이 자신이 좋아하는 가수의 노래에 감동을 받아 예전처럼 성실한 학생이 되었다는 내용을 보았습니다. 이렇게 연예인은 청소년들에게 긍정적인 영향을 미칠 수 있으므로 저는 청소년의 연예계 진출을 제한해서는 안 된다고 생각합니다.

(다) 정우: 얼마 전, 연예인이 된 친구에게 안부 전화를 했습니다. 하지만 그 친구는 전화를 받지 않았습니다. 그래서 바로 문자 메시지를 남겼는데도 연락이 없었습니다. 연예인이 되기 전에는 항상 저를 먼저 챙겨 주는 좋은 친구였는데, 연예인이 되었다고 저를 무시하더군요. 이렇게 청소년 시기에 연예인이 되면 인성이 쉽게 변할 수 있기 때문에 저는 청소년이 연예계에 진출하는 것을 제한해야 한다고 생각합니다.

(라) 준서: 저는 청소년의 연예계 진출을 제한해야 한다고 생각합니다. 왜냐하면 우리 반에서 가장 공부를 잘하고 똑똑한 수미가 청소년의 연예계 진출을 제한해야 한다고 했기 때문입니다.

(마) 지민: 청소년의 연예계 진출을 제한하면 청소년만의 문화를 만들 수 있을까요? 저는 우리 사회에 각 세대에 맞는 다양한 문화가 있어야 한다고 생각합니다. 청소년의 문화를 이끌어 갈 청소년 연예인들이 없다면 청소년 드라마, 청소년 영화 등이 존재할 수 있을까요? 저는 청소년들이 연예계로 활발하게 진출하여 우리의 문화를 주도적으로 만들어 나가야 한다고 생각합니다. 그렇기 때문에 저는 청소년의 연예계 진출이 필요하다고 생각합니다.

01 이와 같은 말하기를 들을 때 유의할 점으로 알맞지 않은 것은?

① 주장과 근거를 구분하며 듣는다.
② 주장의 합리성과 신뢰성을 따져 본다.
③ 자신의 생각과 같은 주장 위주로 수용한다.
④ 상대방의 말이 공정한지 비판적으로 듣는다.
⑤ 주장을 뒷받침하는 근거의 타당성을 판단한다.

02 (가)~(마)에 대한 설명으로 알맞지 않은 것은?

① (가): 사회자가 '청소년의 연예계 진출을 제한해야 한다.'라는 논제를 소개한다.
② (나): '연예인은 청소년들에게 긍정적인 영향을 미칠 수 있다.'를 근거로 내세운다.
③ (다): '청소년 시기에 연예인이 되면 인성이 쉽게 변할 수 있다.'를 근거로 내세운다.
④ (라): '똑똑한 수미가 주장했다.'라는 관계없는 정보가 영향을 끼쳤다.
⑤ (마): '청소년 문화를 만들어 나가야 한다.'는 근거에서 청소년의 연예계 진출을 제한하지 말아야 한다는 결론을 이끌어 내는 과정에 오류가 있다.

03 (가)~(마) 중, 논리 전개상 〈보기〉와 공통적인 문제점이 나타난 문단은?

보기
첫째, 의형제·의자매 제도를 실시하겠습니다. 요즘 학생들은 대부분 형제자매가 없거나 있더라도 한두 명뿐입니다. 그래서 다른 학년의 선후배들과 의형제, 의자매를 맺어 서로 돕고 지낼 수 있도록 의형제·의자매 제도를 실시하겠습니다. 이 제도가 시행된다면 같은 반 친구들의 단합이 잘되어 재미있고 즐거운 학교생활이 가능할 것입니다.

① (가) ② (나) ③ (다) ④ (라) ⑤ (마)

서술형

04 (다)에서 '정우'가 한 말의 타당성을 평가하여 그 근거와 함께 한 문장으로 쓰시오.

05~08 다음을 읽고, 물음에 답하시오.

(가)

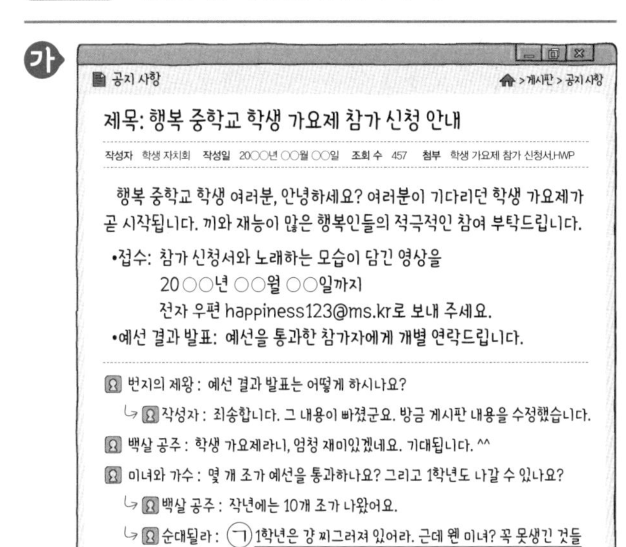
공지 사항 　　　　게시판 > 공지 사항

제목: 행복 중학교 학생 가요제 참가 신청 안내

작성자 학생 자치회 작성일 20○○년 ○○월 ○○일 조회 수 457 첨부 학생 가요제 참가 신청서.HWP

행복 중학교 학생 여러분, 안녕하세요? 여러분이 기다리던 학생 가요제가 곧 시작됩니다. 끼와 재능이 많은 행복인들의 적극적인 참여 부탁드립니다.

- 접수: 참가 신청서와 노래하는 모습이 담긴 영상을 20○○년 ○○월 ○○일까지 전자 우편 happiness123@ms.kr로 보내 주세요.
- 예선 결과 발표: 예선을 통과한 참가자에게 개별 연락드립니다.

번지의 제왕 : 예선 결과 발표는 어떻게 하시나요?
　↳ 작성자 : 죄송합니다. 그 내용이 빠졌군요. 방금 게시판 내용을 수정했습니다.
백살 공주 : 학생 가요제라니, 엄청 재미있겠네요. 기대됩니다. ^^
미녀와 가수 : 몇 개 조가 예선을 통과하나요? 그리고 1학년도 나갈 수 있나요?
　↳ 백살 공주 : 작년에는 10개 조가 나왔어요.
　↳ 순대렐라 : ㉠ 1학년은 강 찌그러져 있어라. 근데 웬 미녀? 꼭 못생긴 것들이 저럼. ㅋ

(나)

(다)

(라)

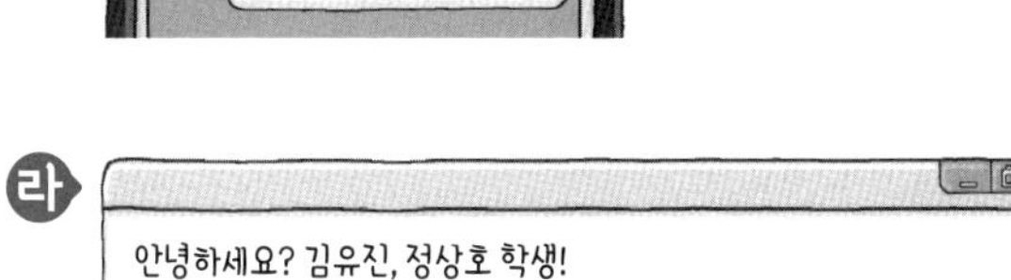
안녕하세요? 김유진, 정상호 학생!

행복 중학교 학생 자치회입니다. 이렇게 연락을 드린 것은 김유진, 정상호 학생이 학생 가요제 예선을 통과했음을 알려 드리기 위해서입니다. 축하합니다. 이번 예선에는 총 16개 조가 참가하였는데 그중 8개 조가 예선을 통과했어요. 자세한 내용은 다음 주소를 눌러 학교 누리집 게시판을 확인해 주세요. http://www.happiness.ms.kr/notice

그리고 00월 00일 오후 4시, 3층 학생회실에서 본선 예비 소집이 있습니다. 학생 가요제 무대에 오를 순서를 정하고, 본선에서 준비해야 할 것들을 안내할 예정이니, 반드시 참석 부탁드립니다.

05 (가)~(라)와 같은 매체에 대한 설명으로 알맞은 것은?

① 대화를 나눌 시간과 장소의 제약이 많다.
② 정보의 생산자와 수용자의 구분이 명확하다.
③ 정보가 그물망처럼 다양하게 연결되어 있다.
④ 문자 언어로 이루어진 정보만 처리할 수 있다.
⑤ 맞춤법이나 띄어쓰기와 같은 원칙을 지키고 있다.

06 (가), (나)를 비교한 내용으로 알맞지 <u>않은</u> 것은?

① (가), (나) 모두 자료를 첨부할 수 있다.
② (가), (나) 모두 게시한 글의 수정이 가능하다.
③ (가), (나) 모두 게시한 글을 주제별로 분류할 수 있다.
④ (가)는 (나)에 비해 개인적인 목적으로 사용된다.
⑤ (나)는 (가)에 비해 전문적 지식이 없이도 활용할 수 있다.

07 (다)와 (라)의 내용 및 형식에 차이가 나는 이유로 알맞은 것은?

① 이용하는 매체가 다르기 때문이다.
② 작성하는 주체가 다르기 때문이다.
③ 정보를 보내는 목적이 다르기 때문이다.
④ 정보의 언어적 특성이 다르기 때문이다.
⑤ 내용을 수신하는 사람이 다르기 때문이다.

08 ㉠의 문제점으로 알맞은 것은?

① 비속어를 사용하고 상대를 존중하지 않았다.
② 상대의 신상 정보를 올려 사생활을 침해했다.
③ 과장된 표현으로 다른 사람에게 불쾌감을 주었다.
④ 자신과 상대방을 비교함으로써 열등감을 유발했다.
⑤ 확인되지 않는 소문을 올려 상대에게 상처를 주었다.

09~11 **다음을 읽고, 물음에 답하시오.**

가 S# 5. 교실 안

선생님: 자리 배치는 어떻게 하든 불만이 많으니, 선생님이 정해 준 자리에 앉기로 하자. (오른쪽 구석 가장 앞자리를 손가락으로 가리키며) 우선 이 자리부터 남자는 가나다순으로 앉고, 여자는 그 옆에 가나다 역순으로 앉는다. 그럼, 선생님이 명단을 불러 줄게. 남자 첫 번째 자리는 강민우, 그 옆자리는 한여름, 그리고 그 뒷자리는 강채호, 하지민……. (선생님의 목소리가 점점 줄어든다.)

㉠NAR. 그렇게 나와 여름이는 '짝'이 되었다.

㉡E. 민우의 빨라진 심장 소리가 크게 들린다.

나

번호, 장면 그림	장면 내용, 촬영 방법	대사, 음악, 효과음, 자막
S# 5-1	<교실 안> 선생님이 들어오시자 아이들이 조용해짐. ㉢반 전체 분위기가 드러나게 촬영함.	㉣밝고 경쾌한 음악 ㉤의자가 바닥을 긁는 소리

다

09 (가)~(다)에 대한 설명으로 알맞지 않은 것은?

① (가)~(다)는 기획안의 내용을 구체화하고 완성하는 과정이다.
② (가)보다 (나)에서 장면을 더 세분화하여 제시한다.
③ (나)는 (가)보다 촬영 방법과 편집 요소의 설명이 구체적이다.
④ (나)와 (다) 사이에는 촬영 기법에 따라 영상을 촬영하는 단계가 있다.
⑤ (나)를 작성하고, (다)의 활동을 하기 위해서는 (가)의 작성이 필수적이다.

10 (다)의 활동을 하는 목적으로 알맞지 않은 것은?

① 인물의 심리를 드러내기 위해
② 작품의 주제를 설정하기 위해
③ 장면을 실감 나게 보여 주기 위해
④ 상황을 효과적으로 보여 주기 위해
⑤ 장면에 특정한 분위기를 형성하기 위해

11 ㉠~㉤에 대한 설명으로 알맞지 않은 것은?

① ㉠: 영상으로 옮길 때 시각적 요소에 해당한다.
② ㉡: 영상으로 옮길 때 청각적 요소에 해당한다.
③ ㉢: 시각적 요소에 해당한다.
④ ㉣: 청각적 요소에 해당한다.
⑤ ㉤: 청각적 요소에 해당한다.

고난도 서술형

12 다음은 모둠을 이루어 소설을 읽고 영상을 제작하는 과정을 정리한 것이다. 밑줄 친 단계에서 모둠 구성원의 경험을 이끌어 내기에 적절한 질문을 두 가지 쓰시오.

> 함께 읽을 책 선정하기 → 모둠 구성원과 함께 책 읽기 → 책 읽기 경험 나누기 → 책의 내용을 영상으로 표현하기

조건

① 작품을 깊이 있게 감상하기 위한 질문을 쓸 것

만점 마무리 (1) 요약하며 읽기

◆ 제재 선정 의도

제재 ❶은 '오늘이'의 여행담을 담은 설화(신화)로, 이야기의 특성에 따라 요약하기에 적절하여 제재로 선정하였다. 제재 ❷는 '마을학교'를 체계적으로 설명하고 있어, 설명하는 글의 특성을 고려하여 내용을 요약하기에 적절하여 제재로 선정하였다.

◆ 제재 ❶ 이해

갈래	이야기, 설화(신화)
성격	신성성, 상징성
배경	아득한 옛날, 원천강으로 가는 길
제재	'오늘이'의 여행담
주제	'오늘이'의 여행담과 신적 존재가 되는 과정
특징	• 시간의 흐름과 공간의 이동에 따라 사건이 전개됨. • 문제와 문제 해결의 구조가 나타남.

◆ 제재 ❶ 요약

기 들에서 살던 여자아이가 '오늘이'라는 이름을 얻고, 부모님을 찾아 원천강으로 떠난다.

승 '오늘이'가 원천강을 찾아가는 도중 만난 이들에게 도움을 받아 부모님을 만난다.

전 '오늘이'가 집으로 돌아가면서 원천강으로 가는 길에 받은 부탁들을 해결해 준다.

결 '오늘이'가 원천강을 돌보며 사계절의 소식을 전하는 선녀가 된다.

◆ 제재 ❷ 이해

갈래	설명하는 글
성격	논리적, 체계적, 예시적
제재	'마을학교'
주제	'마을학교'의 개념과 역할
특징	• '마을학교'의 개념을 네 가지 측면에서 설명함. • 비유와 인용을 통해 '마을학교'의 역할을 강조함.

◆ 제재 ❷ 요약

처음 '마을'과 '마을학교'에 대한 관심

가운데 '마을학교'의 개념과 역할

끝 '마을학교'에 대한 기대

◇ 요약하며 읽기의 개념과 방법

개념	읽기 목적이나 글의 특성을 고려하여 선택, 삭제, 일반화, 재구성 등의 규칙에 따라 글의 중심 내용을 간략하게 정리하며 읽는 것
방법	글의 특성에 따라 요약하는 방법이 달라짐. • 이야기: 이야기의 구성 요소인 인물, 배경, 사건을 중심으로 요약함. • 설명하는 글: 설명하는 대상에 대한 정보를 중심으로 요약함. • 주장하는 글: 주장과 근거를 중심으로 요약함.

◇ 제재 ❶ 「사계절의 땅 원천강 오늘이」 요약하며 읽기

① '오늘이'가 부모님을 찾아가는 여정(시간의 흐름과 공간의 이동에 따른 사건 요약)

마을 / 백씨 부인 → 흰 모래 마을 / '장상' → 연화못 / 연꽃 나무 → 청수 바다 모래밭 / 큰 뱀 → 길가 별층당 / '매일이' → 우물가 / 선녀들 → 원천강 / 부모님

② '오늘이'가 만난 대상들에게 부탁받은 일의 해결(문제와 문제 해결의 구조에 따른 요약)

여정	대상	해결 방안
원천강으로 가는 길	하늘나라 선녀들	'오늘이'가 댕댕이덩굴을 으깨어 뭉쳐서 두레박의 구멍을 막고 송진을 녹여서 틈을 막아 물이 새지 않게 함.
집으로 돌아가는 길	'매일이'	'매일이'를 데리고 길을 떠남. → '장상'에게 데려가 부부의 연을 맺게 함.
	큰 뱀	여의주를 하나만 물면 용이 될 수 있다고 알려 줌. → 뱀은 여의주 세 개 중 두 개를 '오늘이'에게 주고, 용이 되어 하늘로 올라감.
	연꽃 나무	윗가지에 핀 꽃을 처음 보는 사람에게 주면 가지마다 꽃이 핀다고 알려 줌. → 연꽃 나무가 윗가지에 핀 꽃을 꺾어 '오늘이'에게 주자, 다른 가지에도 꽃이 피어남.
	'장상'	처지가 비슷한 처녀를 만나 배필로 맞으면 만년 영화를 누릴 수 있다고 알려 줌. → '매일이'와 부부의 연을 맺게 함.

◇ 제재 ❷ 「마을 학교에서 '마을학교'로」 요약하며 읽기

문단별 중심 내용을 요약하고, 이를 토대로 글의 구성 단계별 중심 내용을 정리한다.

처음		최근 '마을'과 '마을학교'에 대한 관심이 높아지고 있음.
가운데	'마을학교'의 개념	• 주체: 마을 주민들 • 활동 공간: 마을 주민들이 활동하는 모든 공간 • 활동 목적: 마을 주민들의 삶의 질 향상 • 구체적 활동: 마을 사람들의 행복한 삶을 위한 다양한 활동
	'마을학교'의 역할	• 마을의 주인을 키워 내고 주민을 발견함. • 주민 간의 어울림을 만들어 냄. • 삶에서 오는 문제와 어려움을 함께 막아 냄.
끝		'마을학교'가 현대의 이기적인 생활 방식을 대신할 새로운 가치를 제시할 수 있기를 기대함.

간단 복습 문제

(1) 요약하며 읽기

• 정답과 해설 26쪽

쪽지 시험

[01~03] 다음 글과 글의 특성에 따른 요약 방법을 바르게 연결하시오.

01 이야기 •
02 설명하는 글 •
03 주장하는 글 •

• ㉠ 대상에 대한 정보를 중심으로 요약함.
• ㉡ 주장과 근거를 중심으로 요약함.
• ㉢ 인물, 배경, 사건을 중심으로 요약함.

[04~07] 다음 설명에 해당하는 요약 규칙을 〈보기〉에서 골라 쓰시오.

보기
삭제, 일반화, 선택, 재구성

04 중심 내용이 분명하게 드러나는 중심 문장을 찾음. (　　　)

05 덜 중요하거나 반복되는 내용, 예로 든 내용은 지움. (　　　)

06 구체적이고 개별적인 내용은 그것들을 포괄하는 표현으로 바꿈. (　　　)

07 중심 문장이 나타나 있지 않으면 제시된 내용을 바탕으로 중심 문장을 새로 만듦. (　　　)

[08~11] 「사계절의 땅 원천강 오늘이」에 대한 다음 설명이 맞으면 ○표, 틀리면 ×표 하시오.

08 이 이야기는 설화의 한 갈래인 신화이다. (　　　)

09 이 이야기는 주인공인 '오늘이'의 심리 변화에 따라 내용을 요약할 수 있다. (　　　)

10 이 이야기에서 원천강은 모든 사람들이 꿈꾸는 행복하고 이상적인 공간이다. (　　　)

11 '오늘이'는 '장상'과 '매일이'를 서로 부부의 연을 맺게 함으로써, 두 사람의 문제를 해결해 준다. (　　　)

[12~15] 「마을 학교에서 '마을학교'로」에 제시된 '마을학교' 개념의 네 가지 측면과 그 내용을 바르게 연결하시오.

12 어디에서 이루어지는가 •
13 무엇을 위해 활동하는가 •
14 어떤 일을 하는가 •
15 누가 주도하는가 •

• ㉠ 마을 주민들
• ㉡ 마을 주민들의 삶의 질 향상
• ㉢ 마을 주민들이 활동하는 모든 공간
• ㉣ 마을 사람들의 행복한 삶을 위한 다양한 활동

어휘 시험

[01~03] 다음 문장에 들어갈 알맞은 낱말을 (　　)에서 골라 ○표 하시오.

01 여러분의 가정에 행운이 깃들기를 (축원 / 축하)합니다.

02 사장에게 월급을 줄 것을 아무리 (인정 / 사정)해도 소용없는 일이었다.

03 할머니께서 고향 노래를 즐겨 부르는 (우연 / 사연)을 자세하게 듣게 되었다.

[04~06] 다음 설명에 해당하는 낱말을 〈보기〉에서 골라 쓰시오.

보기
관계망, 매개, 유대

04 둘 사이에서 양편의 관계를 맺어 줌. (　　　)

05 끈과 띠라는 뜻으로, 둘 이상을 서로 연결하거나 결합하게 하는 것. 또는 그런 관계 (　　　)

06 둘 이상의 사람, 사물, 현상 따위가 서로 관련을 맺어 그물처럼 얽히어 있는 조직이나 짜임새 (　　　)

예상 적중 소단원 평가 (1) 요약하며 읽기

• 정답과 해설 26쪽

01~05 다음 글을 읽고, 물음에 답하시오.

(가) "저는 장상이라고 합니다. 원천강은 아주 먼 곳이지요. 서쪽으로 연화못을 찾아가 연못가의 연꽃 나무에게 길을 물어보면 가는 길을 알 수 있을 거예요."
그러면서 장상이는 한 가지 부탁을 덧붙였다.
"원천강에 가시거든 제 사연도 좀 알아봐 주세요. 왜 밤낮 여기에 앉아서 글만 읽어야 하고 집 밖으로 나갈 수 없는지를요." / ㉠"꼭 알아다 드릴게요."

(나) 인적이 없는 낯선 땅을 한참을 걸어가다 보니 길가 외딴 별층당에서 한 처녀의 글 읽는 소리가 들려왔다.
"저는 멀리 바다를 건너온 오늘이라고 합니다. 부모님을 찾아서 원천강에 가고 있어요. 원천강은 어디에 있나요?"
"이 길을 한참 가다 보면 우물에서 물을 긷고 있는 선녀들이 있을 거예요. 그 선녀들한테 물어보면 알려 줄 겁니다." / 그러더니 자기 사연을 덧붙였다.
"저는 매일이라고 합니다. 하늘에서 벌을 받아 여기서 매일 글을 읽게 되었지요. 원천강에 이르거든 언제나 이 신세를 면할 수 있는지 알아봐 주세요."

(다) 높은 담장이 둘러쳐진 곳에 문이 네 개나 있는데, 첫 번째 문을 열어 보니 봄바람이 따스하게 부는 가운데 진달래, 개나리, 매화꽃, 영산홍 등 갖은 봄꽃이 피어 있었다. 두 번째 문을 열어 보니 뜨거운 햇살 속에 보리와 밀 같은 곡식과 채소가 무성했다. 세 번째 문을 열어 보니 너른 들판에 누런 벼가 황금빛으로 물결쳤다. 네 번째 문을 열어 보니 찬바람이 부는 가운데 흰 눈이 세상을 하얗게 뒤덮고 있었다. 이 세상 사계절이 여기에서 흘러나오는 것이었다.

(라) 오늘이는 전에 자기가 살던 마을로 돌아가 백씨 부인을 찾아갔다. / 백씨 부인에게 부모님과 만난 일과 오가면서 겪은 일을 다 이야기하고 뱀한테서 받은 여의주 한 개를 드렸다. 백씨 부인은 어느새 어른이 된 오늘이를 꼭 안아 주었다. / 그 뒤 오늘이는 옥황상제의 부름으로 하늘나라 선녀가 되어 원천강을 돌보며 사계절의 소식을 세상에 전하는 일을 맡게 되었다. 한 손에 여의주를, 또 한 손에 연꽃을 든 채로.

01 이 이야기를 요약하기 위한 방법으로 알맞은 것은?

① 인물의 경험과 성찰로 나누어 요약한다.
② 인물의 심리 변화를 중심으로 요약한다.
③ 갈등의 인과 관계를 중심으로 요약한다.
④ 인물의 생애와 업적을 중심으로 요약한다.
⑤ 시간의 흐름 및 공간의 이동에 따라 요약한다.

02 (나)에서 '매일이'가 매일 글을 읽는 이유로 알맞은 것은?

① 학문을 사랑해서
② 하늘에서 벌을 받아서
③ 훌륭한 사람이 되기 위해서
④ 글 읽는 것을 너무 좋아해서
⑤ 별층당에서 나가는 방법을 찾기 위해서

서술형

03 (다)를 참고하여 원천강에 있는 네 개의 문이 상징하는 것을 한 단어로 쓰시오.

04 (라)의 결말에 대한 설명으로 알맞지 않은 것은?

① '오늘이'는 신적 존재인 하늘나라 선녀가 된다.
② '여의주'와 '연꽃'은 '오늘이'의 욕망을 나타낸다.
③ '오늘이'는 사계절의 소식을 세상에 전하는 일을 맡게 된다.
④ '오늘이'는 원천강에서 전에 살던 마을로 돌아가 백씨 부인을 찾아간다.
⑤ '오늘이'가 부모님을 찾아가는 여행은 신성성을 얻기 위한 필연적인 과정이었음을 드러낸다.

05 ㉠에서 알 수 있는 '오늘이'의 면모로 알맞은 것은?

① 용감하다. ② 집요하다.
③ 친절하다. ④ 지혜롭다.
⑤ 독립심이 강하다.

• 정답과 해설 26쪽

06~09 다음 글을 읽고, 물음에 답하시오.

가 몇 해 전까지만 해도 '도시'가 유행이더니 어느덧 대세는 '마을'이다. ⓐ왜 갑자기 마을일까? 우리 사회는 산업화, 근대화, 도시화를 겪으면서 물질적으로 풍요로워졌지만, 그 과정에서 '우리'가 아닌 '나', '협동'이 아닌 '경쟁'이 최우선의 가치가 되었다. 이러한 무한 경쟁에 지친 사람들은 콩 한 쪽도 이웃과 나누어 먹고, 네 일 내 일 할 것 없이 서로 도우며 살던 옛 공동체의 모습을 그리워하며 마을로 돌아가자는 목소리를 높이고 있다.

나 첫째, '마을학교'를 '누가 주도하는가'이다. '마을학교'는 행정 관청의 주도하에 만들어지는 것이 아니라 ⓑ마을 주민이 그들의 필요에 따라 만드는 것이다. 또한 '마을학교'에서는 누구라도 이웃을 가르치는 선생님이 될 수도, 이웃에게 배우는 학생이 될 수도 있다. 배울 내용 역시 주민이 스스로 결정한다. 그래서 주민은 '마을학교'의 주체이자 ⓒ학습의 원천이 된다.

다 둘째, '마을학교'는 '어디에서 이루어지는가'이다. 우리는 '학교'라고 하면 대체로 그 안에 ⓓ여러 교실이 있고 교탁과 책걸상, 칠판 등이 있는 시설을 떠올린다. 그러나 공간으로서의 '마을학교'란 일반 학교처럼 '이런 시설이어야 해.'라는 틀에서 벗어난다. 주민 센터나 학교뿐만 아니라 마을에 있는 찻집, 도서관, 식당, 놀이터 등 마을 주민들이 활동하는 공간이면 모두 '마을학교'가 될 수 있다.

라 넷째, '(　　　㉠　　　)'이다. '마을학교'에서 가장 쉽게 할 수 있는 활동은 마을 주민의 교육 프로그램 운영이다. 그러나 '마을학교'의 활동은 여기서 끝나지 않는다. 교육 프로그램을 함께한 주민들은 동아리를 만들어 활동을 계속 이어 나가다가 축제와 같은 행사를 벌이고, 더 나아가 마을 사업으로 확장한다. 함께 학습하던 마을 주민들이 아이들을 더 잘 돌보기 위해 ⓔ공동육아를 시작하고, 이를 발전시켜 어린이집이나 학교를 세우기도 한다.

마 글을 맺으려니 체코슬로바키아의 교육자이자 종교 개혁가인 코메니우스의 말이 생각난다. 그가 한 말을 풀이하면 "세계가 전 인류를 위한 학교이듯이 한 사람의 생애는 우리 모두를 위한 학교이다. 학습이 삶의 전부이고, 삶의 전부가 학습인 사회이다. 세상이 학교이다. 모든 사람은 학교를 지니고 있는 동시에 다른 사람들의 학교로 존재한다."라는 뜻이다.

06 (다)를 다음과 같이 요약할 때, 활용한 규칙을 바르게 묶은 것은?

> 마을 주민들이 활동하는 공간이면 모두 '마을학교'가 될 수 있다.

① 선택, 삭제　　② 선택, 일반화
③ 삭제, 일반화　　④ 삭제, 재구성
⑤ 일반화, 재구성

서술형

07 〈보기〉는 (마) 이후의 내용이다. 이를 참고할 때, (마)에 쓰인 설명 방법과, 이를 통해 얻을 수 있는 효과를 쓰시오.

보기

> 이 말을 '마을학교'에 적용하면 결국 우리 한 사람 한 사람이 '마을학교'이고, 우리가 사는 마을 자체도 역시 '마을학교'로 볼 수 있다.

08 ㉠에 들어갈 내용으로 알맞은 것은?

① '마을학교'는 언제 활동하는가?
② '마을학교'는 어떤 활동을 하는가?
③ '마을학교'는 누가 이끌어 가는가?
④ '마을학교'는 무엇을 위해 활동하는가?
⑤ '마을학교' 활동은 어디에서 이루어지는가?

09 ⓐ~ⓔ에 대한 설명으로 알맞지 않은 것은?

① ⓐ: 의문 형식으로 '마을'이 대세가 된 것에 대한 독자의 관심을 유발한다.
② ⓑ: '마을학교'를 주도하는 주체이다.
③ ⓒ: 마을 주민 각자가 곧 '학교'일 수 있음을 드러낸다.
④ ⓓ: '마을학교' 활동을 하는 데 반드시 필요한 기본 공간이다.
⑤ ⓔ: '마을학교' 활동의 구체적인 예에 해당한다.

01~10 다음 글을 읽고, 물음에 답하시오.

가 어느 날 오늘이를 친손주처럼 돌보아 주던 백씨 부인이 오늘이를 불러 말했다. / "얘야, 부모님이 보고 싶지 않으냐?"

"어찌 보고 싶지 않겠습니까? 부모님을 한 번만 뵐 수 있다면 죽어도 한이 없습니다." / "어젯밤 꿈에 네 부모님을 만났다. 네 부모님은 지금 신관과 선녀가 되어 원천강을 지키고 계신다."

"㉠원천강은 어떤 곳인가요? 어떻게 그곳에 갈 수 있나요?"

"거기는 사람이 갈 수 없는 멀고 먼 곳이다만……."

"꼭 부모님을 만나고 싶습니다. 가는 길을 알려 주세요."

"정히 그렇거든 남쪽으로 흰모래 마을을 찾아가 별층당에서 글을 읽고 있는 도령한테 길을 물어보거라."

나 오늘이의 부모님은 오늘이에게 원천강을 구경시켜 주었다. 높은 담장이 둘러쳐진 곳에 문이 네 개나 있는데, 첫 번째 문을 열어 보니 봄바람이 따스하게 부는 가운데 진달래, 개나리, 매화꽃, 영산홍 등 갖은 봄꽃이 피어 있었다. 두 번째 문을 열어 보니 뜨거운 햇살 속에 보리와 밀 같은 곡식과 채소가 무성했다. 세 번째 문을 열어 보니 너른 들판에 누런 벼가 황금빛으로 물결쳤다. 네 번째 문을 열어 보니 찬바람이 부는 가운데 흰 눈이 세상을 하얗게 뒤덮고 있었다. 이 세상 사계절이 여기에서 흘러나오는 것이었다.

다 오늘이는 전에 자기가 살던 마을로 돌아가 백씨 부인을 찾아갔다.

㉡백씨 부인에게 부모님과 만난 일과 오가면서 겪은 일을 다 이야기하고 뱀한테서 받은 여의주 한 개를 드렸다. 백씨 부인은 어느새 어른이 된 오늘이를 꼭 안아 주었다. / 그 뒤 오늘이는 옥황상제의 부름으로 하늘나라 선녀가 되어 원천강을 돌보며 사계절의 소식을 세상에 전하는 일을 맡게 되었다. 한 손에 여의주를, 또 한 손에 연꽃을 든 채로.

라 '마을학교'가 무엇인지는 다음의 네 가지 측면에서 살펴보면 이해할 수 있다. 첫째, '마을학교'를 '누가 주도하는가'이다. '마을학교'는 행정 관청의 주도하에 만들어지는 것이 아니라 마을 주민이 그들의 필요에 따라 만드는 것이다. 또한 '마을학교'에서는 누구라도 이웃을 가르치는 선생님이 될 수도, 이웃에게 배우는 학생이 될 수도 있다. 배울 내용 역시 주민이 스스로 결정한다. 그래서 주민은 '마을학교'의 주체이자 학습의 원천이 된다.

마 '마을'과 '학교'를 띄어 쓰지 않는 것에서도 알 수 있듯이, '마을학교'는 마을과 학교가 하나가 되는 것을 추구한다. 마을이 학교의 기능을 단순히 보완하는 것이 아니라 마을 자체가 학교의 기능을 하는 것이다. 마을이 학교라면 그곳에는 마을도 있고 공동체도 있고 교육도 있다. 이러한 '마을학교'에서는 마을의 주인을 키워 내고 주민을 발견하고 주민 간의 어울림을 만들어 낼 것이다. 나아가 '마을학교'의 경험은 주민 스스로 마을을 움직이고 마을의 문제를 해결하는 마을 역량, 즉 마을력의 밑거름이 될 것이다.

1단계 단답식 서술형 문제

01 (가)에서 길을 떠나려는 데서 알 수 있는 '오늘이'의 면모를 쓰시오. [5점]

02 다음 빈칸에 (나)에 제시된 네 개의 문이 상징하는 의미를 각각 쓰시오. [5점]

네 개의 문	상징적 의미
첫 번째 문	
두 번째 문	
세 번째 문	
네 번째 문	

03 이야기의 결말에 해당하는 (다)에서 '오늘이'가 무엇이 되었는지 찾아 2어절로 쓰시오. [5점]

04 (라)에서 '마을학교'의 주체를 찾아 2어절로 쓰시오. [5점]

05 (마)에서 '마을력'의 의미를 찾아 쓰시오. [5점]

● 정답과 해설 26쪽

2단계 기본형 서술형 문제

06 (가)의 내용을 바탕으로 ㉠의 상징적 의미를 쓰시오. [10점]

> 조건 ① '백씨 부인'의 말을 참고하여 두 가지 의미를 한 문장으로 쓸 것
> ② '원천강은 ~ 공간이다.'의 형식으로 쓸 것

07 (마)의 내용을 요약하여 쓰시오. [10점]

> 조건 ① 요약한 내용은 한 문장으로 쓸 것
> ② 중심 내용 요약에 사용한 규칙을 모두 쓸 것

08 〈보기〉를 (마)에 이어지는 내용이라고 할 때, 〈보기〉의 ⓐ와 ⓑ가 의미하는 바와 이러한 표현 방법을 사용한 이유를 쓰시오. [15점]

> 보기
> 우리는 ⓐ비가 오면 ⓑ우산을 펴 든다. 한 사람이 우산을 펴면 우산을 편 사람만 비를 피할 수 있다. 우산이 없는 사람은 비를 쫄딱 맞는다. 그러나 마을에 큰 우산을 펴 보라. 마을에 큰 우산을 씌우면 마을 안에 사는 사람들이 다 함께 비를 덜 맞거나 피할 수 있다. 이렇게 삶에서 오는 문제와 어려움을 함께 펴 든 우산으로 막아 주는 일, 그 기능을 하는 우산이 '마을학교'이며, 이것이 '마을학교'를 만들려는 까닭이다.

3단계 고난도 서술형 문제

09 (가)~(다), (라)~(마)와 같은 글을 요약하는 방법을 각각 서술하시오. [20점]

> 조건 ① (가)~(다)와 (라)~(마)의 갈래를 제시할 것
> ② '(가)~(다)는 ~ 요약할 수 있는 반면, (라)~(마)는 ~ 요약할 수 있다.'의 형식으로 쓸 것

10 〈보기〉는 ㉡에 해당하는 '오늘이'의 말이라고 할 때, 〈보기〉에서 알 수 있는 '오늘이'의 삶의 태도를 서술하시오. [20점]

> 저는 원천강으로 가는 길에 많은 이들을 만나 사연을 듣고 부탁도 받았어요. 글만 읽고 집 밖으로 나갈 수 없는 '장상', 맨 윗가지에만 꽃이 피는 연꽃나무, 여의주를 세 개나 물고도 용이 되지 못하는 큰 뱀, 외딴 곳에서 매일 글만 읽는 '매일이', 구멍 뚫린 두레박으로 물을 퍼내는 선녀들의 도움으로 원천강에 도착해 부모님을 만나게 되었어요.
> 저에게 도움을 준 이들 중 선녀들의 문제는 댕댕이덩굴과 송진으로 두레박 구멍을 막아 해결했지만, 다른 이들과의 약속이 남아 있었기 때문에 부모님과 작별했죠. 저는 마을로 돌아오는 길에 '매일이', 큰 뱀, 연꽃 나무, '장상'을 차례대로 만나 그들이 부탁했던 일을 다 해결해 줬어요.

> 조건 ① 원천강으로 가는 길과 마을로 돌아오는 길로 나눌 것
> ② '오늘이'의 삶의 태도를 두 가지 이상 쓸 것

만점 마무리 (2) 질문을 준비하여 면담하기

♦ 활동 의도
여러 면담 상황을 통해 면담의 다양한 목적과 절차를 이해한 뒤, 실제로 면담을 준비하고 진행하여 면담 결과를 정리해 볼 수 있도록 하였다. 또한 면담을 진행할 때에는 면담 대상을 존중하고 배려하는 태도가 중요하다는 점을 생각해 볼 수 있도록 하였다.

♦ 활동 목표
- 면담의 다양한 목적 이해하기
- 면담의 절차 이해하기
- 목적과 대상을 정하고, 질문을 준비하여 실제 면담하기

♦ 활동 요약

면담의 다양한 목적 이해하기
여러 가지 면담 상황이 제시된 만화 및 두 학생의 대화를 통해, 면담의 다양한 목적을 이해함.

↓

면담의 절차 이해하기
'정우'가 친구들과 함께 실제 면담을 준비, 진행, 정리하는 과정을 통해, 면담의 절차와 방법을 이해함.

↓

목적과 대상을 정하고, 질문을 준비하여 실제 면담하기
면담의 목적과 면담 대상을 정한 뒤, 절차에 따라 직접 면담을 해 봄.

◇ 면담의 개념과 목적

개념	특정 대상을 직접 만나서 이야기나 의견을 나누는 것
목적	정보 수집, 상담, 평가, 설득 등이 있으며, 면담의 목적에 따라 질문할 내용이 달라짐.

◇ 면담의 절차

면담 준비하기		면담 진행하기		면담 정리하기
면담 목적과 면담 대상을 정하고, 그에 따라 면담 약속을 정한 후에 질문지를 작성함.	→	면담 대상과 만나서 준비한 질문을 하고 답변을 들음.	→	면담한 내용을 면담의 목적에 맞게 정리함.

◇ 면담의 준비 및 진행 단계에서 고려할 점

준비 단계	• 면담 목적과 면담 대상을 정함. • 면담 주제에 대한 사전 정보를 수집함. • 면담 목적과 주제에 맞는 면담 대상을 섭외함. • 면담의 목적과 진행 과정에 따른 다양한 질문을 준비함. • 면담 대상의 대답을 보완하거나 대답 내용을 구체화하기 위한 후속 질문을 미리 준비함.
진행 단계	• 면담의 목적을 면담 대상에게 미리(면담 전 또는 시작 전) 알려야 함. • 질문은 구체적이면서도 간결해야 하며, 면담의 목적에 맞아야 함. • 면담 대상의 대답을 경청하고, 적절하게 반응함. • 녹음이나 촬영을 해야 할 때에는 미리 면담 대상에게 허락을 받음. • 면담 대상을 존중하고 배려하는 태도를 지녀야 함.

◇ '정우'의 요리 예술사 면담 계획

항목	계획 내용
면담 목적	요리 예술사(라는 직업)에 대한 정보를 얻기 위해
면담 대상	요리 예술사
면담 일시 및 장소	• 면담 일시: 미정(면담 대상이 원하는 때) • 장소: 요리 예술사의 작업실
면담 준비물	수첩, 필기구, 녹음과 사진 촬영이 가능한 휴대 전화(또는 녹음기, 카메라)
면담 질문	• 요리 예술사는 주로 어떤 일을 하나요? • 요리 예술사는 주로 어떤 영역에서 활동하나요? • 요리 예술사가 된 계기는 무엇인가요? • 요리 예술사가 되려면 어떻게 해야 하나요? • 요리 예술사에게 필요한 능력은 무엇인가요? • 요리 예술사를 하면서 힘들었던 점은 무엇인가요? • 요리 예술사를 하면서 보람을 느끼는 순간은 언제인가요? • 요리 예술사를 희망하는 학생들에게 해 주고 싶은 말은 무엇인가요?

간단 복습 문제 (2) 질문을 준비하여 면담하기

● 정답과 해설 27쪽

쪽지 시험

[01~02] 다음 문장에 들어갈 알맞은 낱말을 ( )에서 골라 ○표 하시오.

01 면담은 특정 대상을 직접 만나서 이야기나 (의견 / 협상)을 나누는 것이다.

02 면담의 (장소 / 목적)에 따라 질문할 내용이 달라진다.

[03~06] 다음 각 상황에 해당하는 면담의 목적을 〈보기〉에서 골라 쓰시오.

보기
상담, 평가, 설득, 정보 수집

03
면접관: 우리 회사에 지원한 까닭이 무엇인가요?
면접자: 제가 이 회사에 지원한 까닭은 …….
( )

04
딸: 저, 이제부터 정기적으로 용돈을 받고 싶어요.
아빠: 왜? 필요할 때마다 아빠에게 받아서 쓰는 것이 불편하니?
( )

05
선생님: 준서야, 요즘 무슨 고민 있니?
학생: 요즘 자꾸 주변 사람들에게 짜증을 내요. 제가 왜 이러는지 모르겠어요.
( )

06
학생: 마을 신문에는 어떤 내용이 실리나요?
마을 신문 편집장: 마을 사람들이 살아가는 소소한 이야기가 실립니다.
( )

[07~10] 다음 설명이 맞으면 ○표, 틀리면 ×표 하시오.

07 면담은 '면담 준비하기 → 면담 정리하기 → 면담 진행하기'의 절차에 따른다. ( )

08 면담을 하기 전에는 먼저 면담의 목적을 분명히 해야 한다. ( )

09 면담 대상은 만나기 힘들거나 상대하기 까다롭더라도 목적과 주제에 적합한 인물로 정해야 한다. ( )

10 면담 대상을 만나 면담을 진행할 때는 미리 준비한 질문 외에는 하지 말아야 한다. ( )

[11~13] 다음 문장의 빈칸에 들어갈 알맞은 낱말의 기호를 〈보기〉에서 골라 쓰시오.

보기
㉠ 경청 ㉡ 간결 ㉢ 허락

11 면담의 질문은 구체적이면서도 ( )해야 한다.

12 면담을 진행할 때는 면담 대상의 대답을 ( )하고, 적절하게 반응해야 한다.

13 면담 중에 녹음이나 촬영을 해야 할 때에는 미리 면담 대상에게 ( )을 받고 진행해야 한다.

어휘 시험

[01~03] 다음 설명에 해당하는 낱말을 〈보기〉에서 골라 쓰시오.

보기
계기, 전공, 영역

01 활동, 기능, 효과, 관심 따위가 미치는 일정한 범위 ( )

02 어느 한 분야를 전문적으로 연구함. 또는 그 분야 ( )

03 어떤 일이 일어나거나 변화하도록 만드는 결정적인 원인이나 기회 ( )

[04~05] 다음 문장에 들어갈 알맞은 낱말을 ( )에서 골라 ○표 하시오.

04 아이들은 (남루한 / 지루한) 듯 하품을 하며 자리에서 일어섰다.

05 그는 이별의 슬픔을 음악으로 (만족하며 / 승화하며) 예술가적 기질을 나타냈다.

(2) 질문을 준비하여 면담하기

• 정답과 해설 28쪽

01~04 다음을 읽고, 물음에 답하시오.

가 안녕하세요? 저는 행복 중학교에 다니고 있는 ㉠이정우라고 합니다.

제가 이렇게 전자 우편을 드리는 까닭은 ⓐ요리 예술사라는 직업이 어떤 직업인지 궁금하여 선생님의 도움을 받고 싶어서입니다. 저는 음식과 요리에 관심이 많은데요, 우연히 잡지에서 선생님의 기사를 보았습니다. 그 기사를 읽으면서 요리 예술사라는 직업이 어떤 직업인지 더 알고 싶어졌습니다. ⓑ요리 예술사가 하는 일은 무엇인지, 그 일을 하려면 어떤 능력이 필요한지, 요리 예술사가 되려면 어떻게 해야 하는지 등 궁금한 점이 무척 많습니다. ⓒ선생님께서 면담을 허락하신다면 친구와 함께 직접 찾아뵙고 궁금한 것들을 여쭤보고 싶습니다. 선생님을 직접 뵙고 대화를 나눌 수 있다면 저희가 미래에 직업을 선택하는 데에도 큰 도움이 될 것 같습니다. 괜찮으시다면 저희가 선생님 작업실로 찾아가 선생님을 직접 뵈었으면 하는데요. ⓓ언제가 좋을지 선생님께서 편하신 날짜와 시간을 알려 주세요. 그럼 그 시간에 맞추어 찾아뵙도록 하겠습니다. 그리고 ⓔ궁금한 점을 정리한 면담 질문지를 미리 보냅니다. 참고해 주세요.

나 나라: 음식 모양새 꾸미기보다 음식이나 식재료를 이해하는 것이 우선이군요. 그럼 ㉡요리 예술사에게 필요한 능력은 무엇인가요?

요리 예술사: 호기심이 많고 색감과 요리에 대한 기본적인 감각이 있으면 좋습니다. 이런 능력이 있어도 노력하지 않으면 시장의 빠른 변화를 좇아가기가 힘들어서 꾸준히 노력하는 열정과 성실성도 필요하고요. 그리고 기본적으로 다양한 식재료의 특성을 알아야 해요. 식재료의 색, 질감, 맛 등의 특성이나 요리 방법을 알면 음식의 본질을 이해할 수 있고, 이를 통해 요리를 더욱 풍성하게 표현할 수 있죠.

정우: 요리 예술사 일을 하시면서 힘든 점은 무엇인가요?

요리 예술사: 요리 예술사가 하는 일이 흔히 음식의 겉모습을 아름답게 장식하는 것이라고만 생각하는 경우가 많아요. 하지만 육체적으로 많은 에너지가 필요하며 오랜 시간을 투자해야 하는 일입니다.

01 (나)와 같은 말하기를 할 때 유의할 점이 아닌 것은?

① 면담 대상을 존중하고 배려한다.
② 궁금한 내용은 구체적으로 질문한다.
③ 면담 상황에 따라 면담의 목적을 수정한다.
④ 면담 대상의 대답에 대해 적절하게 반응한다.
⑤ 면담 대상이 대답하기 곤란한 질문은 되도록 피한다.

서술형

02 〈보기〉는 ㉠이 면담을 준비하며 정리한 질문이다. 이 중에서 삭제해야 할 질문과 그 이유를 쓰시오.

보기
1. 요리 예술사는 주로 어떤 일을 하나요?
2. 요리 예술사는 주로 어떤 영역에서 활동하나요?
3. 요리 예술사들이 즐겨 찾는 음식점은 어디인가요?
4. 요리 예술사가 되려면 어떻게 해야 하나요?
5. 요리 예술사를 하시면서 보람을 느끼는 순간은 언제인가요? …

03 ㉡에 대한 답변으로 거리가 먼 것은?

① 호기심이 많아야 합니다.
② 요리에 대한 기본적인 감각이 있어야 합니다.
③ 꾸준히 노력하는 열정과 성실성이 필요합니다.
④ 시장의 변화를 좇기보다는 자신만의 개성을 지녀야 합니다.
⑤ 색이나 질감, 맛과 같은 식재료의 특성을 잘 알아야 합니다.

04 ⓐ~ⓔ에 대한 설명으로 알맞지 않은 것은?

① ⓐ: 면담을 하려는 목적을 밝히고 있다.
② ⓑ: 실제 면담에서 질문할 내용으로 볼 수 있다.
③ ⓒ: 면담 전에 면담 대상의 허락을 구하고 있다.
④ ⓓ: 면담 대상의 편의를 배려하여 면담 일시를 묻고 있다.
⑤ ⓔ: 면담 대상에 대한 사전 정보를 수집하기 위해 질문지를 미리 보내고 있다.

(2) 질문을 준비하여 면담하기

01~09 다음을 읽고, 물음에 답하시오.

가 준서: 지민아, 어제 나온 마을 신문 봤니?
지민: 응, 정말 재밌더라. 우리 옆집 개가 새끼를 낳았다는 소식까지 있던걸! 그런데 우리 학교 친구들은 마을 신문이 있는지조차 잘 모르는 것 같더라. 마을 신문 편집장님과 면담을 해서 학교 신문에 소개하면 어떨까?
준서: 좋은 생각이야. 학교 신문에 편집장님 면담 기사를 실으면 많은 친구가 마을 신문에 관심을 보일 거야.

나 준서: 지민아, 요즘 나 고민이 생겼어. 주변 사람에게 별 까닭 없이 자주 짜증을 내.
지민: 그래? 그럼 마을 찻집에 가 보는 건 어때? 마을 신문 기사에서 봤는데, 찻집을 운영하시는 지호 어머님께서 청소년 상담도 해 주신다고 하더라고.
준서: 그래? 당장 가 봐야겠다.

다 학생 1: 얘들아, 나 얼마 전에 잡지에서 본 요리 예술사라는 직업에 관심이 생겼어. 더 알아보고 싶어.
학생 2: 잡지에 나왔던 요리 예술사님을 찾아가서 면담하면 어떨까? 면담을 하면 인터넷이나 책에서보다 생생한 정보를 얻을 수 있을 거야.
학생 3: 좋은 생각이야. 그럼 먼저 그분께 허락을 받아야지. 잡지에 있는 주소로 전자 우편을 보내 보자.
학생 4: 면담하기 전에 질문을 미리 정리해 보면 좋을 것 같아. 그리고 면담을 하면서 녹음도 하고 사진도 찍어야 하니까 역할을 나눠 보자.

라 정우: 전자 우편으로 말씀드렸듯이 저희가 음식과 요리에 관심이 있다 보니 요리 예술사라는 직업이 어떤 직업인지 궁금한 점이 많습니다. 요리 예술사에 대한 정보를 얻기 위해 면담을 하려고 하니 진솔한 답변 부탁드립니다. 그리고 저희가 면담 내용을 녹음하고 중간에 사진도 찍으려고 하는데, 괜찮으신지요?
요리 예술사: 네, 괜찮아요. 편하게 질문하세요.
나라: 고맙습니다. 그럼, 지금부터 질문드리겠습니다. ㉠요리 예술사는 주로 어떤 일을 하나요?
요리 예술사: 저는 요리 예술사를 '요리를 예술로 승화하는 요리의 예술가'라고 표현하고 싶어요. 요리를 아름답게 표현하여 상품 가치를 높이는 일을 한다고 생각하면 돼요.
정우: ㉡좀 더 자세히 알고 싶은데요, 요리 예술사의 활동 영역을 말씀해 주세요.

1단계 단답식 서술형 문제

01 (가)의 학생들이 섭외하려는 면담 대상이 누구인지 찾아 쓰시오. [5점]

02 (나)의 상황에서 '준서'가 면담을 하려는 목적을 다음과 같이 정리할 때, 빈칸에 들어갈 알맞은 말을 쓰시오. [5점]

□□을/를 위한 면담

03 (다)에서 학생들이 면담 요청을 하기 위해 사용할 방법을 찾아 3어절로 쓰시오. [5점]

04 (다)에서 학생들이 면담을 선택한 이유가 무엇인지 한 문장으로 쓰시오. [5점]

05 (라)의 면담 목적을 다음에서 골라 쓰시오. [5점]

진로 상담, 정보 수집, 참여 설득, 능력 평가

2단계 기본형 서술형 문제

06 (가)의 학생들이 면담을 하려는 목적이 무엇인지 한 문장으로 쓰시오. [15점]

조건 ① 면담 대상이 누구인지 밝혀 쓸 것
② '~기 위해서이다.'의 형식으로 쓸 것

07 (다)의 학생들이 계획한 면담 준비 내용이 무엇인지 쓰시오. [15점]

조건 ① 학생들이 계획한 면담 준비 내용 세 가지를 찾아 쓸 것
② 각각 '~ㄴ다.'의 한 문장으로 쓸 것

08 (라)에서 알 수 있는 면담할 때의 유의할 점을 두 가지 쓰시오. [15점]

조건 ① '정우'의 첫 번째 말을 통해 알 수 있는 유의할 점을 쓸 것
② 각각 한 문장으로 쓸 것

3단계 고난도 서술형 문제

09 〈보기〉를 참고하여 ㉠과 ㉡이 어떤 질문 유형인지 쓰고, ㉡과 같은 질문을 한 이유를 서술하시오. [30점]

보기
면담에서 면담 대상에게 하는 질문에는 두 가지 유형이 있다. 첫 번째는 질문자가 일차적으로 묻고자 하는 핵심적 내용을 담은 '주안적 질문'이다. 두 번째는 주안적 질문에 대한 보충적 질문인 '부차적 질문'이다.

조건 ① 질문 유형은 '㉠은 ~에, ㉡은 ~에 해당한다.'의 형식으로 쓸 것
② ㉡과 같은 질문을 한 이유는 ㉠과 관련하여 한 문장으로 쓸 것

01~04 다음 글을 읽고, 물음에 답하시오.

가 "우리는 하늘나라의 선녀들이랍니다. 천하궁에서 물 긷는 일을 소홀히 한 죄로 여기서 물을 푸고 있지요. 이 우물물을 다 퍼야 하늘로 돌아갈 수 있는데 두레박에 큰 구멍이 뚫려서 아무리 애를 써도 물을 퍼낼 수가 없어요." / 오늘이는 두레박을 받아 들더니 댕댕이덩굴을 으깨어 뭉쳐서 구멍을 막고 나서 송진을 녹여서 틈을 막았다. 송진이 굳은 뒤에 두레박으로 물을 푸게 하니 물이 한 방울도 새지 않았다.

나 오늘이는 먼저 별층당에서 글을 읽고 있는 매일이를 만났다. / "부모님을 만나 뵙고 매일이 님의 일도 알아 왔습니다. 저와 함께 가시면 소원이 이루어질 거예요."

오늘이가 매일이를 이끌고 길을 떠나 전날의 바닷가에 이르니 큰 뱀이 여의주 세 개를 입에 넣은 채 뒹굴고 있었다. / "왜 용이 못 되는지 알아 왔습니다. 바다를 건네 주면 알려 주지요."

큰 뱀은 기뻐하면서 오늘이와 매일이를 등에 태우고 수만 리 물길을 헤엄쳐 청수 바닷가에 이르렀다.

"하늘에 못 오르는 건 여의주를 세 개나 물었기 때문이랍니다. 하나만 물면 용이 될 수 있지요."

다 다음은 연화못의 연꽃 나무. / "윗가지에 핀 꽃을 처음 보는 사람에게 주면 가지마다 꽃이 핀답니다."

연꽃 나무는 얼른 윗가지에 핀 꽃을 꺾어서 오늘이에게 주었다. 그러자 가지마다 꽃봉오리가 맺히면서 탐스러운 꽃이 송이송이 피어나기 시작했다.

라 예전처럼 장상이가 글을 읽고 있었다.

"원천강에서 장상이 님의 일을 알아 왔습니다. 장상이 님처럼 몇 년 간 홀로 글만 읽어 온 처녀를 만나 배필로 맞으시면 만년 영화를 누리실 수 있답니다."

"세상에 그런 처녀가 어디에 있을까요?"

"여기 모셔 왔습니다. 매일이 님이지요. 두 분이 부부의 연을 맺으면 행복해지실 거예요."

장상이와 매일이는 서로를 마주 보며 손을 꼭 잡았다.

마 그 뒤 오늘이는 옥황상제의 부름으로 하늘나라 선녀가 되어 ㉠원천강을 돌보며 사계절의 소식을 세상에 전하는 일을 맡게 되었다. 한 손에 여의주를, 또 한 손에 연꽃을 든 채로.

01 이와 같은 글을 읽는 방법으로 알맞지 않은 것은?

① 줄거리를 파악하며 읽는다.
② 주인공의 이동 경로를 정리하며 읽는다.
③ 앞뒤 사건의 인과 관계를 파악하며 읽는다.
④ 갈래에 따른 특징적인 구조를 고려하며 읽는다.
⑤ 글쓴이가 경험에서 얻은 교훈을 생각하며 읽는다.

02 (가)~(마)에서 '오늘이'가 부탁받은 일에 대응한 방법을 요약한 내용으로 알맞지 않은 것은?

① 하늘나라 선녀들: 두레박에 뚫린 큰 구멍을 댕댕이덩굴과 송진을 이용해서 막아 주었다.
② 큰 뱀: 여의주를 하나만 물면 용이 될 수 있다고 알려 주었다.
③ 연꽃 나무: 윗가지에 핀 꽃을 '오늘이' 자신에게 주면 가지마다 꽃이 필 것이라고 알려 주었다.
④ 장상: 처지가 비슷한 처녀를 만나 배필로 맞으면 만년 영화를 누릴 수 있다고 알려 주었다.
⑤ 매일이: 집에 돌아가는 길에 데리고 간 후, '장상'과 부부의 연을 맺어 주었다.

서술형

03 (가)~(라)를 요약하는 방법으로, 〈보기〉의 빈칸에 들어갈 알맞은 내용을 쓰시오.

보기
'오늘이'는 여행 중에 만난 대상에게서 부탁을 받고, 집으로 돌아가는 길에 이를 해결해 준다. 이를 고려할 때 이 이야기는 (　　　　　)의 구조를 중심으로 요약할 수 있다.

04 ㉠에 대한 설명으로 적절하지 않은 것은?

① 선녀로서 '오늘이'가 해야 할 일
② 천상의 존재인 옥황상제가 명한 일
③ 문지기가 되어 원천강을 지키는 일
④ 초월적이고 신성한 능력을 발휘하는 일
⑤ 신적 존재로서 인간 세상에 영향을 미치는 일

05~07 다음 글을 읽고, 물음에 답하시오.

가 '마을학교'가 무엇인지는 다음의 네 가지 측면에서 살펴보면 이해할 수 있다. 첫째, '마을학교'를 '누가 주도하는가'이다. '마을학교'는 행정 관청의 주도하에 만들어지는 것이 아니라 마을 주민이 그들의 필요에 따라 만드는 것이다. 또한 '마을학교'에서는 누구라도 이웃을 가르치는 선생님이 될 수도, 이웃에게 배우는 학생이 될 수도 있다. 배울 내용 역시 주민이 스스로 결정한다. 그래서 주민은 '마을학교'의 주체이자 학습의 원천이 된다.

나 우리는 [비]가 오면 [우산]을 펴 든다. 한 사람이 우산을 펴면 우산을 편 사람만 비를 피할 수 있다. 우산이 없는 사람은 비를 쫄딱 맞는다. 그러나 마을에 큰 우산을 펴 보라. 마을에 큰 우산을 씌우면 마을 안에 사는 사람들이 다 함께 비를 덜 맞거나 피할 수 있다. 이렇게 삶에서 오는 문제와 어려움을 함께 펴 든 우산으로 막아 주는 일, 그 기능을 하는 우산이 '마을학교'이며, 이것이 '마을학교'를 만들려는 까닭이다.

다 젊은이 대부분이 도시로 빠져나가고, 1990년대부터 인구의 고령화가 진행되면서 농촌은 심각한 일손 부족 문제를 겪고 있다. 심지어 일손이 없어 힘들게 가꾼 농산물의 수확 시기를 놓치는 경우도 많다. 따라서 소비자들이 농장에 찾아가 직접 농산물을 수확하는 농장 시장은 농촌의 부족한 일손 문제를 해결할 수 있는 좋은 방안이 될 것이다.

라 요즘 국내산이 아닌 농산물이 국내산으로 둔갑하여 유통된다는 말을 심심찮게 들을 수 있다. 그래서 시장이나 대형 할인점 등에서 파는 농산물을 신뢰하지 않는 사람들도 많다. 그러나 농장 시장의 농산물은 소비자가 농장에서 직접 거두어들인 것이기 때문에 안심하고 먹을 수 있다.

마 일반적으로 농산물이 생산자로부터 소비자에게 전달되기까지는 여러 유통 단계를 거친다. 그래서 농민들은 제 가격에 농산물을 팔기가 어렵고, 소비자는 농산물을 비싸게 사는 경우가 발생한다. 하지만 농장 시장은 소비자가 농장에 가서 직접 농산물을 가져오는 것이기 때문에 유통 단계를 줄여 생산자와 소비자 모두에게 경제적 이익을 줄 수 있다.

05 (가)의 중심 내용으로 알맞은 것은?

① '마을학교'는 행정 관청이 주도한다.
② '마을학교'가 무엇인지 이해할 수 있다.
③ 첫째, '마을학교'를 '누가 주도하는가'이다.
④ '마을학교'는 네 가지 측면에서 살펴보아야 한다.
⑤ '마을학교'를 이끌어 가는 주체는 마을 주민이다.

06 (나)의 '비'와 '우산'의 의미를 〈보기〉와 같이 정리할 때, 빈칸에 들어갈 내용으로 알맞은 것은?

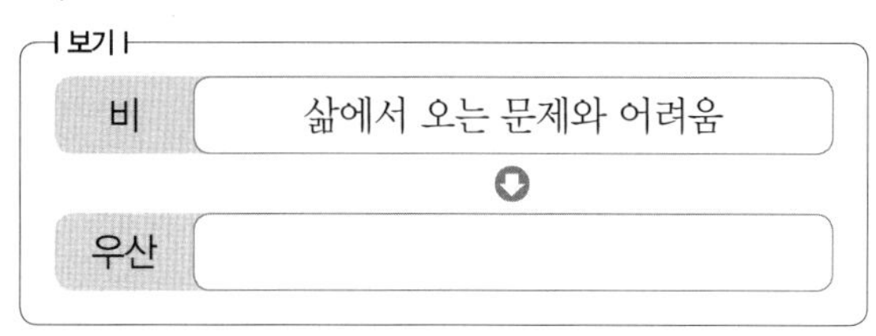

보기
비
삶에서 오는 문제와 어려움
우산

① 삶의 기쁨과 환희
② 삶의 고달픔과 슬픔
③ 삶의 문제와 어려움이 생기는 이유
④ 삶의 문제에서 벗어날 수 있는 기회
⑤ 삶의 어려움을 막아 줄 수 있는 '마을학교'

고난도 서술형

07 (다)~(마)를 〈보기〉와 같이 요약했을 때, 사용한 요약 방법과 [A]에 들어갈 주장을 쓰시오.

보기

주장	[A]
근거 1	농촌의 일손 부족 문제를 해결할 수 있는 농장 시장 ······ (다) 문단
근거 2	믿을 수 있는 먹을거리를 제공하는 농장 시장 ······ (라) 문단
근거 3	생산자와 소비자에게 경제적 이익을 줄 수 있는 농장 시장 ······ (마) 문단

조건
① (다)~(마)의 갈래를 밝혀 쓸 것
② 주장은 '농촌 경제', '먹을거리'를 포함하여 쓸 것

08 면담에 대한 설명으로 알맞지 않은 것은?

① 정보 수집, 상담, 평가 등을 목적으로 한다.
② 면담의 목적에 따라 질문할 내용이 달라진다.
③ 면담의 목적과 대상을 정하고 면담을 진행한다.
④ 면담에서 할 질문은 구체적이면서도 간결해야 한다.
⑤ 특정 인물을 주제로 하여 모인 사람들 간에 의견을 나누는 것이다.

09~11 다음 글을 읽고, 물음에 답하시오.

안녕하세요? 지는 행복 중학교에 다니고 있는 이정우라고 합니다. / 제가 이렇게 전자 우편을 드리는 까닭은 요리 예술사라는 직업이 어떤 직업인지 궁금하여 선생님의 도움을 받고 싶어서입니다. 저는 음식과 요리에 관심이 많은데요, 우연히 잡지에서 선생님의 기사를 보았습니다. 그 기사를 읽으면서 요리 예술사라는 직업이 어떤 직업인지 더 알고 싶어졌습니다. 요리 예술사가 하는 일은 무엇인지, 그 일을 하려면 어떤 능력이 필요한지, 요리 예술사가 되려면 어떻게 해야 하는지 등 궁금한 점이 무척 많습니다. 선생님께서 면담을 허락하신다면 친구와 함께 직접 찾아뵙고 궁금한 것들을 여쭤보고 싶습니다. 선생님을 직접 뵙고 대화를 나눌 수 있다면 저희가 미래에 직업을 선택하는 데에도 큰 도움이 될 것 같습니다. 괜찮으시다면 저희가 선생님 작업실로 찾아가 선생님을 직접 뵈었으면 하는데요. 언제가 좋을지 선생님께서 편하신 날짜와 시간을 알려 주세요. 그럼 그 시간에 맞추어 찾아뵙도록 하겠습니다. 그리고 궁금한 점을 정리한 ㉠면담 질문지를 미리 보냅니다. 참고해 주세요.

그럼 긍정적인 답변 기다리겠습니다. 안녕히 계세요.

09 이와 같은 글에 담겨야 할 내용이 아닌 것은?

① 면담의 목적
② 면담에서 질문할 내용
③ 면담 대상에 대한 정보
④ 면담의 수락 여부를 묻는 내용
⑤ 면담 일시 및 장소에 관한 내용

서술형

10 이 글에서 다음 ⓐ, ⓑ에 들어갈 내용을 찾아 쓰시오.

면담 목적	ⓐ
면담 대상	ⓑ

11 ㉠에 포함될 질문의 주제로 적절하지 않은 것은?

① 요리 예술사가 된 계기
② 요리 예술사의 활동 영역
③ 요리 예술사가 주로 하는 일
④ 요리 예술사로서 휴일에 즐기는 취미
⑤ 요리 예술사를 희망하는 학생들에 대한 조언

12 다음 면담 계획서에 대한 설명으로 알맞지 않은 것은?

항목	계획 내용
면담 목적	커피 전문가라는 직업을 알아보기 위해
면담 대상	커피 전문점 '○○' 사장님
면담 일시 및 장소	토요일 오전 10시, 커피 전문점 '○○'
면담 준비물	수첩, 필기구, 녹음과 사진 촬영이 가능한 휴대 전화
면담 질문	① 커피 전문가는 주로 어떤 일을 하나요? ② 커피 전문가가 된 계기는 무엇인가요? ③ 커피 전문가라는 직업의 장단점은 무엇인가요? ……

① 면담 전에 준비 사항을 점검하기 위한 것이다.
② 면담 준비 과정에 빠진 것이 있는지 확인할 수 있다.
③ 면담의 목적과 대상, 일시 및 장소 등을 계획해 볼 수 있다.
④ 면담 계획서가 작성되면 반드시 그 내용대로 면담을 진행해야 한다.
⑤ 면담에 필요한 질문을 적어 봄으로써 불필요하거나 추가해야 할 질문을 정리해 볼 수 있다.

13~15 **다음을 읽고, 물음에 답하시오.**

가 나라: 안녕하세요? 저는 행복 중학교 1학년 김나라입니다. / 정우: 안녕하세요? 저는 전자 우편으로 인사드렸던 이정우입니다. 바쁘실 텐데 이렇게 면담을 허락해 주셔서 감사합니다.

요리 예술사: 학생들이 온다고 해서 기쁜 마음으로 기다리고 있었어요.

정우: 고맙습니다. 전자 우편으로 말씀드렸듯이 저희가 음식과 요리에 관심이 있다 보니 요리 예술사라는 직업이 어떤 직업인지 궁금한 점이 많습니다. 요리 예술사에 대한 정보를 얻기 위해 면담을 하려고 하니 진솔한 답변 부탁드립니다. 그리고 저희가 면담 내용을 녹음하고 중간에 사진도 찍으려고 하는데, 괜찮으신지요?

나 나라: 요리 예술사는 주로 어떤 일을 하나요?

요리 예술사: 저는 요리 예술사를 '요리를 예술로 승화하는 요리의 예술가'라고 표현하고 싶어요. 요리를 아름답게 표현하여 상품 가치를 높이는 일을 한다고 생각하면 돼요.

다 정우: (　　　　ⓐ　　　　)

요리 예술사: 요리 예술사가 하는 일이 흔히 음식의 겉모습을 아름답게 장식하는 것이라고만 생각하는 경우가 많아요. 하지만 육체적으로 많은 에너지가 필요하며 오랜 시간을 투자해야 하는 일입니다. 일이 규칙적이지 않고 밤샘 작업을 해야 하는 때도 있죠. 그래서 하고 싶어서 시작했지만 체력이 따라 주질 않아 중간에 포기하는 사람도 많습니다. 즉, 꾸준하게 자신의 체력을 관리해야 한다는 것입니다.

라 나라: 강한 체력이 필요하다니 미처 몰랐어요.
(　　　　ⓑ　　　　)

요리 예술사: 요리 예술사는 대중에게 노출되는 직업이 아니에요. 사람들이 광고에 나온 제가 만든 요리를 보고 좋은 반응을 보일 때나 제가 모양새를 꾸민 제품을 사람들이 선택하는 것을 볼 때 요리 예술사로서 보람을 느낍니다.

마 나라: 선생님 덕분에 요리 예술사가 어떤 직업인지 잘 알게 되었습니다. 친절하게 답변해 주셔서 감사합니다.

요리 예술사: 저도 학생들과 만나서 즐거웠어요. 더 궁금한 점이 생기면 언제든 연락하세요.

13 **이 면담에서 '정우'와 '나라'가 한 말과 행동에 대한 설명으로 알맞지 않은 것은?**

① 면담 목적을 명확히 밝히고 있다.
② 면담 내용을 빠짐없이 필기하고 있다.
③ 면담 전에 먼저 자기소개를 하고 있다.
④ 면담 마무리 인사를 하며 면담 대상에 대한 예의를 갖추고 있다.
⑤ 면담 내용을 녹음하고 사진 촬영을 하기 위해 면담 대상에게 양해를 구하고 있다.

14 **〈보기〉의 면담 절차를 고려할 때, (마) 이후에 진행될 내용으로 알맞은 것은?**

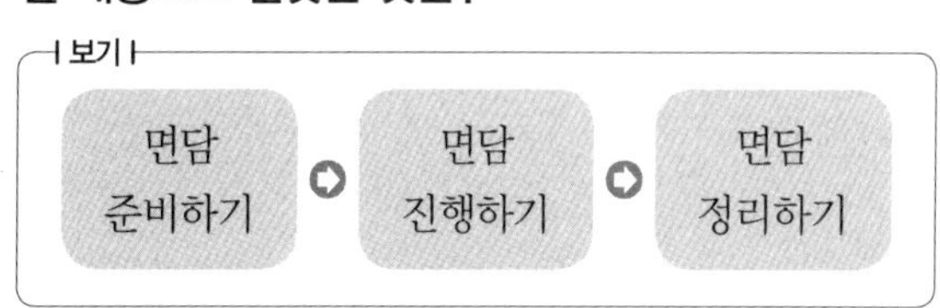

보기
면담 준비하기
면담 진행하기
면담 정리하기

① 면담의 목적과 대상을 정한다.
② 면담 약속을 정하고 질문지를 작성한다.
③ 면담 대상과 만나서 준비한 질문을 한다.
④ 면담 주제에 대한 사전 정보를 수집한다.
⑤ 면담한 내용을 면담 목적에 맞게 정리한다.

15 **ⓐ, ⓑ에 들어갈 질문을 순서대로 바르게 묶은 것은?**

ㄱ. 요리 예술사가 된 계기는 무엇인가요?
ㄴ. 요리 예술사가 되려면 어떻게 해야 하나요?
ㄷ. 요리 예술사 일을 하시면서 힘든 점은 무엇인가요?
ㄹ. 요리 예술사 일을 하시면서 보람을 느끼신 순간은 언제인가요?

① ㄱ, ㄴ　② ㄱ, ㄹ　③ ㄴ, ㄷ
④ ㄴ, ㄹ　⑤ ㄷ, ㄹ

만점 마무리 (1) 언어의 본질

◆ 활동 의도
만화와 설명문을 통해 언어의 본질을 이해하고, 이를 여러 언어 자료에서 확인해 볼 수 있도록 하였다. 또한 언어의 본질적 특성이 잘 드러나는 소설을 읽으며 언어의 본질을 탐구할 수 있도록 하였다.

◆ 활동 목표
- 언어의 본질 이해하기
- 소설에 나타난 언어의 본질 탐구하기

◆ 활동 요약

언어의 본질 이해하기
언어의 자의성, 사회성, 역사성, 창조성의 정확한 개념을 알고 다양한 자료에 드러나는 언어의 본질을 파악함.

소설에 나타난 언어의 본질 탐구하기
주인공 '닉'의 계획에 의해 '프린들'이 '펜'으로 인식되기까지의 과정에서 드러나는 언어의 본질을 탐구함.

◇ 언어의 본질

• 언어의 자의성

개념	언어의 말소리와 뜻 사이에는 필연적인 관계가 없음.
예	• '은하수[은하수]', 'Milky Way[밀키 웨이]', 'Galaxy[갤럭시]'처럼 같은 뜻을 나타내더라도 말소리가 다르게 나타남. • '나비'를 영어로 'butterfly[버터플라이]', 중국어로 '蝴蝶[후디에]', 프랑스어로 'papillon[파피용]'이라고 함. • '배(선박, 배나무의 열매, 가슴과 엉덩이 사이의 부위)'와 같이 뜻이 다르지만 말소리가 같은 낱말이 존재함. • '다슬기, 올갱이, 골배, 데사리'와 같이 뜻은 같지만 말소리가 다른 낱말이 존재함.

• 언어의 사회성

개념	언어는 사회 구성원 간의 사회적 약속이므로 개인이 마음대로 바꿀 수 없음.
예	'은하수'를 개인이 마음대로 '사랑강'이라고 바꾸어 쓰면 다른 사람이 '사랑강'이 무엇인지 이해하지 못해 의사소통에 문제가 생김.

• 언어의 역사성

개념	언어는 시간의 흐름에 따라 변함.	
예	소멸	온(백), 즈믄(천), 암행어사(조선 시대의 벼슬), 뫼(산), 가람(강) 등
	의미의 변화	어리다(어리석다 → 나이가 적다), 어여쁘다(불쌍하다 → 예쁘다) 등
	말소리의 변화	뿌리(불휘 → 뿌리) 등
	생성	컴퓨터, 공정 무역, 누리꾼, 인공 지능, 스마트폰 등

• 언어의 창조성

개념	새로운 물건이나 개념이 생기면 그에 맞는 새로운 낱말을 만들어 내거나, 이미 알고 있는 낱말들을 활용하여 문장을 끊임없이 만들 수 있음.
예	• 어떤 대상을 보며 머릿속으로 문장을 만들어 문학 작품을 지을 수 있음. • 인터넷 매체가 보급되면서 '누리집', '블로그', '누리소통망' 등과 같은 낱말이 새롭게 만들어짐. • '바람'이라는 하나의 낱말로 '바람이 분다.', '바람은 왜 등 뒤에서 불어오는가?'와 같이 새로운 문장을 끊임없이 만들 수 있음.

◇ 소설 「프린들 주세요」에 나타난 언어의 본질

언어의 자의성	'닉'이 '펜'을 '프린들'이라는 새로운 이름으로 바꿀 수 있다고 생각하는 이유는 언어의 말소리와 뜻 사이에 필연성이 없기 때문임.
언어의 사회성	• '닉'과 '닉'의 친구들이 계속해서 '펜'을 '프린들'로 불렀고, 처음에는 이를 알아듣지 못하던 아주머니도 '펜'을 '프린들'로 인식하게 되면서 언어가 사회성을 얻는 과정이 드러남. • '그레인저 선생님'은 언어의 사회성 때문에 개인이 마음대로 낱말을 바꾸면 의사소통이 어려워지고 사회가 혼란해질 수 있다고 말함.
언어의 역사성	'피나'가 '펜'으로, '펜'이 '프린들'로 바뀐 사건을 통해 사회적 약속으로 굳어진 말도 시간의 흐름에 따라 바뀔 수 있다는 언어의 특성이 드러남.
언어의 창조성	'닉'은 '펜'을 보고 '프린들'이라는 새로운 낱말을 만들어 냄.

간단 복습 문제 (1) 언어의 본질

• 정답과 해설 30쪽

쪽지 시험

[01~03] 다음 문장에 들어갈 알맞은 낱말을 ( )에서 골라 ○표 하시오.

01 언어의 말소리와 뜻 사이에는 필연적인 관련성이 (있다 / 없다).

02 언어는 그 언어를 사용하는 사람들 사이의 (사회적 / 역사적) 약속이므로 개인이 마음대로 바꿀 수 없다.

03 인간은 이미 알고 있는 낱말을 활용하여 (제한적으로 / 무제한적으로) 문장을 만들 수 있다.

[04~06] 소설 「프린들 주세요」에 대한 다음 설명이 맞으면 ○표, 틀리면 ×표 하시오.

04 '닉'이 '펜'을 '프린들'로 바꾸어 부를 수 있었던 이유는 언어의 자의성과 관련이 있다. ( )

05 '피나'가 '펜'으로, '펜'이 '프린들'로 바뀐 사건을 통해 언어의 역사성이 드러난다. ( )

06 '그레인저 선생님'이 '닉'에게 계획을 그만두라고 말한 이유는 언어는 한번 정해지면 바꿀 수 없다고 생각하기 때문이다. ( )

[07~10] 다음 언어의 본질과 그 예를 알맞게 연결하시오.

07 자의성 • • ㉠ '학교'를 마음대로 '책상'으로 바꾸어 사용하면 의사소통에 어려움이 생김.

08 사회성 • • ㉡ '물을 마신다'와 '얼음이 차갑다'를 배운 아이가 '물이 차갑다'를 만들 수 있음.

09 역사성 • • ㉢ '어여쁘다'는 과거에 '불쌍하다'를 뜻했지만 오늘날에는 '예쁘다'를 뜻함.

10 창조성 • • ㉣ '다슬기, 올갱이, 골배, 데사리'와 같이 뜻은 같지만 말소리가 다른 낱말이 존재함.

어휘 시험

[01~03] 다음 설명에 해당하는 낱말을 〈보기〉에서 골라 쓰시오.

보기

필연적, 대표적, 자의적, 사회적, 창조적

01 일정한 질서를 무시하고 제멋대로 하는. 또는 그런 것 ( )

02 새로운 것을 만들어내는 일과 관련되는. 또는 그런 것 ( )

03 사물의 관련이나 일의 결과가 반드시 그렇게 될 수 밖에 없는. 또는 그런 것 ( )

[04~06] 다음 문장에 들어갈 알맞은 낱말을 ( )에서 골라 ○표 하시오.

04 그 소설은 등장인물의 감정을 세밀하게 (묘사 / 심사) 한 것이 특징이다.

05 끝없는 도전 끝에 국가 대표로 뽑힌 선수에 대한 인터넷 신문 기사를 읽고 많은 (구경꾼 / 누리꾼)들이 축하의 댓글을 달았다.

06 물은 어떤 모양의 그릇에 담느냐에 따라 그 모양이 달라지지만, 물이라는 (본질 / 소질)은 달라지지 않는다.

[07~10] 다음 낱말과 그 뜻풀이를 바르게 연결하시오.

07 재촉하다 • • ㉠ 유달리 재치가 뛰어나다.

08 어엿하다 • • ㉡ 어떤 일을 빨리하도록 조르다.

09 기발하다 • • ㉢ 어떤 처지나 상태에 빠지게 하다.

10 몰아넣다 • • ㉣ 행동이 거리낌 없이 아주 당당하고 떳떳하다.

예상 적중 소단원 평가 (1) 언어의 본질

01 다음 대화를 통해 알 수 있는 언어의 본질에 대한 설명으로 적절한 것은?

> 학생: 선생님, 사전에서 '갯과의 포유류'로 정의하는 '개'는 각 나라마다 어떤 형식으로 표현하는지 궁금해요.
> 선생님: 여기가 프랑스라면 그 동물을 'chien[시엥]'이라고 불렀을 거야. 영어로는 'dog[도그]'이고, 독일어로는 'hund[훈트]'이지. 이렇게 전 세계에 다른 말이 있단다.

① 언어에는 지켜야 할 일정한 규칙이 있다.
② 언어는 시간의 흐름에 따라 끊임없이 변한다.
③ 언어의 말소리와 뜻 사이에는 필연적인 관계가 없다.
④ 인간은 새로운 말이나 문장을 무한대로 만들어 쓸 수 있다.
⑤ 언어는 그 언어를 사용하는 사람들 사이의 사회적 약속이므로, 개인이 마음대로 바꿀 수 없다.

02 〈보기〉의 ㉠~㉢에 해당하는 낱말을 바르게 묶은 것은?

> **보기**
> 언어는 고정불변의 것이 아니라 끊임없이 변화하는데, 그 양상은 다음과 같다. 첫째, ㉠새로운 대상이나 개념이 생겨 그것을 나타낼 새말이 생긴다. 둘째, ㉡본래 있던 말의 뜻이 이전과 달라진다. 마지막으로, ㉢가리킬 대상이 사라지거나 다른 말과의 경쟁에서 밀려 말이 사라진다.

	㉠	㉡	㉢
①	뫼, 인터넷	반도체, 슈룹	자동차, 가람
②	인터넷, 인공위성	놈, 영감	뫼, 가람
③	우산, 인공위성	슈룹, 영감	뫼, 라디오
④	우산, 노트북	암행어사, 놈	라디오, 가람
⑤	자동차, 반도체	우산, 인터넷	암행어사

서술형

03 다음 만화에 나타난 언어의 본질을 2어절로 쓰시오.

04 다음 중 언어의 사회성을 뒷받침하는 자료로 적절한 것은?

① '얼굴'은 과거에 모습이나 형체를 뜻했다.
② 같은 그림을 묘사한 문장이 사람마다 다르다.
③ '나무'를 지역에 따라 '남구, 낭, 남긔' 등이라고 한다.
④ 백(百)을 뜻하는 '온'이나 천(千)을 뜻하는 '즈믄'은 오늘날에는 거의 쓰이지 않는다.
⑤ 비가 오는 날에 '오늘은 꽃이 오는군.'이라고 말하면 사람들이 그 말을 이해하지 못한다.

05 ⓐ, ⓑ에서 알 수 있는 언어의 본질을 순서대로 나열한 것은?

ⓐ　　　　ⓑ

① 자의성 – 사회성
② 사회성 – 역사성
③ 역사성 – 창조성
④ 사회성 – 자의성
⑤ 창조성 – 역사성

06 다음 내용을 뒷받침하는 예로 알맞은 것은?

> 사람들은 새로운 낱말이나 문장을 끊임없이 만들 수 있다.

① '얼굴'이라는 낱말과 유사한 의미를 지닌 '낯'이라는 낱말이 있다.
② 무지개는 일곱 색이 아니라 인간이 구별할 수 없는 수많은 색깔로 이루어져 있다.
③ 시계를 '째깍째깍'이라고 마음대로 바꿔 부르면 듣는 사람이 말뜻을 이해하지 못한다.
④ '하이파이브'가 '손뼉맞장구'로 대체되기 위해서는 사회 구성원들 간의 약속이 필요하다.
⑤ '아기가 잔다.'를 배운 아이가 '아기가 깊이 잔다.', '귀여운 아기가 깊이 잔다.' 등과 같이 다양한 문장을 만들어 사용한다.

07 〈보기〉의 ㄱ~ㄹ과 관련된 언어의 특성을 바르게 짝지은 것은?

| 보기 |
ㄱ. '인공 지능'은 과학 기술의 발전으로 생긴 말이다.
ㄴ. '밥'을 활용하여 '밥을 먹다.', '밥을 차렸다.'를 말했다.
ㄷ. '낙엽'을 '공책'이라고 했더니 아무도 알아듣지 못했다.
ㄹ. '말을 타다.'와 '말을 하다.'에서의 '말'은 그 의미가 같지 않다.

	ㄱ	ㄴ	ㄷ	ㄹ
①	자의성	역사성	창조성	사회성
②	자의성	창조성	사회성	역사성
③	역사성	창조성	사회성	자의성
④	역사성	사회성	자의성	창조성
⑤	창조성	사회성	역사성	자의성

08~09 다음 글을 읽고, 물음에 답하시오.

"'프린들' 문제가 너무 커진 것 같지 않니? 내 생각엔 학교를 혼란에 몰아넣고 있는 것 같은데 말이야."
닉은 마른침을 꿀꺽 삼키고 말했다.
"제가 보기엔 잘못된 게 전혀 없어요. 그 말은 그냥 재미로 쓰는 거고, 이젠 어엿한 낱말이 되었어요. 좀 색다르긴 하지만 나쁜 말은 아니에요. 더구나 ㉠말이란 건 원래 그렇게 변하는 거라고 선생님이 그러셨잖아요." / 선생님은 한숨을 쉬었다.
"그런 식으로 새로운 말이 만들어지는 건 맞다만, 펜은 어떻게 되는 거니? 펜이 꼭 그…… 그런 말로 바뀌어야 할까? 펜이라는 말은 오랜 역사를 가지고 있어. 펜은 깃털이라는 뜻의 라틴어 '피나'에서 온 말이다. 깃털로 만든 펜이 최초의 필기도구였기 때문에 피나가 펜이라는 말이 된 거야. 펜은 하늘에서 뚝 떨어진 말이 아니야. 펜이 된 데에는 그럴 만한 까닭이 있어."
닉이 말했다.
㉡"프린들이라는 말도 그럴 만한 까닭이 있어요. 어차피 '피나'라는 말도 누군가 만들어 낸 거 아니에요?"

서술형

08 ㉠을 고려하여 다음 낱말들의 공통점을 한 문장으로 쓰시오.

> 어리다, 어여쁘다

09 ㉡에 이어 선생님이 할 말로 가장 적절한 것은?

① 서로 약속한 언어를 사용하지 않으면 의사소통을 원활히 할 수 없단다.
② 새로운 사물이나 개념이 생기면 그것을 가리킬 말이 새롭게 생겨나기도 한단다.
③ 사물의 이름은 그 언어를 사용하는 사람들 대다수의 의견이 모여 만들어지는 것이란다.
④ 인간이 창조적으로 언어를 사용하기 시작하면서 언어가 시간의 흐름에 따라 변하게 되었단다.
⑤ 언어의 말소리와 뜻은 임의적으로 연결되기 때문에 반드시 정해진 말소리를 쓸 필요는 없단다.

고득점 서술형 문제

(1) 언어의 본질

1단계 단답식 서술형 문제

01 다음 빈칸에 들어갈 알맞은 말을 쓰시오. [5점]

> 사회적 약속으로 굳어진 말은 개인이 마음대로 바꿀 수 없는데, 이와 같은 언어의 본질을 ☐☐☐이라고 한다.

02 다음 만화의 내용과 관련 있는 언어의 본질은 무엇인지 2어절로 쓰시오. [5점]

밤하늘에 별이 많네.
저 길게 뻗은 뿌연 것은 뭐예요?
저건 은하수야. 그리스 신화에 '밀키 웨이'가 나왔던 거 기억나지?
그 '밀키 웨이'가 저거예요?
응, '갤럭시' 라고도 하지.
'은하수'를 뜻하는 말이 다양하네요?
그래. 같은 대상이라도 이를 표현하는 말은 다양하단다.

2단계 기본형 서술형 문제

03 다음과 관련된 언어의 본질과 그 뜻을 쓰시오. [15점]

> "펜은 깃털이라는 뜻의 라틴어 '피나'에서 온 말이다. 깃털로 만든 펜이 최초의 필기도구였기 때문에 피나가 펜이라는 말이 된 거야."

04 '미정'이 계속해서 다음과 같이 행동한다면 생길 수 있는 문제를 서술하시오. [20점]

> 미정: 지운아, 투명이 좀 열어 줄래?
> 지운: 투명이가 뭐야?
> 미정: 밖을 내다볼 수 있는 유리로 된 문 말야.
> 지운: 왜 투명이라고 해? 창문이라고 해야지.
> 미정: 투명이가 더 좋을 거 같지 않니? 재미도 있고.

조건 ① 관련된 언어의 본질을 포함하여 쓸 것

3단계 고난도 서술형 문제

05 다음은 김홍도의 「씨름」을 보고 표시된 사람을 묘사한 문장이다. 이와 같이 문장이 서로 다른 까닭을 서술하시오. [25점]

- 선비가 부채를 들어 흙먼지를 막고 있다.
- 한 남자가 부채로 자기의 얼굴을 가리고 있다.
- 양반이 부채를 들고 몰래 씨름을 구경하고 있다.

조건 ① 제시된 문장들의 공통점과 차이점을 쓸 것
② 언어의 본질과 관련하여 쓸 것

06 ㄱ~ㄹ에 나타나는 언어의 변화 양상을 분류하여 〈조건〉에 맞게 쓰시오. [30점]

> ㄱ. 믈 → 물, 불휘 → 뿌리
> ㄴ. 씩씩하다(엄하다 → 굳세고 위엄스럽다)
> ㄷ. 뫼 → 산, 가람 → 강
> ㄹ. 웰빙, 찜질방, 블로그, 네트워크

조건 ① ㄱ~ㄹ과 연관된 언어의 본질을 쓸 것
② ㄹ과 관련 있는 언어의 본질을 한 가지 더 쓸 것

만점 마무리 (2) 문제 해결을 위한 토의

◆ 활동 의도

이 단원은 '축제 장터에서 무엇을 운영할까?'라는 논제의 패널 토의를 통해 토의로 문제를 해결하는 과정을 알아보도록 하였다. 또한 토의 참여자의 역할 및 바람직한 토의 태도를 이해하고, 이를 바탕으로 실제 토의를 해 보도록 하였다.

◆ 활동 목표

- 토의를 통한 문제 해결 과정 정리하기
- 토의 참여자의 역할 이해하기
- 토의에 참여하는 올바른 태도 이해하기
- 주변의 문제를 토의로 해결하기

◆ 활동 요약

토의를 통한 문제 해결 과정 정리하기
토의 과정과 결과를 정리하면서 토의가 문제를 해결하는 데 유용한 의사소통 방법임을 이해함.

⮕

토의 참여자의 역할 이해하기
토의에 참여하는 사회자, 토의자, 청중의 역할을 정리함.

⮕

토의에 참여하는 올바른 태도 이해하기
토의 참여자들의 발언이 토의에 미치는 영향을 살펴보고, 문제가 있는 발언을 수정해 봄.

⮕

주변의 문제를 토의로 해결하기
우리 주변에서 해결해야 할 문제를 찾아 논제를 정하고, 의견을 마련하여 실제 토의를 해 봄.

◇ 토의의 개념과 필요성 및 절차

개념	공통의 문제에 대한 최선의 해결 방안을 찾기 위한 의사소통 과정
필요성	토의는 여러 사람이 협력하여 문제를 해결하는 데에 초점을 맞추기 때문에 일상생활에서 일어나는 문제를 합리적으로 해결할 수 있음.
절차	일반적으로 '논제 정하기 → 토의 내용 마련하기 → 토의하기 → 토의 내용 정리하기'의 순서로 진행됨.

◇ 토의 참여자의 역할

사회자	• 논제와 토의자를 소개함. • 토의 내용을 요약하고 정리함. • 청중의 토의 참여를 이끌어 냄. • 토의자 간의 의견 조정을 유도함.
토의자	• 타당한 근거를 들어 의견을 제시함. • 자신이 제시한 의견의 장단점을 파악하여 다른 토의자나 청중의 질의에 대비함.
청중	• 토의자들의 발표를 경청함. • 문제 해결에 필요하다면 적극적으로 질문하고 의견을 제시함.

◇ '축제 장터에서 무엇을 운영할까' 토의의 유형

패널 토의	각 의견의 대표자가 청중 앞에서 서로 의견을 주고받으며 토의를 하고, 이후 청중이 질의하며 참여하는 토의 유형

◇ '축제 장터에서 무엇을 운영할까' 토의의 과정

토의 논제와 토의자 소개: 사회자가 논제(축제 장터에서 무엇을 운영할까?)와 토의자('지민', '정우', '나라')를 소개함.

⮕ **토의자 제안**: '지민'(벼룩시장), '정우'(먹거리 가게), '나라'(사진 찍기 체험장)는 근거를 들어 의견을 제시함.

⮕ **토의자 간 의견 교환**: '지민', '정우', '나라'가 각자의 제안에 대해 서로 의견을 주고받음.

⮕ **청중과의 질의응답**: 청중은 논제와 토의의 흐름에 맞게 질문을 하고, 토의자들은 청중의 질문에 답함.

⮕ **토의 마무리**: 사회자가 토의 결과(축제 장터에서 사진 찍기 체험장을 운영하기로 함.)를 요약·정리함.

◇ 토의에 참여하는 올바른 태도

- 자신의 생각을 근거를 들어 조리 있게 말해야 한다.
- 다른 사람의 의견을 경청하고 능동적으로 수용해야 한다.
- 다른 토의 참여자들을 존중하고, 예의를 지키면서 토의에 참여해야 한다.
- 토의의 목적이 협동적인 문제 해결임을 알고 적극적인 태도로 참여해야 한다.

간단 복습 문제

(2) 문제 해결을 위한 토의

• 정답과 해설 31쪽

쪽지 시험

[01~03] 다음 설명이 맞으면 ○표, 틀리면 ×표 하시오.

01 토의는 문제에 대해 찬반의 입장으로 나뉘어 상대방을 설득하는 의사소통 과정이다. (　　)

02 토의를 통해 일상생활에서 일어나는 문제를 합리적으로 해결할 수 있다. (　　)

03 패널 토의란 각 의견의 대표자가 청중 앞에서 서로 의견을 주고받으며 토의를 하고, 이후 청중이 질의하며 참여하는 토의 유형이다. (　　)

04 다음 토의의 절차를 순서에 맞게 기호를 쓰시오.

ㄱ. 토의 과정과 결과를 정리하고, 기준에 따라 토의 과정을 평가한다.
ㄴ. 토의가 필요한 문제들을 탐색하고, 그중 하나를 골라 토의의 주제로 선정한다.
ㄷ. 토의 참여자의 역할에 맞게 의견과 정보를 교환하여 최선의 해결 방안을 결정한다.
ㄹ. 논제에 대한 자신의 의견을 정리하고, 그 의견을 뒷받침할 수 있는 타당한 근거를 마련한다.

(　　→　　→　　→　　)

[05~08] 다음 문장의 빈칸에 들어갈 알맞은 낱말을 〈보기〉에서 골라 쓰시오.

보기: 근거, 종합, 질문, 사회자, 문제 해결

05 토의자는 타당한 (　　)을/를 들어 의견을 말한다.

06 토의 과정에서 청중은 문제 해결에 필요하다면 적극적으로 (　　)하고 의견을 제시할 수 있다.

07 토의 참여자들은 토의의 목적이 협동적인 (　　)임을 알고 적극적인 태도로 토의에 참여해야 한다.

08 (　　)은/는 토의 논제와 토의자를 소개하고, 청중과의 질의응답을 유도하며, 토의자들의 의견을 (　　)하여 마무리하는 역할을 한다.

어휘 시험

[01~03] 다음 설명에 해당하는 낱말을 〈보기〉에서 골라 쓰시오.

보기: 논제, 질의, 청중

01 의심나거나 모르는 점을 물음. (　　)

02 논하고자 하는 것의 제목이나 주제 (　　)

03 강연이나 설교, 음악 등을 듣기 위하여 모인 사람들 (　　)

[04~05] 다음 문장에 들어갈 알맞은 낱말을 (　　)에서 골라 ○표 하시오.

04 동문들이 낸 (수익금 / 기부금)으로 도서관을 지었다.

05 어렸을 때부터 대화를 통해 문제를 (합리적으로 / 독단적으로) 해결하는 경험을 하는 것이 중요하다.

[06~08] 다음 빈칸에 들어갈 알맞은 낱말을 〈보기〉에서 골라 쓰시오.

보기: 경청, 조정, 협력

06 이해 당사자들 간의 견해 차이를 (　　)하기 위한 회의가 열렸다.

07 선생님의 이야기에 별로 관심이 없는지 학생들은 (　　)을 안 하는 듯했다.

08 우리 회사에 닥친 위기를 극복하기 위해 노사 간의 (　　)이 가장 중요함을 말씀드리는 바입니다.

[09~11] 다음 낱말과 그 뜻풀이를 바르게 연결하시오.

09 대책 •　　• ㉠ 온갖 중고품을 팔고 사는 만물 시장

10 장만 •　　• ㉡ 어떤 일에 대처할 계획이나 수단

11 벼룩시장 •　　• ㉢ 필요한 것을 사거나 만들거나 하여 갖춤.

예상 적중 소단원 평가 (2) 문제 해결을 위한 토의

• 정답과 해설 31쪽

01~05 다음을 읽고, 물음에 답하시오.

가 사회자: 오늘은 지민이와 정우, 나라가 각 의견을 대표하는 토의자로 나와서 '축제 장터에서 무엇을 운영할까?'라는 주제로 토의해 보도록 하겠습니다. ⓐ그럼 지민이, 정우, 나라의 순서로 준비해 온 의견을 이야기해 주십시오.

나 지민: 저는 ㉠벼룩시장을 열었으면 합니다. 여러분도 잘 알다시피 벼룩시장은 온갖 중고품을 사고파는 만물 시장을 말합니다. 벼룩시장은 판매할 물건들이 집에서 쓰던 것이어서 준비하는 데에 많은 돈이 들지 않습니다. 또한 잘 쓰지 않는 물건을 재활용하는 것이기 때문에 환경을 보호한다는 점에서도 가치가 있고, ⓑ새것만 찾는 친구들에게 절약 정신을 일깨워 줄 수 있다는 점에서도 가치가 있습니다.

다 정우: (지민이의 발표가 끝나고 잠시 후에) ⓒ축제는 우선 재미있어야 한다고 생각합니다. 그래서 저는 ㉡먹거리 가게를 제안합니다. 먹거리 가게는 우리들이 직접 음식을 만들어 팔기 때문에 다른 가게보다 훨씬 재미있고 추억에 남을 것입니다.

라 나라: (지민이와 정우를 번갈아 보며) 지민이와 정우의 의견 잘 들었습니다. 둘 다 좋은 의견이라고 생각합니다. 특히 축제는 재미있어야 한다는 정우의 생각에 저도 동의합니다. ⓓ그런데 친구들이 즐겁게 참여하려면 개성 넘치는 가게를 운영하는 것이 좋지 않을까요? 그래서 저는 ㉢사진 찍기 체험장을 운영하는 것이 좋다고 생각합니다. 그리고 요즘 청소년들은 자신만의 특별한 사진을 갖고 싶어 한다는 내용의 신문 기사를 읽은 적이 있습니다. 평소에 입어 보기 힘든 옷이나 특이한 소품을 함께 준비해 놓으면 사진을 찍으러 오는 친구들이 많을 것입니다.

마 정우: ⓔ설문 조사 결과를 보면, 여학생들과 달리 남학생들은 사진 찍기 체험장에 관심이 적다는 것을 알 수 있습니다. 남학생들이 많이 찾아오지 않을 것 같은데 사진 찍기 체험장이 제대로 운영될까요?

나라: 네, 좋은 지적입니다. 우선 여학생들의 참여율이 매우 높을 것 같아 사진 찍기 체험장을 운영하는 데에는 큰 문제가 없을 것입니다.

01 이 토의의 목적으로 알맞은 것은?

① 축제에서 어떤 장터를 운영할지 결정하고자 한다.
② 지난 축제 때 장터를 운영한 일을 평가하고자 한다.
③ 축제를 재미있게 즐길 방법을 모색하고자 한다.
④ 축제에서 특별한 사진을 찍을 수 있는 장소를 선정하고자 한다.
⑤ 벼룩시장을 운영할 때 발생할 문제에 대한 대책을 세우고자 한다.

02 (가)~(마)에 대한 설명으로 적절한 것은?

① (가): 사회자가 토의의 결과를 정리하고 있다.
② (나): 토의자인 '지민'이 근거를 들어 의견을 제시하고 있다.
③ (다): 토의자인 '정우'가 청중의 질문에 대답을 하고 있다.
④ (라): 토의자인 '나라'가 사회자에게 질문하고 있다.
⑤ (마): '정우'와 '나라'가 의견을 종합하여 토의를 마무리하고 있다.

서술형

03 (마)에서 다른 사람의 의견을 수용하는 발언을 찾아 한 문장으로 쓰시오.

04 ㉠~㉢에 대한 예상 질문으로 적절하지 않은 것은?

① ㉠: 벼룩시장에서 판매할 물건은 어떻게 모을 계획인가요?
② ㉡: 먹거리 가게에서 어떤 음식을 판매할 계획인가요?
③ ㉡: 음식 준비에 필요한 비용은 어떻게 마련할 계획인가요?
④ ㉢: 독특한 옷과 소품은 어떻게 마련할 계획인가요?
⑤ ㉢: 여학생들의 참여율을 어떻게 높일 계획인가요?

05 ⓐ~ⓔ 중 자료를 활용하여 타당성을 높이고 있는 발언으로 적절한 것은?

① ⓐ ② ⓑ ③ ⓒ ④ ⓓ ⑤ ⓔ

• 정답과 해설 31쪽

06~08 다음을 읽고, 물음에 답하시오.

가 다혜: 먹거리 가게를 운영하려면 휴대용 가스레인지와 같은 취사도구가 필요한데, 좀 위험하지 않을까요?

정우: 부탄가스 사용은 학교에서 금지하고 있습니다. 그래서 집에서 준비해 온 재료들로 김밥이나 샌드위치를 만들어 판매하거나 전기 제품을 이용하여 간단하게 만들 수 있는 토스트와 같은 음식을 판매할 생각입니다.

유미: (짜증 섞인 말투로) 요즘 누가 김밥이나 샌드위치를 사 먹으러 먹거리 가게에 오겠습니까? 정말 어이가 없습니다.

[A] 슬기: (빈정거리며) 사실 저는 먹거리 가게를 희망했는데 김밥이나 판다고 하니 기가 막힙니다. 그럴 바에는 사진 찍기 체험장을 하는 게 훨씬 낫겠습니다.

나 사회자: 다른 친구들이 먹거리 가게를 어떻게 생각하고 있는지 잘 들었습니다. 또 다른 질문이나 의견이 있습니까?

수아: 대훈이 아버지께 공주 드레스 외에 다른 옷도 빌릴 수 있나요?

나라: 네, 더 빌릴 수 있다고 합니다. 자세한 것은 대훈이에게 직접 물어보면 어떨까요?

사회자: (대훈이를 쳐다보며) 그러면 대훈이의 이야기를 들어보겠습니다.

대훈: 아버지 가게에는 남학생들이 좋아하는 만화나 영화 주인공들의 의상뿐만 아니라 귀신과 같은 특수 분장을 할 수 있는 재료도 많이 있습니다. 아버지께서 우리가 의상과 소품을 깨끗이 쓴다면 빌려주실 수 있다고 하셨습니다.

다 하은: 그렇다면 저는 나라의 의견에 따르겠습니다. 사진 찍기 체험장에서 친구들과 재미있는 사진을 찍는다면 그 추억을 오랫동안 기억할 수 있을 것 같습니다.

지민: 저도 생각해 보니 사진 찍기 체험장을 운영해 보는 것이 평소에 쉽게 해 볼 수 없는 경험이라는 점에서 특별한 기억으로 남을 것 같습니다.

사회자: 먹거리 가게를 제안했던 정우의 생각은 어떻습니까?

정우: 먹거리 가게를 운영하지 못해서 아쉽긴 하지만, 많은 친구가 사진 찍기 체험장을 희망한다면 저도 그 의견을 기쁘게 받아들이겠습니다.

사회자: (잠시 기다린 후에 청중을 둘러보며) 또 다른 의견이 없으면, 우리 반은 축제 장터에서 사진 찍기 체험장을 운영하는 것으로 결정해도 되겠습니까?

청중: (고개를 끄덕이며) 네.

---

06 이 토의의 참여자들이 자신의 토의 과정을 평가한 내용으로 적절하지 않은 것은?

① 다혜: 문제를 해결하기 위해 필요한 질문을 했다고 생각해.
② 유미: 다른 사람을 존중하는 태도가 부족했던 것 같아.
③ 사회자: 청중들의 토의 참여를 잘 이끌어 냈어.
④ 수아: 논제를 정확하게 파악하지 못해 아쉬워.
⑤ 나라: 내가 제시한 의견에 대한 청중의 질문에 관련 당사자를 통해 답해 주었어.

07 (다)에 대한 설명으로 적절하지 않은 것은?

① 사회자는 청중이 의견을 바꾸도록 유도하였다.
② 토의자와 청중은 의견을 하나로 모아 해결점을 찾았다.
③ '정우'는 자신이 제안했던 의견과 다른 의견에 동의하였다.
④ '하은'은 오랫동안 추억을 기억할 수 있는 제안에 동의하였다.
⑤ '지민'은 평소에 쉽게 해 볼 수 없는 경험을 하는 것에 매력을 느꼈다.

08 [A]가 이 토의에 미치는 영향으로 가장 적절한 것은?

① 절차에 따라 토의를 진행할 수 없게 된다.
② 협력적인 분위기에서 소통할 수 있게 된다.
③ 청중들이 집중할 수 있는 분위기가 형성된다.
④ 합리적인 해결 방안을 모색하는 데 방해가 된다.
⑤ 토의 참여자들이 적극적으로 발표할 수 있게 된다.

● 정답과 해설 31쪽

서술형 문제

(2) 문제 해결을 위한 토의

01~10 다음을 읽고, 물음에 답하시오.

(가) 사회자: 올해부터 학교 축제 기간에 장터를 열기로 하였습니다. 우리 반이 장터에서 무엇을 운영하면 좋을지 설문 조사를 한 결과, 벼룩시장과 먹거리 가게 그리고 사진 찍기 체험장을 운영하자는 의견이 많이 나왔습니다. 오늘은 지민이와 정우, 나라가 각 의견을 대표하는 토의자로 나와서 '축제 장터에서 무엇을 운영할까?'라는 주제로 토의해 보도록 하겠습니다. 그럼 지민이, 정우, 나라의 순서로 준비해 온 의견을 이야기해 주십시오.

(나) 나라: (지민이와 정우를 번갈아 보며) ㉠지민이와 정우의 의견 잘 들었습니다. 둘 다 좋은 의견이라고 생각합니다. 특히 축제는 재미있어야 한다는 정우의 생각에 저도 동의합니다. 그런데 친구들이 즐겁게 참여하려면 개성 넘치는 가게를 운영하는 것이 좋지 않을까요? 그래서 저는 사진 찍기 체험장을 운영하는 것이 좋다고 생각합니다. 그리고 요즘 청소년들은 자신만의 특별한 사진을 갖고 싶어 한다는 내용의 신문 기사를 읽은 적이 있습니다. 평소에 입어 보기 힘든 옷이나 특이한 소품을 함께 준비해 놓으면 사진을 찍으러 오는 친구들이 많을 것입니다.

(다) 사회자: 마지막으로 나라의 제안에 질문을 받겠습니다.

정우: ㉡설문 조사 결과를 보면, 여학생들과 달리 남학생들은 사진 찍기 체험장에 관심이 적다는 것을 알 수 있습니다. 남학생들이 많이 찾아오지 않을 것 같은데 사진 찍기 체험장이 제대로 운영될까요?

나라: 네, 좋은 지적입니다. 우선 여학생들의 참여율이 매우 높을 것 같아 사진 찍기 체험장을 운영하는 데에는 큰 문제가 없을 것입니다. 남학생들에게는 더욱더 적극적으로 홍보하여 다 함께 즐길 수 있는 축제를 만들 생각입니다.

(라) 사회자: 토의자들의 의견 잘 들었습니다. 지금까지의 의견을 바탕으로 청중의 질문과 의견을 들어보겠습니다.

민재: 벼룩시장 행사가 끝나고 남은 물건은 어떻게 처리할 것인지 궁금합니다.

지민: 남은 물건은 우리 학교 근처에 있는 자선 단체에 모두 기증할 생각입니다.

(마) 다혜: 먹거리 가게를 운영하려면 휴대용 가스레인지와 같은 취사도구가 필요한데, 좀 위험하지 않을까요?

정우: 부탄가스 사용은 학교에서 금지하고 있습니다. 그래서 집에서 준비해 온 재료들로 김밥이나 샌드위치를 만들어 판매하거나 전기 제품을 이용하여 간단하게 만들 수 있는 토스트와 같은 음식을 판매할 생각입니다.

유미: (짜증 섞인 말투로) 요즘 누가 김밥이나 샌드위치를 사 먹으러 먹거리 가게에 오겠습니까? 정말 어이가 없습니다.

(바) 사회자: 지금까지 토의한 결과, 우리 반은 축제 장터에서 사진 찍기 체험장을 운영하기로 하였습니다. 자세한 운영 계획은 다음 시간에 다시 의논하기로 하겠습니다. 이것으로 오늘 토의를 모두 마치겠습니다.

1단계 단답식 서술형 문제

01 이 토의의 논제를 찾아 4어절로 쓰시오. [5점]

02 이 토의에서 다음 밑줄 친 역할에 해당하는 참여자의 이름을 모두 찾아 쓰시오. [5점]

> 이 토의는 각 의견의 대표자가 청중 앞에서 서로 의견을 주고받으며 토의를 하고, 이후 청중이 질의하며 참여하는 토의 유형이다. 이때 각 의견의 대표자를 패널이라고 한다.

03 다음은 (나)에 제시된 제안을 정리한 것이다. 빈칸에 들어갈 알맞은 내용을 쓰시오. [5점]

> '나라'는 축제 장터에서 (ⓐ)을/를 운영하자고 제안하며 그 근거로 친구들이 즐겁게 참여하려면 개성 넘치는 가게를 운영해야 하고, (ⓑ)는 점을 제시하고 있다.

04 패널 토의의 절차 중 (다)에 해당하는 단계는 무엇인지 쓰시오. [5점]

05 (바)를 참고하여 이 토의의 결과를 한 문장으로 쓰시오. [5점]

● 정답과 해설 31쪽

2단계 기본형 서술형 문제

06 다음은 이 토의에 드러난 사회자의 역할을 차례대로 정리한 것이다. 빈칸에 들어갈 알맞은 내용을 쓰시오. [10점]

(가): (   ).
(다): 토의자 간의 의견 교환 및 조정을 유도함.
(라): (   ).
(바): (   ).

조건 ① '-(으)ㅁ'의 형식으로 끝맺을 것

07 ㉠을 통해 알 수 있는 '나라'가 토의에 참여하는 태도를 쓰시오. [10점]

조건 ① '~ 하고 있다.' 형식의 한 문장으로 쓸 것

08 '정우'가 발언할 때 ㉡을 활용한 효과가 무엇인지 쓰시오. [10점]

조건 ① '자료'라는 말을 포함하여 쓸 것
② 한 문장으로 쓸 것

3단계 고난도 서술형 문제

09 〈보기〉는 원활한 토의가 되도록 (마)의 '유미'의 말을 고쳐 쓴 것이다. 이때 '유미'가 고려한 것이 무엇인지 서술하시오. [20점]

보기
유미: 김밥이나 샌드위치 같은 음식은 학생들에게 별로 인기가 없을 것 같습니다. 불을 쓰지 않고 만들 수 있으면서 학생들도 좋아할 만한 음식을 개발해야 합니다.

조건 ① (마)에서 '유미'의 말하기 태도가 토의에 미치는 영향을 포함하여 쓸 것
② "유미'는 (마)에서 ~고 있다. 이에 반해 〈보기〉에서는 ~고 있다.' 형식의 두 문장으로 쓸 것

10 〈보기〉는 이 토의의 유형에 대한 설명이다. 〈보기〉와 같은 유형이 이 토의에 적합한 이유를 서술하시오. [25점]

보기
패널 토의란 각 의견의 대표자가 청중 앞에서 서로 의견을 주고받으며 토의를 하고, 이후 청중이 질의하며 참여하는 토의 유형이다.

조건 ① 이 토의의 참여자 수와 (가)의 설문 조사 결과를 고려하여 쓸 것
② 〈보기〉를 활용하여 두 문장으로 쓸 것

• 정답과 해설 32쪽

01 다음 설명과 관계 깊은 언어의 본질로 알맞은 것은? (정답 2개)

> '은하수'라는 말소리와 '밤하늘에 구름 띠 모양으로 길게 펼쳐진 수많은 별의 무리'라는 뜻은 임의적으로 연결되었다. 이렇게 처음에는 말소리와 뜻이 우연하게 연결되지만 그 말이 많은 사람들 사이에 널리 쓰이게 되면 개인이 함부로 바꿀 수 없게 된다.

① 자의성 ② 창조성 ③ 사회성
④ 규칙성 ⑤ 역사성

02 다음 활동의 결과를 통해 확인할 수 있는 언어의 본질로 알맞은 것은?

활동: '부채'라는 낱말을 활용하여 그림에 표시된 사람의 모습을 묘사해 보자.

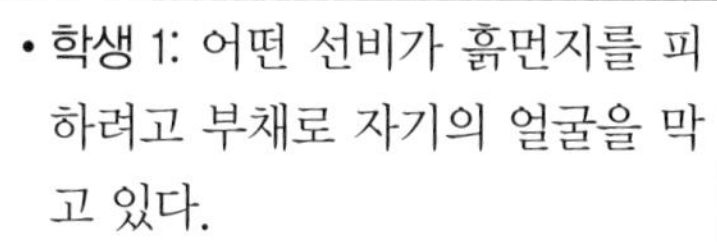

• 학생 1: 어떤 선비가 흙먼지를 피하려고 부채로 자기의 얼굴을 막고 있다.
• 학생 2: 과거를 준비하는 선비가 집안사람들에게 들키지 않으려고 부채로 자기의 얼굴을 가리고 씨름을 구경한다.
• 학생 3: 소심한 성격의 젊은 남자가 부채로 얼굴을 가리고 수줍게 씨름을 보고 있다.

① 언어의 기호성 ② 언어의 자의성
③ 언어의 사회성 ④ 언어의 역사성
⑤ 언어의 창조성

서술형

03 〈보기〉의 빈칸에 들어갈 언어의 본질을 2어절로 쓰시오.

보기

> 순대가 맛있기로 유명한 천안시 병천면의 본디 지명은 '근동면'이었다. 1895년에 '갈전면'으로 변경되었다가 1942년에 이르러 오늘날의 지명인 '병천면'으로 바뀌었는데, 이는 (   )을/를 보여주는 사례이다.

04 〈보기〉에서 친구들에게 '프린들'을 사게 한 것이 '닉'의 계획이라고 할 때, 그 의도로 가장 적절한 것은?

보기

> 며칠 뒤, 자넷이 그 계산대 앞에 서 있었다. 똑같은 가게, 똑같은 아주머니였다. 그 전날은 존이 다녀갔고, 그 전날은 피트가, 그 전날은 크리스가, 그 전날은 데이브가 다녀갔다. 자넷은 닉의 부탁을 받고 프린들을 사러 온 다섯 번째 아이였다.
> 자넷이 프린들을 달라고 하자, 아주머니는 볼펜 쪽으로 손을 뻗으며 물었다.
> "파란색, 까만색?" / 닉은 옆에 있는 사탕 진열대 앞에 서 있다가 씩 웃었다.

① '프린들'이 '펜'으로 바뀌는 것을 막기 위해서
② '프린들'이라는 이름의 볼펜이 많이 필요해서
③ '프린들'을 사회적으로 인정받게 하기 위해서
④ '프린들'의 뜻을 이전과 다르게 바꾸기 위해서
⑤ '프린들'이라는 낱말로 다양한 문장을 창조하기 위해서

05 다음 빈칸에 들어갈 말로 적절하지 <u>않은</u> 것은?

> 사회적으로 굳어진 말들도 시간이 흐르면서 조금씩 변한다. 예를 들어 '미르('용(龍)'의 옛말)'는 오늘날에는 거의 쓰이지 않는다. 또 '어리다'라는 말은 '어리석다'라는 뜻에서 오늘날에는 '나이가 적다'라는 뜻으로 바뀌었다. 그뿐만 아니라 (   ) 처럼 새로운 사물이나 개념이 나타나면 그에 맞는 새말이 만들어지기도 한다.

① 영감 ② 참살이 ③ 드론(무인기)
④ 텔레비전 ⑤ 입체 초음파

서술형

06 '은지'가 다음과 같이 말할 수 있는 이유와 관련된 언어의 본질을 쓰시오.

> 은지: '자석'을 꼭 '자석'이라고 불러야 할 이유는 없어. 그러니 앞으로 '자석'을 '기둥'이라고 부를래.

07~10 다음을 읽고, 물음에 답하시오.

(가) 지민: 저는 벼룩시장을 열었으면 합니다. 여러분도 잘 알다시피 벼룩시장은 온갖 중고품을 사고파는 만물 시장을 말합니다. 벼룩시장은 판매할 물건들이 집에서 쓰던 것이어서 준비하는 데에 많은 돈이 들지 않습니다. 또한 잘 쓰지 않는 물건을 재활용하는 것이기 때문에 환경을 보호한다는 점에서도 가치가 있고, 새것만 찾는 친구들에게 절약 정신을 일깨워 줄 수 있다는 점에서도 가치가 있습니다.

(나) 정우: (지민이의 발표가 끝나고 잠시 후에) 축제는 우선 재미있어야 한다고 생각합니다. 그래서 저는 먹거리 가게를 제안합니다. 먹거리 가게는 우리들이 직접 음식을 만들어 팔기 때문에 다른 가게보다 훨씬 재미있고 추억에 남을 것입니다. 그리고 '금강산도 식후경'이라는 속담도 있듯이, 아무리 좋은 행사라도 먼저 배가 불러야 즐길 수 있는 법이죠.

(다) 나라: (지민이와 정우를 번갈아 보며) 지민이와 정우의 의견 잘 들었습니다. 둘 다 좋은 의견이라고 생각합니다. 특히 축제는 재미있어야 한다는 정우의 생각에 저도 동의합니다. 그런데 친구들이 즐겁게 참여하려면 개성 넘치는 가게를 운영하는 것이 좋지 않을까요? 그래서 저는 사진 찍기 체험장을 운영하는 것이 좋다고 생각합니다. 그리고 요즘 청소년들은 자신만의 특별한 사진을 갖고 싶어 한다는 내용의 신문 기사를 읽은 적이 있습니다.

(라) 나라: 벼룩시장은 단순하게 물건을 사고팔기만 해서 다른 가게에 비해 친구들이 별로 흥미를 느끼지 못할 것 같은데요. 대책은 있나요?

지민: 네. 먼저 친구들이 좋아할 만한 물건들을 사진으로 찍어 벼룩시장 홍보물을 만들면 친구들의 관심을 끌 수 있을 것입니다. 그리고 축제 기간에 경품 추첨 행사를 함께 진행하는 방법도 생각하고 있습니다.

사회자: 이번에는 정우의 제안에 질문해 주시겠습니까?

나라: 음식 재료를 준비할 돈은 어떻게 마련할 계획인가요?

정우: 그동안 모아 놓은 학급비로 음식 재료를 장만하려고 합니다. 돈이 모자라면 우리가 조금씩만 더 보태면 될 것입니다.

07 이와 같은 토의에 참여할 때 유의할 점이 아닌 것은?

① 논제에서 벗어난 말을 하지 않는다.
② 토의가 협력적인 말하기임을 인식한다.
③ 상대방의 의견을 존중하며 예의 바르게 말한다.
④ 타당한 근거를 들어 의견을 명확하게 제시한다.
⑤ 문제 해결을 위해 다른 사람의 의견을 무조건 수용한다.

08 이 토의의 참여자들에 대한 다음 설명 중 바른 것끼리 묶은 것은?

ㄱ. '정우'는 토의 내용을 요약하고 정리하였다.
ㄴ. '나라'는 먹거리 가게의 재료 준비 비용에 대해 질문하였다.
ㄷ. 사회자는 토의자의 제안을 경청하고 적극적으로 의견을 제시하였다.
ㄹ. '지민'은 벼룩시장을 운영할 때의 장점을 근거로 삼아 의견을 제시하였다.

① ㄱ, ㄴ　② ㄱ, ㄷ　③ ㄴ, ㄷ　④ ㄴ, ㄹ　⑤ ㄷ, ㄹ

서술형

09 (가)~(다)에 제시된 의견 중 '축제는 재미있어야 한다.'는 근거에 부합하는 제안을 모두 쓰시오.

조건
① 토의자의 이름과 제안을 연결 지어 쓸 것

10 다음 패널 토의의 절차 중 (라)에 해당하는 단계로 알맞은 것은?

패널 토의는 먼저 ①사회자가 논제와 토의자를 소개한 뒤, ②토의자가 차례로 자신의 입장이나 제안을 설명한다. 그다음에 ③토의자들끼리 자유롭게 의견을 나눈다. 이후 ④토의자와 청중 간에 질의응답을 하면서 의견을 정하고, ⑤사회자가 결과를 정리하여 토의를 마무리한다.

11~14 다음을 읽고, 물음에 답하시오.

가 지민: 독특한 의상과 소품은 어떻게 마련할 계획인가요? / 나라: 대훈이 아버지께서 캐릭터 의상 대여점을 하시는데, 우리 반이 사진 찍기 체험장을 운영한다면 공주 드레스와 같은 의상이나 수염, 가발 등과 같은 소품들을 무료로 빌려주신다고 합니다.

나 사회자: 토의자들의 의견 잘 들었습니다. 지금까지의 의견을 바탕으로 청중의 질문과 의견을 들어보겠습니다. / 민재: 벼룩시장 행사가 끝나고 남은 물건은 어떻게 처리할 것인지 궁금합니다.

지민: 남은 물건은 우리 학교 근처에 있는 자선 단체에 모두 기증할 생각입니다.

다 수아: 대훈이 아버지께 공주 드레스 외에 다른 옷도 빌릴 수 있나요?

나라: 네, 더 빌릴 수 있다고 합니다. 자세한 것은 대훈이에게 직접 물어보면 어떨까요?

사회자: (대훈이를 쳐다보며) 그러면 대훈이의 이야기를 들어보겠습니다.

대훈: 아버지 가게에는 남학생들이 좋아하는 만화나 영화 주인공들의 의상뿐만 아니라 귀신과 같은 특수 분장을 할 수 있는 재료도 많이 있습니다. 아버지께서 우리가 의상과 소품을 깨끗이 쓴다면 빌려주실 수 있다고 하셨습니다.

라 하은: 그렇다면 저는 나라의 의견에 따르겠습니다. 사진 찍기 체험장에서 친구들과 재미있는 사진을 찍는다면 그 추억을 오랫동안 기억할 수 있을 것 같습니다.

지민: ㉠<u>저도 생각해 보니 사진 찍기 체험장을 운영해 보는 것이 평소에 쉽게 해 볼 수 없는 경험이라는 점에서 특별한 기억으로 남을 것 같습니다.</u>

사회자: 먹거리 가게를 제안했던 정우의 생각은 어떻습니까? / 정우: 먹거리 가게를 운영하지 못해서 아쉽긴 하지만, 많은 친구가 사진 찍기 체험장을 희망한다면 저도 그 의견을 기쁘게 받아들이겠습니다.

마 사회자: 지금까지 토의한 결과, 우리 반은 축제 장터에서 사진 찍기 체험장을 운영하기로 하였습니다. 자세한 운영 계획은 다음 시간에 다시 의논하기로 하겠습니다. 이것으로 오늘 토의를 모두 마치겠습니다.

11 이 토의의 내용과 일치하지 <u>않는</u> 것은?

① (가)에서 토의자들은 소품을 마련할 계획에 대해 의견을 교환하고 있다.
② (나)에서 청중은 벼룩시장 행사 이후에 발생할 문제점을 제기하고 있다.
③ (다)에서 토의자는 질의응답 과정에서 다른 청중에게 답변을 부탁하고 있다.
④ (라)에서 토의 참여자들은 사진 찍기 체험장을 운영하자는 제안에 합의하고 있다.
⑤ (마)에서 사회자는 다음 일정을 위해 토의를 잠시 쉬어 간다는 공지를 하고 있다.

12 이 토의의 참여자들이 토의 시작 전에 준비했을 내용으로 적절하지 <u>않은</u> 것은?

① 사회자는 패널 토의의 절차를 이해했을 것이다.
② '나라'는 사진 찍기 체험장을 운영하기 위한 계획을 세웠을 것이다.
③ '대훈'은 아버지께 독특한 의상과 소품을 빌릴 수 있는지 물어보았을 것이다.
④ '지민'은 벼룩시장을 운영했을 때 생길 문제에 대한 대책을 마련했을 것이다.
⑤ '하은'은 사진 찍기 체험장을 운영하자는 의견에 동의하기로 결정했을 것이다.

고난도 서술형

13 (나)와 (다)에 드러난 청중의 역할을 쓰시오.

조건
① '민재'와 '수아'의 발화를 참고할 것
② '청중은 ~해야 한다.' 형식의 한 문장으로 쓸 것

14 ㉠에 대한 설명으로 적절한 것은?

① 다른 사람의 감정을 상하게 하고 있다.
② 자신의 의견을 적극적으로 주장하고 있다.
③ 논제와 관련성이 떨어지는 의견을 말하고 있다.
④ 다수결에 의해 정해진 의견에 어쩔 수 없이 동의하고 있다.
⑤ 최선의 해결 방안을 이끌어 내기 위해 다른 의견을 능동적으로 수용하고 있다.

만점 마무리 (1) 문학 작품을 통한 삶의 성찰

◆ 제재 선정 의도

이 소설은 중1 또래의 학생이 겪을 수 있는 고민과 성장 과정이 담겨 있어 학생이 자신의 삶을 성찰하며 감상하기에 적절하다. 또한 1960~1970년대를 배경으로 하는 중국 소설이기 때문에 문학 작품이 시공간을 초월한 인간의 보편적인 삶을 다룬다는 것도 이해할 수 있다는 점에서 제재로 선정하였다.

◆ 제재 이해

갈래	현대 소설, 단편 소설, 성장 소설
성격	서정적, 감각적
시점	전지적 작가 시점
배경	• 시간: 1960~1970년대 • 공간: 중국의 한 시골 마을
제재	빨간 호리병박
주제	소년과 소녀의 맑고 순수한 우정과 사랑, 아픈 경험을 통한 소녀의 깨달음과 성장
특징	• 사춘기 아이들의 아픔과 성장을 따뜻한 시선으로 그려 냄. • 서정적인 문체로 배경과 인물의 심리를 묘사함.

◆ 제재 요약

발단 '뉴뉴'와 '완'이 서로를 의식하며 지켜본다.

전개 '완'은 '뉴뉴'가 물에 들어갈 수 있도록 돕고, 그 후 둘은 물놀이를 하며 가까워진다.

위기절정 '완'이 강 한가운데에서 호리병박을 빼앗자 '뉴뉴'는 물에 빠지게 되고, '뉴뉴'는 이런 '완'의 행동을 오해하고 원망한다.

결말 '뉴뉴'가 '외할머니'의 이야기를 듣고, '완'의 행동을 이해하게 되고, 홀로 강가에 가서 호리병박을 풀어 준다.

◇ '뉴뉴'와 '완'의 관계 변화

'뉴뉴'와 '완'은 서로에게 관심이 있지만 이를 적극적으로 표현하지 못하고 지켜보기만 함. → '뉴뉴'가 물에 들어감. → '완'이 '뉴뉴'에게 수영을 가르치고 함께 물놀이도 하고 집도 만들면서 서로를 믿고 의지함. → '뉴뉴'가 물에 빠짐. → '뉴뉴'는 '완'을 오해하여 강가로 나오지 않음. '완'은 '뉴뉴'와의 추억이 담긴 집을 불태우고 멀리 이사를 감.

◇ '뉴뉴'가 물에 빠진 사건의 전개에 따른 인물들의 심리

① '뉴뉴'의 심리

'완'에게 호리병박을 빼앗겨 물에 빠짐.	'완'이 자신을 속였다고 생각하여 '완'을 원망하고 배신감을 느낌.
'외할머니'의 이야기를 들음.	'완'이 자신을 속인 것이 아니라 자신이 혼자 힘으로 수영할 수 있음을 일깨우기 위한 것이었음을 깨달음.

② '완'의 심리

'뉴뉴'의 호리병박을 빼앗을 계획을 세움.	'뉴뉴'가 스스로 수영할 능력이 있다고 확신함.
'뉴뉴'가 물속으로 가라앉음.	• 자신의 의도와 다르게 '뉴뉴'가 물에 빠지자 당황함. • 자신 때문에 '뉴뉴'가 물에 빠진 것 같아 죄책감을 느낌.
'뉴뉴'에게 사기꾼이라는 말을 들음.	• 서글프고 속상함. • 자신의 의도와 진심을 몰라주는 '뉴뉴'에게 서운함.

◇ '완'의 행동에 담긴 의미

'뉴뉴'에게 마름 열매를 따 줌.	'뉴뉴'와 '완'은 서로에게 관심이 있지만, 누구도 먼저 표현하지 못함. → '완'이 '뉴뉴'에게 마름 열매를 따 주면서 '뉴뉴'와 가까워지고 싶은 마음을 먼저 드러냄.
작은 섬의 '집'을 불태움.	'집'은 '뉴뉴'와 '완'이 함께 보냈던 즐거운 시간과 추억이 담긴 장소임. → '집'을 불태운 것은 하나밖에 없는 친구를 잃은 절망감과 사람들의 차가운 시선을 감내할 수밖에 없는 자신의 처지에 대한 서글픔을 표현한 것임.

◇ 소설의 결말에 나타난 '뉴뉴'의 성장

빨간 호리병박을 풀어 줌.	• 빨간 호리병박이 필요 없을 정도로 '뉴뉴'의 수영 실력이 향상됨. • '뉴뉴'가 '완'과의 추억을 떠나보내는 것으로, '뉴뉴'의 마음도 성장하였음을 의미함.

간단 복습 문제

(1) 문학 작품을 통한 삶의 성찰

• 정답과 해설 33쪽

쪽지 시험

[01~04] 다음 문장에 들어갈 알맞은 낱말을 (　　)에서 골라 ○표 하시오.

01 자기의 마음을 반성하고 살피는 태도를 (성장 / 성찰) 이라고 한다.

02 미숙한 상태에 있는 한 인물이 유소년기를 거쳐 성인의 세계로 들어서며 겪는 갈등과 정신적 성숙, 깨달음의 과정을 담고 있는 소설을 (성장 / 운명) 소설이라고 한다.

03 「빨간 호리병박」은 서술자가 소설 밖에 위치하여 인물의 행동뿐 아니라 심리까지 구체적으로 서술하는 (3인칭 관찰자 / 전지적 작가) 시점의 소설이다.

04 「풀잎에도 상처가 있다」는 (상처 / 향기)를 극복한 내면의 아름다움과 성장을 표현한 시이다.

[05~09] 다음 내용이 맞으면 ○표, 틀리면 ×표 하시오.

05 '완'은 '뉴뉴'에게 빨간 호리병박을 선물함으로써 '뉴뉴'와 가까워지고 싶은 마음을 드러내었다. (　　)

06 '완'은 '뉴뉴'가 물에 빠진 것을 계기로 '뉴뉴'와 사이가 멀어진 후, '뉴뉴'와 함께 만들었던 '집'을 불살라 버렸다. (　　)

07 '뉴뉴'는 '완'이 전학을 간 후에도 호리병박 없이 헤엄을 칠 수가 없었다. (　　)

08 '뉴뉴'는 개학하기 전날 갈대숲에 걸려 있던 나무 대야를 풀어 주었다. (　　)

09 「풀잎에도 상처가 있다」에서 '꽃잎'은 한없이 약한 존재를 의미한다. (　　)

[10~13] 다음 문장의 빈칸에 들어갈 알맞은 낱말의 기호를 〈보기〉에서 골라 쓰시오.

보기
㉠ 원망　㉡ 서운함　㉢ 책임감　㉣ 경이로움

10 '뉴뉴'는 자유롭게 수영하는 '완'을 보며 (　　)을 느꼈다.

11 '완'은 '뉴뉴'가 물에 들어오자 (　　)을 느꼈다.

12 '뉴뉴'는 강 한가운데에서 빨간 호리병박을 빼앗은 '완'을 (　　)하였다.

13 '완'은 자신의 의도와 진심을 몰라주는 '뉴뉴'에게 (　　)을 느꼈다.

어휘 시험

[01~03] 다음 설명에 해당하는 낱말을 〈보기〉에서 골라 쓰시오.

보기
자맥질, 부력, 맴

01 기체나 액체 속에 있는 물체가 그 물체에 작용하는 압력 때문에 중력에 반하여 위로 뜨려는 힘 (　　)

02 물속에서 팔다리를 놀리며 떴다 잠겼다 하는 짓 (　　)

03 제자리에서 서서 뱅뱅 도는 장난 (　　)

[04~07] 다음 낱말과 그 뜻풀이를 바르게 연결하시오.

04 가장하다 •　　• ㉠ 욕망을 마음껏 충족하다.

05 과시하다 •　　• ㉡ 태도를 거짓으로 꾸미다.

06 만끽하다 •　　• ㉢ 그럴듯하게 괜찮다.

07 근사하다 •　　• ㉣ 자랑하여 보이다.

예상 적중 소단원 평가 (1) 문학 작품을 통한 삶의 성찰

01~04 다음 글을 읽고, 물음에 답하시오.

(가) 뉴뉴는 무지갯빛 폭포에서 눈길을 뗄 수가 없었고, 발가벗은 완의 모습과 그의 빨간 호리병박에서 눈길을 뗄 수가 없었다.

㉠완은 강가에 있는 한 쌍의 눈동자가 언젠가는 자신을 쳐다보리라는 사실을 알고 있었다. 그래서 그는 더욱더 힘차게 자신의 수영 실력을 과시하곤 했다.

(나) "넌 왜 하루 종일 물속에만 있니?"

뉴뉴가 완에게 물었다.

"물속이 얼마나 시원한데."

"정말로 그렇게 시원해?"

"못 믿겠으면 너도 들어와 봐."

뉴뉴는 몸을 돌려 강기슭으로 올라갔다. ⓐ그러고는 엄마가 저쪽으로 멀어지는 것을 확인하고서야 다시 강가로 돌아왔다.

(다) 며칠이 지났다. 물의 시원함과 부드러움을 한껏 만끽한 뉴뉴는 더 이상 얕은 물가에서 노는 것에 만족하지 않았다. ㉡뉴뉴는 물 한가운데로 들어가 보고 싶었다. 강 건너까지 가 보고도 싶었다. 저 넓은 강물 속을 마음대로 헤엄쳐 다니고 싶었다.

완은 기꺼이 뉴뉴를 도와주었다. 그는 하루 종일 피곤한 줄도 모른 채, 뉴뉴에게 수영하는 법을 가르쳐 주었다.

그들이 함께하는 시간 동안, ㉢하늘의 태양은 황금빛 햇살을 찬란하게 비추었고, 우거진 수풀과 갈대밭은 구름 한 점 없는 하늘과 한데 어울려 눈부시게 빛났다. 완의 마음은 환하게 밝아졌다.

강도 더 이상 외롭지 않았다.

(라) 완은 꼭 미친 사람처럼 나무 사이를 뛰어다녔다. 한참을 뛰어다니느라 온몸에 땀이 흥건히 배고 숨을 헐떡이던 완은 마침내 땅바닥에 쓰러졌다. 그러더니 손으로 얼굴을 가리며 이렇게 말했다.

㉣"싼건, 싼건, 이제 그만! 아야! 그만 때리라니까!"

몸을 일으킨 완은 무언가를 끌어안듯이 하면서 땅바닥을 뒹굴었다. / ㉤뉴뉴는 완을 묵묵히 쳐다보고 있었다. 뉴뉴의 발치까지 굴러온 완은 뉴뉴를 보자 그제서야 환상에서 깨어났다. 완은 당혹스러웠다.

01 이 글에 나타난 인물의 관계 변화가 다음과 같을 때, [A]에 들어갈 말로 알맞은 것은?

'뉴뉴'와 '완'이 서로 지켜만 봄. ➡ [A] ➡ '뉴뉴'와 '완'이 친밀해짐.

① '완'이 '뉴뉴'를 놀림.
② '뉴뉴'가 물에 들어감.
③ '뉴뉴'가 '완'의 집에 찾아감.
④ '완'과 '뉴뉴'가 같은 반이 됨.
⑤ '완'이 나무 사이를 뛰어다님.

서술형

02 <보기>의 설명에 해당하는 문장을 (다)에서 찾아 쓰시오.

보기
소설에서는 자연물의 특징이나 모양 등에 의미를 부여해서 인물의 감정을 간접적으로 담아내는 표현 방식을 사용하기도 한다.

03 ㉠~㉤에 대한 설명으로 적절하지 않은 것은?

① ㉠: 서술자가 인물의 생각을 직접 설명한다.
② ㉡: 인물의 심리를 점층적으로 표현한다.
③ ㉢: 자연 배경이 인물의 심리와 조화를 이룬다.
④ ㉣: 학교에서 인물이 처한 상황을 알게 해 준다.
⑤ ㉤: 내적 갈등이 심화되고 있음을 암시한다.

04 <보기>가 '뉴뉴'의 '엄마'가 한 말이라고 할 때, '뉴뉴'가 ⓐ와 같이 행동한 이유로 알맞은 것은?

보기
"걔네 아빠는 감옥에 들어간 지가 벌써 삼 년이나 됐어."

① '엄마'와 함께 물에 들어가기 위해서
② '엄마'에게 '완'을 소개해 주기 위해서
③ '엄마'에게 물에 들어간다고 허락받기 위해서
④ '엄마'가 자신의 물놀이를 지켜봐 주기를 원해서
⑤ '엄마'가 '완'과 어울리는 것을 싫어할 것이라고 생각해서

05~08 다음 글을 읽고, 물음에 답하시오.

가 완은 뉴뉴를 향해 마름 열매가 든 두 손을 내밀었다. 하지만 뉴뉴는 손을 내밀지 않았다. 완은 마름 열매를 뉴뉴의 발 아래 가만히 내려놓고는 뒤돌아 강 쪽으로 걸어가 버렸다. 뉴뉴는 가냘픈 그의 등을 바라보며 꼼짝 않고 서 있기만 했다.

빨간 호리병박을 안고 있는 완의 눈동자에는 ㉠뭔지 모를 진심이 가득 차 있는 것만 같았다.

나 완이 뉴뉴를 강가로 끌어올렸다. / 호리병박을 손에서 놓자, 뉴뉴는 극도의 공포가 극도의 원망으로 바뀌는 걸 느꼈다. 뉴뉴는 완을 향해 소리 질렀다.

"사기꾼! 넌 거짓말쟁이 사기꾼이야."

말을 마친 뉴뉴는 엄마 품으로 뛰어들며 온몸을 떨면서 엉엉 울었다. / "뉴뉴, 괜찮아. 뉴뉴! 무서워할 것 없어!"

엄마는 뉴뉴를 다독이며 이렇게 말했다.

완은 고개를 떨군 채 그저 서 있는 수밖에 없었다.

뉴뉴의 엄마는 두 눈을 부릅뜨고 완을 노려보며 말했다.

"넌 왜 그렇게 사람을 속이는 거니! 사람들한테 무슨 원수가 졌다고 그런 짓을 한 거야?"

완은 뭔가 말을 하고 싶었지만 그럴 수가 없었다. 두 줄기 눈물이 콧등으로 흘러내렸다.

다 뉴뉴는 모든 것을 잊고 물속으로 뛰어들어 헤엄쳐 나아갔다. 그녀는 가라앉지 않았을 뿐만 아니라 헤엄도 아주 잘 쳤다. 그녀의 수영 실력은 이미 강을 건널 수 있을 정도였던 것이다.

그녀는 처음으로 맞은편 초가집에 가 보았다. 하지만 그 집의 대문은 단단한 자물쇠로 채워져 있었다.

소를 치는 한 아이가 뉴뉴에게 말해 주었다. 완은 전학을 갔다고. 엄마를 따라 여기에서 300리나 떨어진 외갓집으로 이사를 갔다고.

개학하기 전날 황혼 녘, 뉴뉴는 갈대숲에 걸려 있던 빨간 호리병박을 풀어 주었다. 그리고 빨간 호리병박은 반짝반짝 빛을 내면서 그렇게 황혼 속으로 떠내려갔다.

라 풀잎에도 상처가 있다
꽃잎에도 상처가 있다
너와 함께 걸었던 들길을 걸으면
들길에 앉아 저녁놀을 바라보면
㉡상처 많은 풀잎들이 손을 흔든다
상처 많은 꽃잎들이
가장 향기롭다

05 (가)~(다)에서 드러나는 '뉴뉴'의 심리 변화로 알맞은 것은?

	(가)	(나)	(다)
①	망설임	원망	미안함
②	간절함	억울함	후련함
③	슬픔	분노	해방감
④	놀람	연민	미움
⑤	반성	우울함	걱정

06 (다)와 (라)에 공통적으로 붙일 수 있는 제목으로 가장 알맞은 것은?

① 고난과 좌절
② 신뢰와 우정
③ 상처와 성장
④ 성찰과 반성
⑤ 슬픔과 인내

07 ㉠의 의미로 가장 적절한 것은?

① '뉴뉴'와 친해지고 싶은 마음
② '뉴뉴'와 마름 열매를 함께 따기를 바라는 마음
③ '뉴뉴'에게 빨간 호리병박을 빼앗기기 싫은 마음
④ '뉴뉴'가 혼자서 헤엄을 칠 수 있기를 바라는 마음
⑤ '뉴뉴'가 자신이 사기꾼이 아니라는 것을 알아주기를 바라는 마음

서술형

08 ㉡의 의미가 담긴 행동을 (가)에서 찾아 한 문장으로 쓰시오.

01~10 다음 글을 읽고, 물음에 답하시오.

가 강 한가운데 이르자 뉴뉴는 자신이 강 양쪽에서 아득히 멀리 떨어져 있다는 생각이 들었다. 그 순간 뉴뉴는 갑자기 두려워지기 시작했다. ⓐ그때 완은 뉴뉴를 보고 씽긋 웃어 보였다. 그의 웃음은 의미심장했다. 꼭 무슨 ㉠음모를 감추고 있는 듯했다. / 사방이 온통 강물로만 둘러싸여 있었다. 뉴뉴는 이 강이 너무나 크다는 사실을 처음으로 깨달았다. 뉴뉴는 다시 완을 쳐다보았다. 완은 무표정한 얼굴로 앞만 바라보고 있었다. / "우리 돌아가자!"

"앞으로 가나 돌아가나 멀기는 마찬가지야." / "그래도 무서워."

완은 그래도 계속 앞쪽만 바라보고 있었다. 그는 무언가 결단을 내린 듯했다.

"무섭다니까……." / "무섭긴 뭐가 무서워!"

갑자기 완이 뉴뉴를 꼭 끌어안더니 뉴뉴의 손에 들린 호리병박을 낚아챘다. 뉴뉴는 날카로운 비명을 지르며 물속으로 가라앉았다.

나 뉴뉴는 호리병박을 꼭 끌어안은 채 울음을 터뜨렸다.

완이 뉴뉴를 강가로 끌어올렸다. / 호리병박을 손에서 놓자, 뉴뉴는 극도의 공포가 극도의 원망으로 바뀌는 걸 느꼈다. 뉴뉴는 완을 향해 소리 질렀다.

"사기꾼! 넌 거짓말쟁이 사기꾼이야."

말을 마친 뉴뉴는 엄마 품으로 뛰어들며 온몸을 떨면서 엉엉 울었다.

"뉴뉴, 괜찮아. 뉴뉴! 무서워할 것 없어!"

엄마는 뉴뉴를 다독이며 이렇게 말했다.

ⓑ완은 고개를 떨군 채 그저 서 있는 수밖에 없었다.

다 "그런데 아버지께서는 강 한가운데까지 나를 데리고 가서는, 갑자기 나무 대야를 뒤집어 버리셨어. 물에 빠진 나는 허우적대면서 몇 번이나 물을 삼켰지. 물 위로 머리를 내밀고는 소리를 질러 대며 난리 법석을 부렸어. 순식간에 사람들이 모여들었지. 하지만 아버지께서는 나를 냉정하게 쳐다보고만 계셨단다. 애당초 나를 꺼내 줄 생각이 없었던 게야. 나는 두 번이나 물속으로 가라앉았다 올라왔지. 물을 너무 많이 마셔서 배가 부를 정도였단다. 그러고는 몸이 다시 물속으로 가라앉더구나. 이젠 더 이상 희망이 없구나 하고 생각했었지. 그런데 그때 ㉡이상한 일이 일어났지 뭐니. 갑자기 몸이 가벼워지더니 뒤뜰 물웅덩이에서처럼 헤엄을 칠 수 있게 된 거야. 난 꽤나 긴장하긴 했지만 굉장히 기뻤단다. 그러고는 순식간에 맞은편까지 헤엄쳐 갈 수 있었단다."

라 뉴뉴는 모든 것을 잊고 물속으로 뛰어들어 헤엄쳐 나아갔다. 그녀는 가라앉지 않았을 뿐만 아니라 헤엄도 아주 잘 쳤다. 그녀의 수영 실력은 이미 강을 건널 수 있을 정도였던 것이다.

마 개학하기 전날 황혼 녘, 뉴뉴는 갈대숲에 걸려 있던 빨간 호리병박을 풀어 주었다. 그리고 빨간 호리병박은 반짝반짝 빛을 내면서 그렇게 황혼 속으로 떠내려갔다.

1단계 단답식 서술형 문제

01 (가)와 (다)의 내용으로 보아, 이 글에서 '완'과 유사한 역할을 하는 인물을 찾아 쓰시오. [5점]

02 (가)에 나타난 '뉴뉴'의 심리를 한 단어로 쓰시오. [5점]

03 ㉠이 가리키는 '완'의 행동을 (가)에서 찾아 쓰시오. [5점]

04 ㉡과 유사한 의미의 내용을 (라)에서 찾아 4어절로 쓰시오. [5점]

05 '완'의 태도가 ⓐ에서 ⓑ로 변화하게 된 사건을 쓰시오. [5점]

2단계 기본형 서술형 문제

06 〈보기〉를 참고하여 이 글의 시점을 밝히고(ㄱ), 이 시점으로 이야기를 서술할 때 얻을 수 있는 효과(ㄴ)를 쓰시오. [15점]

보기
- 서술자가 신(神)과 같은 입장에서 서술함.
- 서술자가 등장인물의 행동과 심리 상태를 모두 파악하고 있음.

조건 ① 시점의 효과를 상황에 따른 인물의 심리 변화와 연관 지어 쓸 것

07 (다)는 '외할머니'께서 '뉴뉴'에게 해 준 이야기이다. (다)를 듣고 '뉴뉴'가 얻은 깨달음을 쓰시오. [10점]

조건 ① (라)를 참고하여 '뉴뉴'가 오해한 내용과 깨달았을 내용을 모두 포함할 것
② '뉴뉴는 ~ 깨닫는다.'의 형식으로 쓸 것

08 이 글에서 〈보기〉의 '풀잎', '꽃잎'과 유사한 인물을 찾아 쓰시오. [10점]

보기

풀잎에도 상처가 있다
꽃잎에도 상처가 있다
너와 함께 걸었던 들길을 걸으면
들길에 앉아 저녁놀을 바라보면
상처 많은 풀잎들이 손을 흔든다
상처 많은 꽃잎들이
가장 향기롭다

조건 ① '풀잎', '꽃잎'의 뜻을 포함하여 한 문장으로 쓸 것

3단계 고난도 서술형 문제

09 〈보기〉를 참고하여 (마)에서 '뉴뉴'가 빨간 호리병박을 풀어 준 행동의 의미를 두 가지 쓰시오. [20점]

보기

이 작품에서 빨간 호리병박은 수영할 때 사용하는 물건인 동시에 '뉴뉴'와 '완'의 추억이 담겨 있는 물건이다.

조건 ① 〈보기〉에서 설명한 빨간 호리병박의 두 가지 의미와 연관 지어 쓸 것
② 한 문장으로 쓸 것

10 〈보기〉는 이 글의 갈래에 대한 설명이다. 이를 참고하여, 이 글의 작가가 궁극적으로 말하고자 한 바가 무엇인지 쓰시오. [20점]

보기

성장 소설은 미숙한 상태에 있는 한 인물이 성인의 세계로 들어서며 겪는 내면적인 갈등과 정신적 성숙, 그리고 자신을 둘러싸고 있는 세계에 대한 깨달음의 과정을 담고 있는 작품들을 말한다.

조건 ① '소중한 친구'라는 말을 포함하여 '뉴뉴'의 경험을 밝힐 것
② 〈보기〉의 밑줄 친 두 단어를 포함할 것

만점 마무리 (2) 경험을 바탕으로 글 쓰기

◆ 활동 의도
글쓴이의 어린 시절 경험을 진솔하게 담아낸 수필을 읽으며, 경험이 담긴 글의 가치를 파악하도록 하였다. 또한 자신의 가치 있는 경험을 떠올려 독자에게 즐거움이나 감동을 주는 글을 쓰도록 하였다.

◆ 활동 목표
- 「엄마의 눈물」을 읽고 글쓴이의 경험 파악하기
- 수필을 읽고 감동을 주는 부분 찾기
- 경험을 글로 쓰는 것의 가치 이해하기
- 경험을 바탕으로 즐거움과 감동을 주는 글 쓰기

◆ 활동 요약

「엄마의 눈물」을 읽고 글쓴이의 경험 파악하기
글쓴이의 경험과 느낀 점을 찾아보며 글의 내용을 정리함.

⬇

수필을 읽고 감동을 주는 부분 찾기
자신의 경험을 성찰한 글이 독자에게 감동을 줄 수 있음을 이해함.

⬇

경험을 글로 쓰는 것의 가치 이해하기
경험을 담은 글 쓰기의 가치를 파악함.

⬇

경험을 바탕으로 즐거움과 감동을 주는 글 쓰기
글쓰기의 일반적인 절차에 따라 경험을 담은 글을 쓰고, 다른 사람과 공유함.

◇「엄마의 눈물」에서 글쓴이가 일기를 읽고 떠올린 경험과 느낀 점

글쓴이가 떠올린 경험	• '어머니'와 함께 힘겹게 등교했던 일 • 화장실 때문에 '어머니'가 두 시간에 한 번씩 학교에 오셨던 일 • 아이들이 놀릴 때마다 '어머니'가 그 아이들을 혼내셨던 일 • 힘들었던 병원 생활과 매번 어려웠던 상급 학교 진학 문제
글쓴이가 느낀 점	• 어려운 세상에서도 꿋꿋하게 살아올 수 있었던 것은 '어머니' 때문이었음. • '어머니'의 희생에 사랑과 응원을 보냄.

◇ 경험을 담아 글을 쓰는 것의 가치

- 의미 있는 경험을 오래 기억할 수 있다.
- 경험한 내용을 글로 정리하면서 새로운 사실을 발견하고 자신을 되돌아볼 수 있다.
- 독자에게 감동과 즐거움을 줄 수 있다.

◇ 경험을 바탕으로 글을 쓰는 방법

- 자신이 깨달음을 얻었거나 감동을 느꼈던 가치 있는 경험을 선정한다.
- 자신의 경험이나 생각을 구체적이고 솔직하게 표현한다.
- 다른 사람들이 자신의 경험과 생각에 공감할 수 있도록 올바른 가치관을 담는다.

◇ 경험을 바탕으로 글을 쓰는 과정

단계	내용
내용 생성하기	• 다른 사람과 나누고 싶은 의미 있는 경험 선정하기 • 경험한 때와 장소, 경험의 주요 내용, 경험을 통해 느낀 점 등을 정리하기
내용 조직하기	• '처음 – 가운데 – 끝'의 구성 단계에 맞게 글의 개요 작성하기 • 자신의 생각이나 느낌이 잘 나타날 수 있도록, 경험한 내용의 순서를 정하고 통일성 있게 조직하기
글로 표현하기	• 자신의 경험과 생각을 솔직하게 표현하기 • 자신만의 개성이 드러나도록 표현하기 • 주제에 어긋나는 내용이 없는지 살펴보기 • 다 쓴 글을 소리 내어 읽어 보면서 자연스럽지 못한 표현을 찾아 고치기
발표하고 평가하기	• 감동이나 즐거움을 주는 경험이 잘 드러나 있는지 살펴보기 • 글쓴이의 경험이나 생각을 솔직하게 표현하였는지 살펴보기 • 글쓴이의 경험과 생각에 공감할 수 있는지 생각해 보기

간단 복습 문제

(2) 경험을 바탕으로 글 쓰기

• 정답과 해설 34쪽

쪽지 시험

[01~03] 다음 문장에 들어갈 알맞은 낱말을 (　　)에서 골라 ○표 하시오.

01 「엄마의 눈물」은 글쓴이의 경험을 바탕으로 쓴 (수필 / 소설)이다.

02 경험을 담아 글을 쓰면 경험한 내용을 정리하면서 새로운 (사실 / 표현)을 발견하고 자신을 되돌아볼 수 있다.

03 경험을 담아 글을 쓰면 경험을 오래 (기억 / 반성) 할 수 있다.

[04~09] 「엄마의 눈물」에 대한 다음 내용이 맞으면 ○표, 틀리면 ×표 하시오.

04 글쓴이는 짐을 정리하다 발견한 일기장을 보며 어린 시절을 떠올린다. (　　)

05 글쓴이는 어린 시절에 허리가 불편하여 혼자서는 학교에 갈 수 없었다. (　　)

06 글쓴이는 '어머니'의 이마에 흐르는 땀을 보며 그것이 눈물이라고 생각한다. (　　)

07 글쓴이의 '어머니'는 글쓴이를 교무실에 데려가기 위해 두 시간에 한 번씩 학교에 오셔야 했다. (　　)

08 글쓴이의 '어머니'는 글쓴이가 마음의 상처를 입지 않도록 보호하고자 글쓴이를 놀리는 아이들을 혼내 주셨다. (　　)

09 글쓴이는 당당하게 세상의 편견에 맞설 수 있는 힘을 준 신에게 사랑과 응원을 보내기 위해 이 글을 썼다. (　　)

[10~13] 다음 문장의 빈칸에 들어갈 알맞은 낱말의 기호를 〈보기〉에서 골라 쓰시오.

보기
㉠ 가치　㉡ 개요　㉢ 공감　㉣ 개성

10 경험을 담아 글을 쓸 때에는 자신만의 (　　　)이/가 드러나도록 표현해야 한다.

11 자신의 경험을 떠올려 글에 쓸 내용을 선정한 후에는 (　　　)을/를 작성하여 구성 단계에 맞게 조직해야 한다.

12 경험을 바탕으로 글을 쓰기 위해서는 자신이 깨달음을 얻었거나 감동을 느꼈던 (　　　) 있는 경험을 선정해야 한다.

13 경험을 바탕으로 글을 쓸 때에는 사람들이 자신의 경험과 생각에 (　　　)할 수 있도록 올바른 가치관을 담아야 한다.

어휘 시험

[01~03] 다음 설명에 해당하는 낱말을 〈보기〉에서 골라 쓰시오.

보기
용맹스럽다, 억척스럽다, 태곳적

01 아득한 옛적 (　　)

02 용감하고 사나운 데가 있다. (　　)

03 어떤 어려움에도 굴하지 아니하고 몹시 모질고 끈덕지게 일을 해 나가는 태도가 있다. (　　)

[04~05] 다음 낱말과 그 뜻풀이를 바르게 연결하시오.

04 노심초사 • 　　• ㉠ 이날 저 날 하고 자꾸 기한을 미루는 모양

05 차일피일 • 　　• ㉡ 몹시 마음을 쓰며 애를 태움.

(2) 경험을 바탕으로 글 쓰기

01~05 다음 글을 읽고, 물음에 답하시오.

가 초등학교 3학년 때까지 어머니는 나를 업어서 데려다주셨지만, 그것으로 끝나는 게 아니었다. 화장실에 데려가기 위해 두 시간에 한 번씩 학교에 오셔야 했다.

그때 일종의 신경성 유뇨증 같은 것이 있었는지, 어머니가 오셨을 땐 가고 싶지 않던 화장실도 어머니가 일단 가시기만 하면 갑자기 급해지는 것이었다. 그 때문에 어머니는 항상 노심초사, 틈만 나면 학교로 뛰어오시곤 했다.

나 어머니와 내가 함께 걸을 때면 아이들이 쫓아다니며 놀리거나 내 걸음을 흉내 내곤 하였다. 지금 생각하면 신기하게도 초등학교에 들어갈 즈음에는 철이 없어서였는지 아니면 그 반대였는지, 적어도 겉으로는 그 놀림을 무시할 수 있었다. 오히려 일부러 보조기 구둣발 소리를 크게 내며 앞만 보고 걷곤 했다.

그러나 어머니는 쉽사리 익숙해지지 못하셨다. 아이들이 따라올 때마다 마치 뒤에서 누가 총이라도 겨누고 있는 듯, 잔뜩 긴장한 채 머리를 꼿꼿이 쳐들고 걸으시다가 ㉠<u>어느 순간 홱 돌아서서 날카롭게 "그만두지 못해! 얘가 너한테 밥을 달라던, 옷을 달라던!" 하고 말씀하시곤 하셨다.</u>

다 언제나 조신하고 말 없는 어머니였지만, 기동력 없는 딸이 이 세상에 발붙일 수 있는 자리를 마련하기 위해서는 목숨 바쳐 싸워야 한다고 생각한 억척스러운 전사였다. 눈이 오면 눈 위에 연탄재를 깔고, 비가 오면 한 손으로는 딸을 받쳐 업고 다른 한 손으로는 우산을 든 채 딸의 길과 방패가 되는 어머니의 하루하루는 슬프고 힘겨운 싸움의 연속이었다.

라 그뿐인가, 걸핏하면 했던 수술과 수술 후 두세 달씩 이어졌던 병원 생활, 상급 학교에 갈 때마다 장애가 있다고 하여 입학시험을 보는 것조차 허락하지 않던 학교들……. 나 잘할 수 있다고, 제발 한 자리 끼워 달라고 애원해도 자꾸 벼랑 끝으로 밀어내는 세상에 그래도 악착같이 매달릴 수 있었던 것은 어머니 때문이었다.

마 『신은 모든 곳에 있을 수 없기에 어머니를 만들었다』

어디선가 본 책의 제목이다. 오늘도 어디에선가 걷지 못하거나 보지 못하는 자식을 업고 눈물 같은 땀을 흘리며 끝없이 층계를 올라가는 어머니, "나 죽으면 어떡하지."하며 깊이 한숨짓는 어머니, '정상'이 아닌 자식의 손을 잡고 다른 사람들의 눈총을 따갑게 느끼며 머리를 꼿꼿이 쳐들고 걷는 어머니, 이 용감하고 인내심 많고 씩씩하고 하느님 같은 어머니들의 외로운 투쟁에 사랑과 응원을 보내며 보잘것없는 이 글을 나의 어머니와 그들에게 바친다.

01 (가)~(마)의 중심 내용으로 알맞지 <u>않은</u> 것은?

① (가): '나'를 화장실에 데려가기 위해 학교에 자주 오셔야 했던 '어머니'
② (나): '나'를 놀리는 아이들을 혼내 주셨던 '어머니'
③ (다): 조신하고 말없이 가족의 생계를 책임지셨던 '어머니'
④ (라): 온갖 시련을 이겨 내게 해 주셨던 '어머니'
⑤ (마): 자식을 위해 희생하시는 세상의 모든 어머니들에 대한 감사

02 이 글을 읽고 난 독자의 반응으로 적절하지 <u>않은</u> 것은?

① **유연**: 친구들의 놀림에 위축된 글쓴이의 모습을 보고 나도 비슷한 일을 당했던 경험이 떠올라 마음이 아팠어.
② **지현**: 비가 쏟아지는 날에 아버지가 다리를 다친 나를 안아서 차에 태워 주셨던 기억이 떠올라서 가슴이 뭉클했어.
③ **혜린**: 불편한 몸으로 자신을 밀어내는 세상에 끝까지 매달렸던 글쓴이의 모습을 보고 나도 할 수 있다는 용기를 얻었어.
④ **연희**: 왜 나만 그렇게 힘든 어린 시절을 보냈어야 했나 생각했는데, 이 글을 읽고 나니 누구나 크든 작든 역경을 겪으며 살아간다는 것을 알게 되었어.
⑤ **지수**: 병원에 입원했을 때 회복이 빨랐던 건 자연적으로 일어난 일이라 생각했는데, 힘든 내색 없이 나를 간호해 주셨던 어머니의 헌신 덕분이었다는 사실을 깨달았어.

03 다음 중 이와 같은 글로 표현하기에 적절하지 않은 것은?

① 감동을 느꼈던 경험
② 깨달음을 얻었던 경험
③ 반복되는 일상을 보낸 경험
④ 올바른 가치관을 담은 경험
⑤ 다른 사람들과 나누고 싶은 경험

04 다음 설명에 해당하는 부분을 (마)에서 찾아 쓰시오.

> 자식에 대한 어머니의 사랑과 희생의 위대함을 효과적으로 드러내기 위해 인용의 방법을 사용하였다.

05 '어머니'가 ㉠과 같은 행동을 한 이유로 가장 알맞은 것은?

① 글쓴이에게 강인한 모습을 보여 주기 위해서
② 글쓴이에게 좋은 옷을 사 주지 못한 게 미안해서
③ 글쓴이가 마음의 상처를 입지 않도록 보호하기 위해서
④ 친구들과 사이좋게 지내야 한다는 교훈을 주기 위해서
⑤ 글쓴이를 놀리는 아이들이 스스로 반성하기를 바라는 마음에서

06 경험을 바탕으로 글을 쓰는 것의 효과로 알맞지 않은 것은?

① 경험을 잊지 않고 오래 기억할 수 있다.
② 경험을 각색하여 새로운 이야기를 만들 수 있다.
③ 경험을 글로 쓰면서 자신을 되돌아보는 기회를 가질 수 있다.
④ 자신이 쓴 글을 읽는 사람들에게 감동과 즐거움을 줄 수 있다.
⑤ 경험을 글로 정리하는 과정에서 새로운 사실을 발견할 수 있다.

07 〈보기〉는 경험을 바탕으로 글을 쓰기 위해 정리한 내용이다. [A]에 들어갈 내용으로 적절한 것은?

보기

경험한 때와 장소	지난 토요일, '승주'네 집
경험의 주요 내용	'승주'네 집에 갔다가 '승주'와 함께 폐지를 주우시는 할아버지를 도와드렸고, '승주'에게 그 할아버지에 대한 이야기를 들었음.
경험을 통해 느낀 점	[A]

① 남을 돕는 기쁨을 알게 됨.
② 이웃의 소중함을 깨닫게 됨.
③ 시골에 계신 할아버지가 그리워짐.
④ 다양한 경험을 하는 '승주'가 부러움.
⑤ 부모님께 효도해야겠다는 다짐을 함.

08 경험을 바탕으로 글을 쓰는 과정에 맞게 〈보기〉의 내용을 바르게 나열한 것은?

보기

ㄱ. 경험 떠올리기
ㄴ. 글의 개요 작성하기
ㄷ. 발표하고 상호 평가하기
ㄹ. 내용 선정하여 구체화하기
ㅁ. 경험이 잘 드러나도록 글로 표현하기

① ㄱ－ㄴ－ㄹ－ㄷ－ㅁ
② ㄱ－ㄹ－ㄴ－ㅁ－ㄷ
③ ㄷ－ㄴ－ㅁ－ㄱ－ㄹ
④ ㄹ－ㄴ－ㄴ－ㅁ－ㄱ
⑤ ㄹ－ㄱ－ㅁ－ㄷ－ㄴ

09 경험을 바탕으로 글을 쓰는 과정 중 표현하기 단계에 대한 설명으로 알맞지 않은 것은?

① 경험과 생각을 솔직하게 담아낸다.
② 자신만의 개성이 드러나도록 표현한다.
③ 주제에서 벗어난 내용이 없는지 살펴본다.
④ 자연스럽지 못한 표현이 있으면 고쳐 쓴다.
⑤ '처음－가운데－끝'의 구성 단계에 맞게 배열한다.

고득점 서술형 문제

(2) 경험을 바탕으로 글 쓰기

01~07 다음 글을 읽고, 물음에 답하시오.

가 일기는 매번 '이제는 동생과 사이좋게 놀아야지.', '다음번엔 벼락공부를 하지 말아야지.' 등 '해야지.'라는 결의로 끝나고 있었다. '결의'는 곧 '실행'이라고 생각하는 순진무구함이 재미있어 계속 일기를 넘기는데, 문득 12월 15일 자의 ⓐ「엄마의 눈물」이라는 제목이 눈에 들어왔다.

나 학교 갈 때 보니 엄마가 학교까지 몇 번이나 왔다 갔다 하면서 깔아 놓은 연탄재 때문에 흰 눈 위에 갈색 선이 그어져 있었다. 그 위로 걸으니 별로 미끄럽지 않았다. 하지만 올 때는 내리막길인데다 눈이 얼어붙는 바람에 너무 미끄러워 엄마가 나를 업고 와야 했다. 내가 너무 무거웠는지 집에 닿았을 때 엄마는 숨을 헐떡거리고 이마에는 땀이 송송 나 있었다. 추운 겨울에 땀 흘리는 사람! 바로 우리 엄마다. 그런데 나는 문득 엄마의 이마에 흐르는 그 땀이 눈물같이 보인다고 생각했다. 나를 업고 오면서 너무 힘들어서 우셨을까? 아니면 또 '나 죽으면 넌 어떡하니.' 생각하면서 우셨을까? 엄마 20년만 기다려요. 소아마비는 누워서 떡 먹기로 고치는 훌륭한 의사 되어 내가 엄마 업어 줄게요.

다 ㉠초등학교 3학년 때까지 어머니는 나를 업어서 데려다주셨지만, 그것으로 끝나는 게 아니었다. 화장실에 데려가기 위해 두 시간에 한 번씩 학교에 오셔야 했다. / 그때 일종의 신경성 유뇨증 같은 것이 있었는지, 어머니가 오셨을 땐 가고 싶지 않던 화장실도 어머니가 일단 가시기만 하면 갑자기 급해지는 것이었다. 그 때문에 어머니는 항상 노심초사, 틈만 나면 학교로 뛰어오시곤 했다.

라 언제나 조신하고 말 없는 어머니였지만, 기동력 없는 딸이 이 세상에 발붙일 수 있는 자리를 마련하기 위해서는 목숨 바쳐 싸워야 한다고 생각한 억척스러운 전사였다. ㉡눈이 오면 눈 위에 연탄재를 깔고, 비가 오면 한 손으로는 딸을 받쳐 업고 다른 한 손으로는 우산을 든 채 딸의 길과 방패가 되는 어머니의 하루하루는 슬프고 힘겨운 싸움의 연속이었다. / 그뿐인가, 걸핏하면 했던 수술과 수술 후 두세 달씩 이어졌던 병원 생활, 상급 학교에 갈 때마다 장애가 있다고 하여 입학시험을 보는 것조차 허락하지 않던 학교들……. 나 잘할 수 있다고, 제발 한 자리 끼워 달라고 애원해도 자꾸 벼랑 끝으로 밀어내는 세상에 그래도 악착같이 매달릴 수 있었던 것은 어머니 때문이었다.

㉢어머니는 내 앞에서 한 번도 눈물을 흘리신 적이 없었고, 그것은 이 세상의 슬픔은 눈물로 정복될 수 없다는 말 없는 가르침이었지만, 가슴속으로 흐르던 '엄마의 눈물'은 열 살짜리 딸조차도 놓칠 수 없었다.

마 오늘도 어디에선가 걷지 못하거나 보지 못하는 자식을 업고 눈물 같은 땀을 흘리며 끝없이 층계를 올라가는 어머니, "나 죽으면 어떡하지." 하며 깊이 한숨짓는 어머니, '정상'이 아닌 자식의 손을 잡고 다른 사람들의 눈총을 따갑게 느끼며 머리를 꼿꼿이 쳐들고 걷는 어머니, 이 용감하고 인내심 많고 씩씩하고 하느님 같은 어머니들의 외로운 투쟁에 사랑과 응원을 보내며 보잘것없는 이 글을 나의 어머니와 그들에게 바친다.

1단계 단답식 서술형 문제

01 이 글에서 글쓴이가 어린 시절을 회상하는 계기가 된 소재를 2음절로 쓰시오. [5점]

02 글쓴이가 겪어야 했던 차별이 직접적으로 드러나는 문장을 (라)에서 찾아 쓰시오. [5점]

03 ㉠의 이유를 짐작하게 하는 단어를 (나)에서 찾아 4음절로 쓰시오. [5점]

04 ㉡을 함축적으로 드러낼 수 있는 말을 (마)에서 찾아 2어절로 쓰시오. [5점]

05 ⓐ가 의미하는 것을 (나)에서 찾아 1음절로 쓰시오. [5점]

2단계 기본형 서술형 문제

06 이 글의 글쓴이가 어린 시절 자신의 경험을 통해 느낀 점을 두 가지 쓰시오. [20점]

> 조건 ① '벼랑 끝으로 밀어내는 세상', '응원'이라는 말을 포함하여 쓸 것
> ② (라)와 (마)에서 찾아 한 문장으로 쓸 것

07 '어머니'가 ㉢과 같이 행동한 이유를 쓰시오. [10점]

> 조건 ① '어머니'가 글쓴이에게 어떤 모습을 보여 주지 않으려 했는지를 고려하여 쓸 것
> ② '~위함이다.' 형식의 한 문장으로 쓸 것

08 경험을 담아 글을 쓰는 것의 가치를 두 가지 쓰시오. [15점]

> 조건 ① '기억', '발견'이라는 말을 포함하여 쓸 것
> ② 한 문장으로 쓸 것

3단계 고난도 서술형 문제

09 〈보기〉에서 글쓴이가 한 경험과 그 경험을 통해 느낀 점을 정리하여 쓰시오. [30점]

> 보기
> 지난 토요일, 시험도 끝났기에 승주와 같이 영화를 보려고 승주네 집으로 향했다. 초인종을 누르려는데 마침 승주가 나오고 있었다. 승주는 노끈으로 묶인 신문지를 양손에 들고 있었다.
> "나라야, 왔어? 잘됐다. 너도 좀 도와줘."
> 승주와 함께 폐지를 들고 내려왔는데 승주는 폐지를 재활용 분류함으로 옮길 생각은 하지 않고 입구에서 누군가를 기다리는 듯했다. 잠시 후 힘들게 손수레를 끌며 할아버지 한 분이 오셨다.
> "안녕하세요, 할아버지."
> 할아버지와 승주는 신문지와 책들을 손수레에 실었고, 할아버지께서는 매우 고마워하셨다.
> 승주는 그 할아버지께서 폐지를 가득 싣고 힘겹게 손수레를 끌고 가시는 모습을 여러 번 보았고, 할아버지께 작은 도움이라도 드리려고 폐지를 모으고 있다고 했다. 내 친구가 다시 보이는 순간이었다. 내가 승주의 친구라는 게 자랑스러웠고, 나도 할아버지께 도움을 드릴 수 있어 기쁨을 느꼈다. 한편으로는 귀찮다고 엄마 심부름조차 잘 하지 않았던 나 자신이 부끄러웠다. 그 이후로 우리 집에도 폐지가 차곡차곡 쌓이고 있다.

> 조건 ① '승주', '할아버지'와 관련하여 쓸 것
> ② 한 문장으로 쓸 것

01~04 다음 글을 읽고, 물음에 답하시오.

가 대문만 나서면 뉴뉴는 언제나 완이라는 남자아이가 선명한 빨간 호리병박을 품에 안고 헤엄치는 모습을 볼 수 있었다. 하지만 ㉠뉴뉴는 언제나 완을 보고도 못 본 척했다. 집을 나선 뉴뉴의 눈에 완의 모습이 들어오면, 그녀는 고개를 돌려 울타리를 기어 올라가는 오이 덩굴이나 작은 나뭇가지에 매달린 동글동글한 새집에 눈길을 주곤 했다.

하지만 뉴뉴의 귀만큼은 완이 물장구를 치는 힘찬 소리에 활짝 열려 있었다. 그리고 그 소리에 이끌려 그녀의 눈길도 어느덧 물장구를 치는 완에게 향하곤 했다. 물론 완을 쳐다보면서도 표정은 언제나 무관심을 가장했지만 말이다. / 뉴뉴는 완이 어떤 아이인지 아는 것이 거의 없었다. 알고 있는 것이라고는 완의 아버지가 근방 100여 리에서 아주 유명한 사기꾼이라는 사실뿐이었다.

나 물은 확실히 사람을 매혹하는 힘이 있었다. 일단 한번 물에 들어가자 뉴뉴는 다시는 물에서 나오고 싶지 않았다. / 뉴뉴가 물에 들어오자 완은 어떤 책임감 같은 것을 느꼈다. 이제 그는 더 이상 헤엄을 치지 않고 뉴뉴를 보호하는 데만 신경을 썼다. / 물은 두 아이 사이의 낯섦과 거리감을 모두 녹여 버렸다. 두 아이는 갈대 수풀 사이에서 우렁이를 잡기도 하고, 얕은 물가를 뛰어다니고 엎어지기도 하며 놀았다. 한번은 깊은 물속까지 들어가 얼굴만 내밀고 마주 서 있어 보기도 했다.

다 완은 백양나무 쪽으로 뉴뉴를 데리고 갔다. 그러고는 손가락으로 나무를 가리키며 이렇게 말했다.

"얘는 우리 반의 왕싼건이야."

그제서야 뉴뉴는 나무에 새겨진 글자를 발견했다. 거기에는 '왕싼건'이라는 세 글자가 새겨져 있었던 것이다.

뉴뉴는 다른 나무들도 살펴보았다. 거기에는 각기 다른 이름과 별명들이 새겨져 있었다. 리헤이, 납작코 저우밍, 딩니, 우싼진, 누룽지 쩌우샤오친 등등.

학교 친구를 만난 완은 잠시 동안 뉴뉴의 존재를 잊은 듯, 그들과 신나게 놀기 시작했다. 완은 이 나무에서 저 나무로 뛰어다니기도 하고, 머리 위의 나뭇가지를 흔들어 대기도 하고, 주먹으로 나뭇가지를 치기도 하고, 때로는 나무를 향해 소리치기도 했다.

01 이와 같은 글에 대한 설명을 〈보기〉에서 모두 골라 바르게 묶은 것은?

보기
ㄱ. 현실에 있음 직한 일을 다룬다.
ㄴ. 시점에 따라 서술 방식이 달라진다.
ㄷ. 작가가 상상하여 꾸며 쓴 이야기이다.
ㄹ. 깨달음과 교훈을 직접적으로 전달한다.

① ㄱ, ㄴ ② ㄱ, ㄷ ③ ㄴ, ㄹ
④ ㄱ, ㄴ, ㄷ ⑤ ㄴ, ㄷ, ㄹ

02 이 글의 '완'에 대한 설명으로 알맞지 않은 것은?

① 아버지는 유명한 사기꾼이다.
② 백양나무를 친구라고 생각한다.
③ 나무 사이에서 노는 것에 익숙하다.
④ '뉴뉴'와 친해지면서 책임감을 느낀다.
⑤ '뉴뉴'와 달리 물놀이에 흥미를 느끼지 못한다.

서술형

03 (가)와 (나)에 드러나는 '뉴뉴'와 '완'의 관계 변화를 다음과 같이 정리할 때, [A]에 들어갈 사건을 쓰시오.

(가) '뉴뉴'는 '완'에게 관심이 있지만 이를 표현하지 못하고 '완'을 지켜보기만 함.
↓
[A]
↓
(나) '뉴뉴'와 '완' 사이에 있던 낯섦과 거리감이 모두 사라짐.

04 '뉴뉴'가 ㉠과 같이 행동하는 이유로 가장 적절한 것은?

① '완'이 무서워서
② '완'과 마주치고 싶지 않아서
③ '완'에게 관심 없는 척하려고
④ '완'을 깜짝 놀라게 해 주려고
⑤ '완'에 대해 아는 것이 없어서

05~08 다음 글을 읽고, 물음에 답하시오.

가 ㉠"이젠 강가에 가서 놀지 마라!"

엄마는 몇 번이고 다짐을 놓았다. / "왜요?"

"특별한 까닭은 없어. 어쨌든 이젠 강가에 가지 마. 엄마는 네가 강가에 가는 게 싫어."

뉴뉴는 엄마의 말을 듣지 않고 여전히 강가로 달려갔다. 뉴뉴는 강에 넋을 빼앗긴 듯이 보였다.

㉡곡식도 익어 가고 뜨겁게 타오르던 태양도 사그라들었다. 열기가 휩쓸던 하늘에도 이젠 서늘한 바람이 불기 시작했다. 여름이 끝나 가고 있었던 것이다. 하지만 뉴뉴는 아직도 빨간 호리병박 없이는 수영을 할 수 없었다.

"내년 여름에도 나한테 수영을 가르쳐 줘야 해!"

뉴뉴가 말했다.

"사실 지금도 넌 수영할 수 있어. 네가 겁을 먹어서 못할 뿐이지." / "그래도 내년에 또 가르쳐 줘!"

나 "무섭다니까……." / "무섭긴 뭐가 무서워!"

갑자기 완이 뉴뉴를 꼭 끌어안더니 뉴뉴의 손에 들린 호리병박을 낚아챘다. 뉴뉴는 날카로운 비명을 지르며 물속으로 가라앉았다.

공포에 떨며 두 손으로 물을 움켜쥐면서 뉴뉴는 완을 향해 소리쳤다. / "호리병박! 호리병박!"

하지만 ㉢완은 미소 지으며 뉴뉴에게서 멀어져 가기만 했다.

다 뉴뉴의 입으로 물이 쏟아져 들어왔다. 벌컥벌컥 물을 삼키던 뉴뉴는 정신없이 목구멍을 타고 넘어가는 물에 숨이 막혀 고통스럽게 기침을 해 댔다. 그래도 완은 뉴뉴를 건져 주지 않았다. / ⓐ다시 한번 물 위로 솟아오른 뉴뉴는 원망의 눈초리로 완을 쳐다보았다. 밭에서 일을 하던 사람들이 고함 소리에 강가로 달려왔다. ㉣순식간에 사방이 소란스러워졌다.

라 뉴뉴는 엄마와 함께 집으로 돌아갔다. 다른 사람들도 하나둘 강가를 떠났다.

완 혼자만이 마지막까지 강가에 서 있었다. 그의 머리카락에서 방울방울 물방울이 떨어졌다. 그 물방울은 가냘픈 그의 몸뚱이를 타고 강물 속으로 흘러들어 갔다. ㉤그의 옆에선 빨간 호리병박만이 둥둥 떠다니고 있었다.

05 이 글을 통해 알 수 있는 내용으로 알맞지 않은 것은?

① '뉴뉴'는 강가에서 노는 것을 좋아했다.
② '엄마'는 '뉴뉴'와 '완'의 관계를 눈치채고 있었다.
③ '완'은 '뉴뉴'가 자신의 수영 실력을 깨닫기를 바랐다.
④ '뉴뉴'는 여름이 끝나기 전에 수영을 잘하고 싶어 했다.
⑤ 마을 사람들은 '뉴뉴'가 '엄마'와 집으로 돌아간 뒤 혼자 남은 '완'에게 관심을 두지 않았다.

06 <보기>에서 설명하는 소재로 알맞은 것은?

보기
'뉴뉴'가 수영하는 것에 대해 두려움을 느끼고 있음을 보여 주는 동시에, '완'과의 갈등을 유발하는 역할을 한다.

① 강가 ② 호리병박 ③ 태양
④ 기침 ⑤ 물방울

07 ㉠~㉤에 대한 설명으로 알맞지 않은 것은?

① ㉠: '엄마'의 완고한 태도가 드러난다.
② ㉡: 풍경을 묘사하여 계절의 변화를 나타낸다.
③ ㉢: '뉴뉴'에 대한 자랑스러움을 표현한 행동이다.
④ ㉣: '완'의 당혹감이 심화되는 계기가 된다.
⑤ ㉤: '완'의 외로움을 간접적으로 제시한다.

고난도 서술형

08 '뉴뉴'가 ⓐ와 같은 반응을 보인 이유를 쓰시오.

조건
① '뉴뉴'가 '완'에 대해 오해하고 있는 내용이 드러나도록 쓸 것

09~12 **다음 글을 읽고, 물음에 답하시오.**

가 호리병박을 손에서 놓자, 뉴뉴는 극도의 공포가 극도의 원망으로 바뀌는 걸 느꼈다. 뉴뉴는 완을 향해 소리 질렀다. / "사기꾼! 넌 거짓말쟁이 사기꾼이야."

말을 마친 뉴뉴는 엄마 품으로 뛰어들며 온몸을 떨면서 엉엉 울었다.

나 "그런데 아버지께서는 강 한가운데까지 나를 데리고 가서는, 갑자기 나무 대야를 뒤집어 버리셨어. 물에 빠진 나는 허우적대면서 몇 번이나 물을 삼켰지. 물 위로 머리를 내밀고는 소리를 질러 대며 난리 법석을 부렸어. 순식간에 사람들이 모여들었지. 하지만 아버지께서는 나를 냉정하게 쳐다보고만 계셨단다. 애당초 나를 꺼내 줄 생각이 없었던 게야. 나는 두 번이나 물속으로 가라앉았다 올라왔지. 물을 너무 많이 마셔서 배가 부를 정도였단다. 그러고는 몸이 다시 물속으로 가라앉더구나. 이젠 더 이상 희망이 없구나 하고 생각했었지. 그런데 그때 이상한 일이 일어났지 뭐니. 갑자기 몸이 가벼워지더니 뒤뜰 물웅덩이에서처럼 헤엄을 칠 수 있게 된 거야. 난 꽤나 긴장하긴 했지만 굉장히 기뻤단다. 그러고는 순식간에 맞은편까지 헤엄쳐 갈 수 있었단다."

다 뉴뉴는 모든 것을 잊고 물속으로 뛰어들어 헤엄쳐 나아갔다. 그녀는 가라앉지 않았을 뿐만 아니라 헤엄도 아주 잘 쳤다. 그녀의 수영 실력은 이미 강을 건널 수 있을 정도였던 것이다. / 그녀는 처음으로 맞은편 초가집에 가 보았다. 하지만 그 집의 대문은 단단한 자물쇠로 채워져 있었다. / 소를 치는 한 아이가 뉴뉴에게 말해 주었다. 완은 전학을 갔다고. 엄마를 따라 여기에서 300리나 떨어진 외갓집으로 이사를 갔다고.

개학하기 전날 황혼 녘, 뉴뉴는 갈대숲에 걸려 있던 빨간 호리병박을 풀어 주었다.

라 풀잎에도 상처가 있다 / 꽃잎에도 상처가 있다
너와 함께 걸었던 들길을 걸으면
들길에 앉아 저녁놀을 바라보면
상처 많은 풀잎들이 손을 흔든다
상처 많은 꽃잎들이 / 가장 향기롭다

서술형

09 **(가)와 (나)의 내용을 다음과 같이 비교할 때, 빈칸에 들어갈 알맞은 말을 쓰시오.**

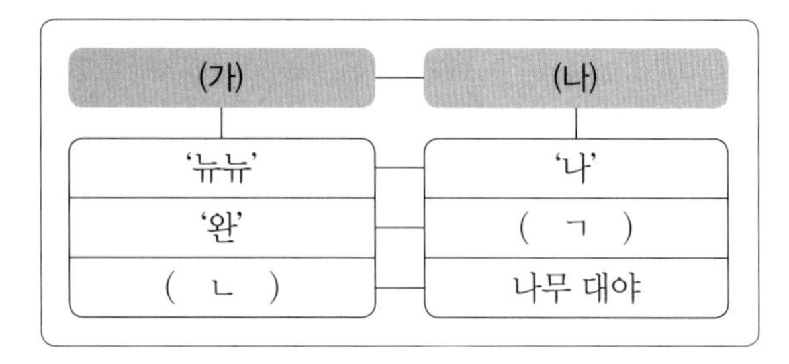

10 **(나)의 이야기를 들은 후 '뉴뉴'에게 생긴 변화로 가장 적절한 것은?**

① '외할머니'의 사랑을 이해하게 되었다.
② 자신이 사춘기를 무사히 지났음을 깨닫게 되었다.
③ '완'이 '뉴뉴'의 '엄마'에게 혼났음을 알게 되었다.
④ 자신이 수영을 잘할 수 있다는 것을 깨닫게 되었다.
⑤ '완'이 '외할머니'와 아는 사이였음을 알게 되었다.

11 **(라)에 대한 설명으로 알맞지 않은 것은?**

① 자연물을 사람에 빗대어 주제를 드러낸다.
② 비슷한 시구를 반복하여 운율을 형성한다.
③ 바람직한 삶의 태도를 보여 주며 독자를 설득한다.
④ '-다'로 끝나는 어미를 반복적으로 사용하여 통일감을 준다.
⑤ 상처받은 이들이 서로에게 보내는 위로와 격려를 보여 준다.

12 **다음을 (다)의 '뉴뉴'가 (라)를 읽은 감상이라고 할 때, 그 내용으로 적절하지 않은 것은?**

① '풀잎'과 '꽃잎'은 '나'와 '완'을 가리키는 것 같다. ② '나'는 '완'에게 사기꾼이라고 말하며 '상처'를 주었다. ③ 그럼에도 '완'은 풀잎들이 손을 흔들듯이 나를 용서해 주었다. ④ 빨간 호리병박을 풀어 주면서 '나'는 한 뼘 더 성장했다는 것을 느꼈는데, ⑤ 이 시의 '상처 많은 꽃잎들이 / 가장 향기롭다'라는 시구가 그러한 '나'의 모습을 잘 보여 준다고 생각한다.

13~16 **다음 글을 읽고, 물음에 답하시오.**

가 돌이켜 보면 학창 시절, 내게 '학교에 간다.'라는 말은 문자 그대로 '간다'의 문제였다. 우리 집은 항상 내가 다니는 학교 근처로 이사를 하였기 때문에 학교까지는 고작 이, 삼백 미터 정도의 거리였지만, ㉠그것도 내게는 버거운 거리였다. 게다가 비나 눈이라도 오는 날에는 학교에 가는 일이 그야말로 필사적인 투쟁이었다.

나 초등학교 3학년 때까지 어머니는 나를 업어서 데려다주셨지만, 그것으로 끝나는 게 아니었다. 화장실에 데려가기 위해 두 시간에 한 번씩 학교에 오셔야 했다.

그때 일종의 신경성 유뇨증 같은 것이 있었는지, 어머니가 오셨을 땐 가고 싶지 않던 화장실도 어머니가 일단 가시기만 하면 갑자기 급해지는 것이었다. 그 때문에 어머니는 항상 노심초사, 틈만 나면 학교로 뛰어오시곤 했다.

다 어머니와 내가 함께 걸을 때면 아이들이 쫓아다니며 놀리거나 내 걸음을 흉내 내곤 하였다. 지금 생각하면 신기하게도 초등학교에 들어갈 즈음에는 철이 없어서였는지 아니면 그 반대였는지, 적어도 겉으로는 그 놀림을 무시할 수 있었다. 오히려 일부러 보조기 구둣발 소리를 크게 내며 앞만 보고 걷곤 했다.

그러나 어머니는 쉽사리 익숙해지지 못하셨다.

라 언제나 조신하고 말 없는 어머니였지만, 기동력 없는 딸이 이 세상에 발붙일 수 있는 자리를 마련하기 위해서는 목숨 바쳐 싸워야 한다고 생각한 억척스러운 전사였다. 눈이 오면 눈 위에 연탄재를 깔고, 비가 오면 한 손으로는 딸을 받쳐 업고 다른 한 손으로는 우산을 든 채 딸의 길과 방패가 되는 어머니의 하루하루는 슬프고 힘겨운 싸움의 연속이었다.

그뿐인가, 걸핏하면 했던 수술과 수술 후 두세 달씩 이어졌던 병원 생활, 상급 학교에 갈 때마다 장애가 있다고 하여 입학시험을 보는 것조차 허락하지 않던 학교들……. 나 잘할 수 있다고, 제발 한 자리 끼워 달라고 애원해도 자꾸 벼랑 끝으로 밀어내는 세상에 그래도 악착같이 매달릴 수 있었던 것은 어머니 때문이었다.

13 **이 글을 쓰기 위해 글쓴이가 떠올렸을 질문으로 가장 적절한 것은?**

① '병원' 하면 떠오르는 추억은 무엇인가?
② 학교생활 중 가장 즐거웠던 순간은 언제인가?
③ 자신에게 가장 소중한 물건은 무엇이고, 그 까닭은 무엇인가?
④ 과거로 되돌아갈 수 있다면 언제로 가고 싶고, 그 까닭은 무엇인가?
⑤ 지금까지 살아오면서 가장 고마운 사람은 누구이며, 그 까닭은 무엇인가?

14 **이 글의 내용과 일치하지 않는 것은?**

① '나'는 '어머니'의 도움을 받아 등교했다.
② '어머니'는 마음을 졸이며 학교에 자주 오셨다.
③ '어머니'는 '나'를 놀리는 아이들을 무시하셨다.
④ '어머니'는 '나'를 위해 고달픈 일도 마다하지 않으셨다.
⑤ '나'는 '어머니' 덕분에 세상의 차별 속에서도 강인하게 버틸 수 있었다.

서술형

15 **이와 같은 글을 읽는 독자들이 얻을 수 있는 효과가 무엇인지 한 문장으로 쓰시오.**

16 **㉠을 통해 알 수 있는 내용으로 적절한 것은?**

① 운동하는 것을 매우 싫어했다.
② 학교 근처로 이사하는 것에 불만이 있었다.
③ 아이들이 놀려서 학교에 가는 것을 싫어했다.
④ 거리는 가깝지만 학교까지 가는 교통수단이 없었다.
⑤ 가까운 거리를 다니는 것도 힘들 만큼 몸이 불편했다.

실전에 강한 모의고사

● 정답과 해설 37쪽

01~03 다음을 읽고, 물음에 답하시오.

| 1(1) 단원 |

가 사회자: 오늘은 '청소년의 연예계 진출을 제한해야 한다.'라는 논제로 토론해 보겠습니다. 먼저, 청소년의 연예계 진출을 제한해야 한다는 찬성 측 의견부터 들어보겠습니다.

나 수미: 청소년기는 많은 것을 배우면서 잠재적 역량을 발견하고 계발하는 시기라고 합니다. 그래서 우리나라에서는 청소년의 학습권을 보장하고 있습니다. 하지만 최근 신문 기사에서 청소년 연예인의 80%가 방송 일 때문에 학교 수업에 빠진 적이 있다는 정부 발표를 보았습니다. 많은 청소년 연예인이 학습권을 침해당하고 있는 것입니다. 저는 청소년 연예인들의 학습권을 보장하기 위해서라도 청소년의 연예계 진출을 제한해야 한다고 생각합니다.

다 소연: 최근 텔레비전의 한 프로그램에서 잠시 방황하던 한 중학생이 자신이 좋아하는 가수의 노래에 감동을 받아 예전처럼 성실한 학생이 되었다는 내용을 보았습니다. 이렇게 연예인은 청소년들에게 긍정적인 영향을 미칠 수 있으므로 저는 청소년의 연예계 진출을 제한해서는 안 된다고 생각합니다.

라 정우: 얼마 전, 연예인이 된 친구에게 안부 전화를 했습니다. 하지만 그 친구는 전화를 받지 않았습니다. 그래서 바로 문자 메시지를 남겼는데도 연락이 없었습니다. 연예인이 되기 전에는 항상 저를 먼저 챙겨 주는 좋은 친구였는데, 연예인이 되었다고 저를 무시하더군요. 이렇게 청소년 시기에 연예인이 되면 인성이 쉽게 변할 수 있기 때문에 저는 청소년이 연예계에 진출하는 것을 제한해야 한다고 생각합니다.

마 영재: 저는 청소년의 연예계 진출을 허용해야 한다고 생각합니다. 지난달에 진로와 관련된 여러 강연을 들었는데, 모든 강연자께서 한결같이 누구에게나 직업 선택의 자유가 있다고 말씀하셨습니다. 저 역시 같은 생각입니다. 따라서 청소년에게도 직업 선택의 자유가 있어야 한다고 생각합니다. 연예인이 되길 바라는 청소년들은 어느 때든 상관없이 자신의 꿈을 실현할 수 있어야 한다고 생각합니다.

바 준서: 저는 청소년의 연예계 진출을 제한해야 한다고 생각합니다. 왜냐하면 우리 반에서 가장 공부를 잘하고 똑똑한 수미가 청소년의 연예계 진출을 제한해야 한다고 했기 때문입니다.

---

01 이와 같은 말하기의 타당성을 판단하는 과정으로 알맞지 않은 것은?

① 상대가 말하는 주장과 그 근거를 구분한다.
② 근거와 주장 간에 연관성이 있는지 판단한다.
③ 주장을 하는 상대가 신뢰할 만한 사람인지 판단한다.
④ 근거로부터 주장을 이끌어 내는 과정에 오류가 없는지 판단한다.
⑤ 주장을 이끌어 내는 과정에 영향을 미치는 다른 정보는 없는지 판단한다.

02 이 토론에 대한 설명으로 알맞지 않은 것은?

① '소연'이 말한 근거는 주장과의 연관성이 낮다.
② '청소년의 연예계 진출을 제한해야 한다.'가 논제이다.
③ '수미', '정우', '준서'는 청소년의 연예계 진출에 찬성한다.
④ '수미'는 많은 청소년 연예인이 학습권을 침해당하고 있음을 강조한다.
⑤ '영재'는 청소년에게도 직업 선택의 자유가 있어야 한다는 점을 근거로 제시한다.

고난도 서술형

03 다음은 이 토론을 들은 학생이 '정우'의 발언을 평가한 것이다. 빈칸에 알맞은 말을 서술하시오.

> 나는 '정우'의 말이 타당하지 않다고 생각해. 왜냐하면 [   ].

조건
① '정우'의 근거 제시 방법과 근거의 내용을 구체적으로 쓸 것

04~07 다음을 읽고, 물음에 답하시오.

1(1) 단원

가 안녕하십니까? 여러분과 함께 희망 중학교의 희망찬 미래를 열어 갈 학생회장 후보, 기호 '가' 최준서입니다.

여러분! 여러분은 낙타라고 하면 어떤 말이 가장 먼저 떠오르십니까? 저는 '섬김'이라는 말이 가장 먼저 떠오릅니다. 자기 몸 하나도 가누기 힘든 사막에서 주인을 태우고 목적지로 묵묵히 향하는 낙타. 이러한 낙타의 모습에서 우리는 섬김의 자세를 배울 수 있습니다. 만약 저를 학생회장으로 뽑아 주신다면 낙타와 같은 섬김의 자세로 다음 네 가지 공약을 반드시 실천하겠습니다.

나 첫째, 의형제·의자매 제도를 실시하겠습니다. 요즘 학생들은 대부분 형제자매가 없거나 있더라도 한두 명뿐입니다. 그래서 다른 학년의 선후배들과 의형제, 의자매를 맺어 서로 돕고 지낼 수 있도록 의형제·의자매 제도를 실시하겠습니다. 이 제도가 시행된다면 같은 반 친구들의 단합이 잘되어 재미있고 즐거운 학교생활이 가능할 것입니다.

다 둘째, 학교 곳곳에 건의함을 설치하겠습니다. 최근 제 누리소통망(SNS) 친구들에게 우리 학교 학생회에 바라는 점을 물었더니, 무려 세 명의 학생이 건의함을 설치해 달라고 답하였습니다. 따라서 제가 만약 학생회장이 된다면 여러 학생의 소중한 의견에 따라 학교 곳곳에 건의함을 설치하겠습니다.

라 셋째, ㉠<u>아침 식사를 못 하고 오는 학생들을 위해 제가 매일 아침 식사를 제공하겠습니다.</u> 얼마 전 아침 식사에 관한 다큐멘터리를 보았는데, 아침 식사는 뇌의 기능을 활발하게 하고 질병 예방에도 도움이 된다고 합니다. 여러분들이 건강하게 학교생활을 할 수 있게 아침 식사를 매일 풍성하게 제공하겠습니다.

마 마지막으로 ㉡<u>학생 자치회를 활성화하겠습니다.</u> 현재 학생 자치회는 한 학기에 한 번, 형식적으로 열리고 있습니다. 하지만 제가 학생회장이 된다면 학생 자치회를 매달 정기적으로 개최하여, 각 학급 회의에서 올라온 안건들을 논의하겠습니다. 학생 자치회가 활성화된다면 우리의 문제를 우리의 대표인 학생 자치회에서 논의할 수 있으므로 많은 학생이 공감할 수 있는 해결 방안이 나올 것이라고 확신합니다.

04 이 연설의 공약으로 알맞지 <u>않은</u> 것은?

① 학생 자치회를 활성화하겠다.
② 학교 곳곳에 건의함을 설치하겠다.
③ 의형제·의자매 제도를 실시하겠다.
④ 낙타와 같은 섬김의 자세로 살겠다.
⑤ 학생들을 위해 매일 아침 식사를 제공하겠다.

서술형

05 이 연설의 목적을 〈조건〉에 맞게 쓰시오.

조건
① 연설자의 자격과 이 연설에서 발표한 내용을 포함하여 쓸 것
② '~ 연설' 형식의 5어절로 쓸 것

06 ㉠의 타당성을 평가한 내용이 적절한 것은?

① 아침 식사는 뇌의 기능을 활발하게 하기 때문에 타당하다.
② 학생 수준에서 실천할 수 없는 공약을 제시했기 때문에 타당하지 않다.
③ 아침 식사는 학생들이 건강하게 학교생활을 할 수 있게 하기 때문에 타당하다.
④ 학생들의 질병 예방에 도움이 되는 아침 식사를 제공한다고 했기 때문에 타당하다.
⑤ 학생들에게 매일 풍성한 아침 식사를 제공한다는 것은 학생들에게 의견을 묻지 않은 주장이므로 타당하지 않다.

07 ㉡을 뒷받침하는 근거로 알맞은 것은?

① 반 친구들의 단합이 잘될 것이다.
② 즐거운 학교생활이 가능할 것이다.
③ 다른 학년의 선후배들과 서로 돕고 지낼 수 있다.
④ 많은 학생이 공감할 수 있는 해결 방안이 나올 것이다.
⑤ 누리소통망을 통해 물은 결과 무려 세 명의 학생이 찬성하였다.

08~10 다음을 읽고, 물음에 답하시오.

| 1(2) 단원 |

가

학교 누리집 게시판 공지 사항에서 '번지의 제왕'이 예선 결과 발표 방식을 묻자, 작성자가 게시판 내용을 수정하였다.

→ '유진'과 친구들이 서로 다른 공간에 있었지만, 온라인 대화로 쉽게 의견을 나눌 수 있었다.

→ 노래를 찾으려고 들어간 블로그에서 '유진'은 가사와 안무 동영상을 볼 수 있었고, 배경 음악도 들을 수 있었다.

→ '유진'이 학생 가요제 예선 통과를 알리는 전자 우편을 읽다가 인터넷 주소를 눌러 학교 누리집의 예선 결과 공지를 봤다.

→ '유진'과 '상호'의 공연이 끝나자마자 그 공연 모습을 담은 동영상이 누리소통망에 올라왔다.

나

메시지 010-xxxx-xxxx
20OO년 OO월 OO일 오후 5:01
행복중학교 가요제예선통과
예비소집 꼭참석바람
일시: O월 O일 오후 4시
장소: 3층 학생회실

다

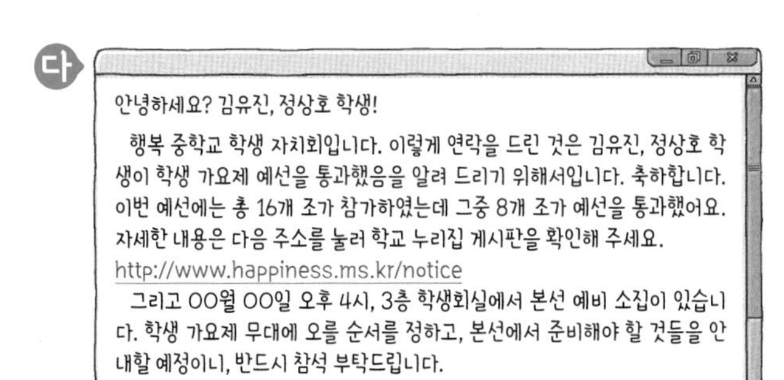
안녕하세요? 김유진, 정상호 학생!

행복 중학교 학생 자치회입니다. 이렇게 연락을 드린 것은 김유진, 정상호 학생이 학생 가요제 예선을 통과했음을 알려 드리기 위해서입니다. 축하합니다. 이번 예선에는 총 16개 조가 참가하였는데 그중 8개 조가 예선을 통과했어요. 자세한 내용은 다음 주소를 눌러 학교 누리집 게시판을 확인해 주세요.
http://www.happiness.ms.kr/notice

그리고 OO월 OO일 오후 4시, 3층 학생회실에서 본선 예비 소집이 있습니다. 학생 가요제 무대에 오를 순서를 정하고, 본선에서 준비해야 할 것들을 안내할 예정이니, 반드시 참석 부탁드립니다.

라

단체 대화 - 유진, 소미, 찬열, 윤희, 상호

오후 8:26 뭥미? 레알없어? ㅠㅠ 시간있으니까 연습해서 같이 나가자. 선착순 한명!

윤희: 솔까알 우리반에서 유진이만큼 노래 잘하는 애는 상호잖아. ㅇㅈ? 상호 강추~ ⓐ^^ 오후 8:26

상호: 짜잔~ (¯▽¯)v 상호님 등장이요. 유진아 나랑하자 ㅋㅋ 오후 8:27

오후 8:28 상호야, 더럽 ⓑ\(^○^)/

08 (가)를 통해 알 수 있는 인터넷 매체의 특성으로 알맞지 않은 것은?

① 정보를 거의 실시간으로 전달한다.
② 시간과 장소의 제약 없이 대화를 나눌 수 있다.
③ 주로 개인적인 목적으로 비밀스러운 내용을 전한다.
④ 문자, 소리, 사진이나 그림, 동영상 등 혼합된 정보를 처리한다.
⑤ 순서에 상관없이 자신이 원하는 정보를 찾아 자유롭게 옮겨 다닐 수 있다.

09 (나)와 (다)를 비교한 내용으로 알맞지 않은 것은?

① (나)는 존댓말을 사용하지 않았고, (다)는 존댓말을 사용하였다.
② (나)는 항목을 나누어 표시하였고, (다)는 줄글 형식으로 썼다.
③ (나)는 문장 부호를 생략하였지만, (다)는 문장 부호를 모두 갖추었다.
④ (나)는 띄어쓰기 원칙을 지켰고, (다)는 띄어쓰기 원칙을 지키지 않았다.
⑤ (나)는 내용을 신속하고 간결하게 전할 때, (다)는 자세한 내용을 전할 때 주로 사용한다.

10 ⓐ와 ⓑ의 공통점으로 가장 알맞은 것은?

① 내용을 빠르게 전달하는 효과가 있다.
② 낱말의 초성자만을 사용하여 표현한 것이다.
③ 말을 축약하거나 생략한 줄인 말에 해당한다.
④ 대화의 재미를 높이기 위해 사용한 신조어이다.
⑤ 표정이나 몸짓으로 감정을 전달할 수 없는 온라인 대화의 한계를 극복할 수 있다.

11 인터넷 매체에 글을 쓸 때 지녀야 할 올바른 태도가 아닌 것은?

① 확인되지 않은 정보를 올리지 않는다.
② 다른 사람을 비방하거나 욕설을 쓰지 않는다.
③ 상대를 배려하고 존중하는 언어 표현을 쓴다.
④ 중요한 내용을 강조할 수 있도록 같은 문장을 반복하여 쓴다.
⑤ 어법에 맞지 않는 줄인 말을 지나치게 많이 사용하지 않는다.

12~14 다음을 읽고, 물음에 답하시오.

1(3) 단원

가 학생 1: 이번 학교 영상제 때 제출할 작품으로 어떤 영상을 만들면 좋을까?

학생 2: 우리 학교 학생을 대상으로 하는 영상제이니 중학생의 첫사랑을 주제로 단편 영화를 만들면 어떨까?

학생 3: 나는 찬성이야. 아이들이 관심 있어 하는 내용이니 영화에 쉽게 공감할 수 있을 거야.

학생 4: 그럼, 대본 쓸 사람과 연기할 사람 등 각자 어떤 역할을 할지 정해 보자.

나 S# 5. 교실 안

선생님: 자리 배치는 어떻게 하든 불만이 많으니, 선생님이 정해 준 자리에 앉기로 하자. (오른쪽 구석 가장 앞자리를 손가락으로 가리키며) 우선 이 자리부터 남자는 가나다순으로 앉고, 여자는 그 옆에 가나다 역순으로 앉는다. 그럼, 선생님이 명단을 불러 줄게. 남자 첫 번째 자리는 강민우, 그 옆자리는 한여름, 그리고 그 뒷자리는 강채호, 하지민……. (선생님의 목소리가 점점 줄어든다.)

NAR. 그렇게 나와 여름이는 '짝'이 되었다.

E. 민우의 빨라진 심장 소리가 크게 들린다.

다

번호	장면 그림	장면 내용, 촬영 방법	대사, 음악, 효과음, 자막
S# 5-2		선생님이 자리 배치 방법을 설명함. 선생님의 상반신을 촬영함.	선생님: 자리 배치는 어떻게 하든 불만이 많으니…….
S# 5-3		민우가 여름이와 짝이 되자 기뻐함. 민우가 책상에 앉아 있는 모습을 촬영함.	NAR.: 그렇게 나와 여름이는 짝이 되었다.
S# 5-4		민우의 심장이 뛰기 시작함. 민우의 가슴을 클로즈업함.	심장이 빠르게 뛰는 소리 민우의 가슴이 뛰는 모습을 하트 모양으로 표현함.

라 클로즈업 숏

12 (가)에 대한 설명으로 알맞지 않은 것은?

① 영상의 주제는 '중학생의 첫사랑'이다.
② 영상을 제작하기 위한 계획을 세우고 있다.
③ 학교 영상제에 출품할 영상을 제작하려고 한다.
④ 학교 친구들을 대상으로 장편 영화를 찍으려 한다.
⑤ 영상 제작 과정에서 각자 맡을 역할을 나누려 한다.

13 (나)와 비교할 때, (다)의 특징이 아닌 것은?

① 장면을 더 잘게 나누어 제시하였다.
② 장면을 구체적으로 표현한 그림을 추가하였다.
③ 각 장면의 내용과 촬영 방법을 구체적으로 담았다.
④ 촬영, 편집의 방향을 공유할 수 있도록 제시하였다.
⑤ 대사, 음악, 효과음, 자막 등의 편집 요소 및 의상과 소품을 미리 제작하였다.

14 (라)와 같이 촬영한 이유로 알맞은 것은?

① 인물의 현재 심리를 잘 드러내려고
② 인물의 위엄 있는 모습을 표현하려고
③ 여러 인물들의 행동을 동시에 보여 주려고
④ 주눅 들고 위축된 인물의 모습을 부각하려고
⑤ 배경 장면의 전체 경치를 효과적으로 보여 주려고

15 〈보기〉는 영상을 제작하는 과정을 정리한 표이다. ⓐ~ⓔ의 단계에 대한 설명으로 알맞지 않은 것은?

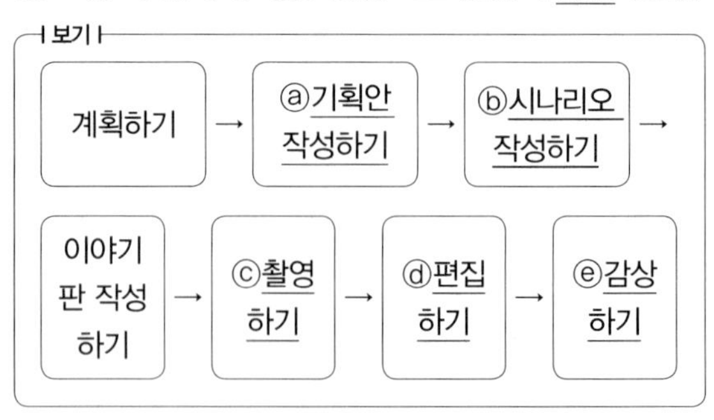

① ⓐ: 영상의 제목, 기획 의도, 주요 내용, 역할 분담, 제작 일정 등을 정리한다.
② ⓑ: 영상의 흐름에 맞게 대사와 지문, 해설 등을 쓴다.
③ ⓒ: 시나리오가 완성되면 그에 따라 바로 영상을 찍는다.
④ ⓓ: 촬영한 영상에 음악, 효과음, 자막 등을 넣어 하나의 작품으로 완성한다.
⑤ ⓔ: 완성된 영상을 본 후 느낀 점을 공유한다.

16~19 다음 글을 읽고, 물음에 답하시오.

2(1) 단원

가 아득한 옛날, 적막한 들에 여자아이 하나가 나타났다. 옥처럼 고운 아이였다. 그 아이를 발견한 사람들이 물었다. / "너는 어떠한 아이냐? 이름은 무엇이고 어디에서 왔느냐?"

"저는 이름도 모르고 이름도 성도 나이도 모릅니다. 그냥 이 들에서 태어나 여기서 살아왔습니다."

"지금까지 혼자 어떻게 살아왔단 말이냐?"

"ⓐ하늘에서 학이 날아와 한쪽 날개를 바닥에 깔아 주고, 다른 쪽 날개로 저를 덮어 주었습니다. 그리고 먹을 것을 가져다주어서 이렇게 살 수 있었습니다."

나 "어젯밤 꿈에 네 부모님을 만났다. ⓑ네 부모님은 지금 신관과 선녀가 되어 원천강을 지키고 계신다."

"㉠원천강은 어떤 곳인가요? 어떻게 그곳에 갈 수 있나요?"

"거기는 사람이 갈 수 없는 멀고 먼 곳이다만……."

"꼭 부모님을 만나고 싶습니다. 가는 길을 알려 주세요."

"정히 그렇거든 남쪽으로 흰모래 마을을 찾아가 별층당에서 글을 읽고 있는 도령한테 길을 물어보거라."

"고맙습니다."

다 "저는 오늘이라고 합니다. 부모님을 찾아서 원천강으로 가는 중입니다. 원천강 가는 길을 알려 주세요."

"저는 장상이라고 합니다. 원천강은 아주 먼 곳이지요. 서쪽으로 연화못을 찾아가 연못가의 연꽃 나무에게 길을 물어보면 가는 길을 알 수 있을 거예요."

그러면서 장상이는 한 가지 부탁을 덧붙였다.

"원천강에 가시거든 제 사연도 좀 알아봐 주세요. 왜 밤낮 여기에 앉아서 글만 읽어야 하고 집 밖으로 나갈 수 없는지를요." / ⓒ"꼭 알아다 드릴게요."

라 오늘이는 전에 자기가 살던 마을로 돌아가 백씨 부인을 찾아갔다. / 백씨 부인에게 부모님과 만난 일과 오가면서 겪은 일을 다 이야기하고 ⓓ뱀한테서 받은 여의주 한 개를 드렸다. 백씨 부인은 ⓔ어느새 어른이 된 오늘이를 꼭 안아 주었다.

그 뒤 오늘이는 옥황상제의 부름으로 하늘나라 선녀가 되어 원천강을 돌보며 사계절의 소식을 세상에 전하는 일을 맡게 되었다. 한 손에 여의주를, 또 한 손에 연꽃을 든 채로.

16 이와 같은 글을 요약하는 방법으로 가장 적절한 것은?

① 설명 대상을 중심으로 요약한다.
② 주장과 근거를 중심으로 요약한다.
③ 질문과 대답을 중심으로 요약한다.
④ 경험과 느낀 점을 중심으로 요약한다.
⑤ 인물, 사건, 배경을 중심으로 요약한다.

서술형

17 이 글의 결말에서 '오늘이'가 어떤 존재가 되었는지 (라)에서 찾아 쓰시오.

조건

① '오늘이'가 어떤 존재이며, 어떤 일을 맡게 되었는지 쓸 것

18 ㉠에 대한 대답을 골라 바르게 묶은 것은?

ㄱ. 아무나 들어갈 수 없는 신성한 곳이란다.
ㄴ. 신관과 선녀가 되려면 꼭 가야 하는 곳이란다.
ㄷ. 사람이 쉽게 도달할 수 없는 멀고 먼 곳이란다.
ㄹ. 학이 날개로 덮어 주고 먹을 것을 가져다주는 곳이란다.

① ㄱ, ㄴ ② ㄱ, ㄷ ③ ㄴ, ㄷ
④ ㄴ, ㄹ ⑤ ㄷ, ㄹ

19 ⓐ~ⓔ에 대한 설명으로 알맞지 않은 것은?

① ⓐ: '오늘이'가 비범한 존재임을 드러낸다.
② ⓑ: '오늘이' 부모님의 신분을 보여 준다.
③ ⓒ: 처음 만난 대상에게도 상냥하고 친절한 '오늘이'의 성격이 나타난다.
④ ⓓ: '백씨 부인'이 용이 될 것임을 암시한다.
⑤ ⓔ: '오늘이'의 여행이 매우 길고 힘든 여정이었음을 짐작하게 한다.

20~22 다음 글을 읽고, 물음에 답하시오.

| 2(1) 단원 |

가 "우리는 하늘나라의 선녀들이랍니다. 천하궁에서 물 긷는 일을 소홀히 한 죄로 여기서 물을 푸고 있지요. 이 우물물을 다 퍼야 하늘로 돌아갈 수 있는데 두레박에 큰 구멍이 뚫려서 아무리 애를 써도 물을 퍼낼 수가 없어요." / 오늘이는 두레박을 받아 들더니 댕댕이덩굴을 으깨어 뭉쳐서 구멍을 막고 나서 송진을 녹여서 틈을 막았다.

나 높은 담장이 둘러쳐진 곳에 문이 네 개나 있는데, 첫 번째 문을 열어 보니 봄바람이 따스하게 부는 가운데 진달래, 개나리, 매화꽃, 영산홍 등 갖은 봄꽃이 피어 있었다. 두 번째 문을 열어 보니 뜨거운 햇살 속에 보리와 밀 같은 곡식과 채소가 무성했다. 세 번째 문을 열어 보니 너른 들판에 누런 벼가 황금빛으로 물결쳤다. 네 번째 문을 열어 보니 찬바람이 부는 가운데 흰 눈이 세상을 하얗게 뒤덮고 있었다.

다 "이렇게 부모님을 만났으니 제 소원을 이루었습니다. 여기에 오는 길에 부탁받은 일이 많으니 이제 돌아가렵니다." / 오늘이가 원천강에 오면서 부탁받은 일들을 이야기하자 부모님은 하나씩 답을 해 주고서 오늘이를 문밖까지 배웅해 주었다.

라 오늘이는 먼저 별층당에서 글을 읽고 있는 매일이를 만났다. / "부모님을 만나 뵙고 매일이 님의 일도 알아 왔습니다. 저와 함께 가시면 소원이 이루어질 거예요."

오늘이가 매일이를 이끌고 길을 떠나 전날의 바닷가에 이르니 큰 뱀이 여의주 세 개를 입에 넣은 채 뒹굴고 있었다. / "왜 용이 못 되는지 알아 왔습니다. 바다를 건네주면 알려 주지요."

큰 뱀은 기뻐하면서 오늘이와 매일이를 등에 태우고 수만 리 물길을 헤엄쳐 청수 바닷가에 이르렀다.

"㉠하늘에 못 오르는 건 여의주를 세 개나 물었기 때문이랍니다. 하나만 물면 용이 될 수 있지요."

마 다음은 연화못의 연꽃 나무. / "윗가지에 핀 꽃을 처음 보는 사람에게 주면 가지마다 꽃이 핀답니다."

연꽃 나무는 얼른 윗가지에 핀 꽃을 꺾어서 오늘이에게 주었다. 그러자 가지마다 꽃봉오리가 맺히면서 탐스러운 꽃이 송이송이 피어나기 시작했다.

바 "원천강에서 장상이 님의 일을 알아 왔습니다. 장상이 님처럼 몇 년 간 홀로 글만 읽어 온 처녀를 만나 배필로 맞으시면 만년 영화를 누리실 수 있답니다."

"세상에 그런 처녀가 어디에 있을까요?"

"여기 모셔 왔습니다. 매일이 님이지요. 두 분이 부부의 연을 맺으면 행복해지실 거예요."

20 이 글의 내용과 일치하지 않는 것은?

① 원천강 네 개의 문은 각각 사계절을 상징한다.
② 연꽃 나무는 윗가지에 핀 꽃을 '오늘이'에게 준다.
③ '오늘이'는 큰 뱀의 도움으로 청수 바다를 건넌다.
④ '오늘이'가 원천강까지 여행을 한 이유는 선녀가 되기 위해서이다.
⑤ '오늘이'는 원천강으로 가는 길에 부탁받은 일들을 부모님의 도움을 받아 해결한다.

21 이 글에서 '오늘이'가 부탁받은 일을 해결한 방법을 정리한 것으로 바르지 않은 것은?

	대상	해결 방법
①	하늘나라 선녀들	부모님이 알려 준 대로 댕댕이덩굴을 으깨어 뭉쳐서 두레박의 구멍을 막고 송진을 녹여서 틈을 막았다.
②	'매일이'	'매일이'를 데리고 길을 떠나 '장상'과 부부의 연을 맺어 주었다.
③	큰 뱀	여의주를 하나만 물면 용이 될 수 있다고 알려 주었다.
④	연꽃 나무	윗가지에 핀 꽃을 처음 보는 사람에게 주면 가지마다 꽃이 핀다고 알려 주었다.
⑤	'장상'	처지가 비슷한 처녀를 배필로 맞으라고 알려 주고, '매일이'와 연을 맺어 주었다.

22 ㉠과 의미가 통하는 한자 성어로 알맞은 것은?

① 아전인수(我田引水) ② 조족지혈(鳥足之血)
③ 대기만성(大器晩成) ④ 과유불급(過猶不及)
⑤ 일장일단(一長一短)

23~26 **다음 글을 읽고, 물음에 답하시오.**

2(1) 단원

가 '마을학교'가 무엇인지는 다음의 네 가지 측면에서 살펴보면 이해할 수 있다. 첫째, '마을학교'를 '누가 주도하는가'이다. '마을학교'는 행정 관청의 주도하에 만들어지는 것이 아니라 마을 주민이 그들의 필요에 따라 만드는 것이다. 또한 '마을학교'에서는 누구라도 이웃을 가르치는 선생님이 될 수도, 이웃에게 배우는 학생이 될 수도 있다. 배울 내용 역시 주민이 스스로 결정한다.

나 둘째, '마을학교'는 '어디에서 이루어지는가'이다. 우리는 '학교'라고 하면 대체로 그 안에 여러 교실이 있고 교탁과 책걸상, 칠판 등이 있는 시설을 떠올린다. 그러나 공간으로서의 '마을학교'란 일반 학교처럼 '이런 시설이어야 해.'라는 틀에서 벗어난다. 주민 센터나 학교뿐만 아니라 마을에 있는 찻집, 도서관, 식당, 놀이터 등 마을 주민들이 활동하는 공간이면 모두 '마을학교'가 될 수 있다.

다 셋째, '마을학교'는 '무엇을 위해 활동하는가'이다. '마을학교'는 단순히 무엇을 가르치거나 배우는 것만을 목적으로 하지 않는다. '마을학교'에서 하는 활동이나 사업은 마을의 문제를 해결하기 위한 시도와 더 나은 삶터를 만들기 위한 접근에서 시작된다. 또한 마을 주민들은 학습을 매개로 만나 상호 작용을 하면서 긴밀한 유대 관계를 만들려고 한다. 마을에 사는 사람들이라는 복합적인 관계망 속에서 서로 협력하고 소통하면서 '삶의 질 향상'을 목적으로 활동하는 것이다.

라 넷째, '마을학교'는 '어떤 활동을 하는가'이다. '마을학교'에서 가장 쉽게 할 수 있는 활동은 마을 주민의 교육 프로그램 운영이다. 그러나 '마을학교'의 활동은 여기서 끝나지 않는다. 교육 프로그램을 함께한 주민들은 동아리를 만들어 활동을 계속 이어 나가다가 축제와 같은 행사를 벌이고, 더 나아가 마을 사업으로 확장한다.

마 마을에 ㉠큰 우산을 펴 보라. 마을에 큰 우산을 씌우면 마을 안에 사는 사람들이 다 함께 비를 덜 맞거나 피할 수 있다. 이렇게 삶에서 오는 문제와 어려움을 함께 펴 든 우산으로 막아 주는 일, 그 기능을 하는 우산이 '마을학교'이며, 이것이 '마을학교'를 만들려는 까닭이다.

23 **(가)를 한 문장으로 요약한 내용으로 적절한 것은?**

① '마을학교'를 누가 주도하는지 알아야 한다.
② '마을학교'를 이끌어 가는 주체는 마을 주민이다.
③ '마을 학교'에서 배울 내용은 주민이 스스로 결정한다.
④ '마을학교'가 무엇인지 네 가지 측면을 통해 알아보고자 한다.
⑤ '마을학교'에서는 누구나 선생님이 될 수도, 학생이 될 수도 있다.

서술형

24 **(나)를 요약하여 한 문장으로 나타낼 때, 빈칸에 알맞은 말을 쓰시오.**

( ) 모두 '마을학교'가 될 수 있다.

25 **(다)를 요약하는 과정에 대한 설명을 골라 바르게 묶은 것은?**

ㄱ. 첫 번째 문장은 구체적인 내용이니까 상위 표현으로 일반화해야겠어.
ㄴ. 두 번째 문장은 불필요하니까 삭제해야겠어.
ㄷ. 핵심 단어가 존재하지 않으니까 세 번째 문장과 네 번째 문장을 바탕으로 중심 문장을 새롭게 구성해야겠어.
ㄹ. 마지막 문장은 '마을학교'의 목적을 밝힌 중심 내용이니까 이 문장을 선택해야겠어.

① ㄱ, ㄴ ② ㄱ, ㄷ ③ ㄴ, ㄷ
④ ㄴ, ㄹ ⑤ ㄷ, ㄹ

26 **㉠이 비유하는 대상으로 가장 알맞은 것은?**

① 동아리 ② 마을학교
③ 마을 주민들 ④ 주민 센터나 학교
⑤ 삶에서 오는 어려움

• 정답과 해설 37쪽

27~30 다음을 읽고, 물음에 답하시오.

| 2(2) 단원 |

가 준서: 지민아, 어제 나온 마을 신문 봤니?
지민: 응, 정말 재밌더라. 우리 옆집 개가 새끼를 낳았다는 소식까지 있던걸! 그런데 우리 학교 친구들은 마을 신문이 있는지조차 잘 모르는 것 같더라. 마을 신문 편집장님과 면담을 해서 학교 신문에 소개하면 어떨까?
준서: 좋은 생각이야.

나 학생 1: 얘들아, 나 얼마 전에 잡지에서 본 요리 예술사라는 직업에 관심이 생겼어. 더 알아보고 싶어.
학생 2: 잡지에 나왔던 요리 예술사님을 찾아가서 면담하면 어떨까? 면담을 하면 인터넷이나 책에서보다 생생한 정보를 얻을 수 있을 거야.
학생 3: 좋은 생각이야. 그럼 먼저 그분께 허락을 받아야지. 잡지에 있는 주소로 전자 우편을 보내 보자.
학생 4: 면담하기 전에 질문을 미리 정리해 보면 좋을 것 같아. 그리고 면담을 하면서 녹음도 하고 사진도 찍어야 하니까 역할을 나눠 보자.

다 정우: 안녕하세요? 저는 전자 우편으로 인사드렸던 이정우입니다. 바쁘실 텐데 이렇게 면담을 허락해 주셔서 감사합니다.
요리 예술사: 학생들이 온다고 해서 기쁜 마음으로 기다리고 있었어요.
정우: 고맙습니다. 전자 우편으로 말씀드렸듯이 저희가 음식과 요리에 관심이 있다 보니 요리 예술사라는 직업이 어떤 직업인지 궁금한 점이 많습니다. 요리 예술사에 대한 정보를 얻기 위해 면담을 하려고 하니 진솔한 답변 부탁드립니다. 그리고 저희가 면담 내용을 녹음하고 중간에 사진도 찍으려고 하는데, 괜찮으신지요?
요리 예술사: 네, 괜찮아요. 편하게 질문하세요.
나라: 고맙습니다. 그럼, 지금부터 질문드리겠습니다. 요리 예술사는 주로 어떤 일을 하나요?
요리 예술사: 저는 요리 예술사를 '요리를 예술로 승화하는 요리의 예술가'라고 표현하고 싶어요. 요리를 아름답게 표현하여 상품 가치를 높이는 일을 한다고 생각하면 돼요. / 정우: 좀 더 자세히 알고 싶은데요, 요리 예술사의 활동 영역을 말씀해 주세요.

27 (가)에서 '지민'이 계획한 면담의 목적으로 알맞은 것은?

① 설득 ② 평가 ③ 상담
④ 친교 형성 ⑤ 정보 수집

28 (나)의 '전자 우편'에 포함될 내용으로 알맞지 않은 것은?

① 면담의 목적
② 면담에서 질문할 내용
③ 면담 답변을 요구하는 내용
④ 면담 수락 여부를 묻는 내용
⑤ 면담 일시와 장소에 관한 내용

29 (다)에 대한 설명으로 알맞지 않은 것은?

① 요리 예술사를 면담 대상으로 하고 있다.
② 면담한 내용을 목적에 맞게 정리하고 있다.
③ 녹음을 하거나 사진을 찍기 위해 미리 양해를 구하고 있다.
④ 면담 대상을 존중하고 배려하는 태도로 면담에 임하고 있다.
⑤ 면담 전에 필요한 사항들을 면담 대상에게 미리 보냈음을 알 수 있다.

30 다음은 학생들이 (다)를 준비하는 과정에서 삭제한 질문이다. 그 까닭으로 가장 적절한 것은?

> 요리 예술사들이 가장 좋아하는 연예인은 누구인가요?

① 비슷한 내용의 질문이 있기 때문에
② 면담의 목적에 부합하지 않기 때문에
③ 면담 대상의 감정을 고려하지 않았기 때문에
④ 쉽게 대답할 수 없는 민감한 문제이기 때문에
⑤ 면담 대상에 대한 선입견이 포함되어 있기 때문에

• 정답과 해설 39쪽

01~04 다음 글을 읽고, 물음에 답하시오.

| 3(1) 단원 |

가 어떤 말소리와 뜻이 반드시 그렇게 연결되어야 한다는 원칙이나 법칙은 없다. 즉, 말소리와 뜻은 필연적으로 연결된 관계가 아니라는 말이다. 그래서 ⓐ<u>은하수, 밀키 웨이(Milky Way), 갤럭시(Galaxy)처럼 같은 뜻을 나타내더라도 말소리는 다르게 나타나는 것이다.</u>

나 사회적 약속으로 굳어진 말들도 시간이 흐르면서 조금씩 변한다. 예를 들어 ⓑ<u>백(百)을 뜻하는 '온'이나 천(千)을 뜻하는 '즈믄'</u>은 오늘날에는 거의 쓰이지 않는다. 또 '어리다'라는 말은 '어리석다'라는 뜻에서 오늘날에는 '나이가 적다'라는 뜻으로 바뀌었다. 그뿐만 아니라 '컴퓨터, 공정 무역, 누리꾼'처럼 새로운 사물이나 개념이 나타나면 그에 맞는 새말이 만들어지기도 한다.

다 사람들은 말을 할 때 이미 알고 있는 낱말이나 같은 문장만을 반복하지 않는다. 앞에서 살펴보았듯이 새로운 물건이나 개념이 생기면 그에 맞는 새로운 낱말을 만들어 내기도 하고, 이미 알고 있는 낱말을 활용하여 상황에 맞게 새로운 문장을 만들어 사용하기도 한다.

01 다음 대화 중에서 (나)에서 설명하는 언어의 특성과 가장 관계 깊은 것은?

①	딸: 아빠, '올갱이'가 뭐예요? 아빠: 하천에 사는 '다슬기'를 강원도에서는 '올갱이'라고 한단다.
②	딸: 아빠, 저기 봐요. 장미꽃을 예쁘게 피었어요. 아빠: '장미꽃이 예쁘게 피었어요.'라고 말해야 올바른 표현이란다.
③	딸: 아빠, 왜 다들 저를 '지수(智秀)'라고 불러요? 아빠: 네가 지혜롭고 빼어나게 자라길 바라며 우리 모두 널 그렇게 부르자고 정한 거야.
④	딸: 아빠, 심심해요. 재미난 이야기 좀 해 주세요. 아빠: 옛날에 한 처녀가 연못가에서 빨래를 하고 있었어. 그런데 말이야…….
⑤	딸: 아빠는 스마트폰을 언제부터 사용했어요? 아빠: 스마트폰이 대중화된 지는 얼마 되지 않아. 아빠가 어렸을 때는 '스마트폰'이라는 낱말도 없었단다.

서술형

02 (다)를 다음과 같이 요약할 때, 빈칸에 들어갈 알맞은 말을 쓰시오.

> 이처럼 새로운 낱말이나 문장을 끊임없이 만들어 낼 수 있는 특성을 언어의 (   )이라고 한다.

03 ⓐ와 관련 있는 언어의 본질로 적절한 것은?

① 언어의 자의성
② 언어의 역사성
③ 언어의 창조성
④ 언어의 법칙성
⑤ 언어의 사회성

04 다음 중 언어 변화의 원인이 ⓑ와 같은 것은?

① 태산이 높다 하되 하늘 아래 <u>뫼</u>이로다.
② <u>불휘</u> 깊은 나무는 바람에 흔들리지 않는다.
③ 세종은 백성을 <u>어여삐</u> 여겨 한글을 만들었다.
④ 요즘 연예인들은 <u>누리꾼</u>들의 반응에 민감하다.
⑤ 가난한 개발 도상국 사람들을 위해 <u>공정 무역</u>을 해야 한다.

고난도 서술형

05 ㉠의 이유를 언어의 본질과 연관 지어 서술하시오.

> 닉은 펜을 집어서 자넷에게 건네주었다.
> "자……."
> 바로 그 순간에 세 번째 사건이 일어났다.
> 닉은 '펜'이라고 하지 않았다. 대신 "자…… 프린들."이라고 했다.
> "프린들?"
> ㉠<u>자넷은 볼펜을 받아 들며 '바보 아냐?' 하는 눈빛으로 닉을 쳐다보았다.</u>

조건
① 언어의 특성에 대한 구체적 설명을 쓸 것
② '의사소통'이라는 낱말을 포함하여 쓸 것

06~09 다음을 읽고, 물음에 답하시오.

| 3(2) 단원 |

가 사회자: 오늘은 지민이와 정우, 나라가 각 의견을 대표하는 토의자로 나와서 '축제 장터에서 무엇을 운영할까?'라는 주제로 토의해 보도록 하겠습니다.

나 나라: (지민이와 정우를 번갈아 보며) 지민이와 정우의 의견 잘 들었습니다. 둘 다 좋은 의견이라고 생각합니다. 특히 축제는 재미있어야 한다는 정우의 생각에 저도 동의합니다. 그런데 친구들이 즐겁게 참여하려면 개성 넘치는 가게를 운영하는 것이 좋지 않을까요? 그래서 저는 사진 찍기 체험장을 운영하는 것이 좋다고 생각합니다. 그리고 요즘 청소년들은 자신만의 특별한 사진을 갖고 싶어 한다는 내용의 신문 기사를 읽은 적이 있습니다.

다 정우: 설문 조사 결과를 보면, 여학생들과 달리 남학생들은 사진 찍기 체험장에 관심이 적다는 것을 알 수 있습니다. 남학생들이 많이 찾아오지 않을 것 같은데 사진 찍기 체험장이 제대로 운영될까요?

나라: 네, 좋은 지적입니다. 우선 여학생들의 참여율이 매우 높을 것 같아 사진 찍기 체험장을 운영하는 데에는 큰 문제가 없을 것입니다. 남학생들에게는 더욱더 적극적으로 홍보하여 다 함께 즐길 수 있는 축제를 만들 생각입니다.

라 사회자: 토의자들의 의견 잘 들었습니다. 지금까지의 의견을 바탕으로 청중의 질문과 의견을 들어보겠습니다.

민재: 벼룩시장 행사가 끝나고 남은 물건은 어떻게 처리할 것인지 궁금합니다.

지민: 남은 물건은 우리 학교 근처에 있는 자선 단체에 모두 기증할 생각입니다.

마 정우: 부탄가스 사용은 학교에서 금지하고 있습니다. 그래서 집에서 준비해 온 재료들로 김밥이나 샌드위치를 만들어 판매하거나 전기 제품을 이용하여 간단하게 만들 수 있는 토스트와 같은 음식을 판매할 생각입니다.

유미: (짜증 섞인 말투로) 요즘 누가 김밥이나 샌드위치를 사 먹으러 먹거리 가게에 오겠습니까? 정말 어이가 없습니다.

06 이와 같은 토의의 주제로 적절하지 않은 것은?

① 학교 담장에 어떤 벽화를 그릴 것인가?
② 겨울철 교복 위 외투 착용을 허용할 것인가?
③ 청소년들의 스마트폰 중독, 어떻게 예방할 것인가?
④ 우리말을 올바르게 사용하기 위한 방안은 무엇인가?
⑤ 에너지를 절약하기 위해 우리가 실천할 수 있는 일은 무엇인가?

07 이 토의를 통해 알 수 있는 내용이 아닌 것은?

① 논제는 '축제 장터에서 무엇을 운영할까?'이다.
② 학교 내에서는 부탄가스 사용을 금지하고 있다.
③ 토스트와 같은 음식은 요즘 학생들에게 인기가 없다.
④ 요즘 청소년들은 자신만의 특별한 사진을 갖고 싶어 한다.
⑤ 남학생들은 여학생들에 비해 사진 찍기 체험장에 대한 관심이 적다.

08 이 토의에 나타난 사회자의 역할로 적절한 것은?

① 발표를 경청하고 궁금한 점을 질문한다.
② 다른 참여자의 질의에 성실히 답변한다.
③ 논제를 제시하고 청중의 참여를 유도한다.
④ 타당한 근거를 들어 자신의 의견을 제시한다.
⑤ 참여자들이 논의한 결과를 공정하게 판정한다.

09 '나라'와 '유미'의 말하기 태도를 비교한 내용으로 적절한 것은?

① '나라'와 '유미' 모두 협력적인 태도를 보였다.
② '나라'와 달리 '유미'는 상대방을 존중하지 않았다.
③ '나라'와 달리 '유미'는 논점에서 벗어난 말을 했다.
④ '나라'는 '유미'와 달리 상대방의 견해를 반박했다.
⑤ '나라'는 '유미'와 달리 문제 해결에 소극적인 태도를 취했다.

10~13 다음을 읽고, 물음에 답하시오.

| 3(2) 단원 |

(가) 사회자: 지민이, 정우, 나라의 순서로 준비해 온 의견을 이야기해 주십시오.

지민: 저는 벼룩시장을 열었으면 합니다. 여러분도 잘 알다시피 벼룩시장은 온갖 중고품을 사고파는 만물 시장을 말합니다. 벼룩시장은 판매할 물건들이 집에서 쓰던 것이어서 준비하는 데에 많은 돈이 들지 않습니다.

(나) 나라: 벼룩시장은 단순하게 물건을 사고팔기만 해서 다른 가게에 비해 친구들이 별로 흥미를 느끼지 못할 것 같은데요. 대책은 있나요?

지민: 네. 먼저 친구들이 좋아할 만한 물건들을 사진으로 찍어 벼룩시장 홍보물을 만들면 친구들의 관심을 끌 수 있을 것입니다. 그리고 축제 기간에 경품 추첨 행사를 함께 진행하는 방법도 생각하고 있습니다.

(다) 수아: 대훈이 아버지께 공주 드레스 외에 다른 옷도 빌릴 수 있나요?

나라: 네, 더 빌릴 수 있다고 합니다. 자세한 것은 대훈이에게 직접 물어보면 어떨까요?

사회자: (대훈이를 쳐다보며) 그러면 대훈이의 이야기를 들어보겠습니다.

대훈: 아버지 가게에는 남학생들이 좋아하는 만화나 영화 주인공들의 의상뿐만 아니라 귀신과 같은 특수 분장을 할 수 있는 재료도 많이 있습니다.

(라) 하은: 그렇다면 저는 나라의 의견에 따르겠습니다. 사진 찍기 체험장에서 친구들과 재미있는 사진을 찍는다면 그 추억을 오랫동안 기억할 수 있을 것 같습니다.

지민: 저도 생각해 보니 사진 찍기 체험장을 운영해 보는 것이 평소에 쉽게 해 볼 수 없는 경험이라는 점에서 특별한 기억으로 남을 것 같습니다.

사회자: 먹거리 가게를 제안했던 정우의 생각은 어떻습니까?

정우: 먹거리 가게를 운영하지 못해서 아쉽긴 하지만, 많은 친구가 사진 찍기 체험장을 희망한다면 저도 그 의견을 기쁘게 받아들이겠습니다.

(마) 사회자: 지금까지 토의한 결과, 우리 반은 축제 장터에서  ㉠ 로 하였습니다.

10 이와 같은 토의에서 토의자를 평가하는 기준으로 적절하지 <u>않은</u> 것은?

① 논제가 무엇인지 정확히 파악하고 있는가?
② 근거를 들어 의견을 조리 있게 제시하고 있는가?
③ 적극적이고 진지한 의견 교환을 유도하고 있는가?
④ 문제 해결을 위해 협력적인 태도를 보이고 있는가?
⑤ 제안의 장단점을 파악해 질의에 적절히 답변하고 있는가?

11 이 토의에 대한 이해로 알맞지 <u>않은</u> 것은?

① '지민'은 준비 비용이 적게 든다는 근거를 들어 벼룩시장을 제안하고 있어.
② '나라'는 '지민'에게 벼룩시장의 단점을 보완할 대책이 있는지 질문하고 있어.
③ '대훈'은 자신이 제안한 사진 찍기 체험장의 장점을 파악하여 청중의 질의에 답하고 있어.
④ '하은'은 의견 합의를 위해 '나라'의 의견에 동의하며 자신의 의견을 적극적으로 제시하고 있어.
⑤ '정우'는 자신이 제안했던 의견과 다른 토의자의 제안을 능동적으로 수용하는 태도를 보이고 있어.

12 이 토의의 절차가 〈보기〉와 같다고 할 때, ⓐ의 단계에 해당하는 문단을 모두 묶은 것은?

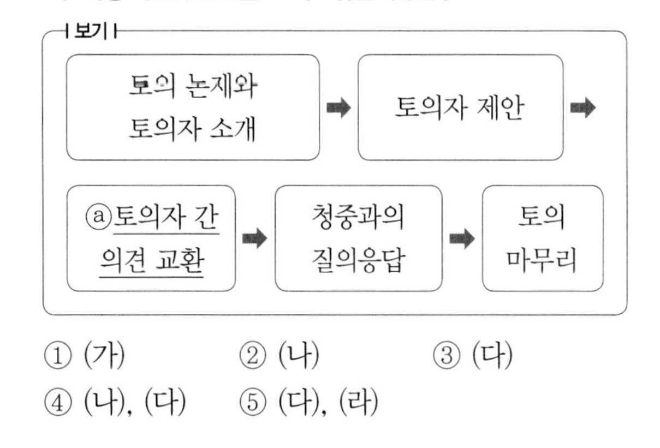

① (가) ② (나) ③ (다)
④ (나), (다) ⑤ (다), (라)

서술형

13 ㉠에 들어갈 이 토의의 결과를 4어절로 쓰시오.

14~18 다음 글을 읽고, 물음에 답하시오.

4(1)단원

가 큰 강은 길디길고도 넓디넓었다. ㉠뉴뉴의 집과 완의 집은 멀리서 서로 마주 보고 있었다. 강 이편에는 뉴뉴의 집 한 채뿐이었고, 강 저편에는 완의 집 한 채뿐이었다. 마치 끝도 없는 세상 속에 그 집 두 채만이 외떨어져 있는 것 같았다.

큰 강은 하루 종일 잔잔히 흘러갈 따름이었다. 가끔씩 멀리서 끼익하는 봉선의 노 젓는 소리가 들려왔지만, 그 소리는 적막 속에서 더 크게 울리며 강 끝 너머로 천천히 사라져 가곤 했다.

나 완은 뉴뉴를 향해 마름 열매가 든 두 손을 내밀었다. 하지만 뉴뉴는 손을 내밀지 않았다. 완은 마름 열매를 뉴뉴의 발아래 가만히 내려놓고는 뒤돌아 강 쪽으로 걸어가 버렸다. ㉡뉴뉴는 가냘픈 그의 등을 바라보며 꼼짝 않고 서 있기만 했다.

빨간 호리병박을 안고 있는 완의 눈동자에는 뭔지 모를 진심이 가득 차 있는 것만 같았다.

다 물은 두 아이 사이의 낯섦과 거리감을 모두 녹여 버렸다. 두 아이는 갈대 수풀 사이에서 우렁이를 잡기도 하고, 얕은 물가를 뛰어다니고 엎어지기도 하며 놀았다. 한번은 깊은 물속까지 들어가 얼굴만 내밀고 마주 서 있어 보기도 했다. 두 아이에겐 그 순간이 가장 멋진 시간이었다. 강물은 이상하게도 고요했다. ㉢두 아이는 한참 동안 서로의 눈동자를 바라보며 말없이 서 있었다.

라 "여기 우리 반 친구들하고 노는 거야."

뉴뉴는 완의 말을 이해할 수가 없었다.

㉣'여기는 아무것도 없는 작은 섬인데…….'

완은 백양나무 쪽으로 뉴뉴를 데리고 갔다. 그러고는 손가락으로 나무를 가리키며 이렇게 말했다.

"얘는 우리 반의 왕싼건이야."

그제서야 뉴뉴는 나무에 새겨진 글자를 발견했다. 거기에는 '왕싼건'이라는 세 글자가 새겨져 있던 것이다.

마 "내년 여름에도 나한테 수영을 가르쳐 줘야 해!"

뉴뉴가 말했다.

㉤"사실 지금도 넌 수영할 수 있어. 네가 겁을 먹어서 못할 뿐이지." / "그래도 내년에 또 가르쳐 줘!"

14 이 글에 대한 설명으로 적절하지 않은 것은?

① 큰 강을 낀 시골 마을을 배경으로 한다.
② 작가가 상상력을 바탕으로 꾸며 쓴 글이다.
③ 시간을 거슬러 가는 역순행적 구성을 취한다.
④ 작품 밖 서술자가 등장인물의 심리까지 서술한다.
⑤ 소년과 소녀의 맑고 순수한 우정과 사랑을 전달한다.

15 (가)~(마) 중, 다음 내용과 관계 깊은 문단은?

> 서정적인 문체로 시골 마을의 풍경을 아름답게 묘사해 독자를 작품 속의 세계로 자연스럽게 이끎.

① (가) ② (나) ③ (다) ④ (라) ⑤ (마)

서술형

16 '완'이 '뉴뉴'와 가까워지고 싶은 마음을 표현한 소재를 (나)에서 찾아 쓰시오.

17 (라)를 통해 짐작할 수 있는 '완'의 처지로 적절한 것은?

① 고향을 그리워한다.
② 꿈과 현실을 구분하지 못한다.
③ 자신을 떠난 아버지를 기다린다.
④ 소중한 친구를 잃은 경험이 있다.
⑤ 학교 친구들과 잘 어울리지 못한다.

18 ㉠~㉤에 대한 설명으로 적절하지 않은 것은?

① ㉠: '완'과 '뉴뉴'가 마주 보며 서로에게 관심을 느끼고 있다.
② ㉡: '뉴뉴'는 어떻게 해야 할지 망설이고 있다.
③ ㉢: '완'과 '뉴뉴'가 친밀감을 느끼고 있다.
④ ㉣: '뉴뉴'는 '완'의 말을 이해하지 못해 당황해하고 있다.
⑤ ㉤: '완'은 '뉴뉴'가 수영을 잘할 수 있다고 확신하고 있다.

19~22 **다음 글을 읽고, 물음에 답하시오.**

| 4(1) 단원 |

가 뉴뉴는 이 강이 너무나 크다는 사실을 처음으로 깨달았다. 뉴뉴는 다시 완을 쳐다보았다. 완은 무표정한 얼굴로 앞만 바라보고 있었다. / "우리 돌아가자!"

"앞으로 가나 돌아가나 멀기는 마찬가지야."

"그래도 무서워." / 완은 그래도 계속 앞쪽만 바라보고 있었다. 그는 무언가 결단을 내린 듯했다.

"무섭다니까……." / "무섭긴 뭐가 무서워!"

갑자기 완이 뉴뉴를 꼭 끌어안더니 뉴뉴의 손에 들린 호리병박을 낚아챘다. 뉴뉴는 날카로운 비명을 지르며 물속으로 가라앉았다.

나 "사람 살려!" / 뉴뉴의 입으로 물이 쏟아져 들어왔다. 벌컥벌컥 물을 삼키던 뉴뉴는 정신없이 목구멍을 타고 넘어가는 물에 숨이 막혀 고통스럽게 기침을 해댔다. ㉠<u>그래도 완은 뉴뉴를 건져 주지 않았다.</u>

다시 한번 물 위로 솟아오른 뉴뉴는 원망의 눈초리로 완을 쳐다보았다. 밭에서 일을 하던 사람들이 고함 소리에 강가로 달려왔다. 순식간에 사방이 소란스러워졌다.

다 뉴뉴는 완을 향해 소리 질렀다.

"사기꾼! 넌 거짓말쟁이 사기꾼이야."

말을 마친 뉴뉴는 엄마 품으로 뛰어들며 온몸을 떨면서 엉엉 울었다. / "뉴뉴, 괜찮아. 뉴뉴! 무서워할 것 없어!"

엄마는 뉴뉴를 다독이며 이렇게 말했다.

완은 고개를 떨군 채 그저 서 있는 수밖에 없었다.

라 뉴뉴는 다시는 강가로 나오지 않았을 뿐만 아니라, 강 쪽으로는 쳐다보지도 않았다. 뉴뉴는 외할머니 댁으로 갔다. 거기서 남은 여름 방학을 보내기로 한 것이다.

하루는 점심을 먹는 자리에서 외할머니께서 아이들에게 ⓐ<u>어린 시절 이야기</u>를 들려주셨다.

마 뉴뉴는 모든 것을 잊고 물속으로 뛰어들어 헤엄쳐 나아갔다. 그녀는 가라앉지 않았을 뿐만 아니라 헤엄도 아주 잘 쳤다. 그녀의 수영 실력은 이미 강을 건널 수 있을 정도였던 것이다.

바 개학하기 전날 황혼 녘, 뉴뉴는 갈대숲에 걸려 있던 빨간 호리병박을 풀어 주었다. 그리고 빨간 호리병박은 반짝반짝 빛을 내면서 그렇게 황혼 속으로 떠내려갔다.

19 **이 글을 성장 소설로 볼 수 있는 까닭으로 가장 적절한 것은?**

① '완'이 스스로 심리적 상처를 회복하는 과정을 나타내고 있기 때문이다.
② '뉴뉴'가 '완'의 마음을 깨닫고 내면적으로 성장하는 모습을 보이고 있기 때문이다.
③ '완'과 '뉴뉴'가 편견 없이 친구가 되는 과정을 통해 성숙한 인간상을 그려 내고 있기 때문이다.
④ '완'이 자신의 잘못된 행동을 책임지고 마을을 떠나는 어른스러운 모습을 보이고 있기 때문이다.
⑤ '완'과 '뉴뉴'를 통해 만남과 헤어짐은 언제나 연결되어 있다는 인생의 진리를 전달하고 있기 때문이다.

20 **(가)~(다)에 나타난 '뉴뉴'의 심리 변화로 알맞은 것은?**

① 설렘 → 원망 → 분노
② 겁남 → 놀람 → 절망
③ 두려움 → 공포 → 원망
④ 무서움 → 얄미움 → 괴로움
⑤ 답답함 → 안타까움 → 속상함

서술형

21 **'완'이 ㉠과 같이 행동한 이유를 쓰시오.**

22 **ⓐ가 다음과 같다고 할 때, '외할머니'의 역할로 적절한 것은?**

> 아버지가 강 한가운데에서 나무 대야를 뒤집어 물에 빠뜨린 일로, '외할머니'는 이후에 물에 대한 두려움을 극복하고 수영을 잘할 수 있게 됨.

① '완'과 '뉴뉴'의 갈등을 심화한다.
② '완'과 '뉴뉴'의 화해를 방해한다.
③ 불안하고 공포스러운 분위기를 조성한다.
④ '뉴뉴'의 고민을 해결할 대안을 직접 제시한다.
⑤ '뉴뉴'가 '완'의 진심을 깨닫게 되는 계기를 제공한다.

23~26 다음 글을 읽고, 물음에 답하시오.

4(2) 단원

가 고등학교 때나 대학 때 친구들과 주고받았던 편지, 공책, 시험지 등 태곳적 물건들 가운데 아주 낡은 와이셔츠 갑 하나가 끼여 있었다.

열어 보니 신기하게도 초등학생 때의 물건들이 담겨 있었다. 어렴풋이 생각나는 것이, 어렸을 때 '생명'보다 더 아낀다고 생각했던 보물 상자였다. 동생들과 싸워 가면서 모았던 예쁜 구슬, 이런저런 상장들, 내가 좋아했던 만화가들의 만화를 흉내 내 그린 그림들, 그리고 맨 바닥에는 '3학년 7반 47번 장영희'라고 쓰인 일기장이 있었다.

나 제목: ㉠엄마의 눈물

오늘 아침에도 엄마가 연탄재 부수는 소리에 잠이 깼다. 살짝 문을 열어 보니 밤새 눈이 왔고 엄마가 연탄재를 양동이에 담고 계셨다. 올해는 눈이 많이 와서 우리 집 연탄재가 남아나지 않겠다. 학교 갈 때 보니 엄마가 학교까지 몇 번이나 왔다 갔다 하면서 깔아 놓은 연탄재 때문에 흰 눈 위에 갈색 선이 그어져 있었다. 그 위로 걸으니 별로 미끄럽지 않았다. 하지만 올 때는 내리막길인데다 눈이 얼어붙는 바람에 너무 미끄러워 엄마가 나를 업고 와야 했다. 내가 너무 무거웠는지 집에 닿았을 때 엄마는 숨을 헐떡거리고 이마에는 땀이 송송 나 있었다. 추운 겨울에 땀 흘리는 사람! 바로 우리 엄마다. 그런데 나는 문득 엄마의 이마에 흐르는 그 땀이 눈물같이 보인다고 생각했다. 나를 업고 오면서 너무 힘들어서 우셨을까? 아니면 또 '나 죽으면 넌 어떡하니.' 생각하면서 우셨을까? 엄마 20년만 기다려요. 소아마비는 누워서 떡 먹기로 고치는 훌륭한 의사 되어 내가 엄마 업어 줄게요.

다 아침마다 우리 여섯 형제는 제각각 하루의 시작을 위해 대전쟁을 치렀는데, 어머니는 항상 내 차지였다. 다리 혈액 순환이 잘되라고 두꺼운 솜을 넣어 직접 지으신 바지를 아랫목에 넣어 따뜻하게 데워 입히시는 일에서 시작하여 세수, 아침 식사, 그리고 보조기를 신기시는 일까지, 그야말로 완전 무장을 하고 나서 우리 모녀는 또 '학교 가기' 전투를 개시하는 것이었다.

23 이와 같은 글을 쓸 때 유의할 점으로 적절하지 <u>않은</u> 것은?

① 가치 있는 경험을 글감으로 선정한다.
② 자신이 겪은 경험을 진솔하게 표현한다.
③ 독자가 공감할 수 있도록 올바른 가치관을 담는다.
④ 독자를 고려해 경험한 내용을 간단하게 제시한다.
⑤ 자신의 삶을 진지하게 성찰하여 얻은 깨달음을 쓴다.

24 글쓴이가 이 글을 쓴 과정을 짐작한 내용으로 적절하지 <u>않은</u> 것은?

① 우주: 일기장을 살펴보며 다른 사람과 나누고 싶은 경험을 발견했겠지.
② 유리: 자신의 경험에 대해 '어머니'께서 느낀 점을 짐작하여 정리했을 거야.
③ 서빈: 쓸 내용을 '처음－가운데－끝'의 단계를 고려하여 짜임새 있게 구성했을 거야.
④ 나연: 내용을 효과적으로 전달할 수 있는 표현 방법을 활용하여 경험이 잘 드러나게 표현했을 거야.
⑤ 주하: 글을 다 쓴 후에 다시 한번 꼼꼼하게 읽어 보며 자연스럽지 못한 표현을 찾아 고쳐 썼을 거야.

서술형

25 글쓴이의 처지를 짐작하게 하는 소재를 (다)에서 찾아 3음절로 쓰시오.

26 ㉠이 의미하는 바로 적절한 것은?

① 죽은 남편에 대한 그리움
② 자식을 위한 헌신적인 노력
③ 소녀처럼 순수하고 여린 마음
④ 딸의 꿈을 지켜 주고 싶은 소망
⑤ 가족들을 부양해야 한다는 책임감

27~30 다음 글을 읽고, 물음에 답하시오.

4(2) 단원

가 초등학교 3학년 때까지 어머니는 나를 업어서 데려다주셨지만, 그것으로 끝나는 게 아니었다. 화장실에 데려가기 위해 두 시간에 한 번씩 학교에 오셔야 했다. 그 때 일종의 신경성 유뇨증 같은 것이 있었는지, 어머니가 오셨을 땐 가고 싶지 않던 화장실도 어머니가 일단 가시기만 하면 갑자기 급해지는 것이었다. 그 때문에 어머니는 항상 노심초사, 틈만 나면 학교로 뛰어오시곤 했다.

나 어머니와 내가 함께 걸을 때면 ⓐ<u>아이들</u>이 쫓아다니며 놀리거나 내 걸음을 흉내 내곤 하였다. 지금 생각하면 신기하게도 초등학교에 들어갈 즈음에는 철이 없어서였는지 아니면 그 반대였는지, 적어도 겉으로는 그 놀림을 무시할 수 있었다. 오히려 일부러 보조기 구둣발 소리를 크게 내며 앞만 보고 걷곤 했다.

그러나 어머니는 쉽사리 익숙해지지 못하셨다. 아이들이 따라올 때마다 마치 뒤에서 누가 총이라도 겨누고 있는 듯, 잔뜩 긴장한 채 머리를 꼿꼿이 쳐들고 걸으시다가 어느 순간 홱 돌아서서 날카롭게 "그만두지 못해! 얘가 너한테 밥을 달라던, 옷을 달라던!" 하고 말씀하시곤 하셨다.

다 언제나 조신하고 말 없는 어머니였지만, 기동력 없는 딸이 이 세상에 발붙일 수 있는 자리를 마련하기 위해서는 목숨 바쳐 싸워야 한다고 생각한 억척스러운 전사였다.

눈이 오면 눈 위에 연탄재를 깔고, 비가 오면 한 손으로는 딸을 받쳐 업고 다른 한 손으로는 우산을 든 채 딸의 길과 방패가 되는 어머니의 하루하루는 슬프고 힘겨운 싸움의 연속이었다.

그뿐인가, 걸핏하면 했던 수술과 수술 후 두세 달씩 이어졌던 병원 생활, 상급 학교에 갈 때마다 장애가 있다고 하여 입학시험을 보는 것조차 허락하지 않던 ⓑ<u>학교들</u>……. 나 잘할 수 있다고, 제발 한 자리 끼워 달라고 애원해도 자꾸 벼랑 끝으로 밀어내는 세상에 그래도 악착같이 매달릴 수 있었던 것은 어머니 때문이었다.

라 오늘도 어디에선가 걷지 못하거나 보지 못하는 자식을 업고 눈물 같은 땀을 흘리며 끝없이 층계를 올라가는 어머니, "나 죽으면 어떡하지." 하며 깊이 한숨짓는 어머니, '정상'이 아닌 자식의 손을 잡고 다른 사람들의 눈총을 따갑게 느끼며 머리를 꼿꼿이 쳐들고 걷는 어머니, 이 용감하고 인내심 많고 씩씩하고 하느님 같은 어머니들의 외로운 투쟁에 사랑과 응원을 보내며 보잘것없는 이 글을 나의 어머니와 그들에게 바친다.

27 이 글을 통해 알 수 있는 내용이 <u>아닌</u> 것은?

① '나'는 자주 병원에서 수술을 받곤 했다.
② '나'는 '나'를 놀리는 아이들을 무시하였다.
③ '어머니'와 달리 '나'는 학교에 가는 일이 즐거웠다.
④ 평소 조신한 '어머니'지만 '나'에 대한 일에는 억척스러웠다.
⑤ '나'는 학교 화장실에 갈 때마다 '어머니'의 도움을 받아야 했다.

28 이 글을 읽어 보라고 추천하기에 가장 적절한 사람은?

① 장애가 있는 엄마를 부끄러워하는 희정
② 부모의 희생적 사랑을 당연시하는 승찬
③ 과정보다 결과만을 중요하게 여기는 은수
④ 부모와 상의 없이 상급 학교 진학을 결정한 주연
⑤ 자신이 지닌 단점 때문에 사람들을 멀리하는 민혁

서술형

29 다음 설명에 해당하는 구절을 (나)에서 찾아 6어절로 쓰시오.

> 어린 시절 글쓴이가 마음에 상처를 받을까 봐 조조해하시던 '어머니'의 모습을 비유적으로 표현함.

30 다음 광고 문구 중, ⓐ와 ⓑ를 본 독자가 자신의 삶을 성찰하기에 가장 알맞은 것은?

① 쓰면 쓸수록 숲이 지워집니다.
② 독서보다 좋은 학력은 없습니다.
③ 계급은 폭력의 무기가 아닙니다.
④ 서로 다른 색이 모여 하나를 만듭니다.
⑤ 효(孝), 부모님을 사랑하고 공경하는 마음입니다.

MEMO

온라인강의 **무료체험권**이 들어 있습니다.

visang

발행일 2018년 5월 1일
펴낸날 2018년 5월 1일
펴낸곳 (주)비상교육
펴낸이 양태회
신고번호 제 2002-000048호
출판사업총괄 최대찬
개발총괄 김희정
개발책임 구세나
디자인책임 김재훈
영업책임 이지웅
마케팅책임 김동남
품질책임 석진안
대표전화 1544-0554
주소 서울특별시 구로구 디지털로33길 48
대륭포스트타워 7차 20층

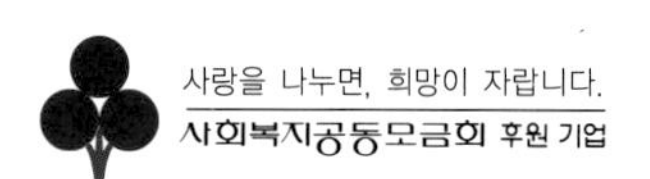